DE TÉLÉMAQUE
A CANDIDE

DU MÊME AUTEUR

1908 : *Le Grand Condé à Bourges.*

1911 : FÉNELON : *Explication des Maximes des Saints,* éd. critique, publiée d'après des documents inédits. — P. Bloud, 373 pp. (Ac. Fr. Prix Saintour).

1912 : Extraits de FLEURY : *Mœurs des Israélites.* — P. Bloud, 64 pp.

1918 : *Fénelon au XVIIIᵉ siècle en France : son prestige, son influence.* — P. Hachette, XIX, 694 pp. (Ac. Fr. Prix Bordin).
Supplément : Tableaux Bibliographiques.
FÉNELON : *Explication des Articles d'Issy,* éd. critique. — P. Hachette XVIII-176 pp.

1920 : FÉNELON : *De l'Éducation des Filles,* éd. classique. — P. Hachette XXXIII-186 pp.

1921 : *En relisant après la guerre Bazin, Bourget, Barrès.* — P. de Gigord, VII-220 pp.

1925 : FÉNELON : *Œuvres choisies,* avec Introduction, Bibliographie, notes, grammaire et lexique, illustration documentaire. P. Hatier, XVI-686 pp.
Histoire de l'idée de tolérance : Un aventurier religieux, A. M. RAMSAY (1686-1742). — P. Perrin, XVI-208 pp. (Académie des Sciences Morales et Politiques, Récompense sur le legs Audiffred).

1928 : *Rendons nos foyers heureux.* — P. Ed. du Foyer français, 105 pp.

1929 : *Rancé.* — P. Flammarion, 200 pp.

1932 : *De Télémaque à Candide.* — P. de Gigord, 500 pp.

1934 : *Fénelon, ou la religion du Pur Amour.* — P. Denoël et Steele, 283 pp.

1935 : *Alfred Rébelliau.* — Bordeaux, Taffard.
Le P. Marie-Bernard, franciscain. — Ed. de la Revue franciscaine.
Mickiewicz, génie romantique. — Bordeaux, Taffard.
L'idéalisme anticatholique d'E. Quinet. — Bordeaux, Taffard.
La pensée de Machiavel en France. — P. l'Artisan du Livre, 347 pp. (Ac. Fr. Prix d'Académie).

1940 : *La prose poétique française.* — P. l'Artisan du Livre, 288 pp. (Ac. Fr. Prix d'Académie).

1942 : *Déceptions et confiances de Voltaire.* — Bordeaux, Picquot, 200 pp.

1945 : *La Basse-Auvergne.* — Bordeaux, Picquot.

HISTOIRE DE LA LITTÉRATURE FRANÇAISE

publiée sous la direction de

J. CALVET

doyen honoraire de la Faculté libre des lettres de Paris

De Télémaque
à Candide

par

Albert CHÉREL

correspondant de l'Institut de France

del DUCA

2 rue des Italiens, Paris

© 1958, ÉDITIONS MONDIALES, DEL DUCA, PARIS.

CHAPITRE PREMIER

LES AVENTURES DE TÉLÉMAQUE

Ainsi donc l'œuvre d'un archevêque serait le premier livre, et le plus populaire, du XVIIIᵉ siècle, du siècle où la France se détache du Christianisme ! Quel scandale, n'est-ce pas, quel paradoxe !

Ne soyons jamais déconcertés par des faits : cherchons plutôt à les comprendre. C'est un fait que, depuis sa publication en 1699 jusqu'en 1760 au moins, *Télémaque* a été le livre imprimé le plus fréquemment, le plus longuement commenté; chaque année, un romancier ou deux le plagiaient ou l'imitaient, sans que le public fît autre chose que sourire d'aise, au passage des réminiscences. Bien mieux : à mesure que le siècle se déroule, renouvelant idées et sentiments, le charme et l'intérêt profond de *Télémaque* se renouvellent, aux yeux toujours séduits de ses lecteurs. On le goûtait d'abord comme un livre à clefs; bientôt, dans les dernières batailles des Anciens et des Modernes, il satisfit à la fois les deux groupes adversaires, étant une *Suite de l'Odyssée*, mais en prose. Les amateurs de pédagogie, qui vont se multipliant, applaudissent aux édifiants conseils de Mentor; cependant que les gourmands de plaisir ressentent avec délices, à la description de la grotte de Calypso, « un petit mouvement de volupté et de paresse ». A l'usage de Louis XV enfant, Massillon reprend, en les faisant toutes pathétiques et persuasives, les invectives de Mentor contre les mauvais rois épris du luxe et de la guerre. Les admirateurs de l'abbé de Saint-Pierre remarquent que ses « bienfaisants » *Projets* développent et précisent à leur manière le code de Salente. Et le prince royal de Prusse, désireux de faire sa cour aux âmes sensibles et aux philosophes de France, entreprend un *Anti-Machiavel* dévotement fénelonien. En 1747 la publication de l'âpre *Examen de conscience pour*

un roi porte l'attention reconnaissante du public sur les duretés
que les réquisitoires de Mentor assénaient à Idoménée.

Dans la permanence de ce prestige faut-il voir un symptôme de
l'esprit conservateur des Français, si constants en dépit de leur
légèreté proverbiale et de leur légendaire irrévérence ? Faut-il y
voir une paresse de l'esprit, acceptant les gloires toutes faites ? ou
simplement l'aveu de la supériorité de *Télémaque* sur toutes les productions romanesques ou épiques de ce temps-là ? Sans doute aussi
les philosophes ont-ils « tiré à eux » *Télémaque* et son auteur, comme
Sainte-Beuve l'a bien observé sans trop chercher les causes profondes de leur manœuvre.

Cette constatation en effet ne suffit pas, non plus que des généralités de moraliste. Il est impossible que la légende de Fénelon
se soit créée et maintenue comme elle l'a fait au xviii° siècle et qu'à
ce saint invoqué par les philosophes *Télémaque* ait servi d'auréole,
s'il n'y avait pas eu quelque parenté, quelque sympathie foncière
entre Fénelon et ses panégyristes.

Une telle parenté, M. Lanson la découvre dans l'esprit de système et d'observation à la fois, commun à Fénelon et aux hommes
du xviii° siècle. L'essentiel trait commun à mon sens, c'est l'union,
chez l'un et chez les autres, de l'esprit romanesque et de l'esprit
positif.

Dans la première moitié du xviii° siècle on ne va généralement
pas chercher de *pré-romantisme*. Le grand règne, le long règne
s'achève dans le calme, malgré les dangers de la guerre de Succession
d'Espagne, dont bien peu souffrent vraiment; malgré les discussions sur la Bulle *Unigenitus*, qui sont chicanes et résistances enté-
tées, ne laissant guère de place à la fantaisie, non plus qu'aux
troubles du cœur. La Régence est un carnaval ou une saturnale,
à Paris. Quoi de plus sec, que les argumentations rationalistes qui,
dans le *Mercure de France* par exemple, prolongent la Querelle des
Anciens et des Modernes ? *La Henriade*, les tragédies de Crébillon
et les tragédies de Voltaire, sans parler des *Odes* de J.-B. Rousseau,
sont composées sur recette classique le plus froidement du monde.
Le héros des fêtes d'esprit que donnent les Salons est Fontenelle,
l'homme dont le cœur est un second cerveau. L'auteur des *Lettres
Persanes*, celui des *Lettres Philosophiques*, sont-ils des âmes incer-
taines ? Ils brillent, ils étincellent, ils piquent, ils tranchent : peut-
on dire qu'ils fassent rêver ? L'*Encyclopédie* qui se monte en machine
de guerre chez le libraire Le Breton aux alentours de 1730, est-elle
sentimentale ? Raison, réformes pratiques, sciences abstraites, sciences
d'observation, amour et jouissance du luxe, querelles jansénistes, intri-

gants de cour, intrigants de lettres, où peut bien être l'esprit romanesque en tout cela ? L'amour de Louis XV pour Mme de Pompadour est-il romanesque ? Les frères Pâris sont-ils des héros de roman ? Locke, le *sage* Locke comme on l'appelle alors, est-il goûté pour un autre mérite que pour son réalisme, son sens étroitement positif ?

Et pourtant, et en même temps, cette période justement réputée si sèche de notre littérature et de notre pensée française, si volontairement gouailleuse et raisonneuse, est à sa façon, et de plusieurs façons, idéaliste, sentimentale et fantasque. Si l'esprit romanesque consiste — selon la célèbre formule de ce Jean-Jacques qui en la matière est une autorité si grave — à n'apercevoir « *rien de beau que ce qui n'est pas* », à « peupler la terre d'êtres selon son cœur », à se complaire hors du présent, hors du devoir présent, à s'élancer, à s'évader sans cesse, à perdre de vue, par griserie ou par somnolence, la vraie condition des forces humaines, à jouir de son illusion, à tâcher d'y convertir autrui, à s'en meurtrir, est-il possible, en vérité, de refuser l'esprit romanesque, plusieurs sortes d'esprit romanesque, à ces quelque cinquante années au seuil desquelles est né *Télémaque*, durant lesquelles les Jésuites vantent l'excellence de l'âme chinoise ou même de l'âme païenne, tandis que Massillon s'extasie sur les grandes âmes françaises; que Lamothe-Houdar s'enthousiasme pour la Raison, Fontenelle pour la Science, Voltaire pour les Anglais, naïvement, éperdument, sans critique, ces esprits critiquants, et très crédulement, ces incrédules ! Mme de Tencin est moins romanesque dans sa conduite que les héros de ses romans. Mais Prévost, dans son inoubliable *Manon,* ne parle-t-il pas de l'abondance de son cœur et de son expérience amoureuse ? Le marivaudage aurait-il tant de charme pour nous encore, s'il n'était que subtile escrime galante ? On ne pleurait pas aux comédies de la Chaussée : du moins on y « larmoyait »; et l'on versait des « torrents de larmes » à *Zaïre.* Grâce à Prévost et à Desfontaines on s'éprenait des romans anglais, et Richardson commençait à hanter mélodramatiquement les rêves de nos belles. D'Angleterre nous viennent alors quelques souffles idéalistes de liberté, que Montesquieu recueille et avive en lyriques épigrammes. Les romanciers se font les éducateurs du public, ils ont l'ambition ou l'illusion d'agir à travers la fantaisie sur les consciences. Il faut bien que tout cet optimisme ait été violent, que cette confiance ait été ingénue, pour que le tremblement de terre de Lisbonne ait suffi à déconcerter Voltaire, et désormais l'ait voué au « hideux sourire », au sarcasme de *Candide.*

Ils avaient eu, les hommes de pensée et les mondains, ils avaient confiance en la Raison. Non pas en cette raison distante de toute réalité extérieure, étrangère à toutes les conditions de la vie, que Taine nomme la raison « classique ». En une raison au contraire, en une méthode plutôt, n'argumentant contre les idées reçues, — les « préjugés » — qu'à coups de faits. Ah ! il est bien passé, l'âge des moralistes à lentes analyses, à longues périodes, à grandes leçons générales ! Perrault, dans ses *Parallèles* irrévérencieux et précis, les avait un peu démodés. C'est Bayle, qui a succédé aux sermonnaires dans l'engouement du public : on fait queue, on retient sa place, on se bat, pour consulter cette *Somme* de faits qu'est son *Dictionnaire*. Fontenelle, pour discréditer l'esprit de préjugé, s'abstient de discours, certes : il conte, simplement, l'anecdote de la *Dent d'or*. Et Voltaire l'impatient, l'insatisfait, va bientôt écrire : « *Au fait !* est ma devise... »

*
**

Et maintenant, relisons *Télémaque*.

Epopée ou roman, qu'il était romanesque, pour l'imagination de ses premiers lecteurs ! Il l'était d'abord, — ou même — par ses péripéties : par les aventures, très éducatives, qui redressent peu à peu l'âme du jeune prince, et l'instruisent, et l'épurent. Sans doute les réminiscences de *l'Odyssée*, et plus encore de *l'Enéide*, y fleurissent-elles à chaque pas en épisodes, en tableaux, en images qu'on pouvait croire réservées aux vers latins, mais auxquelles la plume alerte de Fénelon donne je ne sais quelle jeunesse miroitante. Mais justement l'imagination lettrée des lecteurs d'alors trouvait son délice à reconnaître Enée en Télémaque, Didon en Calypso, à revoir les vieilles *Descentes aux Enfers* et les *Tempêtes,* et tout cet Olympe de cour ou de salon avec lequel Virgile et Ovide l'avaient familiarisée.

Ces aventures, c'étaient aussi des voyages; et dans ces dernières années du grand règne, les voyages étaient à la mode, ou du moins les voyageurs, ceux qui revenaient d'Orient ou d'Extrême-Orient, avec mille anecdotes sur les mœurs étranges, les lois si différentes des nôtres, les notions religieuses peut-être voisines malgré la distance dans le temps comme dans l'espace, entre Confucius et le Christ. C'est alors qu'on lit avidement les récits de Bernier, puis de Chardin, et les *Lettres* innombrables où les missionnaires jésuites plaident la cause des *bons* Chinois et des *bons* sauvages devant les Français trop fiers de leur propre civilisation.

Les lecteurs de ce temps-là aimaient à la passion les contes de fées. Or le merveilleux de *Télémaque* est-il si différent de celui que Fénelon, tout le premier, avait employé dans ses Contes :

Histoire d'Alibée, Histoire de la reine Gisèle et de la fée Corysante,
ou *Voyage dans l'Ile des Plaisirs* ? Calypso n'est-elle pas une fée
jalouse ? ne vit-elle pas dans une sorte d'île enchantée, et Minerve,
sous la figure de Mentor, n'est-elle pas la bonne fée du fils d'Ulysse ?
Les lecteurs de ce temps-là raffolaient de l'opéra : La Bruyère
s'en lamente, en vain. La tragédie classique est trop « raisonnable » à leur gré, trop grave ou trop intellectuelle : Quinault et
Lulli ouvrent à leur imagination avide de sourires capiteux et délicats
la contrée des rêves élégants, *galants,* comme on disait, le même
mot exprimant le raffinement des manières et la sensibilité pres-
sante.

Or l'amour, dans *Télémaque,* n'est-il pas une passion d'opéra ?
Il apparaît trois fois, dans ces pages honnêtes, et chaque fois autour
de lui l'atmosphère est brillante, frémissante, comme musicale. C'est
d'abord la tentation, les trompeurs enchantements de Vénus, dans
l'île de Chypre :

> Tout à coup, je crus voir Vénus, qui fendait les nues dans son char
> volant conduit par deux colombes. Elle avait cette éclatante beauté,
> cette vive jeunesse, ces grâces tendres qui parurent en elle quand elle
> sortit de l'écume de l'Océan et qu'elle éblouit les yeux de Jupiter
> même. Elle descendit tout à coup d'un vol rapide jusqu'auprès de moi,
> me mit en souriant la main sur l'épaule et, me nommant par mon nom,
> prononça ces paroles : « Jeune Grec, tu vas entrer dans mon empire :
> tu arriveras bientôt dans cette île fortunée où les plaisirs, les ris et les
> jeux folâtres naissent sous mes pas. Là, tu brûleras des parfums sur mes
> autels; là, je te plongerai dans un fleuve de délices. Ouvre ton cœur
> aux plus douces espérances, et garde-toi bien de résister à la plus
> puissante de toutes les déesses, qui veut te rendre heureux.

Puis c'est la passion violente :

> Calypso avait les yeux rouges et enflammés; ses regards ne s'arrê-
> taient jamais en aucun endroit, ils avaient je ne sais quoi de sombre et
> de farouche. Ses joues tremblantes étaient couvertes de taches noires
> et livides; elle changeait à chaque moment de couleur. Souvent une
> pâleur mortelle se répandait sur tout son visage; ses larmes ne cou-
> laient plus, comme autrefois, avec abondance : la rage et le désespoir
> semblaient en avoir tari la source, et à peine en coulait-il quelqu'une
> sur ses joues. Sa voix était rauque, tremblante et entrecoupée.

Enfin, c'est l'amour raisonnable, profond, et toujours fleuri
d'images brillantes, couronné de fraîche mythologie :

> Ce qui me touche en elle, c'est son silence, sa modestie, sa retraite,
> son travail assidu, son industrie pour les ouvrages de laine et de bro-

derie, son mépris de vaines parures, l'oubli et l'ignorance même qui
paraît en elle de sa beauté. Quand Idoménée lui ordonne de mener les
danses des jeunes Crétoises au son des flûtes, on la prendrait pour la
riante Vénus, qui est accompagnée des Grâces. Quand il la mène avec
lui à la chasse dans les forêts, elle paraît majestueuse et adroite à tirer
de l'arc, comme Diane au milieu de ses nymphes... Quand on la voit,
avec une troupe de femmes, tenant en sa main une aiguille d'or, on
croit que c'est Minerve même qui a pris sur la terre une forme humaine
et qui inspire aux hommes les beaux-arts : elle anime les autres à
travailler, elle leur adoucit le travail et l'ennui par le charme de sa
voix, lorsqu'elle chante toutes les merveilleuses histoires des dieux, et
elle surpasse la plus exquise peinture par la délicatesse de ses broderies...

Il y a plus : chez Quinault, dans *Cadmus* par exemple ou dans
les *Fêtes de l'Amour et de Bacchus*, la campagne, la nature était
présentée comme le véritable séjour du plaisir :

> Ici l'ombre des ormeaux
> Donne un teint frais aux herbettes,
> Et les bords de ces ruisseaux
> Brillent de mille fleurettes.
> . . . .
> La voix des oiseaux nous appelle,
> Nos champs sont éclairés,
> Nos côteaux sont dorés,
> Tout brille de l'éclat de la clarté nouvelle !
> Mille fleurs naissent dans nos prés.
> Que l'astre qui nous luit rend la nature belle !

Sans cesse on célèbre la *douceur charmante* de ces *lieux pleins
d'appas; sans cesse prairies* rime avec *fleuries*. Les héros hésitent à
quitter des *rivages si beaux*, où souffle le *plus doux zéphire,* où ils
jouissent des *plaisirs innocents*, où les moutons peuvent paître *sans
crainte*, où évoluent avec tant de noble grâce les *troupes d'habitants
de l'île enchantée, de nymphes, de pasteurs, de divinités champêtres.*
Ne la reconnaissez-vous pas, cette nature de fête galante, dans
l'île de Calypso ? Là aussi, sur ces « bords enchantés », sourient
et scintillent avec une apparence de simplicité rustique, des « objets
propres à charmer les yeux ». Doux zéphyrs, délicieuse fraîcheur,
doux murmure des fontaines, fleurs naissantes, pommes d'or, voilà
la « belle nature », les « beautés naturelles » parmi lesquelles
Calypso accueille Télémaque; et les nymphes servent un repas
« simple, mais exquis »; « un vin plus doux que le nectar coulait
des grands vases d'argent dans les tasses d'or couronnées de fleurs »;
et quatre jeunes nymphes se mettent à chanter...
Cependant *Télémaque* est romanesque d'une autre manière, plus

profonde celle-là, plus nuancée, plus durable, qui nous touche encore ou nous émeut : il est la confidence, l'écho d'une âme ardente, mobile, prompte à l'espoir et à la décision, opiniâtre dans ses affections et ses rêves, romanesque et positive à la fois.

Jeune, Fénelon « avait une sorte de langueur, mais des nerfs agiles, une sensibilité fine et toujours en éveil » (Strowski). A vingt-huit ans voyez-le s'exalter, mi-plaisant, mi-sérieux, dans cette lettre à Bossuet, en 1679 :

Divers petits accidents ont toujours retardé jusqu'ici mon retour à Paris; mais enfin, Monseigneur, je pars, et peu s'en faut que je ne vole. A la vue de ce voyage, j'en médite un plus grand. La Grèce entière s'ouvre à moi; le Sultan effrayé recule; déjà le Péloponnèse respire en liberté, et l'église de Corinthe va refleurir : la voix de l'apôtre s'y fera encore entendre. Je me sens transporté dans ces beaux lieux et parmi ces ruines précieuses, pour y recueillir, avec les plus curieux monuments, l'esprit même de l'antiquité... Je ne t'oublierai pas, ô île consacrée par les visions du disciple bien-aimé ! O heureuse Patmos, j'irai baiser sur la terre les pas de l'apôtre, et je croirai voir les cieux ouverts !...

Mais voici que l'abbé gascon qui s'évertuait à dérider et à conquérir Bossuet a rencontré, à Meaux et en Poitou, un personnage qui va l'aider à se connaître lui-même, et à se former. C'est l'abbé Fleury, le « sage » Fleury, comme l'appellera d'Alembert : un chrétien à la vieille manière gallicane et française, bourru, franc, probe, dépourvu de tout respect humain, et de tout respect pour les grandeurs d'apparat et d'orgueil; d'ailleurs effacé, modeste, serviable, et ne livrant qu'au papier — Traité du choix des études, Mœurs des Israélites, Mœurs des chrétiens, — ses indignations d'Alceste documenté contre le siècle vaniteux et païen où il est condamné à vivre. Fénelon lit ou feuillette ces livres sans éclat, et, tout en plaisantant l'auteur et ses façons de « bonhomme simplet », il retient l'essentiel de cette œuvre et de cet esprit d'historien.

Fleury, qui sait « la grande différence qu'apporte dans les mœurs la distance des temps et des lieux », admire et regrette dans l'antiquité sacrée et profane « un excellent modèle de la vie humaine la plus conforme à la nature ». La vie « simple, frugale, laborieuse » des patriarches ne manquait pas de noblesse, pour être exempte « des vains titres et des cérémonies incommodes ». Les héros d'Homère n'en sont pas moins grands, lorsqu'ils « se servent eux-mêmes pour les besoins ordinaires de la vie ». Tout était simple chez les Anciens : les vêtements, faits « de grandes draperies » d'une seule pièce, avaient « plus de dignité et de vraie beauté »;

ils n'étaient pas chargés d'ornements incommodes, mais agrémentés
de franges et de quelques agrafes d'or ou de pierrerie aux endroits
« où elles étaient nécessaires ». Leur nourriture était naturelle :
« beaucoup de grains et de légumes, du lait et du miel, peu de
sauces et de ragoûts »; aussi leur humeur était-elle aimable et
sage, leur vie aisée et tranquille, leurs plaisirs sensibles et faciles :
« Ils n'en avaient guère d'autres que la bonne chère et la musique. » L'agriculture faisait leur vie « plus naturelle », et par
conséquent « plus heureuse », en leur donnant le goût des biens
réels. Ainsi, dans leur politique, ils s'appuyaient « beaucoup moins
sur la finesse, que sur la force effective... : ils travaillaient à peupler
et à cultiver leur pays..., ils pensaient moins au mal, et avaient
moins d'intérêt à mal faire ». Chimères que tout cela, dites-vous,
république de Platon ? Non : « C'est ainsi qu'a vécu la plus grande
partie du monde pendant près de quatre mille ans »; si les mœurs
ont changé la faute en est, chez nous, entre autres causes, à la
conquête germanique, qui a « mis la chasse en honneur au détriment de l'agriculture ». Nous nous croyons chrétiens : nous ne le
sommes qu'en apparence : « nous nous exerçons de bonne heure à
parler en héros ou en saints; mais la plupart n'en valent pas mieux
dans le fond, et se contentent de dissimuler leurs passions sans les
vaincre, ou même sans les combattre ». Surtout notre politique
n'est pas chrétienne, parce que nos politiques n'envisagent pas leur
devoir franchement, sans illusion sur eux-mêmes, sans faiblesse de
regard et de volonté. Ils se « laissent éblouir par les grands mots
de victoires, de triomphes ». Mais qu'ils « *voient la chose en elle-
même* » :

Le but de la politique est de rendre un peuple heureux. Un peuple
est composé de particuliers : donc pour connaître le bonheur que l'on
doit procurer à tout un peuple, il faut se former une idée distincte d'un
particulier heureux, autant que l'on peut communément l'être dans la
vie présente...
L'Etat le plus fort et le plus heureux est celui dont le peuple est
le plus laborieux...
Il vaut mieux subsister par ses propres forces, que par la faiblesse
d'autrui : donc un prince qui est fort chez soi par un peuple nombreux,
laborieux, aisé et soumis, n'a pas besoin d'intrigues et de finesses pour
affaiblir ses voisins ou les diviser...

Voilà les certitudes et les boutades d'érudit que Fénelon s'est
promis de transposer en prose lyrique. Son Mentor n'est pas seulement Minerve descendue de l'Olympe : c'est Fleury, le positif
Fleury, transfiguré.

Transfiguré par d'autres impressions, par une influence différente, par un rayonnement que Fénelon avait subi avec une ferveur exaltée, inébranlable : la spiritualité de Mme Guyon.

Elle combat l'amour-propre, la « propriété »; elle prêche l'abandon à Dieu, l'« enfance », la simplicité, la souplesse, la « négligence », l'esprit « aisé, libre, ingénu, naturel », dont elle trouve le reflet dans la nature, dans la campagne. Dans ses *Cantiques spirituels* quelle place ne tiennent pas les troupeaux, les bergers, le charme des coteaux, la fertilité des plaines, les « prés dont le vert charmant se couronne de fleurs », les « agréables ruisseaux au tendre murmure », et le « bel or des moissons »! que d'emblèmes à ses yeux de la Divinité! Elle aime dans la Nature ces mille occasions d'apercevoir, de sentir Dieu à son aise, et la « liberté » qu'elle y trouve si abondante de communiquer avec Lui.

Et puis Mme Guyon prophétise le règne du « Petit-Maître », de Jésus qui fera du duc de Bourgogne un prince tout mystique, tout éloigné des maximes « intéressées » de Louis XIV son grand-père.

L'ambition religieuse, le romanesque chrétien de la « prophétesse », voilà ce qui a donné l'accent, le chant, l'élan, aux grondeuses précisions venues à Fénelon de son premier « bienfaiteur ». Et telle est la confidence de *Télémaque*. A travers ses descriptions riantes et ses graves conseils, Fénelon semble nous dire : En vérité, j'ai cherché Dieu; j'ai suivi, pour l'atteindre, ceux qui m'en montraient la voie, si divers fussent-ils. Aux uns comme aux autres, à l'un comme à l'autre, j'ai rendu témoignage : lorsque j'ai dessiné exactement, non sans complaisance, mais fermement aussi, les traits de l'âge d'or dans ma Bétique, dans mon Egypte prospère, dans ma Salente régénérée; lorsqu'aux Enfers j'ai châtié les mauvais rois, surtout pour l'excès de leur amour-propre; lorsqu'au désert j'ai préparé le fils d'Ulysse à la contemplation mystique; et mon Triomphe d'Amphitrite n'est sans doute pas autre chose qu'une allégorie du passage radieux, sur les flots du monde, de la Grâce telle que Mme Guyon la présentait. Par mon livre j'ai voulu faire rentrer dans la politique du royaume la morale de l'Evangile qu'on en avait exclue.

Dessein précis assurément, réaliste. Pourquoi donc Fénelon, emporté par son rêve guyonien, a-t-il tenu, sans égard aux difficultés, aux incompatibilités des hommes et du moment, à présenter au souverain vieilli dans l'orgueil non pas seulement la morale chrétienne, mais, brusquement, « prophétiquement », une morale mystique, le détachement parfait, l'amour pur ?

Cette brusquerie cependant, ou cette confiance hardie, aventureuse, « chimérique », est un des charmes de *Télémaque*. Fénelon l'a bien senti, et il n'a pas omis ce trait original, lorsqu'au livre IX il s'est donné le plaisir de définir son propre style :

> Les paroles de Mentor, quoique graves et simples, avaient une viva-cité et une autorité qui commençaient à manquer à l'autre [Nestor]. Tout ce qu'il disait était court, précis et nerveux. Jamais il ne faisait aucune redite; jamais il ne racontait que le nécessaire pour l'affaire qu'il fallait décider. S'il était obligé de parler plusieurs fois d'une même chose pour l'inculquer ou pour parvenir à la persuasion, c'était toujours par des tours nouveaux et par des comparaisons sensibles; il avait même je ne sais quoi de complaisant et d'enjoué, quand il voulait se proportionner aux besoins des autres et leur insinuer quelque vérité.

Si désapproprié qu'il fût, n'a-t-il pas aussi pensé à sa propre phy-sionomie, lorsqu'il a dit d'Ulysse :

> Voilà ses yeux pleins de feu, et dont le regard était si ferme; voilà son air, d'abord froid et réservé, qui cachait tant de vivacités et de grâces; je reconnais même ce sourire fin, cette action négligée, cette parole douce, simple et insinuante, qui persuadait sans qu'on eût le temps de s'en défier.

*

Parole douce, simple, insinuante, grâces et vivacité, ardente flamme, réserve parfois, et « négligence », tous aspects de sa prose originale, de sa libre personnalité de poète dans le langage, les lan-gages de son poème en prose !

Il trouvait ainsi, ou il retrouvait, le secret alors oublié de notre prose poétique française. On a prétendu que Fénelon, dans *Télé-maque,* était grec d'esprit et de cœur. Nous ne savons guère s'il connaissait vraiment Homère et Démosthène autrement que par les traductions. Mais nous constatons bien qu'il échappait à l'emprise de la formule oratoire, du développement, de l'art littéraire des Latins.

Oui, sa phrase est insouciante envers l'exactitude et la rigueur. Visiblement, comme ce peintre que vante Mentor, il a composé « irrégulièrement et par saillies », selon que son « génie » l'exaltait : ici plein de verve, s'éblouissant, ou s'animant aux beaux spectacles; d'autres fois s'attardant, ou somnolant à la façon d'Homère...

Souplesse, évocation flatteuse d'objets précis par une âme atten-tive à leur charme, longueur des phrases et des membres de phrase exactement proportionnée sans roideur, plus aisément encore que dans les vers de La Fontaine, aux images, aux idées, aux sentiments

Gravure allégorique de Sébastien LECLERC
symbolisant les rêves politiques de Madame GUYON (1695)

en cause; choix spontané, « naturel », des sonorités, alternance presque toujours heureuse, et à peu près toujours chantante, des syllabes sourdes et des syllabes accentuées, rythme juste sans cesser jamais d'être souriant, tous ces motifs d'enchantement se trouvent réunis dès les premières lignes du poème, dès l'ouverture de cet opéra, pourrait-on dire :

Calypso ne pouvait se consoler du départ d'Ulysse. Dans sa douleur, elle se trouvait malheureuse d'être immortelle. Sa grotte ne résonnait plus de son chant; les nymphes qui la servaient n'osaient lui parler. Elle se promenait souvent seule sur les gazons fleuris dont un printemps éternel bordait son île; mais ces beaux lieux, loin de modérer sa douleur, ne faisaient que lui rappeler le triste souvenir d'Ulysse, qu'elle y avait vu tant de fois auprès d'elle. Souvent elle demeurait immobile sur le rivage de la mer, qu'elle arrosait de ses larmes; et elle était sans cesse tournée vers le côté où le vaisseau d'Ulysse, fendant les ondes, avait disparu à ses yeux.

Et l'on devrait aussi relire, — à haute voix — la description de la grotte, avec tout son détail miroitant, et ses larges formules aussi; et cette fête marine, où le char d'Amphitrite glisse sur la mer, triomphal; et, dans les avis de Mentor à Télémaque, ces mouvements persuasifs, affectueux sans être flatteurs, « flexibles et forts » en vérité, comme la voix qui les cadence et l'âme qui les veut. Et le rêve délicieux de la Bétique, le rêve de Salente, les funérailles d'Hippias, scandées comme un spectacle d'opéra, et la contemplation, la béatitude des bons rois aux Champs-Elysées.

Œuvre d'un artiste qui s'efface par principe d'art, par principe même de théologie, mais dont la personnalité religieuse et la personnalité littéraire pénètrent, colorent tout, l'ensemble comme les détails du langage et de la pensée, chant impersonnel et volontaire, *Télémaque* ne pouvait pas ne pas séduire et déconcerter, comme il l'a fait, deux siècles au moins de lecteurs...

CHAPITRE II

L'OPTIMISME DES JÉSUITES

Ils ont aimé, goûté, parfois imité Fénelon, les missionnaires des *Lettres édifiantes* et les bons régents humanistes. Ils ont prolongé le rayonnement de son prestige et de son influence : n'ont-ils pas eux aussi, à leur manière, flatté chez leurs auditeurs et lecteurs ce goût pour l'illusion documentée, que *Télémaque* satisfaisait déjà ?

Je n'intente pas un procès à ces héros de l'apostolat chrétien et français qu'ont été nos Jésuites du xviiᵉ siècle. En ce sujet délicat, je ne suis nullement un juge, et je n'ai même pas la prétention d'être vraiment un historien. Je sais combien l'on peut abuser des paroles les plus vraies : la formule du Christ *Mansiones multae sunt in domo Patris mei* signifie, dans l'Evangile, le large accueil que Dieu ouvre aux pécheurs, et nous détourne du désespoir : n'est-elle pas prise par Voltaire, et répétée à satiété dans sa *Correspondance*, comme le texte autorisant l'indifférence des religions ? Plus encore que le texte sacré, les orateurs et les écrivains religieux sont exposés à être interprétés contrairement à leurs intentions les plus chères, et les plus pures. Ils s'exposent eux-mêmes à ce danger peut-être, lorsqu'ils se laissent pénétrer de quelques illusions sur la faiblesse de l'Esprit malin, et bercer de quelque quiétude sur leur propre puissance.

Au xviiiᵉ siècle vraiment les griefs des *Provinciales* contre les Jésuites sont plus que jamais hors de saison. Qui donc maintenant, sauf quelques Jansénistes attardés en une routine enfiellée, songerait à leur reprocher une légendaire habileté, une politique sans scrupule, une admiration béate pour leur Compagnie et un désir de l'élever au-dessus des Nations et des Trônes, en faisant gauchir, çà et là, quelqu'un des dogmes terribles du Christianisme ? Si les

Jansénistes du temps des Convulsions avaient eu un Pascal, ce qu'il aurait reproché aux Révérends Pères cette fois, c'est de l'étourderie dans leur complaisance à l'esprit du monde; un manque de méfiance en face du rationalisme qui grandit, une insouciance souriante des dangers que courent la Foi et la société chrétienne. Essayez de suivre dans la grande revue jésuite du XVIIIᵉ siècle, les *Mémoires de Trévoux*, la marche ascendante de l'hostilité contre l'Eglise et contre Dieu. Cherchez-y, dans ces pages amènes et doctes, de vrais cris d'alarme, des réfutations décidées : vous ne les trouverez guère que vers 1760, lorsque l'armée philosophique, patiemment constituée, se sera depuis quelque temps déjà mise en marche, aura investi l'Académie, gagné quelques batailles, et qu'elle sera tout près d'obtenir la suppression même de la Compagnie de Jésus. Si gouverner est prévoir, jamais les Jésuites en France n'ont été aussi éloignés de gouverner.

Le principal de leur attention n'était pas là. Elle allait d'abord, cette attention joyeuse, à leurs collèges, et au maintien de cet humanisme original qui dosait si ingénieusement dans l'étude littéraire des Anciens, dans le culte des Muses comme ils disaient, la morale et l'esthétique : *Deo et bonis artibus, Deo et Musis*. Au seuil de son *Humanisme dévot* l'académicien H. Bremond a placé une estampe de Huret très capable de symboliser cet entrain, cette bonne volonté alerte à concilier et à construire : dans le haut, Jésus sourit entre la Sainte Vierge émerveillée et saint Joseph qui tient un lys. Dans le bas, des pages musiciens lèvent vers Dieu leur regard d'enfants de chœur, allègrement docile; autour d'eux les doctes perspectives d'un parc à l'italienne, et un enchaînement de pavillons que soutiennent des cariatides surabondantes de santé et vêtues de leur chevelure. Des chrétiens qui, sans crainte, sans inquiétude, s'établissent dans un décor païen ou mondain pour chanter utilement la gloire et la bonté de Dieu, n'est-ce pas ce qu'ont été les humanistes jésuites ?

Leur enseignement, tout animé de cet esprit, était actif, libéral, et prudent sans le paraître. Tandis que l'Université se contentait de faire présenter à ses élèves, par des lecteurs, un morne commentaire de quelques extraits de Térence, Cicéron, Virgile, les régents de la Compagnie expliquent, d'une voix vibrante et enthousiaste, les beautés des classiques anciens judicieusement expurgés. Les devoirs qu'ils proposent à leurs élèves sont des discours, où devra revivre l'âme des héros antiques, mais une âme noble, sereine, délicate, capable de former le goût et, selon la recommandation de la *Ratio studiorum*, « aidant à connaître et à aimer Dieu ».

Un tel enseignement était pour la jeunesse une édification délicieuse. Quant aux maîtres, ils devaient tout naturellement, au lieu de rester de purs et simples professeurs, s'éveiller à une vocation d'écrivain, d'artiste de lettres. Le théâtre scolaire des Jésuites était l'aboutissement de leur pédagogie. Avant eux et en même temps qu'eux, les collèges des universités ont joué des tragédies moralisantes, à sujet sacré ou païen; mais seuls les Jésuites ont su donner au théâtre de collège un esprit défini — leur esprit.

La *Ratio studiorum* elle-même avait édicté quelques directives en la matière : « un sujet sacré et pieux, aucun intermède qui ne soit en latin et décent »; le Père de Jouvancy, dans sa *Ratio discendi et docendi* de 1692, avait insisté : « sujet tiré du vaste et fertile domaine des saintes Ecritures et des annales de l'Eglise, rien qui ne soit sérieux, grave et digne d'un poète chrétien ». Il ajoutait :

Je ne conseillerai jamais à nos maîtres de composer leurs tragédies en vers français, car dans ce genre nous sommes ordinairement maladroits et ridicules. En outre, la règle s'y oppose.

Mais vers le même temps, le P. Commire, dans un *Prologue*, est plus ambitieux :

Les nourrissons des Muses se préparent à d'agréables luttes, et par de pieux spectacles vont essayer de charmer les yeux et les cœurs. Oreste poursuivi par l'ombre maternelle n'attristera pas la scène par des images terribles; on n'y verra point Médée, non plus qu'Œdipe. Des Muses plus douces doivent en notre présence offrir de meilleurs exemples sur un théâtre purifié. Si elles se livrent à ces jeux, que ces jeux soient dignes des regards des chrétiens.
Peut-être un jour, quand ils auront grandi, ces jeunes gens s'enflammeront-ils du désir d'égaler ces vertus et seront-ils à leur tour ambitieux d'une belle mort. Ils voudront peut-être imiter réellement ceux dont ils représentent aujourd'hui les actions, et remporter de semblables victoires. Cependant, même en nous jouant, il faut tourner les mœurs vers la pitié, les conduire par de grandes images à de grandes actions, et attiser dans leur cœur l'amour du Christ.

Que le théâtre rende les mœurs plus douces, et il les rendra plus chrétiennes; qu'il donne de grands exemples, et, l'émulation continuant d'agir sur l'âme des élèves devenus des hommes, les martyrs des tragédies susciteront de réels héros chrétiens : saints espoirs du Père Commire, n'avez-vous pas, bien à son insu, préparé quelques illusions de l'âge suivant : l'attachement à l'élégante douceur de vivre, et la confiance aux grands exemples ou aux grands gestes ?

Dans les premières années du XVIIIᵉ siècle, le P. Le Jay s'autorise des tragiques grecs et de la « majesté de la Tragédie » — non plus des prescriptions de la *Règle,* — pour bannir du théâtre de collège « les émotions et plaintes frivoles des amants ». Le théâtre mondain est une source de scandale, déclare bruyamment le P. Porée dans une harangue latine; mais il ajoute : le théâtre de collège est une école de vertus privées et publiques.

Ce fut dès lors, à travers la France, une immense éclosion de tragédies pieuses et disertes. Dans chaque collège de Jésuites tout professeur de rhétorique doit fournir, annuellement, une tragédie latine; pour leurs exercices de versification, les élèves sont encouragés à composer eux aussi des tragédies. Elle est là, plus encore que chez Corneille, l'école dramatique de grandeur d'âme qu'a célébrée Voltaire dans son *Siècle de Louis XIV;* elle est aussi dans ces intermèdes où Apollon lutte contre l'Ignorance, la Ruse, la Fraude, la Force brutale; dans ces comédies moralisantes que les Pères composèrent en grand nombre à la fin du XVIIᵉ siècle; elle est même — au grand scandale des Jansénistes — dans les ballets édifiants et brillants que l'on joue au début du règne de Louis XV sur la scène du collège de Louis-le-Grand. *L'homme instruit par les spectacles, ou le théâtre changé en école de vertu,* tel est le titre du ballet qu'a composé, en 1726, le Père Porée, et l'intention en apparaît fort nettement dans le tableau de l'*Ouverture* :

Des hommes de différents âges et de différentes conditions paraissent fatigués des instructions sérieuses que leur donnent des philosophes. Ils demandent à Jupiter du délassement. Ce dieu leur envoie la tragédie, la comédie, le génie de la danse et le génie de la musique, pour instruire les hommes en les divertissant.

La Tragédie, indique le livret du ballet, a pour but

d'inspirer de l'horreur pour le crime, et de la compassion pour les malheureux.

La Comédie, elle,

instruit l'homme en lui faisant voir le ridicule attaché à plusieurs défauts qui se rencontrent dans la vie civile.

L'Opéra et les ballets pourraient être expurgés, et cependant garder leur agrément :

L'Opéra qui est une poésie chantante, peut consacrer ses chants à la vertu et célébrer les exploits des héros sans justifier leurs faiblesses.

Alors il deviendra instructif, et ne sera pas regardé comme un ouvrage dangereux... Le ballet, qui est une peinture mouvante, peut instruire l'homme en représentant les divers caractères des vertus et des vices.

Toutes ces louables intentions tournaient, vers la fin du ballet, au profit du Génie de la France, et à la gloire du jeune roi.

En vérité, il n'était point fade ni morne, cet art dramatique des lettrés moralisants, où l'Antiquité classique ressuscitait assagie, où les procédés de Sophocle et d'Euripide, brodés de réminiscences de Sénèque, de Virgile, d'Ovide, étaient reproduits comme en un corrigé solennel et avenant, tandis que le luxe des costumes et des décors faisait scintiller ce latin mondanisé, ces Romains augustes, ces martyrs aimables, et ces nobles abstractions. Corneille était excessif dans la reconnaissance, lorsqu'à la fin de sa carrière, il déclarait au R. P. Delidel qu'il lui devait « sa gloire sur la terre ». Mais Voltaire, que fera-t-il, lorsqu'il rêvera d'une tragédie d'où l'amour serait exclu, et lorsqu'il défendra contre l'esprit génevois selon Calvin et Rousseau la cause du théâtre civilisateur ? Il reprendra, en les laïcisant, ses impressions de collégien et les discours de ses anciens maîtres, et ses propres intentions de jeune auteur dramatique, puisque lui-même, en 1706, il avait composé une tragédie d'*Amulius et Numitor*.

Dans son *Histoire littéraire du sentiment religieux en France*, H. Bremond définit ainsi l'esprit de l'humanisme chrétien :

Sans négliger aucune des vérités essentielles du Christianisme, il met de préférence en lumière celles qui paraissent les plus consolantes, les plus épanouissantes, en un mot les plus humaines, qu'il tient du reste pour les plus divines, si l'on peut dire, pour les plus conformes à la Bonté infinie. Ainsi il ne croit pas que le dogme central, c'est le péché originel, mais la Rédemption. L'homme qu'il exalte n'est pas uniquement ni principalement, mais il est aussi l'homme naturel, avec les dons simplement humains que celui-ci aurait eus dans l'état de pure nature, et qu'il garde aujourd'hui encore, plus ou moins blessé depuis cette chute, mais non pas vicié, corrompu dans ses profondeurs, et incapable de tout bien.

Cette attitude doctrinale qui, en effet, a été celle des Jésuites en face des Protestants, puis des Jansénistes, incline plus aisément que toute autre à une conciliation allègre de la Beauté littéraire et de la morale. Pour mieux pénétrer cet optimisme, et constater le crédit qu'il fait à la nature, la confiance qu'il accorde aux lettres humaines, deux citations ne seront pas inutiles. La première est tirée des *Peintures morales* du P. Lemoyne, le contemporain des

Précieuses. C'est le fameux portrait du *Sauvage*, « où sont représentées les mœurs d'un homme insensible aux affections honnêtes
et naturelles » :

Il est sans yeux pour les beautés de la nature, et pour celles des
arts...; la plus rare statue du monde ne sera pas traitée de lui plus
civilement qu'un tronc d'arbre.

Ses autres sens ne sont pas moins rudes, ni moins sauvages. La musique, qui est une beauté invisible, qui ne saurait être aimée qu'hon-
nêtement, qui ne peut plaire qu'aux âmes harmonieuses et réglées, aux
esprits qui sont amis de l'ordre, de la proportion, la musique, dis-je,
est pour lui une criarde, importune et désagréable.

Il n'est pas moins ennemi des parfums; cela est étrange, qu'il soit
tourmenté par des choses si douces, si bienfaisantes, si amies de la
nature...

L'honneur et la gloire sont des idées qu'il ne connaît point. Il est
universellement contraire à tout ce qui peut donner du contentement
et du plaisir. Une belle personne lui est un spectre; il n'en saurait
souffrir la vue; et ces visages impérieux et souverains, ces agréables
tyrans qui font partout des prisonniers volontaires et sans chaînes, ont
le même effet sur ses yeux, que le soleil sur ceux des hiboux.

Et voici en quels termes un Jésuite contemporain de l'*Encyclopédie*, dans une harangue latine que publie *l'Année littéraire* de
1756, célèbre les bienfaits moraux des Belles-Lettres :

Imaginez une assemblée composée tout entière d'hommes sans culture :
vous douterez presque que ce soit une assemblée d'hommes. Il s'y rencontrera des vertus, je veux bien, parce que tous les ignorants ne sont
pas forcément des gens malhonnêtes. Mais quelles vertus ! Grossières
d'aspect et de langage. Et s'il y a des vices, ah ! qu'ils sont floris-
sants !

Entrez dans une réunion de gens cultivés : il y aura là des vices,
je ne dis pas non, puisque là il y aura des hommes; mais ils seront
rares... Mais il se rencontrera des vertus : toutes pénétrées des Belles-
Lettres, combien elles uniront la majesté à l'aisance, la décence à la
gaieté, le sérieux à l'agrément ! Là régnera avec l'accord des âmes
l'émulation des esprits, avec la discordance des opinions la concorde
des sentiments, avec l'honnêteté des passions l'éclat du langage, avec la
sûreté de l'amitié les charmes de la société, avec toutes les attentions
utiles à la vie tout le plaisir de vivre.

Six ans après ce discours latin, les collèges des Jésuites étaient
fermés en France aux applaudissements de quelques Jansénistes
« sauvages »; mais aussi à la grande et méchante joie d'un certain
nombre d'âmes fort cultivées.

**
*

L'attention des Jésuites se prodiguait aussi sur leurs missions
d'Amérique et d'Extrême-Orient. Auprès du public français, il
fallait bien plaider la cause de ces grandes entreprises apostoliques,
les défendre contre les Dominicains ou les Franciscains rivaux, montrer tout le prix, au besoin tout le charme, des âmes catéchisées
là-bas. Cette propagande se développe à partir de 1702, dans
les recueils des *Lettres édifiantes et curieuses* que publie la
Compagnie.

Curieuses et édifiantes, elles le sont en effet, joignant à une
précision minutieuse l'optimisme le plus candide : si candide, que
tel de nos contemporains, historien assez « laïque », a soupçonné
là-dessous quelque machiavélisme du Pape Noir. Un missionnaire
avoue que les Chinois sont idolâtres « puisqu'ils adorent des dieux
étrangers »; mais il ajoute aussitôt :

> Cependant il me paraît *évident* qu'ils ont eu autrefois des connais-
> sances assez distinctes du vrai Dieu.

Un autre, le R. P. Le Royer, déclare :

> Il n'y a parmi eux que la pluralité des femmes, le droit qu'on a de
> répudier celles dont on n'est pas content, et la barbare coutume d'y
> faire des eunuques, qui soient des obstacles à l'établissement de la
> religion chrétienne. Leurs mœurs sont d'ailleurs fort innocentes.

L'Empereur de Chine, accueillant aux missionnaires, est « appliqué, vigilant, tendre pour ses sujets »; il favorise l'agriculture, et
récompense la vertu. Et Confucius était un « saint homme, tout
brillant de vertus ».

Çà et là — tout au début du XVIIIe siècle — le matérailisme et
l'hypocrisie des Chinois se trouvent définis sans indulgence. Ainsi
le P. de Chavagnac et le P. Fouquet écrivent :

> Il faut traiter, sans se décourager, de la religion avec une nation
> qui ne craint que l'Empereur et qui n'aime que l'argent, insensible par
> conséquent et indifférente à l'excès pour tout ce qui regarde l'éternité.
> Les Chinois ne trouvent pas moins d'opposition au Christianisme dans
> la corruption et dans le dérèglement de leur cœur; pourvu que l'exté-
> rieur paraisse réglé, ils ne font nulle difficulté de s'abandonner en secret
> aux crimes les plus honteux.

Mais ce sont vraiment là duretés d'exception. Après ces lettres
amères, l'hymne enthousiaste reprend, et ne cesse plus. Les

bons propagandistes ont la tâche plus aisée et le tour plus allègre encore, lorsqu'ils en viennent à commenter quelques livres chinois édifiants. En 1720, le P. d'Entrecolles s'extasie sur *Le Parfait bonheur des peuples*, qui est l'œuvre d'un mandarin :

Vous y verrez ce que dit l'Apôtre : que les Gentils, qui n'ont pas la loi, font naturellement ce qui est de la loi, et que ces gens-là n'ayant pas la foi, font leur foi à eux-mêmes.

Il cite divers traits de charité chinoise : le « projet d'un hôtel de miséricorde pour les enfants abandonnés », un Edit « par lequel on exhorte les maîtres à ne pas traiter les esclaves avec dureté », un Edit « pour l'entretien des barques de miséricorde, destinées à secourir ceux qui font naufrage, ou qui sont en danger de le faire »; et il conclut :

Voilà divers traits de miséricorde que la raison et le sentiment naturel inspirent à des infidèles. Ces œuvres toutes louables qu'elles sont, n'ont point pour principe la vraie charité : aussi toute leur récompense se borne-t-elle à l'estime des hommes et à une félicité temporelle. Néanmoins, il est étonnant que l'olivier sauvage et inculte produise tant de sortes de fruits, et que l'olivier franc, planté au milieu du Christianisme et arrosé du sang précieux de Jésus-Christ, en produise si peu; qu'une charité toute païenne soit si ingénieuse à secourir le prochain dans ses besoins temporels, et que la charité chrétienne inspire si peu de zèle pour le bien spirituel des âmes.

La *raison*, le *sentiment naturel*... Imaginez ce morceau écrit par Voltaire : l'esprit sera tout différent; les mots différeront-ils ? Et des lecteurs superficiels ne risqueront-ils pas de passer sans inquiétude de ce texte d'optimisme chrétien à tel autre doucement agressif ?

Les *Lettres* venues d'Amérique sont pareillement édifiantes. Nos Jésuites déplorent, sans doute, la férocité des sauvages envers les Anglais; ils blâment les Illinois pour leur gourmandise et leur amour du plaisir. Mais quelle ferveur chez les catéchumènes ! et quelle amitié chez tous, quelle reconnaissance pour les Français ! Ne sont-ils pas « d'un caractère doux et fort sociable », d'une intelligence vive « plus que la plupart de nos paysans, autant au moins que la plupart des Français » ? D'où vient cet avantage ? « De la *liberté* dans laquelle ils sont élevés »; et s'ils sont ennemis des disputes, s'ils « vivent tous dans une grande paix », c'est encore, « en grande partie, parce qu'on laisse faire à chacun ce que bon lui semble. »

En ces relations jaseuses, confiantes, il est vraiment difficile de découvrir le moindre esprit de ruse. On y découvre, sans peine, notre bonne volonté française traditionnelle à l'égard des étrangers, notre bienveillance paternelle, amusée et affectueuse, pour des peuples que nous jugeons enfants. Un sentiment plus profond des missionnaires jésuites était le désir de sauvegarder l'avenir chrétien de cet immense empire de Chine, qu'ils sentaient mûrir sous leur apostolat. Et puis, au fond de ces *Lettres*, comme des *Nouveaux Mémoires* du P. Lecomte (1717) ou de la *Description* du P. du Halde, il y avait, surtout, une solution optimiste, assurément orthodoxe, mais qui bientôt allait se trouver compromise par certains théologiens aventureux de la Compagnie et faussée par les philosophes, du problème du Salut des Infidèles.

Lorsque saint François-Xavier avait évangélisé le Japon, les Japonais lui avaient demandé pourquoi ils se trouvaient ainsi recevoir l'Evangile les derniers de toutes les nations, et quel devait être le sort éternel de leurs ancêtres morts dans l'ignorance du Christianisme. Le saint leur avait répondu en leur développant le vieil adage scolastique : *Facienti quod in se est, Deus non denegat gratiam* : la foi au Christ est nécessaire pour le salut; mais la grâce, la grâce de foi comme toute autre grâce, est toujours accordée par Dieu à l'homme qui fait son possible ici-bas. En Chine, les missionnaires jésuites étaient interrogés sur le même sujet. Quelques-uns d'entre eux, si l'on en juge par les doutes soumis au Saint-Office en 1674, auraient volontiers tout dit pour rassurer les Chinois.

Assurément, saint Paul avait écrit que « les païens ont connu et connaissent Dieu »; saint Justin déclarait : « Ceux qui ont vécu selon le Verbe sont chrétiens, eussent-ils passé pour athées, comme chez les Grecs Socrate et Héraclite ». Saint Augustin ni saint Thomas n'étaient d'un autre sentiment. Au xviie siècle en Angleterre et en France des érudits et des penseurs, tels que Herbert de Cherbury, Henry Lord, Cudworth, Huet, Dacier, s'étaient attachés à rapprocher de la Bible les traditions religieuses des Orientaux.

Cependant quelques Jésuites, dans le début du xviiie siècle, vinrent donner à ce mouvement de la pensée historique et religieuse une allure précipitée, et un tour paradoxal. En 1702, le P. Tournemine compose le *Projet d'un ouvrage sur l'origine des fables* : il ne faut, disait-il, ni les croire aveuglément, ni les mépriser :

Il me paraît bien du rapport entre Minerve et le Verbe produit du Père par voie de connaissance.

De même le P. Mourgues défend les oracles contre Van Dale et Fontenelle dans une *Lettre apologétique* du 16 mars 1709, et, dans sa *Théologie des Païens* (1712), il montre « le Dieu unique reconnu par les trois anciennes écoles philosophiques ». En 1728, le P. Berruyer enfin, dans la *Préface* de sa volumineuse *Histoire du peuple de Dieu*, déclarait :

La religion chrétienne, à la considérer dans toute son étendue, est beaucoup plus ancienne qu'on ne pense.

N'est-on pas chrétien, au fond,

dès qu'on reconnaît pour son Dieu un esprit éternel, infini, tout-puissant, souverainement sage dans ses vues, et parfaitement libre dans ses opérations (tel est le Dieu des chrétiens).

Il n'exige donc des infidèles qu'une foi tout implicite au Christ; et la comparaison qu'il établit entre les lumières religieuses des Juifs et des Gentils atténue singulièrement le privilège du Peuple Elu :

La loi d'adorer un seul Dieu, créateur et juge de tous les hommes, rémunérateur de la vertu et vengeur des crimes; celles qui prescrivent les sentiments intérieurs de la religion, la régularité et l'innocence des mœurs, furent toujours communes à toutes les nations; et elles ne devinrent propres aux Hébreux que parce qu'elles leur furent plus souvent et plus solennellement annoncées. Les Gentils les lisaient dans leurs cœurs, et les portaient écrites dans leurs consciences.

Le livre du P. Berruyer fut du reste condamné à Rome...

Raison, liberté, égalité des religions, homme de la nature meilleur que les civilisés, ces mots d'ordre, à peine murmurés encore, de la philosophie du XVIII⁰ siècle, semblent bien avoir reçu un encouragement non pas, bien sûr, de la doctrine de la Compagnie de Jésus, mais du tour romanesque que ses missionnaires ont cru devoir donner à leurs sentiments sur la nature humaine, telle qu'ils la voyaient chez les Américains et les Chinois. Bossuet n'était-il pas perspicace dans sa méfiance assez brutale, lorsqu'à propos d'une apologie des premiers *Mémoires de la Chine* il écrivait, en 1700 :

Ce livre est fait pour appuyer l'indifférence des religions, qui est la folie du siècle où nous vivons.

Et pourtant, il faut bien avouer que Bossuet, en cette occasion, prévoyait à sa manière, selon son réflexe ordinaire de crainte déter-

minée, en face des puissances du mal. Sa rigueur, sa sévérité, il la
tenait sans doute de saint Augustin; mais sans doute aussi des
augustiniens ses amis : les Jansénistes. Au fond, l'indulgence des
Jésuites alors peut bien avoir été, en quelque mesure, une réaction
contre les roideurs inhumaines de la doctrine de Saint-Cyran et
d'Arnauld, de même que la dureté janséniste réagissait contre
l'optimisme humaniste des Jésuites. Il est dangereux, a-t-on dit,
d'apprendre son catéchisme contre quelqu'un. Et puis, la méthode
apostolique des Jésuites pour la conversion des infidèles, n'est-ce
pas, au fond, celle que recommandent nos derniers Papes : respectez
l'esprit des Extrême-Orientaux, des Noirs, admettez l'extérieur de
leurs rites. Ne restez pas chez eux Européens. Le P. Ricci
n'avait-il pas été, à la fin du XVIe siècle, le modèle de cette attitude ?

Mais au XVIIe siècle et au XVIIIe, la roideur intellectuelle latine et
française des adversaires de la Compagnie, et l'avidité d'exploiter
contre le Christianisme janséniste et contre le Christianisme tout
court les impressions presque « tolérantes » des missionnaires jésuites,
ont faussé aux yeux de notre public l'aspect et l'esprit de cet
apostolat.

CHAPITRE III

Le goût littéraire des Jésuites était confiant comme leur théologie. C'est en matière de goût que l'esprit rationaliste, issu de l'ambitieuse méthode cartésienne, cherche ses premières applications, jette ses premiers défis. La querelle des Anciens et des Modernes, en ce début du xviiie siècle, semble se localiser sur Homère : elle déborde, en réalité, la question homérique; et l'adversaire de Mme Dacier, La Motte, qui prétend la restreindre, au contraire est le premier à l'étendre. De petits raisonneurs, tels que Terrasson et Trublet, l'enveniment; et Fontenelle fait de l'esprit *moderne*, dont il sera le champion jusqu'à sa mort à quatre-vingt-dix-neuf ans et dix mois en 1757, l'âme même des tendances nouvelles.

Qu'est-ce donc que ce La Motte-Houdar, dont on a vanté la courtoisie presque galante envers la belliqueuse Mme Dacier ? qu'est-ce, chez lui, que l'esprit *philosophique* — car tel est alors le nom courant du rationalisme ? Ame instable, ou avide de vérité, il a été quelques mois novice à la Trappe. Puis sa vocation mondaine l'a rappelé, sa curiosité de toutes choses, son inlassable travail de raisonneur et de propagandiste. Et ses ouvrages, petits et grands, se sont multipliés : fables, traduction abrégée de *l'Iliade*, poésies pastorales, *Réflexions sur la critique*, tragédies, odes, opéras : insistants, brillants, sereins, monotones à force de coquetterie menue et de conviction entêtée. Sur ses ambitions, nous pouvons nous en rapporter à ses deux meilleurs amis : Mme de Lambert et Fontenelle. Monsieur de La Motte, dit la marquise, est « poète, philosophe, orateur »; pour lui philosopher, c'est rendre à la raison toute sa dignité, et la faire rentrer dans ses droits; c'est rapporter chaque chose à ses principes propres, et secouer le joug de l'opinion et de l'autorité.

Et voici le jugement de Fontenelle :

On n'eût pas facilement découvert de quoi M. de La Motte était incapable. Il n'était ni physicien, ni géomètre, ni théologien; mais on s'apercevait que pour l'être, et même à un haut point, il ne lui avait manqué que des yeux et de l'étude. Quelques idées de ces différentes sciences qu'il avait recueillies çà et là, soit par un peu de lecture, soit par la conversation d'habiles gens, avaient germé dans sa tête, y avaient jeté des racines et produit des fruits, surprenants par le peu de culture qu'ils avaient coûté. Tout ce qui était du ressort de la raison était du sien; il s'en emparait avec force, et s'en rendait bientôt maître. Combien ces talents particuliers, qui sont des espèces de prisons, souvent fort étroites, d'où un génie ne peut sortir, seraient-ils inférieurs à cette raison universelle, qui contiendrait tous les talents, ne serait assujettie par aucun, qui d'elle-même ne serait déterminée à rien, et se porterait également à tout ?

Tels sont donc les sentiments ou les principes de La Motte : une pitié souriante, au reste traditionnelle chez les gens du monde, pour les compétences, les « pédants »; une soif de raisonner sur toutes choses, de décider de tout en raisonnant sur les principes de chaque ordre de connaissances; et au fond, en matière de goût, une confiance en la raison allant jusqu'à la prendre pour la faculté créatrice du beau. Ecoutez-le lui-même, dans son *Discours sur la Fable*, exposant sa méthode et jugeant La Fontaine. Il constate que La Fontaine a développé des « idées rebattues ». Moi, au contraire, déclare-t-il avantageusement, « je me suis proposé des vérités nouvelles ». La Fontaine « n'a pas toujours su finir où il fallait » : *la Laitière et le Pot au lait*, par exemple, « *devait* finir au lait renversé ». Mais La Fontaine avait-il réfléchi sur les principes du genre où il écrivait ?

Je crois que, quand on veut travailler dans un genre, il faut se faire une idée juste des différentes beautés qu'il exige.

Voilà donc La Fontaine, ce fantaisiste, rabroué au nom de l'esprit de méthode. Et voici l'application à Homère de cette méthode et de ces principes. La Motte, entreprenant une traduction de *l'Iliade*, s'est proposé de changer, de retrancher, d'inventer même dans le besoin. Foin de cette superstition qui admire tout dans Homère, sous prétexte qu'Homère a été admiré de tout temps :

Soyons hardis, et allons jusqu'où la raison nous mène. Quand il n'y aurait point de partage sur Homère, un homme pourrait réclamer lui seul contre tous les siècles; et si ses raisons étaient évidentes, les trois mille ans d'opinion contraire n'auraient pas plus de force qu'un seul jour. A la vue des premières expériences de la pesanteur de l'air, qu'a servi le long règne de l'horreur du vide ?

Un préjugé, en matière de goût, n'est jamais respectable : n'est-il pas bien souvent à l'origine l'œuvre d'un seul homme « accrédité », dont le sentiment s'impose à la foule ?

La Motte va donc mépriser Homère en connaissance de cause, philosophiquement. Armé de la raison, il est d'abord assuré d'atteindre sans peine à l'essence même de l'art : l'unité du « dessein » :

Ce qu'il doit y avoir de plus clair dans un ouvrage, c'est le dessein, et surtout dans un ouvrage où l'on se propose l'instruction générale, comme dans un Poème épique. L'art de l'auteur est d'écarter tout ce qui peut rendre son dessein équivoque; autrement, il ne saurait faire ce *plaisir d'unité*, qui vient de ce qu'on rapporte naturellement toutes les parties à un tout, qu'on en approuve les proportions, et qu'on admire l'intelligence de l'ouvrier, qui n'a rien fait au hasard...

Or quel est le « dessein » de *l'Iliade* ? Les commentateurs s'évertuent sans succès à le découvrir. Aussi l'œuvre d'Homère est-elle justement tombée « dans un grand décri » : « personne presque n'a le courage de la lire », sauf quelques érudits, qui goûtent à la contempler dans le grec « un plaisir historique ». Homère est diffus, il ignore les « préparations » : or l'art consiste à ne dire au lecteur que des choses dont il faut l'instruire, « et à ne les dire qu'à mesure que le dessein de le toucher l'exige ». On fait honneur aux héros d'Homère de leur vie simple et sans luxe corrupteur : mais « ils se sont livrés sans luxe à tous les désordres, à tous les crimes qu'on prétend que le luxe amène »; et ils sont ignorants et niais. Hector parlant à ses chevaux « ne fait en cela que suivre l'idée grossière d'un cocher qui croit bonnement que ses chevaux l'entendent ». La Motte l'affirme, et puis le prouve en s'égayant à une parodie appuyée. On vante la poésie d'Homère ? Mais

si la Poésie consiste dans l'imitation d'une nature choisie, il s'ensuit que celui qui la choisit le mieux, en l'imitant d'ailleurs aussi bien que les autres, est le plus grand poète de son temps; il s'ensuit aussi qu'à mesure que le monde s'embellit par les arts, et qu'il se perfectionne par la morale, la matière poétique en devient plus belle, et qu'à dispositions égales, les poètes aujourd'hui doivent être meilleurs.

Les images d'Homère répondent-elles aux justes exigences de la
raison moderne ? En vérité, elles manquent trop de ces trois indispensables mérites : la netteté, l'unité, la force; la netteté surtout.
Or il ne saurait y avoir de beauté, là où la moindre obscurité
retarde l'impression.

Ce goût tranchant, qui au nom des salons « modernes » fait la
leçon à l'Antiquité, est plus imprudent peut-être dans le *Discours*
que La Motte a placé en tête de ses *Eglogues* :

L'Eglogue qui a choisi les Bergers pour ses personnages, aurait eu
grand tort de les prendre dans cet état d'avilissement où ils sont tombés. Leurs discours et leurs sentiments manqueraient également de cette
grâce et de cette délicatesse sans lesquelles aucune poésie ne saurait
plaire. De grands poètes, d'ailleurs fort respectables, n'ont pas dédaigné
des acteurs si grossiers : mais la méprise, ce me semble, ne doit pas
être tournée en règle. L'Eglogue doit prendre les Bergers dans cet état
fortuné où leurs travaux s'accordaient encore avec le loisir; et où leur
esprit en repos du côté des besoins tournait son activité naturelle du
côté des passions agréables : elle doit les prendre dans cet état où nous
les imaginons heureux, et moins bergers, pour ainsi dire, que souverains
de leurs héritages et de leurs troupeaux.

Le sujet de l'églogue doit être une « vérité », et non pas seulement une vraisemblance; et une vérité « propre à intéresser le cœur,
parce que le plaisir ne saurait naître que des passions, mais des
passions modérées ».

Voulez-vous connaître l'histoire de la Poésie, et la nature de
la Poésie ? Les voici, dans un autre *Discours*, en peu de mots :

Elle n'était d'abord différente du discours libre et ordinaire, que par
un arrangement mesuré des paroles, qui flatta l'oreille à mesure qu'il
se perfectionna. La Fiction survint bientôt avec les Figures; j'entends
les Figures hardies, et telles que l'Eloquence n'oserait les employer.
Voilà, je crois, tout ce qu'il y a d'essentiel à la Poésie.

Enfin, voici l'aboutissement du système : une ode en prose
contre la rime. C'est là le fin du fin, La Motte formulant sa
théorie et l'appliquant à la fois, se passant de la rime dans son
lyrisme nouveau, et chargeant d'une idée nouvelle sa strophe
libérée :

Rime, aussi bizarre qu'impérieuse, mesure tyrannique, mes pensées
seront-elles toujours vos esclaves ? Jusques à quand usurperez-vous sur
elles l'empire de la raison ? Dès que le nombre et la cadence l'or-
donnent, il faut vous immoler, comme vos victimes, la justesse, la précision, la clarté.

Portrait de FÉNELON
par VIVIEN

Pour compléter le personnage, lisez son *Mémorial de l'histoire romaine*, en quelque cent cinquante vers, qui figure à la suite des *Eglogues* dans la belle édition des *Œuvres complètes* :

> Romulus fonde Rome; est suivi de six rois.
> Numa du nom des dieux autorise ses lois.
> Tullus triomphe d'Albe; Ancus est magnifique.

Le *Mémorial de l'histoire de France depuis Clovis jusqu'à Louis XV,* un peu plus long, n'est pas moins net.

« La Motte n'était pas poète », a un jour avoué Fontenelle; sa verve poétique, « c'était seulement une volonté de faire des vers, qu'il exécutait, parce qu'il avait beaucoup d'esprit ». A-t-il eu assez d'esprit pour se connaître des insuffisances ? La poésie manque à ses vers, le sens du beau à ses définitions de la beauté, la discrétion et la justesse à sa Raison philosophique. Et les axiomes du vieil *Art poétique* paraissent des conseils tout nuancés et cordiaux, auprès des sereines décisions, des étourderies sentencieuses de cette pensée qui se croit émancipatrice.

*
**

Auprès de La Motte, plus ardents que lui et plus opiniâtres, voici deux abbés mondains, prédicateurs de la même foi littéraire : Terrasson et Trublet; celui-ci bien connu aujourd'hui encore, mais uniquement en silhouette de compilateur, grâce à la caricature de Voltaire; celui-là parfaitement oublié, malgré son long roman de pédagogie politique, son *Sethos*, où il avait, en 1733, relaté avec tant de soin les diverses phases de l'initiation maçonnique.

En 1715 donc, à propos d'Homère, Terrasson déclare sans ambages son intention d'établir le goût rationaliste : il publie une *Dissertation sur l'Iliade d'Homère, où, à l'occasion de ce poème, on cherche les règles d'une poétique fondée sur la Raison, et sur les exemples des Anciens et des Modernes* :

Ma vue principale est de faire passer jusqu'aux Belles-Lettres cet esprit de philosophie, qui, depuis un siècle, a fait faire tant de progrès aux Sciences naturelles. J'entends par philosophie une supériorité de raison qui nous fait rapporter chaque chose à ses principes propres et naturels, indépendamment de l'opinion qu'en ont eue les autres hommes.

Suit le lieu commun « moderne » : l'Antiquité a été l'enfance du

monde, le XVIII° siècle est sa maturité, et voilà bien la seule excuse
aux fautes d'Homère. Après quoi l'hymne à la Raison reprend,
et à la géométrie :

Le véritable creuset des auteurs et des ouvrages est donc cet esprit
d'examen et de discussion, en un mot cette philosophie.
Il n'y a d'infaillible pour les choses humaines que la Raison seule,
et c'est à elle qu'il faut soumettre le sentiment même...
Au lieu que les principes des anciens systèmes de philosophie se sont
détruits les uns les autres, notre principe, qui soumet tout à la raison,
subsistera toujours.
L'étude de la géométrie, marquant certainement un goût particulier
pour le vrai, et augmentant, d'un consentement unanime, la justesse
naturelle de l'esprit, donne en toutes les matières où il entre du raisonnement, une supériorité de fait et sans réplique au géomètre sur
celui qui ne l'est pas... C'est l'esprit géométrique qu'il faut porter en
toutes sortes d'ouvrages.

La géométrie de Terrasson vient aisément à bout du prestige
d'Homère : *l'Iliade* tant admirée par « quelques personnes qui sont
de notre siècle sans en être » ou par un Boileau, qui s'est décerné
à lui-même « l'épithète honteuse de passionné admirateur des
Anciens », *l'Iliade* a un sujet bien mince, bien borné; ce n'est à
tout prendre que le récit d'une inaction; et « la proposition de
l'Iliade ne répond pas au dessein même du poète ».

Trublet, lui, dans ses *Essais* consciencieux, s'attaque au goût de
Boileau, à son gré incomplet et trop fantaisiste. Boileau, dans
sa dernière *Préface*, distinguant l'intéressant de l'ennuyeux, avait
voulu préciser ce qui fait l'intérêt littéraire :

Que si on me demande ce que c'est que cet agrément, et ce sel, je
répondrai que c'est un je ne sais quoi, qu'on peut beaucoup mieux sentir
que dire. A mon avis néanmoins, il consiste principalement à ne jamais
présenter au lecteur que des pensées vraies et des expressions justes.

Que de termes vagues, n'est-ce pas, et de tours sans assurance !
Trublet, lui, n'hésite pas :

Le beau, c'est le vrai bien exprimé, c'est-à-dire exprimé avec élégance,
avec délicatesse, avec vivacité, et non pas seulement exprimé avec
justesse.

Le beau, c'est le style « singulier et naturel tout ensemble... de
M. de Fontenelle ».

_*

Cydias, après avoir toussé, relevé sa manchette, étendu la main et
ouvert les doigts, débite gravement ses pensées quintessenciées et ses

raisonnements sophistiqués...; fade discoureur qui n'a pas mis plus tôt le pied dans une assemblée, qu'il cherche quelques femmes auprès de qui il puisse s'insinuer, se parer de son bel esprit ou de sa philosophie, et mettre en œuvre ses rares conceptions;... aussi attend-il dans un cercle que chacun se soit expliqué sur le sujet qui s'est offert, ou souvent qu'il a amené lui-même, pour dire. dogmatiquement des choses toutes nouvelles, mais à son gré décisives et sans réplique...

La Bruyère, en insistant sur la suffisance de Fontenelle, a-t-il été superficiel et « primaire » et « bourgeois », comme Faguet lui en fait le reproche ? Ecoutons ces propos échangés par le savant et la marquise de la *Pluralité des mondes*, c'est-à-dire, je crois, par Fontenelle et Mme de Lambert :

— Contentons-nous d'être une petite troupe choisie..., et ne divulguons pas nos mystères dans le peuple.
— Comment, s'écria [la marquise] appelez-vous peuple les deux hommes qui sortent d'ici ?
— Ils ont bien de l'esprit, répliquai-je, mais ils ne raisonnent jamais.

Son raisonnement, à lui, suit à bien peu près les mêmes voies que la Raison de La Motte. « Eloquence et poésie ne sont pas en elles-mêmes fort importantes », prononce-t-il; les poètes ont usé de leur talent irréfléchi, confondant vraies beautés et beautés fausses, pour amuser et abuser la foule trop crédule; jusqu'au moment où la Raison est venue détromper le public, et mettre les poètes en demeure d'être philosophes. Elle méprise la mythologie, et toutes les « inutilités » d'Homère. Plus que le génie et l'art, elle estime l'observation élégante des « bienséances »; surtout une œuvre littéraire n'a de prix à ses yeux que si elle se conforme non pas aux lois du genre, à ces règles littéraires que préconisaient les Classiques, mais à la nature, à l'essence même de ce genre, telle qu'une méditation philosophique vient enfin la dévoiler. Ainsi Fontenelle a-t-il disserté *Sur la nature de l'églogue*, sur les éléments que la Raison est en droit d'exiger du poète bucolique :

Les hommes veulent être heureux, et ils voudraient l'être à peu de frais. Le plaisir, et le plaisir tranquille, est l'objet commun de toutes leurs passions, et ils sont tous dominés par une certaine paresse... Ce n'est pas que les hommes puissent s'accommoder d'une paresse et d'une oisiveté entières : il leur faut quelque mouvement, quelque agitation, mais un mouvement et une agitation qui s'ajuste, s'il se peut, avec la sorte de paresse qui les possède, et c'est ce qui se trouve le plus heureusement du monde dans l'amour, pourvu qu'il soit pris d'une certaine façon. Il ne doit pas être ombrageux, jaloux, furieux, désespéré; mais tendre, simple, délicat, fidèle, et, pour se conserver dans cet état, accom-

pagné d'espérance. Alors on a le cœur rempli et non pas troublé; on a
des soins et non pas des inquiétudes; on est remué mais non pas déchiré; et ce mouvement doux est précisément tel que l'amour du repos
et que la paresse naturelle le peut souffrir.

Dressera-t-on un décor champêtre, autour de ces bergers d'Epicure ? C'est assez l'habitude, hélas ! Mais alors, on choisira scru-
puleusement « des objets qui fassent plaisir à voir ». Les brebis,
les chèvres, les soins qu'il faut prendre de ces animaux, « cela n'a
rien par soi-même qui puisse plaire ». Théocrite et Virgile ne
l'ont pas compris. Quoi qu'en disent les partisans outrés de l'Antiquité, la nature en elle-même n'est pas agréable; il y a une distance infinie des vrais paysans aux bergers d'églogue, dont le
modèle irréprochable se trouve dans *l'Astrée* : Fontenelle réalise
la gageure de confier à la philosophie l'héritage de la Préciosité.

Inlassablement donc il raisonne, ambitieux de d'étendre à tous
les domaines la méthode de « précision et de justesse » dont il
fait hommage à Descartes; condamnant, en tout, « ce qui ne va
pas au fait », se fiant non pas à la rhétorique, qui rend les contestations indéfinies, dit-il, mais à la Physique, « qui a le secret de
les abréger »; raisonnant sur le bonheur, afin de l'atteindre en
prenant une juste idée de la condition humaine; sur les oracles,
« dont le premier établissement n'est pas difficile à expliquer » :
il suffit d'affirmer la supercherie des prêtres et la grossière ignorance du peuple; sur la pluralité des mondes célestes. En 1733
enfin, dans la *Préface* de son *Histoire de l'Académie des Sciences*, il
glorifie la méthode scientifique comme l'âme d'un humanisme
nouveau :

L'esprit géométrique n'est pas si attaché à la géométrie qu'il n'en
puisse être tiré et transporté à d'autres connaissances. Un ouvrage de
morale, de politique, de critique, peut-être même d'éloquence, en sera
plus beau, toutes choses d'ailleurs égales, s'il est fait de main de géomètre. L'ordre, la netteté, la précision qui règnent dans les bons livres
depuis un certain temps, pourraient bien avoir leur première source
dans cet esprit géométrique qui se répand plus que jamais, et qui, en
quelque façon, se communique de proche en proche à ceux mêmes qui
ne connaissent pas la géométrie.

Les Belles-Lettres et le goût littéraire ont-ils gagné à cet enthousiasme rationaliste qui prétendait les régénérer ? Peu de temps
avant la mort de Fontenelle, en 1754, Grimm écrivait dans sa
Correspondance :

On eût dit que M. de Fontenelle, M. de La Motte et l'abbé Terrasson n'avaient fait tous ces efforts que pour prouver la misère et la

fausseté de l'esprit, lorsqu'il n'est pas guidé par le sentiment. C'est un aveugle qui marche avec confiance dans les ténèbres, qui s'égare méthodiquement.

L'abbé Conti, en 1761, n'est pas moins catégorique :

Soit par défaut de nature ou par l'usage de la philosophie, il est certain que M. de La Motte et M. de Fontenelle et leurs partisans n'ont point de goût; de là vient qu'ils ont introduit dans les Belles-Lettres l'esprit et la méthode de M. Descartes, et qu'ils jugent de la poésie et de l'éloquence indépendamment des qualités sensibles; de là vient aussi qu'ils confondent le progrès de la philosophie avec celui des arts.

Boileau, dans une boutade, n'avait-il pas déclaré :

La philosophie de Descartes coupe la gorge à la poésie.

CHAPITRE IV

LE GOÛT LITTÉRAIRE : NOVATEURS ET CLAIRVOYANTS

Les Modernes entendaient plier le goût aux disciplines de la Raison. Plus avisés, ou pressés d'une ambition différente, surtout plus sensibles à l'enchantement et au prix de Belles-Lettres, d'autres esprits, au cours de ce demi-siècle, suggéraient efficacement aux auteurs et au public quelques intentions nouvelles, ou entretenaient, non sans originalité, les voies déjà traditionnelles qu'avaient ouvertes nos Classiques.

***

Fénelon ici reparaît; mais comme sa politique, sa rhétorique tient de l'abbé Fleury. Le goût qui se déclare si allégrement dans les *Dialogues sur l'éloquence* et la *Lettre à l'Académie* a pris son origine peut-être, en tout cas son assurance dans les *Mœurs des Israélites* (1681), les *Mœurs des chrétiens* (1682), les *Discours sur la prédication* (1688), *Sur la Poésie en général et sur celle des Hébreux en particulier* (1713).

Epris des deux Antiquités pour la simplicité qu'il attribue à leurs mœurs, Fleury voit dans leurs chefs-d'œuvre littéraires le reflet de cette simplicité morale. Il proteste, il récrimine contre les chrétiens de son temps, parce qu'ils oublient leur titre et leur tâche de chrétiens; parce que leurs belles-lettres, comme leur art de gouverner, abjurent la croix du Rédempteur :

Chercher le plaisir sensible pour le plaisir, et en faire sa fin, rien n'est plus contraire à l'obligation de renoncer à nous-mêmes, qui est l'âme des vertus chrétiennes...
Les principaux sujets qui occupent nos beaux esprits sont les amourettes et la bonne chère... Pour moi, je ne puis me persuader que ce

soit là le véritable usage du bel-esprit : non, je ne puis croire que Dieu ait donné à quelques hommes une belle imagination, des pensées vives et brillantes, et tout le reste de ce qui fait des Poètes, afin qu'ils n'employassent tous ces avantages qu'à badiner, à flatter leurs passions criminelles et en exciter chez les autres. Je croirais bien plutôt qu'il a voulu que toutes ces grâces extérieures servissent à nous faire goûter les vérités solides et les bonnes maximes, et qu'elles nous attirassent à ce qui peut nourrir nos esprits, comme les saveurs qu'il a données aux viandes nous font prendre ce qui entretient nos corps.

Car enfin *pourquoi séparer l'utile de l'agréable ?* Pourquoi faire de la doctrine du salut et des discours de piété des médecines amères par la sécheresse et la dureté du style, ou des viandes fades et dégoûtantes par la longueur et la puérilité ? Et pourquoi au contraire employer le génie, l'étude et l'art de bien écrire, à donner aux jeunes gens et aux esprits faibles des ragoûts et des friandises qui les empoisonnent et qui les corrompent sous prétexte de flatter leur goût ? Il faut donc ou condamner tout à fait la Poésie, ce que ne feront pas aisément les personnes savantes et équitables, ou lui donner des sujets dignes d'elle, et la réconcilier avec la véritable Philosophie, c'est-à-dire avec la bonne morale et la solide piété.

Soyons donc chrétiens véritablement et complètement, au lieu de nous borner à l'être par quelques attitudes. Quand nous serons revenus dans notre vie à la simplicité des patriarches et des héros d'Homère, que nous aimerons bonnement la nature, les choses créées, telles que Dieu les a faites, que nous mépriserons les artifices et toutes les fausses « cérémonies » des hommes, des Français du XVII° siècle, dans nos discours alors nous mépriserons le bel-esprit; dans les vers nous saurons distinguer versification et poésie. Les récits de la *Bible* nous raviront par leur clarté et leur souplesse : au lieu de prétendre à l'éloquence, ils s'allongent en détails « aux endroits importants », ils « mettent l'action devant les yeux du lecteur ». Nous saurons goûter l'éloquence improvisée des Pères de l'Eglise, leurs sermons « simples, sans art qui paraisse, sans divisions, sans raisonnements subtils, sans érudition curieuse », d'un ton familier parfois, et toujours « proportionné à la portée » des auditeurs. Fleury souhaite que l'art littéraire serve la morale religieuse; et il enseigne que sans la vertu morale de simplicité, sans l'amour d'un certain naturel, d'une certaine droiture, sans un certain réalisme chrétien, il n'y a qu'artifice, et non pas art véritable.

Chez Fénelon les recommandations âpres de Fleury se transforment en séduisants conseils. Il est vrai que là encore on va voir intervenir, comme dans *Télémaque*, quelques enchantements guyoniens.

Fuyez les mauvais raffinements du bel-esprit, disent les *Dia-*

logues sur l'éloquence : que les divisions soient simples; évitez la recherche et plus encore la raideur. Choisissez pour chaque chose la place capable de la rendre « plus propre à faire impression ». Au lieu de chercher à *plaire*, tâchez de *peindre* :

Représentez les circonstances d'une manière si vive et si sensible, que l'auditeur s'imagine presque les voir. La poésie, qui est le genre le plus sublime, ne réussit qu'en peignant les choses avec toutes leurs circonstances.

Mais l'on ne fera de peinture émouvante, et l'on n'atteindra au naturel, que si l'on est désintéressé : tant que l'on s'attachera à plaire, on ne trouvera que de vains ornements, des « fredons grossiers et méprisables ». L'art véritable se cache : Virgile ne peint vivement ses héros que parce qu'il sait disparaître derrière eux. Enfin les poèmes, comme les sermons, sont destinés à former les mœurs. Ce « dessein de morale est marqué visiblement » dans *l'Iliade*, dans *l'Odyssée*, dans *l'Enéide*.

La *Lettre à l'Académie*, testament du goût de Fénelon, donne de ces principes des formules à la fois plus décidées et plus légères. Elle condamne courtoisement le genre fleuri, dont les grâces surchargées d'« ornements affectés » n'atteindront jamais au sublime, et même se concilient mal avec la vraie bienséance. Aussi bien le goût véritable n'est-il satisfait « ni par le difficile, ni par le rare, ni par le merveilleux », mais par « le beau simple, aimable et commode ». Il faut aimer les « beautés simples, faciles et négligées en apparence ». C'est pourquoi aux modernes ingénieux Fénelon préfère les Anciens « qui n'ont que la simple nature » : l'affectation, le désir de briller et de plaire est chose trop fréquente même chez les meilleurs d'entre les modernes. Sans doute il faut choisir parmi les Anciens, et ne les pas admirer tous aveuglément. Parmi eux, les vrais modèles sont Démosthène, l'orateur qui « s'oublie », chez qui « rien ne brille », et non pas Cicéron, chez qui « l'art infini et la magnifique éloquence » laissent remarquer quelque coquetterie; Virgile et Homère qui nous font aimer leurs héros, en s'oubliant pour eux. Tout devient touchant dans leurs vers, parce que jamais la vanité littéraire, l'amour-propre, ne les vient distraire de l'étude de la réalité, de la « nature ».

On constate tout ce qu'un tel goût doit à Fleury. Sa dette au mysticisme n'est pas moins authentique. Mme Guyon, qui n'avait cessé de dénoncer la trompeuse science et la fausse sagesse des « docteurs », jugeait l'orgueil inhérent à l'exercice de l'intelligence. A ses yeux l'unique vertu est la *simplicité*, par laquelle l'âme désappropriée se livre à la conduite de Dieu. Défiance de l'esprit, oubli de soi, simplicité absolue, Mme Guyon avait commencé elle-même à transposer ces mystiques directions en une rhétorique : dans ses *Lettres* elle énumérait les « qualités des bons sermons », et elle excluait de la liste « l'air de controverse », et l'« art ».

Aussi Fénelon distingue-t-il si peu lui-même l'ordre littéraire de l'ordre religieux, qu'on le voit employer dans ses lettres de direction les mêmes mots, et donner les mêmes conseils, que dans les *Dialogues* et la *Lettre à l'Académie*. Est-ce à un orateur qu'il s'adresse dans cette lettre où il recommande avec tant d'instance que l'on soit « simple et sans art en tout » ? Non, c'est à l'abbé de Salignac, son petit-neveu, et il lui parle des moyens d'avancer dans la vie spirituelle. A ses yeux la *simplicité* est seule « dans le goût de la pure grâce »; elle est l'unique vertu, seule vraie, seule aimable, et il en écrit cet éloge si fin et si ardent :

La simplicité est une droiture de l'âme qui retranche tout retour inutile sur elle-même et sur ses actions. Elle est différente de la sincérité. La sincérité est une vertu au-dessous de la simplicité. On voit beaucoup de gens qui sont sincères sans être simples : ils ne disent rien qu'ils ne croient vrai; mais ils sont toujours à s'étudier eux-mêmes, à compasser toutes leurs paroles et toutes leurs pensées et à repasser tout ce qu'ils ont fait, dans· la crainte d'avoir trop fait ou trop dit. Ces gens-là sont sincères; mais ils ne sont pas simples, ils ne sont point à leur aise avec les autres, et les autres ne sont point à leur aise avec eux; on n'y trouve rien d'aisé ni de libre, rien d'ingénu, rien de naturel; on aimerait des gens moins réguliers et plus imparfaits, qui fussent moins composés. *Voilà le goût des hommes, et celui de Dieu est de même.*

Dieu et les hommes préfèrent à tout la simplicité : cette vertu plaît à la fois au mysticisme de Fénelon et à son goût, à celui-ci sans doute parce qu'à celui-là.

On va s'étonnant que Fénelon, traitant de l'éloquence, ait omis toute allusion à Bossuet, aussi bien dans les *Dialogues* que dans la *Lettre à l'Académie*. Etait-ce là négligence ou rancune ? Non; il semble, bien plutôt, que Fénelon n'a pas compris, n'a pas admis l'éloquence de Bossuet dans son principe même. La science, l'argumentation, le style périodique ne lui représentent qu'orgueil de l'intelligence et de l'art. Il lui est arrivé une fois, vers la fin de sa vie, d'accorder à la mémoire de Bossuet quelques mots d'éloge; et ses biographes ne manquent pas, en cette occasion, de vanter son impartialité, sa justice. Cependant le mérite qu'il reconnaît alors à son ancien adversaire est celui d'une « érudition » considérable.

Or nous savons ce qu'il pensait de l'érudition : « elle ne sert qu'à enfler l'esprit », nous dit Ramsay se faisant l'écho de ses sentiments. Et plus loin Ramsay définit ainsi la fausse éloquence :

> Elle substitue les maximes de l'esprit au lieu des sentiments du cœur ; des sentences morales, sèches et apprêtées, au lieu de ces mouvements vifs et naturels d'une âme saisie par l'amour du Beau. *Tandis qu'on croira que l'amour-propre est la source de toutes les vertus, on ne dira jamais rien de grand.* On sera toujours renfermé en soi. La sphère est trop bornée pour y prendre un vol hardi, noble et sublime.

Aux yeux prévenus de Fénelon, un adversaire du Pur Amour était fatalement incapable d'atteindre à la vraie éloquence.

***

Ce secret de ses aversions et de ses préférences ne fut pas connu des profanes. Ils retinrent cependant quelques-unes de ses intentions, et l'on peut çà et là apercevoir quelques traces du goût fénelonien, nuançant le classicisme des uns, le modernisme des autres.

Ainsi Rollin, le Janséniste Rollin, a soin, dans le *Discours préliminaire* de son *Traité des Etudes,* de montrer comment la culture littéraire transforme et élève les hommes « en leur donnant des inclinations et des mœurs plus douces ». L'école du bon goût, dit-il, est une école de bon ordre. Car il ne sépare pas l'étude de la vie ; il n'abstrait ni l'art ni l'artiste des autres réalités. Il constate sans regret, tout au contraire, que si la littérature a une influence sur les mœurs, les mœurs à leur tour en ont une sur la littérature, souvent d'ailleurs pour la déformer : lorsqu'on cherche, dit-il, uniquement la nouveauté dans les institutions, les idées, les meubles, le même esprit de curiosité vient mettre le désordre dans le goût littéraire. Et il conclut :

> En un mot, la qualité la plus nécessaire non seulement pour l'art de parler et pour les sciences, mais pour toute la conduite de la vie, est ce goût, cette prudence, ce discernement, qui apprend en chaque occasion ce qu'il faut faire et comment il faut le faire.

Rollin est bien un classique, mais un classique qui utilise la discipline littéraire en vue du plus grand bien moral et social. Il est sensible, aussi, à sa manière, qui est un peu doctorale : il s'émeut gravement, mais profondément, aux descriptions passionnées; aux « endroits tendres et touchants » et édifiants, qu'il trouve dans l'Ecriture-Sainte. Il s'enthousiasme, aux mots si simples qui dans la *Genèse* marquent si nettement la puissance de Dieu, et il interrompt d'un commentaire sagement lyrique les citations des deux *Testaments* dont il appuyait sa thèse sur la beauté de l'*Ecriture*. A « l'histoire admirable de Joseph », il ne peut « retenir ses larmes », et avec Jérémie il se lamente sur la ruine de Jérusalem. Voilà comment Rollin enseigne les Belles-Lettres « par rapport à l'esprit et au cœur ». Chateaubriand dans son *Génie* commentant les beautés de la Bible sera un plus grand artiste : mais il ne sera qu'un artiste. On peut penser qu'en se souvenant du chapitre de Rollin, comme il s'en est incontestablement souvenu, il a éprouvé quelque sentiment condescendant pour l'âme simple du bon recteur; alors qu'en réalité l'âme pure, religieuse, confiante de Rollin avait goûté dans la Bible des beautés autrement complexes : beautés humaines et divines, pathétiques, mais aussi sereines et fortifiantes.

De la *Lettre à l'Académie* relèvent, étroitement parfois, quelques théoriciens de l'éloquence de la Chaire. A vrai dire, la réaction contre la période oratoire de Bossuet, contre l'« affectation de plaire » et les gênantes divisions, n'avait pas attendu pour se produire la *Lettre* de 1714, ni la publication des *Dialogues sur l'Eloquence* en 1718. Bossuet était malmené dès 1698 par M. de Boissimon dans ses *Beautés de l'ancienne éloquence* : « affectation de grandeur, je ne sais quel tour et quel ton d'oracle, trop d'exactitude et de régularité dans le style », trop de « détail », trop peu de cette « inutilité », de cette « superfluité qui est une grâce merveilleuse », voilà par quels reproches on signifiait à Bossuet qu'il était démodé. Il ne restait guère désormais, pour défendre l'exactitude et les règles traditionnelles de l'éloquence, que le coléreux universitaire Gibert : encore se voyait-il traité de pédant, de « rhéteur de collège », par le P. Lamy, ce Bénédictin que Fénelon estimait. Et ils se multipliaient, les adversaires de la « contrainte », comme ils disaient, de la « servitude », de la vieille rhétorique austère. Les Pères de l'Eglise ne s'assujettissaient pas aux divisions, rappelle le P. Gaichiès, dans son *Art de la prédication* (1711); Guiot, dans un *Discours de la prédication* (1714), souhaite que les orateurs sacrés abandonnent leurs « discours assez vagues, mais méthodiques et suivis », pour être pratiques, et naturels. Les Jésuites se mettent à condamner le genre d'éloquence qui est en train de passer de mode : « cette manière de prêcher les mystères », affirment leurs *Mémoires de Trévoux*, « a été introduite par les

Jansénistes ». Et leur P. Gaichiès insiste, précise : que le prédicateur parle au cœur; qu'il n'admette que les ornements « simples,
naturels »; les divisions « sont presque toujours fatales à la liberté
de l'éloquence, sentent trop l'étude », détruisent l'unité, « étran-
glent et estropient » le sujet. Prenez enfin comme modèle saint
Jean Chrysostome, chez qui « tout est coulant et léger : on dirait
que c'est la nature elle-même qui parle ».

Et les modernes faisaient chorus : aux yeux de l'abbé de Pons,
les règles des rhéteurs ne sont que « dogmes confus »; il est
temps que l'éloquence « appelle à son secours tout ce que les passions ont de plus enchanteur ». La Motte-Houdar, en 1725, dans
une Ode au cardinal de Polignac sur l'éloquence de la chaire, propose comme modèle du prédicateur saint Jean Chrysostome,
« naturel ensemble et sublime ».

Est-il fénelonien, ou moderne, ce livre singulier de l'abbé Dubos :
les Réflexions critiques sur la Poésie et sur la Peinture (1719) ?
D'abord on le croirait tout voisin du classicisme, au moins selon
la Lettre à l'Académie :

> Les poèmes et les tableaux ne sont de bons ouvrages qu'à proportion
> qu'ils nous émeuvent et nous attachent.
> Le sublime de la poésie et de la peinture est de toucher et de plaire.

Mais c'est « en philosophe » que Dubos veut « examiner » comment il arrive que les productions des arts fassent tant d'effet sur
les hommes. L'émotion que Dubos demande aux tableaux et aux
livres n'est pas la même que les grands artistes de lettres du
siècle précédent voulaient produire. L'art transfigure les sujets,
disait Boileau. Mais Dubos : pour qu'un tableau ou un récit nous
émeuve, il faut que « la chose imitée soit capable de le faire »,
qu'elle-même déjà nous « intéresse » : faute de quoi, un tableau
de Téniers par exemple nous fera bâiller; et

> Le plus beau paysage, fût-il du Titien ou du Carrache, ne nous
> intéresse pas plus que le ferait la vue d'un canton de pays affreux ou
> riant; il n'est rien dans un pareil tableau qui nous entretienne, pour
> ainsi dire; et comme il ne nous touche guère, il ne nous attache pas
> beaucoup.

Il faut donc que la peinture soit expressive, comme l'était, selon
Dubos, la sculpture des Anciens. Des « tableaux pathétiques »
seuls peuvent « embellir » un poème didactique; le sujet d'une
épopée doit par lui-même déjà être attachant :

Le poète qui introduirait Henri IV dans un poème épique nous trouverait déjà affectionnés à son héros.

Le succès incomparable de la tragédie et sa supériorité sur la comédie tiennent à ce qu'elle est par excellence le genre émouvant : à condition, bien sûr, qu'elle ne se traîne pas en conversations galantes, en fadeurs de ruelle — Racine n'est pas exempt de ce défaut — et que par des tableaux pathétiques elle agisse sur nos yeux, vive et soudaine comme la peinture. De même encore, l'intérêt de la versification n'est pas dans la rime, ce reste de barbarie, cet éclair passager, mais dans le rythme, seul capable d'un effet profond et continu sur notre sensibilité. Aussi le poète sera-t-il un homme passionné :

La même constitution qui fait le peintre et le poète, le dispose aux passions les plus vives.

Ainsi Dubos ne distingue pas l'émotion esthétique des autres émois. Elle ne va pas, dit-il, jusqu'à tromper la raison; « nous en jouissons sans être alarmés par la crainte qu'elle dure trop longtemps » elle est moindre en degré, mais elle est bien « du même genre. »

Comment naissent les chefs-d'œuvre, « quelle part les causes morales ont au progrès des arts », et quelle part les causes physiques, voilà ce que Dubos examine « en philosophe ». Non en raisonneur à vrai dire, mais en penseur qui assemble et étudie des faits : il se méfie de l'abstraction, et ne veut croire qu'à l'expérience :

L'esprit philosophique qui rend les hommes si raisonnables, et pour ainsi dire si conséquents, fera bientôt d'une grande partie de l'Europe ce qu'en firent autrefois les Goths et les Vandales, supposant qu'il continue à faire les progrès qu'il a faits depuis soixante-dix ans. Je vois les arts nécessaires négligés, les préjugés les plus utiles à la conservation de la société s'abolir, et les raisonnements spéculatifs préférés à la pratique. Nous nous conduisons sans égard pour l'*expérience, le meilleur maître qu'ait le genre humain;* et nous avons l'imprudence de nous conduire comme si nous étions la première génération qui eût su raisonner...

Plus les hommes avancent en âge et plus leur raison se perfectionne, moins ils ont de foi pour tous les raisonnements philosophiques, et plus ils ont de confiance pour le sentiment et pour la pratique.

Cet effort d'esprit positif s'arrête pourtant assez loin du but. Les généralités de moraliste abondent encore sous cette plume de lettré disert; et à cet exigeant ami des faits manque trop la connaissance de l'Histoire. Il philosophe, hélas, sur la Grèce, lorsqu'il écrit :

Les Grecs étaient si fort prévenus en faveur de tous les talents qui mettent de l'agrément dans la société, que leurs rois ne dédaignaient pas de choisir des ministres parmi les comédiens.

Ses Grecs sont les Français de son temps, tels qu'à son gré ils devaient être, tels qu'ils sont en train de devenir :

Les Grecs n'élevaient pas une partie de leurs citoyens pour être inaptes à tout hors à faire la guerre... Le commun de la nation faisait donc alors sa principale occupation de son plaisir... La plupart des Grecs devenaient des connaisseurs.

Les « siècles illustres » selon lui, les siècles « fertiles en grands artistes », sont uniquement ceux « où il est permis aux hommes d'être plus attentifs à leurs plaisirs qu'à leurs besoins ». Voilà pourquoi sans doute il affirme que « durant les dix siècles » du Moyen Age « les lettres et les arts ont été ensevelis », et que le siècle de François Ier et des Valois a produit tout au plus « quelques fragments de vers ou de prose que nous lisions avec plaisir ».

On lui fait justement l'honneur d'avoir marqué et non sans force, l'influence des climats divers sur les artistes et sur les arts. Mais là aussi il raisonne à l'excès, et reste prisonnier du goût le moins ouvert de son temps :

Tout le monde sait qu'il n'est sorti des extrémités du Nord que des poètes sauvages, des versificateurs grossiers, et de froids coloristes. La peinture et la poésie ne se sont point approchées du pôle plus près que la hauteur de la Hollande. On n'a même guère vu dans cette province qu'une peinture morfondue.

Il n'y a pas non plus de grand peintre en Espagne. A Persépolis la sculpture n'a pu être qu'une ornementation « grossière »; les « curiosités de la Chine » et de l'Asie centrale sont dénuées d'intérêt; jamais il n'y a eu de bonne sculpture égyptienne :

S'il se rencontre quelque sphinx d'une beauté merveilleuse, on peut croire qu'il soit l'ouvrage de quelque sculpteur grec qui se sera diverti à faire des figures égyptiennes.

Il ne manque guère aux Français, avoue Dubos avec quelque candide mélancolie, qu'un peu de « tranquillité d'âme ». Ils seraient « bons spectateurs », si leur vie n'était pas ce « perpétuel embarras de plaisirs et d'occupations tumultueuses ». Au fond, les *Réflexions critiques* répondent assez bien au goût parisien, tel qu'il s'établissait ou s'affirmait sous la Régence : tout dominé, animé, symbo-

lysé par le pathétique du théâtre : accents de l'opéra, tableaux de
la tragédie; cherchant dans ces « douleurs d'illusion », comme on
dira à la fin du siècle, une jouissance, une occupation exempte de
peine et qui prévienne l'ennui.

⁂

A Paris cependant la tranquillité d'âme et les recherches patientes
avaient un asile, ou comme on dit aujourd'hui un laboratoire :
l'*Académie des Inscriptions*. Ses travaux furent souvent ignorés
du grand public affairé aux nouveautés brillantes; ils nous paraissent
aujourd'hui assez timides, et trop indécis entre ce que nous nom-
mons la méthode scientifique, et le commentaire humaniste. En
matière de goût, cette indécision ne fut pas regrettable. Les découvertes d'une érudition qui ne professait pas l'indifférence au jugement littéraire, donnaient peu à peu à ce jugement plus de largeur,
plus de richesse; elles renouvelaient, pour des générations encore
lointaines, le décor pittoresque et sentimental de l'Histoire et du
roman.

C'est en 1701, que l'Académie se met vraiment à l'œuvre. De par
la ferme volonté de ses membres, elle cesse d'être avant tout une
sorte de commission de documentation pour la gloire et les plaisirs
élevés du roi, pour ses opéras et ses médailles. Une de ses classes,
la 4ᵉ, se consacre à « éclaircir divers points de l'histoire du Moyen
Age, particulièrement de celle de notre monarchie, de nos premiers
poètes, de nos vieux romanciers et d'autres auteurs ».

L'esprit de ces recherches sur le Moyen Age n'est pas l'esprit
philosophique. Aux Inscriptions la majorité est faite d'historiens,
de philologues, de traducteurs, non de philosophes. Fontenelle y
est assez isolé; Duclos, différent ici de ce qu'il est à l'Académie
française, se disciplinera, lui le libre causeur si fier de ses ripostes,
si assuré de sa profondeur de moraliste, à composer un *Mémoire sur
les Druides* — où Chateaubriand puisera quelques traits pittoresques
pour ses *Martyrs*. Ici on est savant, auprès de Mabillon, de Galland,
de Dacier, de l'abbé Bignon.

Fréret goûte l'érudition de Bayle plus que ses intentions agressives. Falconnet le médecin est philologue. Et Louis Racine est
dévôt. En 1736 un *Mémoire* de M. de La Nauze *sur l'abus que l'on
fait quelquefois d'une prétendue clarté de style, en traitant des matières de littérature ou de science* proteste contre les « écrivains
curieux d'appliquer une méthode géométrique à des sujets qui
n'en sont pas susceptibles », contre les « amateurs de style syllo-

gistique », les « partisans de la manière d'écrire par pensées détachées ». Les Anciens, dit-il, n'avaient pas cet appétit désordonné
de clarté. A la manie de tout réduire : sentiments profonds, idées
complexes, en monnaie d'échange facile, il faudrait préférer l'art
d'intéresser, de suggérer, de solliciter au travail de la méditation
ou au plaisir de la rêverie l'âme du lecteur. En 1741, voici des
Réflexions fort peu avenantes à la vogue de la philosophie : *Réflexions générales sur l'utilité des Belles-Lettres et sur les inconvénients du goût exclusif, qui paraît s'établir en faveur des
mathématiques et de la physique* : à quoi tient ce crédit extraordinaire des sciences ? c'est que les sciences sont d'acquisition plus aisée :

La culture des lettres demande une sorte de préparation commencée
dès l'enfance, dont les Mathématiques et la Physique peuvent absolument se dispenser.

Chaque science peut s'isoler dans sa spécialité : la culture littéraire n'est réelle qu'à condition d'être générale, et un grand nombre
d'éruditions diverses est nécessaire à quiconque veut voir juste
en histoire. La vraie philosophie, le sens critique, n'est donc point
issu des sciences : les études historiques l'ont formé, autrement
exact et complet.
    La France manque de bons historiens, avoue d'Argenson dans
un *Mémoire* de 1757, où les insuffisances et les mérites de nos
historiens sont marqués avec une indulgente précision : la faible
critique et le style naturel de Joinville, le bon sens et le bon goût
de Froissart, et son incapacité de dénigrer : « son écueil était
l'amitié »; la « bonne foi et la bonté flamande de Comines, qui
plaint ceux qu'il blâme »; d'Aubigné insupportable par l'excès
de ses métaphores; Varillas, « mélange singulier de travail, de critique et de fictions »; Voltaire enfin, qui sait exposer, mais qui dans
Charles XII « a manqué de matériaux et de critique ». L'historien
doit être un moraliste : mais aujourd'hui « tout ennuie en morale »; il doit avoir étudié la politique : mais dans une monarchie
la politique intérieure est « voilée » et ce sont « secrets d'Etat »
que la politique extérieure. Et d'Argenson ajoute, triste et véhément :

Peut-être a-t-on rendu la politique trop mystérieuse. Il y a moins
qu'on ne pense de secrets nécessaires; leur publicité intéresserait davantage au bien commun. Les républicains sont instruits, et les courtisans
ignorent les véritables intérêts de leur nation.
    Si les peuples connaissaient mieux les lois fondamentales, et en péné-
traient l'esprit, ces connaissances attireraient l'affection et confirmeraient
l'obéissance. On éviterait par là cette critique continuelle du gouver-

Frontispice de l'édition de 1734 de *Télémaque*

nement, ces discussions et ces haines, qui nourrissent l'esprit de faction :
mauvais appuis de la liberté, effets dangereux de la licence et germes
des révolutions.

Voilà dans quel esprit patriote et réaliste on s'entretenait du passé
à l'Académie des Inscriptions.

La 4° classe ne chôme pas. Galland l'arabisant étudie nos anciens
poètes, et quelques romans en *gaulois,* c'est-à-dire une langue romane; Foucault se contente de fournir, pour que d'autres les décrivent, quelques manuscrits : *Perceval,* le *Pèlerinage de Jérusalem,*
une *Chanson de Roland* en alexandrins. En 1727 Falconnet avoue
que la lecture de nos premiers traducteurs est « désagréable »;
il s'y emploie pourtant, il souhaite un dictionnaire géographique
de la France, une *Bibliothèque française,* surtout un *glossaire* français; et là-dessus il raille doucement les gens à systèmes, qui ont
cherché, et trouvé, une origine à la langue française, avant de
connaître la langue romane. A partir de 1729, La Curne de Sainte-
Palaye accomplit ses grands défrichements : sur nos vieux chro-
niqueurs; sur les romans de chevalerie; enfin en 1746, sur l'ancienne chevalerie, qu'il réhabilite de son mieux, toutefois en s'efforçant trop, dans sa conclusion, de plaire aux philosophes par une
évocation d'Athènes assez déplacée, et une citation inattendue de
Frédéric II.

Deux autres *Mémoires* intéressent davantage l'histoire du goût,
par le témoignage qu'ils donnent du sens littéraire si juste et si
spontané, que la fréquentation de nos vieux poètes entretient chez
ces savants. C'est l'étude de Charles d'Orléans par l'abbé Sallier
(1734), et celle des *Fabliaux,* par le comte de Caylus (1746). Le
« génie » de la langue française, dit Sallier, se trouve là, chez nos
plus anciens auteurs :

On trouve dans les productions de Charles d'Orléans, avec la liberté
française et une heureuse facilité pour exprimer ce qu'il pense et ce
qu'il sent, toute la décence et la retenue que la noblesse d'une haute
origine, et que des mœurs douces et formées par une éducation convenable, pouvaient imprimer dans le discours.

Et Caylus admire pleinement les *Fabliaux,* au point de les juger
très supérieurs à la poésie française des âges suivants :

Il y a des peintures du printemps, et d'autres descriptions si agréables,
qu'elles peuvent aller de pair avec tout ce qu'on connaît de meilleur en
ce genre. Je crois avoir assez rapporté de traits, pour prouver ce que
peuvent l'esprit et le goût naturel sans le secours de l'art... Il est éton-

nant qu'avec de tels modèles notre poésie soit retombée dans la barbarie... Dès ce temps-là les idées étaient réglées, la langue était faite,
et enfin *on y connaissait pleinement la simplicité et la naïveté, qui seront
toujours la base du goût vrai,* et dont il semble qu'on s'écarte un peu
trop aujourd'hui... Je ne crains pas de dire que La Fontaine n'eût point
été ce qu'il sera éternellement, c'est-à-dire un auteur d'un goût exquis,
s'il n'avait puisé des exemples et des modèles dans ces sources.

Un des académiciens les plus assidus était le consciencieux Louis
Racine, qui, pour certaines de ses vues sur la poésie et sur la
langue, mérite d'être nommé à part. Il les exposa en plusieurs doctes
Mémoires : *Poésie naturelle, Poésie artificielle, Style poétique;* on
les trouve aussi dans son *Ode sur l'Harmonie* de 1736, et dans ses
Remarques sur les tragédies de Jean Racine. Car il a entrepris de
défendre son père contre les partisans de Corneille : apologie méritoire : Louis Racine, en bon janséniste, haïssait et redoutait le
théâtre « presque toujours pernicieux », dit-il; il n'y voit qu'âmes
révoltées contre la souffrance; au lieu d'enseigner la résignation,
elles éprouvent, elles communiquent « toute l'impatience d'une
nature irritée, et qui demande vengeance ». Aussi affirme-t-il que
les héroïnes de son père exercent « l'empire de la beauté unie à
la vertu »; et surtout il insiste sur la beauté et la nouveauté de
la langue poétique, dans les tragédies paternelles. Sans créer un
seul mot nouveau, dit-il, Jean Racine a renouvelé la langue : c'est
qu'il en connaissait le « génie », que lui avait révélé Amyot.

Ailleurs, il tient que la « vivacité » caractérise la poésie; que
le langage figuré n'est pas, comme on le croit, artificiel : « ce n'est
que le langage de la nature dans les circonstances où nous le devons
parler ». Enfin il insiste sur l'harmonie nécessaire au style poétique,
harmonie générale, surtout l'harmonie imitative, si bien réalisée à
son gré dans *l'Iliade, l'Enéide, le Lutrin,* et dans les *Odes* de
J.-B. Rousseau. Avant de mourir en 1763, il indiquera à Delille
débutant dans le commentaire de Virgile cette recherche d'effets
syllabiques comme un utile ornement; la muse ingénieuse de Delille
mettra à profit ce secret; et les Romantiques, qui feront à la lecture de Delille l'apprentissage de leur métier, transfigureront en
morceaux d'orchestre les grêles études de leur modèle.

**

Les Romantiques développeront en fanfare un autre appel du
goût de ce temps-là. Appel souvent médiocre, efficace néanmoins
par son insistance. Le style de la Bible, la poésie des Hébreux comme

on dit alors, ne cesse d'être recommandé par les théoriciens et les critiques comme une « source de beautés ». Fénelon, après Fleury, s'émouvait à la simplicité de l'Ecriture, à ses récits vivants, souples, pleins de détails concrets, d'images naïves. Rollin et l'abbé Dubos goûtaient également cette poésie. Un des critiques du XVIIᵉ siècle les plus lus au XVIIIᵉ, le P. Rapin, avait engagé les prédicateurs à s'en inspirer :

L'Ecriture sainte a une grandeur de sens cachée sous une expression simple, qui fait d'abord plus concevoir qu'elle ne dit.

Tel professeur bien intentionné — M. Hersan — explique le *Cantique de Moïse* « selon les règles de la rhétorique » (1700); un facile improvisateur de cantiques et d'opéras, l'abbé Pellegrin, vénère les *Psaumes* comme « ce qui nous reste de plus beau de l'Antiquité » (1705); toutefois ils lui paraissent un peu tumultueux, décousus, obscurs; David, en vérité, était trop « animé, pour ne pas dire agité de l'esprit de Dieu ».

De cette attention à l'originalité littéraire de la Bible le témoignage capital est, au milieu du siècle, en 1751, le *Discours préliminaire* aux *Poésies sacrées* de Le Franc de Pompignan. Le goût de Le Franc s'exprime en impératifs et en axiomes : il n'en est pas moins clairvoyant et délié.

L'Ecriture sainte, dit-il, est variée; elle est touchante, elle est sublime; elle mélange sans cesse, et harmonieusement, la grandeur et la simplicité, l'agrément et la force : « son caractère propre est d'émouvoir, d'intéresser et de parler au cœur ». Pour connaître toutes ses « richesses poétiques » remontez à l'original hébreu : la traduction latine en a laissé tomber un grand nombre. Là où saint Jérôme a traduit : Si je prends mes ailes au point du jour, *si sumpsero pennas meas diluculo*, le Psalmiste avait écrit : je prendrai les ailes de l'Aurore :

Cette dernière image a bien plus de hardiesse et de rapidité : que de sentiment et de douceur dans ce *Point du Jour* personnifié, dans cette Etoile du matin dont on emprunte les ailes ! L'imagination s'allume à la vue de pareils objets, représentés si vivement...

Que l'on n'hésite pas non plus à faire passer dans la langue poétique française certains tours hébraïques, où les « règles extérieures de la grammaire » paraissent sacrifiées à l'expression de « la force du sens » :

Qu'on ne dise pas que ce sont là des tours propres et particuliers à l'hébreu, qui s'accordent mal avec le caractère et le génie de la langue française. Cette incompatibilité disparaît dans la poésie. Un des plus sûrs moyens d'ennoblir le langage, et de le rendre poétique, c'est d'emprunter, non seulement les expressions, mais encore les idiomes des autres langues...

De si heureuses suggestions surent tenir contre tous les méchants bons mots de Voltaire. Cinquante ans plus tard, le *Génie du Christianisme* les recueillera, pour les transmettre aux temps nouveaux.

CHAPITRE V

LE LYRISME

Un lyrisme au xviiᵉ siècle ? Non seulement on en a affirmé l'absence, mais on l'a expliquée. Brunetière au siècle dernier, grand ennemi de l'individualisme, ne jugeait pourtant digne du titre de lyrique que l'expression des sentiments personnels; et il prouvait qu'au xviiᵉ siècle et au xviiiᵉ l'impersonnalité, l'expression des sentiments généraux étant la règle, ces époques littéraires devaient être dépourvues d'authentique lyrisme. Plus récemment, dans la belle *Revue du XVIIIᵉ* siècle, l'esprit si foncièrement mondain de ce temps-là était présenté comme le grand obstacle à l'épanouissement du lyrisme; en ces âmes sans cesse occupées de fêtes brillantes, de galants propos, de curiosités graves mais passagères, quelle place, quel loisir restait-il pour rêver ou se souvenir ? Indifférent au passé, qu'on ignore, aimerait-on le sol natal, qui est en général la province méprisée ? On raille, on persifle, on ne goûte que le langage clair... Ce développement date de 1914. C'était à peu près le temps où l'un de nos maîtres les plus épris de documentation niait que la Bible eût laissé quelque trace sur notre littérature du xviiᵉ siècle.

Au xviiiᵉ siècle, il n'y a pas eu chez nous un lyrisme : il y en a eu quatre; lyrisme sacré, grand lyrisme profane, lyrisme de confidence ou d'élégie, lyrisme des chansons.

⁎⁎

Des images plus vives, ou plus grandioses, quelques tours inattendus, des exemples de simplicité, de variété, de noblesse, voilà dans l'Ecriture sainte ce que les critiques alors ou les auteurs de préfaces recommandaient à l'admiration ou proposaient en modèle. Ils témoignaient à leur manière, ou plus exactement à leur tour, de ce besoin, de cette nostalgie de sincérité chrétienne, qui n'avait cessé de nous hanter depuis la Renaissance, malgré l'italianisme à recettes littéraires et à draperies conventionnelles, ou pour lui faire équilibre.

Depuis la Renaissance, les poètes sacrés avaient été innombrables chez nous. On ne connaît aujourd'hui que les plus grands d'entre eux : Desportes, dont le pétrarquisme s'émoussait çà et là de simplicité biblique; Bertaut, qui entrevoyait une nature évangélique et la fleurissait d'harmonie; d'Aubigné tout hérissé de *l'Apocalypse* et des prophètes; Malherbe et ses paraphrases, et les fluides *Cantiques* de Racine. Mais ces talents ou ces génies, loin de rendre ainsi à la Bible un hommage isolé, ne faisaient guère que céder au courant général de leur temps; la paraphrase a été, au xvii⁰ siècle surtout, le genre le plus populaire, et l'on pourrait dire le plus personnel, le plus intime, la forme que l'on préférait pour crier à Dieu sa propre souffrance ou pour se souvenir d'un vrai bonheur passé. Même chez un plat versificateur, un Le Noble, à la fin du xvii⁰ siècle, les images bibliques gardent leur enchantement; elles ont beau, selon l'esprit du latin qui en présente le texte au poète, du latin oratoire qui a discipliné l'intelligence du poète et de ses lecteurs, s'imposer en arguments plutôt que s'offrir toutes familières ou affectueuses, elles sourient encore ou frémissent ou s'élèvent, maternelles à l'homme comme les porches des vieilles cathédrales que maintenant il ne comprend plus.

Au xviii⁰ siècle la tradition n'est pas défaillante. Elle s'enrichirait plutôt de cantiques bavards, de méditations « en vers héroïques » mais aussi prosaïques que ferventes, sur les Mystères du Rosaire; d'Odes sur ces « grands objets » que sont l'Existence de Dieu, les attributs de Dieu, l'Eglise, les vertus, et l'Athéisme confondu. Parfois, dans un même recueil voisinent des *Elégies sacrées* et *d'autres poésies* : un sonnet par exemple sur *la Dignité du Sacerdoce* avec des *pièces badines et galantes* : *Sur une jarretière* :

> Heureux cordon d'une colonne
> Digne du temple de l'Amour.

L'abbé Pellegrin, en 1705, accommodait les *Psaumes* sur des airs de Lully et de Campra : *Ah ! Phaëton, est-il possible ? — A l'amour tout doit rendre les armes. — Un tendre engagement va plus loin qu'on ne pense; ou le Magnificat sur l'air : D'une constance extrême :*

De mon maître suprême
Je chante les bienfaits;
Il me fait voir qu'il m'aime;
Puis-je en douter jamais ?

Et la galanterie de la musique ne laissait pas de conseiller quelque
mièvrerie pour le choix des mots et des tours, et pour le vers une
harmonie trop caressante. Mais ces fautes de goût elles-mêmes, ces
étourderies, témoignent de la popularité de l'Ecriture, du désir
général de la vulgariser. Le Franc le dit bien, dans son *Discours*
de 1751 :

On traite un peu trop légèrement ce genre de poésie. On croit qu'il
est fort facile de composer une ode sacrée, un cantique. Et tel versificateur qui n'oserait traduire un endroit de Virgile ou une ode d'Horace,
aura moins d'égards pour le texte de Moïse, de David et d'Isaïe.

Pour la seule année 1715, on compte jusqu'à six recueils de
poésie sacrée : *Odes sacrées* anonymes, *Cantiques de l'Ecriture* que
Renneville a paraphrasés en sonnets, *Psaumes paraphrasés* de M. D*,
Nouvelle traduction des Psaumes en vers par M. Térond, *Poésies* de
Germiniani sur *l'Ecriture sainte*, *Poésies chrétiennes* de l'abbé du
Jarry. En 1735, le *Mercure de France* publie deux *Odes sacrées*
(février, mars); en mai une cantate sur *Daniel*; en juillet une
Ode tirée du cantique de Moïse; en août une *Paraphrase d'Ezéchias*;
en septembre une *Ode imitée du premier chapitre d'Isaïe*; en novembre une paraphrase du *Rorate*; en décembre une *Ode tirée du
Psaume L*, un *Cantique tiré d'Isaïe et de Jérémie*. En 1759, l'année
de *Candide*, une *Ode sacrée* en janvier; et en juillet, la traduction
du *Psaume CXXXVI* par Malfilâtre. La bonne reine Marie Leczinska
encourageait ces talents en espérance, et son lecteur Moncrif, sans
grande conviction, sans entrain, composait par son ordre des *Poésies
Chrétiennes* où les *sentiments qu'inspire une retraite champêtre*
mélangent, une fois de plus, les impressions de la nature biblique à
celles de la nature chantée dans les opéras ou peinte par Boucher :

Lorsqu'au matin, sous ces riants feuillages,
De mille oiseaux j'entends les doux concerts,
Mon cœur me dit qu'ils chantent les ouvrages
Et la bonté de ce Dieu que je sers.

De son côté, Baculard d'Arnaud paraphrasait pour l'électrice de
Saxe, reine de Pologne, les *Lamentations* de Jérémie.

.

Sur ce fond de médiocres persévérants, les *Odes sacrées* de
J.-B. Rousseau, qui sont la partie la plus certainement lyrique de
son œuvre, ressortent avec leur vrai relief.

Tous ses contemporains, qui le nomment *le Grand Rousseau*,
saluent en lui le véritable héritier de Malherbe et le modèle, le
maître de l'enthousiasme poétique. Après sa mort on lui reprochera, à mi-voix, d'avoir été trop personnel dans son inspiration.
L'Europe entière l'admire. Condamné à Paris pour des couplets
qu'il n'a pas faits, cette officielle diffamation ne nuit à son prestige ni en France ni hors de France. Un ambassadeur de Sa Majesté,
le comte du Luc, l'accueille à Soleure; il est l'hôte du prince
Eugène à Vienne ou aux Pays-Bas. Voltaire jeune écrivain sollicite
son approbation, reçoit ses critiques, et ne prend hardiment à son
égard un ton impatient qu'après avoir constaté *de visu* à Bruxelles
la morgue du grand homme, et sa lenteur à penser comme à écrire.
Car Rousseau, selon la méthode de Balzac, repolit ses moindres
billets, il y gonfle en périodes mesurées et sonores des insignifiances.
Il n'est guère malveillant ou dur qu'en paroles, dans ses épigrammes
dépourvues de vivacité. C'est un bon vivant, ami des épicuriens du
Temple et des gras auteurs qu'ils aiment : Rabelais, Régnier. Très
fier d'avoir reçu de Boileau en personne quelques avis, il s'attache
au goût classique, mais sans en être l'apôtre. Il se méfie des modernes,
de La Motte, « cet homme admirable », dit-il, « pour faire passer
des sottises à la faveur d'un style spécieux ». C'est un laborieux qui accomplit avec conscience et à fond son métier de poète
lyrique, mais à qui le travail fait découvrir, presque créer de
nouvelles « beautés ».

Il s'est donc aperçu que l'élan des *Psaumes* s'énervait dans nos
Paraphrases, « monotones amplifications ». Les *Psaumes* sont des
odes, dit-il, puisqu'on y trouve unis le sublime et le pathétique,
et que les images y abondent, que l'expression s'y élève aussi haut,
plus haut peut-être encore que son objet. Aussi traduit-il sans
développer, en s'efforçant au contraire de rester fidèle à la précision véhémente de David.

Y était-il lui-même trop sensible ? a-t-il craint que ses contemporains ne l'y fussent pas assez ? était-il prisonnier des modèles
français qu'il vénérait ? Toujours est-il qu'il a tenu à rehausser
les accents bibliques de mouvements oratoires classiques depuis
Malherbe, et d'émouvantes exclamations issues d'*Athalie*. Le
Psaume XCIII débute ainsi :

Deus ultionum Dominus	Le Seigneur est le Dieu des vengeances.
Deus ultionum libere egit	Le Dieu des vengeances a agi librement;
Exaltare, qui judicas terram,	Lève-toi, juge de la terre,
Redde retributionem superbis	Rends selon leurs œuvres aux superbes.

Voici le début de la Xe *Ode sacrée* :

> Paraissez, Roi des rois, venez, juge suprême,
> Faire éclater votre courroux
> Contre l'orgueil et le blasphème
> De l'impie armé contre vous.
> Le Dieu de l'Univers est le Dieu des vengeances;
> Le pouvoir et le droit de punir les offenses
> N'appartient qu'à ce Dieu jaloux !

Les réminiscences de Malherbe, de Racine, de Corneille même, sont plus précises encore dans l'*Ode III* :

> Qu'aux accents de ma voix la terre se réveille;
> Rois, soyez attentifs; peuples, ouvrez l'oreille.
> . . . .
> L'homme en sa propre force a mis sa confiance;
> Ivre de ses grandeurs et de son opulence,
> L'éclat de sa fortune enfle sa vanité.
> Mais, ô moment terrible! ô jour épouvantable,
> Où la mort saisira ce fortuné coupable,
> Tout chargé des liens de son iniquité !
> Que deviendront alors, répondez, grands du monde,
> Que deviendront ces biens où votre espoir se fonde ?
> . . . .
> Le riche et l'indigent, l'imprudent et le sage
> Sujets à même loi subissent même sort.
> . . . .
> Là s'anéantiront ces titres magnifiques,
> Ce pouvoir usurpé, ces ressorts politiques,
> Dont le juste autrefois sentit le poids fatal.
> . . . .
> Justes, ne craignez point le vain pouvoir des hommes :
> Quelque élevés qu'ils soient, ils sont ce que nous sommes.
> Si vous êtes mortels, ils le sont comme vous.

Le grand attrait de ces *Odes sacrées* est la variété de leurs rythmes: d'une ode à l'autre change la combinaison des mètres dans la strophe, volontairement, expressément adaptée au sentiment général de l'ode, et dans chaque strophe mettant en valeur, presque avec la souplesse du vers libre, les sentiments divers, les nuances de sentiment qui se succèdent. La fermeté du style aidant, ces moules des strophes se gravent dans la mémoire : ainsi J.-B. Rousseau aura-t-il élaboré l'architecture, la structure, de plusieurs des *Odes et Ballades*, et de plusieurs des *Méditations* :

> Que la simplicité d'une vertu paisible
> Est sûre d'être heureuse, en suivant le Seigneur !
> Dessillez-vous mes yeux; console-toi mon cœur;
> Les voiles sont levés; sa conduite est visible
> Sur le juste et sur le pécheur.
>
> *(Ode VII)*

> C'est le Seigneur qui nous nourrit :
> C'est le Seigneur qui nous guérit;
> Il prévient nos besoins, il adoucit nos gênes;
> Il assure nos pas craintifs
> Il délie, il brise nos chaînes,
> Et nos tyrans par lui deviennent nos captifs.

Et ne tiendront-ils pas de lui, ces grands Romantiques, plusieurs parts de leur inspiration même ? Si la Bible est désormais une source reconnue de lyrisme, c'est que le prestige et le talent de Rousseau, couronnant et justifiant tant d'efforts obscurs, ont fait valoir la puissance et la richesse de sa poésie. L'accent déjà si personnel de David devient plus personnel encore, dans l'*Ode XII* par exemple, *Contre les Calomniateurs*, où Rousseau laisse parler ses propres ressentiments. De même il n'est pas indifférent, pour les destinées futures de notre poésie lyrique, le choix que Rousseau a fait dans Isaïe du *Cantique d'Ezéchias*, tout passionné de confiance et de terreur — et de mélancolie — lorsqu'il a voulu exprimer les sentiments d'une convalescente :

> J'ai vu mes tristes journées
> Décliner vers leur penchant :
> Au midi de mes années,
> Je touchais à mon couchant.

> Mon dernier soleil se lève,
> Et votre soleil m'enlève
> De la terre des vivants,
> Comme la feuille séchée,
> Qui de sa tige arrachée
> Devient le jouet des vents.
>
> *(Ode XV.)*

Si l'on peut nommer grandes œuvres celles qui préparent de nouvelles floraisons littéraires, le lyrisme sacré de Rousseau mérite un peu de l'estime extraordinaire qui l'a fêté au XVIII° siècle.

Son lyrisme profane et le reste de son œuvre ne sont point tournés

vers l'avenir. *Odes, Cantates, Epîtres* en style marotique, *Epi-*
grammes, Allégories qui sont épigrammes distendues, toutes ces
productions sont trop dépourvues de cachet. Les lieux communs
de 1730 sont le fonds des *Odes* très officielles ou prétendues légères :
fuyons la tristesse « dans les bras de la folie », la guerre est haïs-
sable, le grand homme est un patriote, et ses souffrances servent au
bonheur du genre humain; la raison, la curiosité nous égare; le vrai
sage, au lieu « d'examiner » les bienfaits de Dieu, cherche à en
jouir; les moines fanatiques sont les assassins des rois. Lorsque le
sentiment est moins banal, il se précise, fonds et forme, par la
grâce de Boileau : « l'amour du vrai » m'anime, dit alors Rousseau, et un « zèle contre tout faux brillant »; ou par la grâce
de La Fontaine :

> Que n'ai-je pu, de vos plaisirs épris,
> Tendre amitié, dont je sens tout le prix,
> Dans une joie et si douce et si pure
> Vivre oublié de toute la nature ?

Les agréments de tout cela, ce sont tantôt de grands mouvements
solennels, des formules roides, une mythologie façonnière et grandi-
loquente qui fait penser aux divinités de Versailles; tantôt, dans les
épîtres, allégories et épigrammes, un style marotique plus voisin
des truculences de Rabelais et des grimaces de Scarron, que de
Marot et de son impalpable ironie.

*
**

Chez Rousseau une réminiscence de La Fontaine est rare, et
les sentiments personnels ne s'expriment qu'indirectement. La
confidence lyrique, selon l'hymne à la Volupté qui terminait la
Psyché de La Fontaine, apparaît chez ce vrai poète qui meurt en
1720, Chaulieu.

Il a connu au Temple La Fontaine vieillissant; et, comme lui,
il passe pour avoir paressé toute sa vie. Il n'a certes pas gouverné
sa vie; il a vénéré largement Vénus et Bacchus, comme on disait
alors, non la Croix; et, s'il s'est repenti à ses derniers moments,
il paraît bien, grâce à son abbaye d'Aumale et à son prieuré d'Oléron,
avoir vécu de l'autel sans trop croire en Dieu. Pourtant écrivait-il
avec autant de négligence qu'il l'a prétendu lui-même, en se réclamant du patronage de Chapelle ? « Il n'écrit que pour son plaisir »,
répètent les contemporains : mais son plaisir n'était-il pas d'écrire,

comme La Fontaine son vrai maître, en une langue juste et chantante, que la paresse n'enseigne pas ?

Ce sont des souvenirs qu'il raconte, ou plutôt qu'il évoque :
fleurs semées sur « le peu de chemin qui lui reste », et qui désormais tiendront la place « de l'ardeur de ses plaisirs ». Et il crayonne
tel tableautin galant :

> Par un excès d'amour nos forces suspendues
> Nos corps entrelacés, nos âmes confondues.

Il erre en « douces rêveries », il songe aux « jours sereins »
que lui donnait la jeunesse; puis il se détourne de ces visions du
plaisir, qui irritent trop cruellement sa douleur; il ne veut chercher dans l'évocation de l'amour qu'un peu de gaieté : s'adressant
à sa maison des champs de Fontenay, il murmure :

> Désert, aimable solitude,
> Séjour du calme et de la paix,
> Asile, où n'entrèrent jamais
> Le tumulte et l'inquiétude.
> . . . .
> Mais hélas, ces paisibles jours,
> Coulent avec trop de vitesse;
> Mon indolence et ma paresse
> N'en peuvent arrêter le cours;

Bientôt je mourrai, j'irai là

> Où des arbres dont tout exprès
> Pour un doux et plus long usage
> Mes mains ornèrent ce bocage
> Nul ne me suivra, qu'un cyprès.

> Mais je vois revenir Lisette
> Qui d'une coiffure de fleurs
> Avec son teint et leurs couleurs
> Fait une nuance parfaite :

> Egayons ce reste de jours
> Que la bonté des dieux nous laisse :
> Parlons de plaisirs et d'amours :
> C'est le conseil de la sagesse.

Ce vieillard s'attendrit sur lui-même discrètement, en homme
de bonne compagnie, mais l'accent de sa plainte suffit pour nous
enchanter. L'abbé Du Bos déjà conseillait qu'on prît la peine de
lire tout haut ces vers, « pour mieux en ressentir le rythme qui

tient l'oreille dans une attention continuelle, et l'harmonie qui rend
cette attention agréable et achève pour ainsi dire d'asservir l'oreille »;
et il ajoutait : il y a là un bien « autre effet que dans la richesse
des rimes ». Chaulieu, si goûté au XVIIIᵉ siècle — témoin quatre
éditions antérieures à 1760 — n'aurait-il pas transmis de La Fontaine
à Lamartine le vrai secret du rythme attachant ?

Ce vieillard s'entête en sa philosophie de la vie, et la défend,
comme Lamartine défendra la sienne, avec une sorte de précision
aiguë dans les mots et dans les formules, qui vient roidir brutalement la nonchalance chantante de la phrase poétique :

> Plus j'approche du terme, et moins je le redoute;
> Sur des principes sûrs mon esprit affermi,
> Content, persuadé, ne connaît plus le doute :
> Je ne suis libertin ni dévôt à demi.
> Exempt de préjugés j'affronte l'imposture
> Des vaines superstitions.

Dieu est puissant; mais il n'est pas « cruel, vindicatif, colère ».
Il est aimable :

> C'est lui qui, se cachant sous cent noms différents,
> S'insinuant partout, anime la nature,
> . . . .
> Lui qui, de sa féconde haleine,
> Sous le nom de Zéphyrs, ramène le printemps.

Je mourrai donc, dit Chaulieu, « plein d'une douce espérance » :

> Mon âme n'ira point, flottante, épouvantée,
> Peu sûre de sa destinée,
> D'Arnauld ou d'Escobar implorer le secours.
>   (*Ode à La Fare*, publiée en 1733.)

Sur la mort encore, il tient à dire à la duchesse de Bouillon sa
pensée : et il prélude avec une sérénité familière, une sorte de
décision souriante :

> La mort est simplement le terme de la vie.
> Ce n'est qu'un paisible sommeil
> Que, par une conduite sage,
> La loi de l'univers engage
> A n'avoir jamais de réveil.

Nonchalamment, il enseigne l'art d'employer les passions — ces
sujets rebelles si utiles au bien de l'Etat, dit-il — pour l'agrément

de notre vie. « Viens Philis..., viens Bacchus... » Sur ces sourires
forcés éclate le brutal sarcasme des derniers vers, l'éloge d'Epicure :

> Il bannit le premier de la machine ronde
> Les enfants de la peur, le mensonge et l'erreur.

La première rédaction, autrement cinglante, portait :

> Les dieux, le mensonge et l'erreur.

Auprès de Chaulieu son ami La Fare participe de ce lyrisme peu
soucieux de rime riche, mais dont le rythme doucement accentué
convient si bien à l'expression du regret nonchalant, de la mélancolie qui de temps en temps se dit brave devant la mort :

> Quand je regarde ces prairies
> Et ces bocages renaissants,
> J'y mêle aux plaisirs de mes sens
> Le charme de mes rêveries.
>
> Ah ! quel sentier solitaire
> Me présente tant d'appas !
> L'amitié simple et sincère
> Veut y conduire mes pas.
>
> Prenons moins de soin d'éteindre
> Que de régler nos désirs.
> Livrons nos cœurs, sans rien craindre,
> Aux plus sensibles plaisirs.

Telle était la morale et tel était le chant de La Fare, cet autre
« paresseux » qui traduisait Horace, Tibulle, Catulle, Virgile, et
qui composait aussi des *Odes bachiques,* c'est-à-dire des chansons
à boire.

*
* *

Elle continue à vivre, elle survit, cette forme vénérable du lyrisme
français qu'est la Chanson.

Nous avions été au Moyen Age, et bien plus encore au xvıᵉ siècle,
le peuple qui chante : « peuple orthodoxe jusque dans sa gaîté »,
selon le mot dépité de Renan, notre optimisme catholique se manifestait par des chansons. L'inspiration la plus traditionnelle et la
plus spontanée de Ronsard se loge en ses *Odes* légères. Racan avait
recueilli ce lyrisme discret et affable. Après lui, tout se roidit; la
Chanson se fige en genre littéraire. La Fontaine, cet unique tradi-

tionaliste du Grand Siècle, rêve peut-être de lui rendre quelque
fraîcheur; dans le *Songe de Vaux* il s'émeut au spectacle d'une
danse aux chansons qu'il imagine. Mais ces bourgeois lettrés, dont
la joie esthétique suprême est de s'extasier devant un reflet des
Anciens, perdent le sens de la liberté française, de l'entrain d'âme
qui nous caractérisait jadis. Hors de la prison de l'*Art Poétique*
les grâces s'évadent. Ou bien elles se résignent et se contraignent.
Il y a des chants dans *Esther* et dans *Athalie,* mais combien disci-
plinées sont les strophes « libres » de Joad ! Cependant notre vieux
goût demeure : il se venge, malgré les amertumes de Boileau et les
doléances de La Bruyère, en fêtant ce grand auteur de chansons
galantes : Quinault, qui lui répète à la moderne, c'est-à-dire plus
pimpantes et plus pressantes, les leçons amoureuses, les espérances,
les langueurs, les tristesses, dont souriaient non sans mélancolie les
refrains d'autrefois, narquois et sensibles à la « bagatelle » d'amour.

C'est donc une revanche plus qu'un naturel épanouissement, cette
floraison souvent artificielle de la chanson, de la parole littéraire
chantée au XVIII° siècle : chanson à boire, chanson galante, chanson
politique, chant d'opéra-comique ou d'opéra. Là comme en tant
d'autres coups de tête de ce temps, il est permis de voir un retour
improvisé à notre vrai génie...

Louis XIV se faisant chanter des chansons à boire par les demoi-
selles de Saint-Cyr, voilà un singulier, mais très réel pendant aux
représentations d'*Esther*. La vogue de ces chansons s'impose bien
avant la fin du règne : dès 1690, et jusqu'en 1732, les frères Ballart
publient, par livraisons trimestrielles, des *Recueils d'airs sérieux et
à boire de différents auteurs;* en 1712, les *Tendresses bachiques*
paraissent chez les mêmes éditeurs. Le premier Caveau, fondé en
1737, dure jusqu'en 1742.

Dans les couplets des *Tendresses* et des *Airs à boire,* le thème
inépuisable est la concurrence de l'Amour et de Bacchus, des belles
et du vin, que d'ailleurs Quinault avait brillamment traité dans
ses *Fêtes de l'Amour*. Et les vers faciles accourent, les rimes sans
prétention, les cadences épaisses :

> Je veux aimer et boire tour à tour
> . . . .
> Aimons, puisqu'il le faut pour mériter du vin,
> . . . .
> Viens dans mon cœur, dieu de la treille,
> Viens chasser le cruel amour.
> Par le secours de la bouteille,
> Que j'en sois vainqueur à mon tour.

> Faisons gloire
> De bien boire,
> Et n'aimons point, s'il se peut !
> . . . .
> Quand je sens que l'Amour vient me prendre,
> Au secours j'appelle le bon vin.

La chanson galante prit en 1703 le nom de *Brunette* : « Hélas, brunette mes amours, m'aimerez-vous toujours ? » était le refrain de la première chanson, dans la recueil des *Brunettes ou petits airs tendres* composé par Ch. Ballart. Le succès fut si vif qu'en 1704 parut un second recueil et en 1711 un troisième. On goûtait dans la musique, nous dit l'*Avertissement,* « ce caractère tendre, aisé, naturel, qui flatte toujours sans lasser jamais, et qui va beaucoup plus au cœur qu'à l'esprit ». Les paroles restaient souvent vides :

> Lorsque dans la lande
> Où nous étions tous deux,
> Je mis une guirlande
> Sur tes blonds cheveux,

Mais, dans les « chansons à danser en rond » surtout, les syllabes nettement accentuées viennent ranimer le sens du rythme :

> Mes yeux m'ont soumis un amant,
> Qu'il est tendre, qu'il est charmant,
> Je l'aime, je l'aime !
> Ah ! quel trouble je sens :
> C'est l'amour même.

> Que gagnerais-je en l'évitant ?
> En tous lieux, il va me cherchant;
> Partout je le vois, quoique absent;
> Un soir il me trouve rêvant :
> Hélas, dit-il en soupirant,
> Pour vous je rêve à chaque instant !

La chanson politique ou si l'on veut la chanson combative, s'était éclipsée au lendemain de la Fronde. Elle ne reparut qu'aux funérailles de Louis XIV, cette fois pour vivre longuement. Couplets populaires ? Quelquefois ils le deviennent, mais leur origine est à la ville ou à la Cour, chez les bourgeois mécontents ou les courtisans aigris. De temps en temps quelques tableaux d'illusion s'y présentent, quelques espoirs de prospérité. La note dominante est l'amertume; l'épigramme y revient à satiété, trop littéraire et trop crue à la fois. On y hait Louis XIV pour ses guerres, ses impôts,

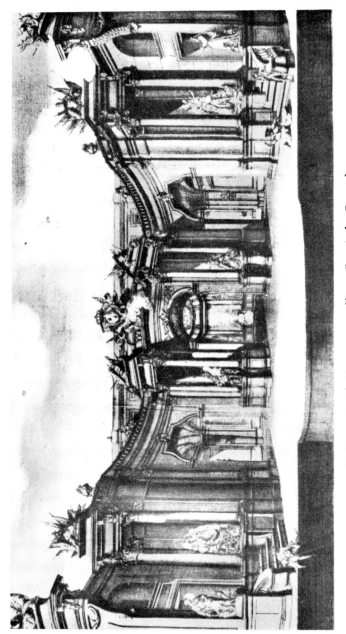

Décor de théâtre au collège Louis-le-Grand
d'après GOFFLOT, « Le Théâtre au collège ».

sa *Constitution;* on y raille le Régent, on y bafoue le duc de Bourbon; on y détaille les exploits et les emplois des « Saintes de la Cour » : « Sainte Agaçante, sainte Commode, sainte Lubrique, sainte Mutine, sainte Nitouche, sainte Commune, sainte Eveillée ». En 1743 on compare à nos anciens rois victorieux :

> Louis plein de valeur
> Triomphant des trois sœurs [de Nesles]

En 1745 voici commenté l'avènement de Mme de Pompadour :

> Notre pauvre roi Louis
> Dans de nouveaux feux s'engage
> C'est aux noces de son fils
> Qu'il adoucit son veuvage.
>
> Les bourgeoises de Paris
> Au bal ont eu l'avantage :
> Il a pour son vis-à-vis
> Choisi femme de son âge.
>
> Le roi, dit-on à la Cour,
> Entre donc dans la finance :
> De faire fortune un jour
> Le voilà dans l'espérance.

C'est la pitié méprisante, en attendant l'oraison funèbre en chanson de 1774 :

> Sans goût, sans mœurs et sans lumières
> En trois mots voilà ton portrait.

Peut-être faudrait-il ici faire une place à Vadé, qui a chanté en style *poissard* la bataille de Fontenoy. Très consciemment, très volontairement, non sans succès, cet employé de ministère — il était entré aux bureaux du vingtième pour « cultiver sans inquiétude ses talents naturels » de chansonnier — a créé un genre qu'il a cru et presque rendu populaire.

Son mélange d'argot et de termes littéraires est établi selon les vieilles habitudes du latin macaronique; mais son tour décidé, hardi, rend habilement la franchise populacière. Tous les auteurs de poèmes sur Fontenoy, dit-il à Louis XV,

> Tous sont des engueuseux, et lorsqu'ils t'ont chanté,
> Ils saviont moins ta gloire que leur vanité.

Ailleurs, il reprend purement et simplement la tradition, et les
mots mêmes, des satiriques réalistes du temps de Louis XIII :

> Votre teint de pain d'épice,
> Vos trois chicots de réglisse,
> Votre gueule d'entonnoir,
> Vos yeux remplis de chassie;

C'est à l'Opéra-Comique naissant que le peuple chante. A la
foire Saint-Laurent et à la foire Saint-Germain, les acteurs de
spectacles grossiers : parodies d'opéras, farces à allusions, ne peuvent
chanter : le privilège de l'Opéra s'oppose à leur concurrence : un
écriteau présente au public les paroles des couplets, tandis que
l'orchestre prélude : entraînée par quelques compères, la salle se
met à chanter : des pauvretés, bien souvent :

> En fait d'amour, la milice
> L'emporte sur les vieux corps.
>
> . . . .
> Oui, nous voici, ma Claudeine,
> Dans l'île du dieu d'Amour,
> Et je sens que ma poitreine
> Devient plus chaude qu'un four
>
> . . . .
> Vivons pour les fillettes !

Vers 1714 la permission de chanter est accordée aux acteurs. Cette
liberté ne profita guère qu'au développement de la parodie : ainsi
le Temple de l'Ennui en 1716 persifle le Temple de la Paix de Lulli,
déjà ancien; les Amours des Indes font grimacer en 1735 les Indes
Galantes de Rameau.

L'opéra plus que jamais a ses enthousiastes, épris du merveilleux
spectacle, des ballets, de la musique galante. Ils ne sont pas indifférents au livret, puisque le prosaïsme des vers de Voltaire fit
échouer en 1745 une « fête » de Rameau : le Temple de la Gloire.
Mais on ne leur demande, à ces auteurs des paroles, dont le nom
ne figure même pas sur le feuillet du titre, on ne leur demande et
généralement ils ne fournissent qu'un lyrisme assez pâle et fade.
Autreau, Pellegrin, Leclerc de Labruère, et même Gentil-Bernard,
font regretter Quinault. Et qu'il est douloureux de voir l'Hippolyte
et Aricie de Pellegrin démembrer et délayer Racine :

> PHÈDRE
>
> Eh bien, viendra-t-il en ces lieux,
> Ce fatal ennemi que malgré moi j'adore ?

ŒNONE

Hippolyte bientôt va paraître à vos yeux.

PHÈDRE

Je tremble; à quel aveu l'ardeur qui me dévore
Au mépris de ma gloire enfin va me forcer ?
Il vient, Dieux, par où commencer ?

(III, 2.)

Çà et là, des vocatifs apitoyés ou menaçants suggèrent quelque
impression pathétique; ou bien une alternance heureuse de syllabes
assourdies et de syllabes accentuées fait le rythme plus persuasif :
ou bien, dans la strophe en vers libres, le mètre s'accourcit à l'expression de la surprise, s'allonge à celle d'un regret qui se voile :

Tyran des tendres cœurs, jalousie inhumaine,
Soupçons, troubles cruels, fuyez de ce séjour;
Fuyez, monstres affreux, qu'on prendrait pour la haine,
Si l'on ne vous trouvait dans le sein de l'amour.

(*Dardanus*, I.)

CLÉONE

L'hymen couronne votre sœur,
Pollux épouse Télaïre,
Ce pompeux appareil annonce son bonheur.
Mais j'entends Phœbé qui soupire :
« Mon cœur n'est point jaloux d'un sort si glorieux,
Une autre voix s'y fait entendre :
Ah ! que n'est-il ambitieux,
Peut-être serait-il moins tendre ! »

(*Castor et Pollux*, I, 1.)

Et chaque couplet s'achève en une pointe galante, trait d'esprit,
trait de sensibilité, commandé par la musique elle-même, qui est
une musique de cour. Lulli est toujours en vogue, et l'on se délecte
à ses mélodies badines, mutines, élégantes, molles. Auprès de cette
gloire vivace, le prestige, autrement légitime, du musicien de génie,
du grand harmoniste qu'est Rameau s'élève difficilement. Rameau
pour la plupart des amateurs français d'alors est un « distributeur
d'accords baroques », un « faiseur d'opéras bourrus »; et l'on
oppose son « galimatias » à la « sérénité » de Lulli.

La musique française est-elle donc destinée, ou condamnée, à
rester jaseuse et spirituelle ? Pourtant ces mêmes amateurs ont su
décerner à François Couperin le titre de Couperin le Grand. Non pas
à cause de ses *Ordres*, pièces pour clavecin, suite élégante et pim-

pante des portraits et des caractères bien connus : *la Vauvert, la Conti, la douce et piquante, l'enchanteresse, la prude, l'attendrissante,* tous médaillons au goût le plus mondain; mais pour ses *Concerts royaux,* son *Apothéose de Lully,* de *Corelli,* ses *Nations,* ses *Goûts réunis,* et surtout sa *Messe pour les Couvents* et ses admirables *Leçons de Ténèbres.* Sans doute la noblesse et la profonde piété de ces dernières résonnent-elles plutôt pour nous sur le sentiment religieux du xviiᵉ siècle, et d'une façon combien émouvante ! Mais n'est-ce pas là un indice de la persistance, en ce premier tiers du xviiiᵉ siècle, d'un goût pour la splendeur, la gravité, voire pour la vraie méditation chez une élite, et à la Cour même ?

CHAPITRE VI

LE THÉATRE

C'est du xvii° siècle tout entier que Bossuet en 1694 semblait exiger une rétractation, et non pas seulement du P. Caffaro, lorsqu'il reprochait au malheureux religieux sa complaisance pour le théâtre. Dès avant *le Cid* le théâtre, comme le proclame un personnage de *l'Illusion comique,*

> Est en un si haut point que chacun l'idolâtre.

Les événements littéraires du xvii° siècle ont été les chefs-d'œuvre de Corneille, de Molière, de Racine, et les livrets toujours fêtés de Quinault. Le théâtre alors a été le plus grand des grands genres poétiques.

Pour les jeunes auteurs maintenant, quel lourd héritage de gloire, et de modèles ! Combien, soutenus par les « règles » qui sont pour eux recettes plus que contrainte, ils vont croire la tâche facile ! Certains cependant tâcheront d'innover : ils demanderont de nouveaux « ressorts » à cette sensibilité que l'on goûte de plus en plus autour d'eux, à l'esprit romanesque qui ravit les gens graves, comme les âmes frivoles et les cœurs faciles.

I

La tragédie est fort courue de prétendants. Elle a pour elle sa traditionnelle majesté, le prestige qu'elle tient de Racine surtout, et sa réputation d'être de confection plus aisée que la comédie. Pourvu qu'ils évitent le *bas* et le *brutal*, les auteurs n'ont guère à craindre les sifflets du parterre ou les railleries des cafés, même si leurs vers sont faibles et trop garnis de réminiscences, même s'ils tirent parti, encore et toujours, des ressorts de crainte et de pitié les plus usagés: le péril du héros qui doit venir de celle qu'il aime, le choix entre deux devoirs, l'amour incestueux, les conspirations, les malentendus et déguisements. Lagrange-Chancel, Longepierre, La Fosse, Crébillon, Voltaire, Lamotte, de tous ces « poètes » dramatiques — Voltaire mis à part, dont nous étudierons le théâtre en même temps que le reste de son œuvre, — seul Crébillon mérite qu'on le lise, si l'on veut connaître à quel point Corneille et Racine peuvent se déformer sous la plume d'un imitateur.

Il n'avait rien de racinien dans son tempérament, et il n'en eut rien dans sa vie, ce pesant bourgeois débraillé, bonhomme, qui recueillait dans son appartement une vingtaine de chiens malades et hurleurs, et si peu rancunier :

Aucun fiel n'a jamais empoisonné ma plume,

disait-il dans son *Discours* de réception à l'Académie, qu'il fit en vers. Il fut donc académicien en 1731. Il fréquentait gaiement le Caveau qu'avait fondé son fils, l'auteur de romans graveleux. En 1735 il est nommé censeur. Madame de Pompadour, à qui il a donné jadis des leçons de diction, le protège et fait jouer magnifiquement son *Catilina*. L'envie trop fébrile de Voltaire ne l'émeut point : il s'en venge par quelques mots d'esprit sans méchanceté.

Sa célébrité ou son renom lui vient de ses sujets atroces. Sa seconde tragédie, *Atrée et Thyeste* (1717), a laissé aux contemporains l'impression du dernier degré de l'horreur, par la scène surtout où Atrée présente à Thyeste une coupe pleine du sang de son fils. Dans ses autres pièces, la terreur est moins dans les situations, et bien moins dans les caractères, que dans l'emphase des exclamations.

Il avait commencé par être l'écolier de Racine, et il le resta longtemps. Voici par exemple son *Idoménée* (1705). Idoménée et son fils Idamante sont l'un et l'autre épris d'Erixène, comme Mithridate et Xipharès le sont de Monime. Idoménée engageant Idamante à partir pour Samos avec Erixène, Idamante avoue son amour à son père. A la fin Erixène avoue son amour à Idamante; après un combat de générosité entre le père et le fils, Idamante se tue. C'est à *Iphigénie*, à *Phèdre*, à *Andromaque*, que sont empruntés un bon nombre de cris d'étonnement, de supplication, de douleur :

Où suis-je ? quelle horreur m'épouvante et me suit !
Quel tremblement ! ô ciel ! et quelle affreuse nuit !
Dieux puissants ! épargnez la Crète infortunée !

(I, 1.)

Que vois-je ? Idoménée ?
Ah ! Seigneur, de quel bruit ont retenti ces lieux ?

(I, 2.)

O toi, qui vois la peine où ce feu me réduit,
Vénus, suis-je d'un sang que ta haine poursuit ?
. . . .
Tout reproche à mon cœur le feu qui me dévore,
Je respire un amour que ma raison abhorre.

(II, 1.)

Lui, votre père ? ô ciel ! Après son vœu funeste,
Gardez...

(V, 3.)

Les héros sont galants comme Britannicus et Hippolyte, mais
que l'excès de leurs compliments est lourd et froid !

La sûreté du Prince ordonne ce trépas,
Et pour comble de maux, j'ignorais vos appas.
. . . .
Ainsi pour nous venger n'attendez rien des dieux,
Si ce n'est de l'amour, qui peut tout par vos yeux.

(I, 5.)

Héros et héroïnes sont comme chez Racine passifs; même si
leur cœur « osait le vouloir », ils ne sauraient résister à l'amour.
C'est le seul trait marquant de leur caractère. Ajoutons cependant
qu'Idoménée est un bon roi selon le cœur de Mentor. Sa méditation
sur les droits du souverain envers ses peuples est reprise de *Télémaque* :

Eh ! que leur sert un roi, s'il ne leur sert de père !
Leur salut désormais est ta suprême loi,
Et le sang de son peuple est le vrai sang d'un roi.

(III, 7.)

Mêmes âmes passives dans *Rhadamiste et Zénobie* (1711), mêmes
appels à la pitié du Ciel renouvelés de *Phèdre* :

ISMÉNIE

Ah ! laisse-moi, Phénice, à mes mortels ennuis,
Tu redoutes l'horreur de l'état où je suis,

Laisse-moi : ta pitié, tes conseils et la vie,
Sont le comble des maux pour la triste Isménie,
Dieux justes, Ciel vengeur, effroi des malheureux,
Le sort qui me poursuit est-il assez affreux !

PHÉNICE

Vous verrai-je toujours les yeux baignés de larmes,
Par d'éternels transports remplir mon cœur d'alarmes ?
Le sommeil en ces lieux verse en vain ses pavots :
La nuit n'a plus pour vous ni douceur ni repos.

Le Bélus de *Sémiramis* (1717), le Glaucias de *Pyrrhus* (1726),
sont également les jouets du « sort », et des « divers transports
dont ils sont combattus ».

Lorsque vingt-deux ans après l'échec de *Pyrrhus* Crébillon revient
au théâtre, cette fois il prend comme modèle Corneille. Son Catilina
se roidit en attitudes dignes du jeune Horace et de Médée :

Cesse de t'effrayer du sort qui me menace.
Plus j'y vois de périls, plus je me sens d'audace,
Et l'approche du coup qui vous fait tous trembler
Loin de la ralentir, sert à la redoubler.

(I, 1.)

CATILINA

Mais parmi tant d'objets cités pour m'émouvoir
Vous en oubliez un.

PROBUS
Quel est-il ?

CATILINA
Mon devoir.

(I, 2.)

Et Cicéron sait se contenir, « régler sa haine », d'après ce « que
peut permettre une vertu romaine ». Et puis dans cette tragédie
de *Catilina* les effets scéniques sont plus marqués, plus frappants.
Crébillon connaît sans doute les drames de Shakespeare; il présente
donc aux spectateurs une délibération du Sénat, le suicide de Catilina, le défilé devant le mourant des conjurés qu'on a arrêtés, et
que suivent Cicéron et Caton. La nouveauté — relative, puisque
en ce genre tel couplet de *Zaïre* sur le « caractère des chevaliers
français » était antérieur de douze ans, — c'était un couplet sur

les vertus gauloises, qui vraiment a sa place dans l'histoire littéraire du patriotisme français : hors-d'œuvre assez prosaïque, il ne manque pas de flamme :

SUNNON

La foi de mes pareils ne fut jamais frivole :
Je suis Gaulois, ainsi fidèle à ma parole;
L'honneur est parmi nous le premier de nos dieux.
. . . .
Notre unique vertu n'est pas notre valeur,
Nous aimons la justice autant que la candeur.
Quoique enfant de la guerre, allaité sous les tentes,
Le Gaulois n'eut jamais que des mœurs innocentes.
Si vous nous surpassez par votre urbanité,
Nous l'emportons sur vous par notre intégrité.
C'est à tous nos desseins l'honneur seul qui préside,
Et de nos intérêts l'équité qui décide;
Nos dieux, nos souverains, l'autorité des lois,
La gloire, le devoir, notre épée et nos droits.
Aussi prompts que vaillants, francs et pleins de noblesse,
Obéissants par choix et soumis sans bassesse.

(III, 2.)

Après *Catilina*, *le Triumvirat* n'obtint qu'un succès d'estime. Il se terminait pourtant par un jeu de scène destiné à faire frémir : la fille de Cicéron, Tullie, montait à la tribune aux harangues, soulevait un voile, découvrait la tête tranchée de son père, et se tuait.

On a cherché les causes de cette faveur du public pour Crébillon, qui scandalisait Voltaire. Certains ont vanté la fidélité historique du poète; mais les spectateurs étaient-ils alors si sensibles à un mérite de ce genre ? Ils ont plutôt été reconnaissants à Crébillon de la part qu'il a faite, ou qu'il a voulu faire plus grande à l'action dans la tragédie; s'il a lui-même, en fait, abusé des monologues — on en a dénombré cinquante-trois dans ses neuf pièces, — il condamnait les lenteurs, les « réflexions qui refroidissent également le spectateur et l'acteur » :

Si l'on retranchait de nos pièces tout ce qu'il y a d'inutile, nous mourrions de frayeur à l'aspect du squelette. Que de dissertations, que de métaphysique sur les effets des passions, que leurs seuls mouvements développeraient de reste, si nous nous attachions purement et simplement à l'action !

Et surtout ils lui ont su gré d'avoir maintenu et accru sur notre scène tragique les éléments romanesques : non seulement les erreurs sur l'identité d'un personnage, et d'un personnage principal, les reconnaissances, les complications invraisemblables; mais l'amour, que d'aucuns, s'autorisant d'une intention de Racine repenti et d'un vœu de Fénelon, voulaient bannir sous prétexte que l'amour chez nous tourne trop vite à la galanterie c'est-à-dire à une faiblesse indigne de Melpomène. Crébillon, qui n'est pas suspect d'aimer la fadeur, réplique :

> Le poème tragique est pour ainsi dire le rendez-vous de toutes les passions : pourquoi en chasserions-nous l'amour, qui est souvent le mobile de toutes les passions ensemble ? Les cœurs nés sans amour sont des êtres de raison, et je ne sais pas en quoi l'amour, nommément dit, peut dégrader le héros et l'honnête homme.

*
**

Auprès de la tragédie gréco-romaine de Crébillon, il est juste de nommer la tragédie chrétienne, que plusieurs écrivains ont cultivée non sans succès, je veux dire : non sans applaudissements. Ils suivaient l'impulsion donnée par *Esther* et *Athalie*, et le premier d'entre eux suivait même l'impulsion qui avait engagé Racine à écrire ses deux tragédies sacrées. C'est pour Saint-Cyr en effet, que Duché de Vancy, à trente et un ans, en 1699, composa un *Jonathas*; en 1701 il écrit *Débora*, en 1702 *Absalon*, à l'intention de Saint-Cyr encore : tragédies bien pâles, et d'une versification bien terne. Puis l'abbé Nadal produisit un *Saül*, (1705), dont il comparait le sujet à celui d'*Œdipe*; un *Hérode*, « tragédie nouvelle », dit-il (1709), un *Orsaphis ou Moïse*, qui ne fut pas représenté. En 1711 le *Joseph* de l'abbé Genest eut quelque succès, justifié à la rigueur par telle scène — la scène III de l'acte V par exemple, où Joseph se fait reconnaître de ses frères — où la versification de l'abbé n'a pas trop affadi la belle simplicité du récit de l'Ecriture. En 1742 une « tragédie nouvelle », *Adam et Eve*, met en scène les archanges, Adam, Eve, Satan, Moloch, Dieu représenté seulement par sa voix; l'auteur prétend s'être inspiré de Milton, mais il a trop bien laissé dans *le Paradis perdu* la fraîcheur des impressions, la puissance de la foi, la grâce biblique... La reconnaissance de Joseph par ses frères est encore le sujet du *Benjamin* du P. Arthuys, Jésuite (1749). A part l'effet de surprise de la scène finale, ménagé, à vrai dire, avec trop de conventionnel artifice :

> Coupables, écoutez, voici votre sentence :
> *Il s'arrête et soupire.*
> Je suis Joseph...,

ce n'est qu'une tragédie scolaire, capable, selon la formule du titre, de « se représenter par tous les collèges, communautés et maisons bourgeoises. »

**

L'opéra relève plus du lyrisme que de l'art dramatique. Cependant on le nomme quelquefois encore : opéra-tragédie; le principal auteur d'opéras, dans cette première moitié du siècle, Danchet, est également auteur de tragédies; enfin le développement du décor sur la scène de l'opéra rend plus curieux des décors pittoresques les spectateurs de la tragédie.

Danchet, Auvergnat laborieux, au collège fort en thème, sachant Horace entier par cœur, professeur de rhétorique à Chartres à vingt et un ans, compose ses vers français selon les procédés du vers latin : cherchant au prix d'impropriétés des épithètes élégantes répondant aux exigences du mètre. Son style a quelque chose de la fluidité de Quinault. Ses ressources dramatiques : confidents nombreux, erreurs, reconnaissances, sont vraiment trop traditionnelles.

II

La comédie a souffert du succès de l'opéra. Louis XIV, qui avant la mort de Molière goûtait si fort les livrets de Quinault où sa « gloire » était célébrée et ses passions flattées, préfère désormais l'opéra ouvertement. Il a laissé en 1688 au Carême de la Cour le Janséniste Soanen tonner contre la comédie et la tragédie; et si Bossuet en 1694 est si âpre à Molière, Corneille et Racine, qui sait si ce n'est pas chez lui explosion d'une violence longtemps contenue qui profite pour se déclarer du changement dans le goût du maître ? Fénelon lui aussi nous est un témoin du goût nouveau de la Cour, par l'attention qu'il accorde à la musique dans *Télémaque,* par la pittoresque insistance avec laquelle il souhaite que toute la musique recherche les effets enchanteurs et édifiants des improvisations de Mentor. Les poètes comiques cessent donc de prétendre aux suffrages de la Cour; leur public est la bourgeoisie parisienne, qui a préféré au *Misanthrope* le « sac ridicule » de Scapin. Le roi se récréait pourtant encore à la comédie italienne. Mais en 1697 les Italiens ont la maladroite audace de railler, dans une *Fausse Prude,* Mme de Maintenon : ordre leur est donné de quitter la France. Ils ne reviendront qu'en 1716.

∗∗

Ce sont ces Italiens qui ont formé la première génération des successeurs de Molière. Pour comprendre Dancourt, du Fresny, Regnard, Lesage, il faut d'abord connaître les habitudes, l'esprit original de notre théâtre italien. Là, au lieu de caractères, des types : Arlequin, qui est gourmand, balourd, sentencieux; le vieux Pantalon, sot, amoureux, dupé; le Docteur, pédant; Angélique, Isabelle, Léonore, ingénues sans pruderie; Colombine, la soubrette. Le caractère des autres personnages : abbés, procureurs, laquais, soldats, financiers, gens de métier, notaires, chevaliers d'industrie, répond à leur condition, c'est-à-dire à leur costume. Chaque acteur, spécialisé en chacun de ces rôles, peut « jouer d'imagination plus que de mémoire », comme dit Gherardi leur porte-parole; « il compose en jouant tout ce qu'il dit », il n'est pas comme les acteurs du Théâtre Français, un « écolier » ou un « écho », mais un esprit d'une extraordinaire vivacité à inventer des reparties, et à soutenir son texte improvisé par une endiablée mimique. Leur répertoire est fait de parodies et de comédies satiriques, ordinairement sans grande méchanceté; la faveur du roi, qui se traduit par des libéralités assez fortes, leur assure à tous égards quelque indépendance; mais ils ne veulent pas blesser, ils ne tiennent qu'à faire rire. Voici, dans l'*Arlequin Misanthrope* de 1696, un échantillon de leur satire sociale :

ARLEQUIN. — Tu sais la bagatelle ?
SCARAMOUCHE. — Oui.
ARLEQUIN. — Tu fais la bagatelle ?
SCARAMOUCHE. — Hélas, oui.
ARLEQUIN. — Et tu es bagatelle ? Ah ! mon cher, viens que je t'embrasse : tu es né pour Paris, tu es né pour une grande fortune... Pars hardiment, pars; va, tu n'y seras pas plus tôt, que tout le monde courra après toi... C'est un pays où l'on ne respire que bagatelle, où le sérieux est marchandise de contrebande, où la bagatelle est si universellement répandue qu'on peut dire qu'à proprement parler Paris n'est qu'une grande bagatelle.
SCARAMOUCHE. — Ainsi, avec un peu de bagatelle, je puis faire un peu de fortune ?
ARLEQUIN. — Telle que tu voudras. La bagatelle est, aujourd'hui, la porte des honneurs et des richesses. L'un a épousé une vieille qui l'a rendu gros seigneur, pour avoir dit une bagatelle de bonne grâce; celui-ci a donné dans l'œil à une femme du premier rang pour avoir fait un saut périlleux d'un air robuste; celui-ci possède une charge de judicature qui ne lui coûte qu'un tour de poignet, dans une rafle de six amenée à propos; et j'en connais un élevé à de grandes dignités qui n'a qu'une jolie femme pour tout mérite.

Le théâtre italien développait ainsi le goût de l'allusion narquoise, du dénigrement alerte, de l'entrain, de la riposte : escrime
légère où les fleurets voltigent inlassables, en attaques ou feintes
que le spectateur prévoit, mais auxquelles il sourit toujours.

*
**

Des comédies à l'italienne, voilà ce qu'a composé pour le Théâtre
Français où il était entré comme acteur — ayant enlevé et épousé
la fille de La Thorillière — Florent Carton Dancourt (1661-1725).
A en croire son premier biographe il se serait assez tôt rangé et
serait mort, après avoir traduit les *Psaumes*, dans des sentiments de
repentir. Rien n'est moins sûr. Après avoir fait fortune au théâtre,
il vécut confortablement, aimant, comme tel de ses héros, « la
joie, la bonne chère, le vin de Champagne », dans son château du
Berry; et il maria honorablement ses filles, qui avaient été comédiennes.

Le sujet ou le prétexte de ses pièces est ordinairement une anecdote, un fait divers, de Paris, ou des environs de Paris, plus rarement
de la province : la *Gazette*, les *Fonds perdus*, la *Foire de Saint-*
Germain, la *Loterie*, la *Femme d'intrigue*, la *Fête nocturne du*
Cours [*-la-Reine*], les *Vendanges de Suresnes*, le *Retour des officiers*
[à *Péronne*]; ou bien, comme l'habitude s'en établit alors, il met
en dialogue un *Conte* de La Fontaine. Dans trente-deux de ses
comédies sur quarante-sept il a saisi au passage une actualité :
c'est, disait Destouches, le « fripier du Parnasse ».

D'autres l'ont surnommé le « Téniers de la comédie » pour la
sincérité de son observation, et plus encore pour son adresse à
peindre de petites gens, de petites joies, de petits calculs, toute une
atmosphère médiocre et gaie de banlieue parisienne. Parmi ses personnages, il n'y a guère de grands seigneurs, et, on ne sait pourquoi,
il n'y a pas de médecins. Mais il y a des procureurs, de gros bourgeois vaniteux, des intrigantes, d'aimables étourdies, des jeunes gens
au cœur inflammable, beaucoup de laquais pendables et de soubrettes
dignes de les épouser; et des meuniers, des jardiniers, des paysans,
de ces rustiques si originaux des environs de Paris, madrés et patients,
« scrupuleux » quand ils hésitent à gagner quinze pistoles là où ils
pourraient en gagner trente :

LUCAS. — Eh ! mais, vous m'avez baillé quinze pistoles pour ne pas
dire que c'est votre maître qu'est ici.
LA MONTAGNE. — Eh bien ?

LUCAS. — Et son père en promet trente à sti qui ly dira où il est; je me fais comme çà des scrupules.

LA MONTAGNE. — Voilà un maître maroufle avec ses fantômes.

LUCAS. — Je ne saurais servir sti-ci sans tromper sti-là, et j'ai dans l'imagination que ce serait blesser ma conscience, si je servais pas sti qui promet le plus, au préjudice du sti qui baille le moins.

LA MONTAGNE. — Oui-dà, oui-dà, il y a quelque chose à dire à cela (*Bas*). Le dangereux coquin !

LUCAS. — Conseillez-moi un peu là-dessus, Monsieur de La Montagne, vous qui êtes un si honnête homme.

LA MONTAGNE. — Je vois bien ce qu'il y a à faire. Tiens, voilà encore quinze louis d'or pour mettre les choses dans l'équilibre.

LUCAS. — Tatigué, que vous êtes de bon conseil, Monsieur de La Montagne ! mais attendez un peu. Oui... tout juste. Me voilà un peu plus embarrassé qu'auparavant.

LA MONTAGNE. — Comment ! tu rêves ! Serait-ce encore quelque scrupule ?

LUCAS. — Palsangué, oui. Je ne sais plus queu parti prendre avec votre peste d'équilibre. — Pour que la balance penche de queuque côté, il faut du poids de plus, Monsieur de La Montagne.

LA MONTAGNE. — Voilà encore quatre louis. Seras-tu content ?

LUCAS. — On ne peut pas plus. Je vous servirons comme vous nous payez, à bonne mesure.

Quelle subtile exactitude à rendre le rythme même du parler paysan : assez lent, et décidé à la fois, traînant et sûr. Cet élément de l'art de Dancourt mérite d'autant plus d'être relevé, qu'à cette époque une telle finesse d'oreille est rare : chez les autres écrivains de comédies, les paysans usent d'un jargon incorrect à plaisir, farci de sonorités ridicules, mais dont la démarche ne *ressemble* pas.

Jean-Jacques Rousseau reprochera à Dancourt son immoralité : c'est amoralité qu'il faut dire, insouciance de ce qui n'est pas « la douce loi de la nature », épicurisme d'acteur bon vivant qui ne philosophe pas, ne s'indigne pas, ne s'étonne pas, s'amuse.

***

Du Fresny, arrière-petit-fils d'Henry IV et de la jardinière du château d'Anet (1648-1724), est un bohème, prompt et habile à tous les beaux-arts : musicien, dessinateur, architecte de jardins, mais de l'école de la fantaisie, non de celle de Le Nôtre. Il se met au théâtre vers la cinquantaine. Son *Négligent* ne lui ayant obtenu au Théâtre Français qu'un succès médiocre, il donne aux Italiens onze comédies, en six ans. Le voici moraliste dans ses *Amusements sérieux et comiques* (1699), dans ses *Vérités plaisantes* (1702); il prend même part sans violence à la querelle des Anciens et des Modernes, par un *Parallèle d'Homère et de Rabelais* (1711). Après le départ des Italiens, il est revenu au Théâtre Français, et lui a donné une douzaine de pièces aux titres piquants : *la Noce interrompue* (1699), *le Malade sans maladie* (1699), *l'Esprit de contradiction* (1700), *le Double Veuvage* (1702), *le Faux honnête homme* (1703), *le Faux instinct* (1707), *le Jaloux honteux* (1708), *la Joueuse* (1716), *la Réconciliation normande* (1719), *le Mariage fait et rompu* (1721), *le Faux sincère* (1731). Voilà bien des « faussetés » ? Ce sont des « contradictions » plutôt, parmi lesquelles Dufresny promène une curiosité flâneuse, sans malveillance, qui s'attarde où bon lui semble, insoucieux de l'équilibre de la pièce. Il écrit vraiment en épicurien; ignorant les règles, le métier, oubliant le public, c'est à lui-même qu'il veut plaire. Le public s'en aperçut et plusieurs · pièces de Dufresny échouèrent, ou n'eurent qu'un demi-succès : le public veut qu'on l'amuse, non que l'auteur s'amuse de lui.

**
*

Regnard (1655-1709) a plus de prétentions, et on applaudit de nos jours encore son *Légataire*.

Lui aussi il est un épicurien; mais bohème non pas : de sa famille bourgeoise, enrichie par le commerce privilégié des salines, il tient le goût du confortable, quelque sens du travail soutenu, quelque respect des règles.

Le grand événement de sa vie, ce sont ses voyages, dont l'un, en Alger, fut très involontaire : les pirates barbaresques se saisirent de lui en Méditerranée, comme il allait pour la seconde fois de Marseille en Italie, et l'emmenèrent captif. Il a conté sa mésaventure dans une nouvelle, *la Provençale* : pour mettre au point ses vanteries et fatuités, le récit d'un de ses amis et camarades de captivité, Auxcousteaux de Fercourt, nous est assez précieux. Avant d'être racheté, ce qui ne tarda guère, Regnard subit un dur esclavage, qu'il s'ingénia à adoucir en confectionnant des cages d'oiseaux dont son maître tirait bénéfice, et en rêvant ces amours et galanteries dont *la Provençale* est le récit trop avantageux et trop littéraire.

Trois ans après, il quitte à nouveau Paris, cette fois pour les pays du Nord : Flandres, Hollande, Danemark, Suède, Laponie. Il va même en Pologne. Il voit vite, il note sans critique et sans émotion les anecdotes qu'on lui débite; en général dans les relations qu'il compose, dans ses *Voyages*, les bâtiments qu'il a remarqués sont « assez curieux »; les églises, « très belles », « bien entretenues ». La propreté des Pays-Bas frappe ce Parisien; Malines, dit-il, « semble plutôt une ville peinte que réelle tant les rues en sont propres et bien pavées »; il s'intéresse à l'aspect d'un béguinage, et bien plus encore à ce qu'il souhaiterait des béguines; l'enterrement d'un prêtre lapon lui paraît bien pittoresque, mais surtout il y a tant bu, sur les instances mêmes de la veuve, de vins de France, de vins d'Espagne, d'eau-de-vie ! On lui a dit, à Stockholm, que l'ours est un animal singulier : « couché trois ou quatre mois de l'année, il ne prend pour lors aucune nourriture qu'en suçant sa patte » : Regnard croit et note. A Wittemberg on a dû lui parler de Luther; mais cette fois il n'a rien retenu, et sa relation porte ces indications successives :

Luther est enterré à Wittemberg. Il se pêche quantité de sardines depuis cette île jusqu'à Bresse, et un capitaine de vaisseau chargea quantité d'œufs de cabillaux pour servir à cette pêche...

Bien entendu il raille çà et là, la moquerie, sans fiel d'ailleurs, étant chez un bourgeois de Saint-Eustache la forme ordinaire de l'étonnement. Il lui arrive, en outre, de voyager dans son récit plus loin qu'il ne l'a fait en réalité sur la terre ou sur les rivières lapones. Enfin, comme tout Français à l'étranger, il est fier du régime politique de son pays, qui est à ce moment la monarchie absolue.

Il rentre à Paris, et aussitôt devient fonctionnaire, dans une fonction à prestige et à loisirs : il est Trésorier de France, et grand voyer en la généralité de Paris. Alors il compose des *Epîtres* : d'un scepticisme bien superficiel, d'un épicurisme sans paresse, d'une moralité qui vient toute d'Horace et de La Bruyère, d'un goût littéraire qui tient à fronder *l'Art Poétique*, du moins pour ses rigueurs envers Quinault. De 1689 à 1696, il fournit onze comédies au Théâtre Italien; de 1696 à 1700, six au Théâtre Français : *Attendez-moi sous l'orme*, *la Sérénade*, *le Bal*, *le Joueur*, *le Distrait*, *Démocrite*. Puis c'est *le Retour imprévu* (1700), *les Folies amoureuses* (1704), *Les Ménechmes* (1705), *le Légataire universel* et la *Critique du « Légataire »* (1708). En 1700 il avait vendu sa charge de Trésorier, et acheté la lieutenance des eaux et forêts et la lieutenance des chasses en la généralité de Dourdan. C'est dans son château de Grillon qu'il résidait. Là il recevait « grand monde et bonne compagnie » : le marquis d'Effiat, le président de Lamoignon, mais aussi le poète peu fortuné Gacon, et l'acteur Poisson, et les deux sœurs Loyson, qui, selon un contemporain, « avaient fait longtemps l'ornement de nos promenades publiques ». La devise de Grillon, c'est

Description de la Chine
Gravure de HUMBLOT

Grand'chère, vins délicieux,
Belle maison, liberté tout entière,
Bals, concerts, enfin tout ce qui peut satisfaire
Le goût, les oreilles, les yeux
(*Le Mariage de la Folie*,
divertissement pour *les Folies Amoureuses*, I).

Grillon est son « abbaye », qu'il « consacre à Bacchus »; la règle astreint à

Chanter, dormir et bien aimer;
Aimer, boire, point de contraintes !
(*Chanson* faite pour Mesdemoiselles Loyson en 1703.)

A cinquante-cinq ans, le 5 septembre 1710, Regnard mourait d'une indigestion.

L'œuvre de Regnard se ressent-elle de cette vie agitée ? Peut-être l'entrain si caractéristique de ses personnages et de ses intrigues vient-il de là. Mais Regnard doit bien plus au Théâtre Italien, où il a fait son apprentissage d'auteur comique. Les valets de ses grandes comédies seront une nouvelle épreuve de son premier Arlequin, le fourbe démesurément fourbe, à l'humeur « satinée, veloutée », voleur, faussaire, tournant tout en grasses facéties. Femmes étourdies, nobles ignorants et gueux, financiers gras et sans probité, il a pris chez les Italiens de Paris l'habitude de faire vivre, ou plutôt remuer et courir ces marionnettes, et de leur donner un langage alerte, où les termes familiers et pittoresques ne manquent pas, non plus que les équivoques polissonnes. Le ton, l'humeur, l'élévation morale, la profondeur de l'analyse sont bien de cette qualité italienne, dans les premières pièces que Regnard donne au Théâtre Français. Mais déjà il se mêle de tenter la comédie d'observation, presque de caractère. Que n'est-il Molière ? Il s'efforce à le paraître, dans *le Joueur* d'abord. Cependant le jeu de son *Valère* n'est que la manie d'un isolé, sans contrecoups de désarroi ou de désordre autour de lui. Valère a deux passions : le jeu et l'amour, mais qu'elles se partagent son cœur inégalement !

Son amour peut passer pour fièvre intermittente.

L'intérêt ne vient guère à cette comédie appliquée que de ses personnages épisodiques, un M. Toutabas, une Mme La Ressource, dont les noms sont des étiquettes; de ses allusions insistantes aux brelans et à tous ceux qui en vivent, de ses portraits satiriques : voici par exemple les hommes à succès féminins de 1696 :

[Ils] n'ont, pour imposer, qu'un grand air débraillé,
Un nez de tous côtés de tabac barbouillé,
Une lèvre qu'on mord pour rendre plus vermeille,
Un chapeau chiffonné qui tombe sur l'oreille,
Une longue steinkerque à replis tortueux,
Un haut-de-chausse bas prêt à tomber sous eux;
[Et], faisant le gros dos, la main dans la ceinture,
Viennent, pour tout mérite, étaler leur figure.

(le Joueur, I, 2.)

Le Distrait de 1697, où le dialogue est plus vif, combine quelques ombres de caractères, fort apparentées à de bien vivants personnages de Molière — Mme Grognac, proche de Mlle Pernelle; et Isabelle, qui tient ce qu'elle peut d'Agnès — avec le Ménalque si consciencieusement étoffé de La Bruyère; *Démocrite*, malgré la tenue générale de sa versification, est un retour à la comédie italienne; *le Retour imprévu* et *les Folies* surtout sont comédies italiennes encore, par l'éblouissement de leur entrain.

La grande comédie de Regnard est *le Légataire*. Il a mis tout son génie dans cette longue farce trépidante, cette aventure d'un malade de soixante-huit ans, qui veut épouser une jeune fille, qui y renonce, qui tombe en léthargie et revient à la vie, et entend lire par ses notaires un testament, son testament, dicté pendant la léthargie, en son nom, par un valet fourbe vêtu de ses oripeaux de malade.

L'entrain italien mène cette intrigue, si c'en est une; c'est lui qui pousse successivement sur la scène ces personnages, ces fantoches grimaçants et agités : Géronte le vieillard, Lisette aux reparties tranchantes, Crispin le coquin avide, et l'apothicaire fébrile, et Crispin encore, déguisé en neveu normand puis en nièce mancelle, et ces notaires dont l'un se nomme Scrupule, et Mme Argante, qui donnerait bien la main de sa fille Isabelle au jeune Eraste, neveu de Géronte, par « préférence », si Eraste était assuré d'hériter de son oncle. Italiennes aussi, ces équivoques légères ou lourdes dont est saupoudrée la pièce, et ces parodies, ces hémistiches de Racine contrastant avec les bas sentiments qu'ils commentent, et cette entrée de Géronte à la fin du cinquième acte, toute semblable à l'entrée de Phèdre :

GÉRONTE, *appuyé sur Lisette*

Je ne puis revenir encor de ma faiblesse;
Je ne sais où j'en suis; l'éclat du jour me blesse,
Et mon faible cerveau, de ce choc ébranlé,
Par de sombres vapeurs est encor tout troublé.

Regnard a puisé chez Racine pour faire rire; pour hausser son propre prestige il s'est abondamment souvenu de Molière. Géronte est un mélange, une juxtaposition improvisée d'Harpagon et d'Argan le malade imaginaire; Crispin imagine d'irrésistibles ruses, comme le Mascarille de *l'Etourdi;* Lisette est franche comme l'était Martine; les neveux ridiculisent la province, comme l'avait fait M. de Pourceaugnac; le « C'est votre léthargie! » revient en refrain comme le « Sans dot! » de *l'Avare.* Mais justement Regnard nous a trop donné l'occasion de le comparer à Molière. « Sans dot! » est un trait de caractère, tandis que l'autre riposte est seulement une moquerie insistante, une « scie »; Lisette n'est que hardie, sa voix n'est pas la voix populaire d'un bon sens profond; les provinciaux du *Légataire* sont de grosses caricatures épisodiques, et Crispin est bien loin d'avoir en partage l'invention féconde, puissante, allègre, du *Fourbûm imperator!*

Rousseau a fait vraiment beaucoup d'honneur à Regnard, lorsqu'il s'est scandalisé du *Légataire* comme d'une école de scélératesse. Du théâtre de Regnard ne vient aucune leçon, sinon que les ridicules abondent ici-bas, et qu'on peut largement s'en amuser.

*_**

Le Sage (1668-1747), Parisien d'adoption, et même bourgeois de Paris depuis son mariage, est Breton d'origine. Ses épreuves, à lui, ont été autre chose qu'une passagère captivité chez les Barbaresques : à quatorze ans orphelin, il est dépossédé par son tuteur; une fois établi, pour faire vivre sa femme et ses quatre enfants il n'a guère que son travail; et son caractère indépendant ne lui rend pas auprès des libraires la tâche plus aisée.

Il est à la fois romancier et poète comique; et dans l'un et dans l'autre genre son activité se répartit en trois périodes : d'abord il est traducteur : des *Lettres* d'Aristénète (1695) et de pièces espagnoles (1700 et suiv.); puis il adapte, lorsqu'il produit *Crispin rival de son maître* (1707) et *le Diable boiteux* (1707); enfin il est lui-même, dans *Turcaret* (1709) et dans *Gil Blas* (1715 et suiv.). En outre il a donné au théâtre de la Foire une centaine de farces.

Sa traduction du théâtre espagnol est assez libre. Elle abrège le texte, Le Sage faisant profession de retenir « ce que les Espagnols ont de brillant et d'ingénieux », en abandonnant « ce qu'ils ont d'outré dans leur galimatias ». De cinq actes il réduit à trois *le Point d'honneur* de Fr. de Roxas, « pour le rendre plus vif » dit-il, quitte à anémier les caractères, et à les faire grimacer en sèches caricatures. Ailleurs, dans *le Traître puni*, la vivacité est dans le style acéré, épigrammatique à la manière de La Bruyère, mais d'un La Bruyère qui ne serait plus guère pittoresque, et plus du tout sentimental. Son valet Mogicon est en face de don André comme Sganarelle en face de don Juan ; il chapitre, il sermonne; mais Le Sage n'a pas songé qu'ici la lenteur grave des périodes serait un trait de caractère : à la lourde et gauche bonne volonté de Mogicon il a fait parler un langage haché, décidé :

> Dites-moi pourquoi vous en contez à toutes les femmes que vous rencontrez. Vous cajolez depuis la plus noble jusqu'à la grisette; les vieilles et les jeunes, tout vous est bon, les vieilles parce qu'elles ont de l'expérience, et les autres parce qu'elles n'en ont point.
>
> (*Le Traître puni*, I, 1.)

Les mots encore, les mots d'auteur, tiennent une grande place dans le *Crispin rival de son maître*. Dans cette brève comédie de mœurs, imitée de Hurtado de Mendoza, l'intrigue n'est pas sans intérêt, tant elle est adroitement emmêlée et démêlée, et menée avec entrain : Valère, le maître de Crispin, veut épouser Angélique, fille de M. et Mme Oronte; elle l'aime, mais ses parents l'ont promise à Damis, fils de M. Orgon. Or Damis est marié secrètement; M. Orgon envoie ses excuses par La Branche, valet de Damis. La Branche est un ami de Crispin, et il le rencontre avant d'avoir vu M. Oronte; Crispin donc et lui concertent le projet suivant : Crispin se fera passer pour Damis; la cérémonie du mariage aura lieu, et aussitôt les deux complices partiront avec la dot. L'arrivée de M. Orgon fait tout découvrir; on marie Valère et Angélique, on pardonne aux filous.

Ces incidents — qui ne sont pas tous imprévus — se succèdent à vive allure; et ils paraissent plus rapides, plus animés, dans l'incessant jaillissement de reparties spirituelles qui les commentent, ou qui tracent un trait de caractère, ou qui sont la repartie pour la repartie, l'art pour l'art de la riposte. Valère déplore les absences de Crispin : est ainsi-ce qu'un valet doit servir ?

CRISPIN. — Parbleu, Monsieur, je vous sers comme vous me payez.

Tricher au jeu, c'est, selon lui :

> lever un droit qu'[on] s'est acquis sur les gens par sa manière de jouer.

Valère lui parle de son amour pour Angélique : M. et Mme Oronte sont-ils riches ? demande Crispin. — Oui, répond Valère : trois

grandes maisons dans les plus beaux quartiers de Paris, et de
l'argent comptant :

CRISPIN. — Je connais tout l'excès de votre amour.

La Branche, son ami, a des formules moins désinvoltes, mais
fort ingénieuses : arrêté pour vol, il a failli être envoyé aux galères :

On m'a voulu donner de l'occupation sur mer. — Une nuit je m'avi-
sai d'arrêter dans une rue détournée un marchand étranger pour lui
demander par curiosité des nouvelles de son pays. Comme il n'entendait
pas le français, il crut que je lui demandais la bourse, il crie au voleur,
le guet vient, on me prend pour un fripon, on me met au Châtelet, j'y
ai demeuré sept semaines.

C'est lui aussi qui déclare, avec un air de candeur :

Nous autres gens d'intrigue, nous nous gardons les uns aux autres
une fidélité plus exacte que les honnêtes gens.

L'esprit de La Branche n'est pas toujours du meilleur aloi; il
donne dans l'équivoque obscène, et dans les jeux de mots faciles :
sur les noms : « M. Craquet, médecin », « M. Bredouillet, avocat »;
sur les « logements », comme on disait alors, car c'était un amusement en vogue — comme il y a soixante ans le jeu des surnoms
— que d'imaginer des adresses qui fussent des épigrammes : il loge
le médecin « rue du Sépulcre » et l'avocat « rue des Mauvaises-
Paroles ».

Quelques-uns de ces mots d'auteur cependant arrêtent l'attention; ils paraissent profonds, et ils sont amers :

CRISPIN. — Que je suis las d'être valet ! Ah ! Crispin, c'est ta faute,
tu as toujours donné dans la bagatelle, tu devrais présentement briller
dans la finance. Avec l'esprit que j'ai, morbleu, j'aurais déjà fait plus
d'une banqueroute.

(Sc. II.)

M. ORONTE. — Pour vous rendre honnêtes gens, je veux vous mettre
tous deux dans les affaires.

(Sc. dernière.)

Dans *Turcaret* cette ironie devient sarcasme agressif. Là il y a
plus de deux coquins : tous les personnages — à part Marine,
bientôt congédiée parce qu'elle est honnête et franche — sont
larrons de bas et haut vol : la baronne, maîtresse du chevalier,
et qui veut être épousée par Turcaret le traitant; Turcaret, qui
outre ses grandes pilleries professionnelles, rougit de sa femme

et la trompe; le chevalier et le marquis, décavés tous les deux, vivant du jeu quand ils gagnent, de l'amour à l'occasion, et d'emprunts; Mme Turcaret, qui a accueilli le marquis et le chevalier; Mme Jacob, revendeuse à la toilette et sœur de M. Turcaret; et Lisette, la nouvelle suivante de la baronne, et Frontin qui épousera Lisette, et M. Rafle l'usurier, et M. Furet le fourbe. Comme le proclame Frontin, avide et dilettante, à la fin du premier acte :

J'admire le train de la vie humaine; nous plumons une coquette; la coquette mange un homme d'affaires; l'homme d'affaires en pille d'autres; cela fait un ricochet de fourberies le plus plaisant du monde...

le ricochet aussi le plus dur : tous les personnages de *Turcaret* sont haïssables.

Ils ne sont pas tous ou tout entiers originaux : à Molière, dans *la Comtesse d'Escarbagnas* et dans *le Bourgeois Gentilhomme*, Le Sage a pris quelques traits du caractère qu'il a donné à son héros, notamment l'insolence, la jalousie brutale du receveur des tailles de *la Comtesse*, et sa roture opulente et mal élevée. La Bruyère lui a fourni quelques détails, mais plus encore une assurance indignée dans le mépris pour les traitants. Comme La Bruyère, en voulant refaire Tartufe plus incisif, avait produit un *Onuphre* tout encombré de vices, moins vivant que Tartufe, Le Sage crispe son héros et le charge de tant de méfaits et de sottises qu'on serait tenté de plaindre Turcaret comme sa victime. Sur les tares ou misères de la noblesse, Le Sage se souvient aussi des doléances de La Bruyère. Mais La Bruyère s'apitoie encore, il voudrait corriger ceux qu'il blâme, même les traitants à l'« âme de boue » : il a un fond de charité. Le Sage paraît n'avoir que ressentiment, dans ses formules blessantes :

LE MARQUIS. — [M. Turcaret] vous pillera, il vous écorchera, je vous en avertis. C'est l'usurier le plus vif : il vend son argent au poids de l'or.
LA BARONNE. — Vous vous méprenez, Monsieur le marquis. Monsieur Turcaret passe dans le monde pour un homme de bien et d'honneur.
LE MARQUIS. — Aussi l'est-il, Madame, aussi l'est-il : il aime le bien des hommes et l'honneur des femmes.

(III, 4.)

M. TURCARET. — Trop bon, trop bon ! hé pourquoi diable s'est-il donc mis dans les affaires ?

(III, 7.)

FRONTIN. — Mais donne-moi donc le temps de m'enrichir.
LISETTE. — Je te donne trois ans, c'est assez pour un homme d'esprit.

(III, 11.)

Après une dernière escroquerie, Frontin tire la morale de la pièce :

J'ai quarante mille francs. Si ton ambition veut se borner à cette petite fortune, nous allons faire souche d'honnêtes gens.

LISETTE. — J'y consens.

FRONTIN. — Voilà le règne de Monsieur Turcaret fini, le mien va commencer.

(V, 15.)

L'impertinence de Frontin contre les financiers prépare celle de Figaro contre les privilèges de la naissance. Mais auprès de Figaro ou de Beaumarchais, mauvais garçons « sensibles », frondeurs par jeu plus que par rancune, que d'âpreté dans les railleries de Le Sage, quelle rancœur d'âme honnête !

*
**

Destouches (1680-1754) est lui aussi un cœur droit. Secrétaire de M. de Puysieux, l'ambassadeur de France auprès des Cantons Suisses qui accueillait J.-B. Rousseau, il débute dans la carrière littéraire par des vers religieux, et son dernier ouvrage est, dans le *Mercure*, une dissertation contre les philosophes. Monsieur de Puysieux, qui l'estime, le recommande au Régent et à Dubois; et il s'acquitte si bien d'une mission délicate en Angleterre, qu'il reçoit une gratification de cent mille livres. Le Régent le fait nommer de l'Académie française. A partir de 1723 il vit ordinairement dans son château aux environs de Melun, et ne vient à Paris que pour les répétitions — non pour les représentations — de ses comédies, celles du moins qu'il tient à faire jouer.

Son théâtre comprend une trentaine de pièces, dont les titres, pour la plupart, dénotent une intention de moraliste : *le Curieux impertinent* (1710); *l'Ingrat* (1710); *la Veillée de Village* et *les Fêtes de l'Inconnue* (1714, divertissements destinés à la duchesse du Maine); *l'Irrésolu* (1713); *le Médisant* (1715); *le Philosophe marié* (1727); *l'Envieux*; *les Philosophes amoureux*; *la Fausse Agnès*; *le Glorieux* (1732); *l'Enfant gâté*; *le Dissipateur* (1736); *le Triple Mariage*; *le Tambour nocturne*, traduit d'Addison (1737); *l'Ambitieux et l'Indiscrète* (1737); *l'Obstacle imprévu* (1737); *l'Homme singulier*; *la Force du naturel*; *le Jeune Homme à l'épreuve*, *le Trésor caché*; *le Dépôt*; *le Mari confident*; *l'Archi-Menteur*.

Il veut être un moraliste en effet, il veut instruire, il ne veut « qu'instruire ». Sa préface du *Glorieux* là-dessus est formelle :

Je crois que l'art dramatique n'est estimable qu'autant qu'il a pour but d'instruire en divertissant. J'ai toujours eu pour maxime incontestable que, quelque amusante que puisse être une comédie, c'est un ouvrage imparfait et même dangereux, si l'auteur ne s'y propose pas de corriger les mœurs, de tomber sur le ridicule, de décrier le vice et de mettre la vertu dans un si beau jour, qu'elle s'attire l'estime et la vénération publiques... Il est de mon devoir, en payant au public le juste tribut de ma reconnaissance, de le féliciter sur le goût qu'il a toujours fait éclater pour des ouvrages qui ne tendent qu'à épurer la scène, qu'à la purger de ces frivoles saillies, de ces débauches d'esprit, de ces faux brillants, de ces sales équivoques, dont elle a été souvent infectée, et qu'à la rendre digne de l'estime et de la présence des honnêtes gens.

Aussi Destouches n'a-t-il guère d'estime pour Dancourt, ni pour Regnand, ni même pour Le Sage.

Cependant il sent bien l'écueil, pour cette comédie moralisante : elle peut paraître froide; les caractères y sont « moins ridicules » que chez ses concurrents, chez Molière, chez les Italiens, « ces pitoyables rivaux du théâtre français ». Un moment, dans la *Préface* de *l'Ambitieux*, il songe à rejeter la responsabilité de cette froideur sur... Racine.

Admirateur zélé de Racine, je ne puis m'empêcher de lui reprocher d'avoir introduit au théâtre cette monotonie de sentiments et de langage : goût qui a tellement prévalu dans la suite, qu'il a fait abandonner ou défigurer souvent aux auteurs les plus beaux sujets dramatiques, qu'il a rétréci le dictionnaire de la tragédie presque autant que Quinault celui du théâtre lyrique, et qu'enfin ce goût a influé même sur la comédie.

Mais plutôt il veut parer à ce danger. Il sait apprécier à leur valeur les « caractères plaisants, bien soutenus, bien variés » du théâtre anglais; il a observé qu'« un ridicule ou qu'un vice, quoique toujours le même, prend une forme particulière dans les différentes personnes, selon les rangs qu'elles occupent dans la société ». A-t-il vraiment vu le parti que la comédie, pour se renouveler, pouvait tirer de l'étude des conditions ? En fait, dans ses comédies, il a étudié un certain nombre de travers en moraliste plus attentif à l'homme, à l'âme humaine, qu'aux hommes des différents étages sociaux.

Il s'est pourtant essayé à cette observation nouvelle dans *le Glorieux*. Son comte de Tuffières, au nom si expressif, est vain de son rang, de ses titres, de son honneur; Pasquin le valet croit devoir imiter les grands airs distants du maître; Lisimon est un bourgeois riche, anobli, ambitieux de hausser la condition de ses

enfants; le contentement bourgeois de la richesse acquise et de la
noblesse commençante prend chez lui la forme du sans-gêne, et
du libertinage. Lycandre, père du comte et de Lisette, a la vraie
grandeur d'âme d'un homme de haute naissance à qui l'épreuve a
été salutaire. Lisette, qui ignore d'abord son origine illustre, en
impose à tous, sauf à Lisimon, par je ne sais quel air de distinction
et de grandeur. Mais, il faut l'avouer, ces traits de mœurs sociales ne
forment qu'une médiocre part de l'intérêt, dans cette aimable
comédie.

Le Glorieux est une comédie romanesque : Lisette ne reconnaît
son père qu'au milieu du IV° acte : jusque-là Lycandre est seulement pour elle un inconnu tutélaire. Et la reconnaissance, comme
il sied, s'accompagne d'effusions de sensibilité :

LYCANDRE

Votre père caché depuis près de deux ans,
Attendait les effets de ces secours puissants.
On vient de lui donner d'agréables nouvelles :
Il touche au terme heureux de ses peines mortelles.

LISETTE

Qu'il ne s'expose point. Je crains quelque accident,
Quelque piège caché. N'est-il pas plus prudent
Que nous l'allions chercher ? Par notre diligence
Prévenons ses bontés et son impatience.
Sortons, Monsieur; je veux embrasser ses genoux,
Et mourir de plaisir dans des transports si doux.

LYCANDRE

Vous n'irez pas bien loin pour goûter cette joie.
Vous voulez la chercher, et le ciel vous l'envoie.
Oui, ma fille, voici ce père malheureux :
Il vous voit, il vous parle, il est devant vos yeux.

LISETTE, se jetant à ses pieds.

Quoi ! c'est vous-même ! O ciel ! que mon âme est ravie !
Je goûte le moment le plus doux de ma vie.

LYCANDRE

Ma fille, levez-vous. Je connais votre cœur.
Et je vous l'ai prédit, vous ferez mon bonheur.
Mais, hélas, que je crains de revoir votre frère !

LISETTE

Mon frère ! Et quel est-il ?

LYCANDRE

Le comte de Tuffière.

Lisette est surprise : et cependant elle avait bien éprouvé pour le comte une sympathie mystérieuse... La « voix de la nature », qui fait la même année ses débuts dans *Zaïre* et qui bientôt parlera si haut dans le drame bourgeois, jette dans *le Glorieux* sa note pathétique, romanesque.

Le Glorieux s'efforce en outre d'être une comédie de caractères. Dès l'exposition, ou en guise d'exposition, ce sont des portraits que doctoralement échangent Lisette et Pasquin : portrait d'Isabelle entière et inconstante, portrait du comte, en deux points. Si bien que le comte, lorsqu'il paraît, n'a d'autre tâche que de confirmer la définition trop détaillée et trop précise qu'on a donnée de son humeur.

Le Glorieux est et veut être une comédie moralisante. Un Mentor y figure, qui n'est pas seulement le classique sage de la pièce, mais dont la vie et les propos sont une leçon aux spectateurs. Lycandre a été riche, et c'est le sot orgueil de sa femme qui a causé sa ruine : d'un affront qu'elle avait fait à la femme d'un gentilhomme est résulté un duel où Lycandre a tué son adversaire : il a été traité par la justice royale comme un assassin. Aussi a-t-il résolu d'enseigner la modestie à sa fille, en lui laissant ignorer longtemps son origine; et il enseigne enfin la modestie à son fils, en l'obligeant, devant Isabelle, Lisamon, Lisette, Valère, à lui demander pardon de son sot orgueil.

Dans les autres comédies de Destouches, le souci est le même de donner des leçons : à la fin du *Dissipateur*, sur la vraie générosité; à la fin du *Philosophe marié*, sur la vraie philosophie, puis sur l'utilité de la vertu pour fonder le bonheur d'un ménage :

GÉRONTE

Qu'est-ce qu'un philosophe ? Un fou, dont le langage
N'est qu'un tissu confus de faux raisonnements,
Un esprit de travers...
Toujours après l'erreur courant à pleines voiles,
Quand il croit follement suivre la vérité,
Un bavard, inutile à la société,
Coiffé d'opinions, et gonflé d'hyperboles,
Et qui, vide de sens, n'abonde qu'en paroles.

ARISTE

Non, la philosophie est sobre en ses discours
Et croit que les meilleurs sont toujours les plus courts,
Que de la vérité l'on atteint l'excellence
Par la réflexion, et le profond silence.

Il [le vrai philosophe] ne parle jamais, que par ses actions.
Etre vrai, juste et bon, c'est son système unique.

(IV.)

Et prouvons aux railleurs que malgré leurs outrages
La solide vertu fait d'heureux mariages.

(V, 9.)

Longues considérations morales; et psychologie bien courte. Dans *le Dissipateur*, il est dit que les femmes, lorsqu'elles gardent un secret, « ont les pieds sur la braise »; et qu'

> Une femme prudente et qui se donne au bien
> Vaut cent fois mieux qu'un homme...

ou encore, que

> Les femmes ont toujours quelque arrière-pensée.

Dans *le Philosophe marié*, que « toute femme est coquette »; ou bien, que les fermiers généraux ignorent le sens des mots « conscience, honneur, probité ».

Destouches est-il un écrivain de talent ? Deux vers de lui sont célèbres, deux vers du *Glorieux*, que souvent on attribue à Boileau lorsqu'on les cite :

> Chassez le naturel, il revient au galop.
> La critique est aisée, et l'art est difficile.

Son style n'est pas original, ni même très personnel. Il se souvient de Racine, d'abord pour le parodier, comme font tous les poètes comiques du XVIII° siècle :

> Ils me cherchent partout, partout je les évite [les créanciers]
> (*Dissipateur*, I, 6.)

mais aussi pour donner à certains vers une grâce féminine, élégiaque :

> Je n'ai qu'un cœur fidèle, et rien qui le soutienne.
> (*Dissipateur* IV, 7.)

> Pour vous fléchir, Monsieur, je n'ai point d'autres armes,
> Que ma soumission, mes soupirs et mes larmes.
> (*Philosophe marié*, V, 9.)

A Molière il prend ce ton ferme, ce tour sentencieux du *Misanthrope*, même lorsqu'il fait parler une femme :

FINETTE

Morbleu, si ma maîtresse avait ce faible-là,
Je périrais, plutôt que de souffrir cela.

(*Dissipateur*, I, 1.)

En pareil cas il arrive au vers de Destouches d'être bien prosaïque :

Aujourd'hui les amis ne sont plus à la mode;
Les hommes sont unis par le seul intérêt.

Et ce n'est pas la faute de Molière, dont les vers les plus ternes
sont toujours entraînés d'un élan ou d'un rythme. Ou bien
Destouches ajuste en un vers une ligne de *Don Juan* :

Asseyez-vous, baron, vous prêcherez bien mieux.

(*Dissipateur* I, 7.)

ou bien il imite, au II° acte du *Dissipateur,* la scène des portraits
du *Misanthrope.* Enfin il en vient, dans son *Homme singulier,* qui
souvent n'est que le *Misanthrope* refroidi, à écrire la comédie comme
une épître morale.

**
*

L'influence de La Bruyère sur la comédie est représentée surtout
par trois auteurs, à vrai dire sans envergure, qui ont emprunté aux
Caractères soit des considérations morales, soit des personnages,
soit des procédés de style, et presque toujours une ironie un peu
attristée devant les vices ou travers humain. L'un d'eux, Gresset,
a été novice chez les Jésuites; un autre, d'Allainval, a porté l'habit
ecclésiastique, l'autre est Piron.

Des comédies assez nombreuses que d'Allainval a données au
Théâtre Français et au Théâtre Italien entre 1725 et 1734, ou qu'il
s'est contenté d'imprimer, *l'Ecole des Bourgeois* (1729) seule mérite
une mention. Là il a marqué, avant La Chaussée, et avec plus de
vivacité ou de finesse, la cruauté du « préjugé à la mode » selon
lequel, dans la haute société, un mari devait être un étranger pour
sa femme, et plus indifférent aux mérites de sa femme qu'un étranger. Bien entendu, les imitations de Molière abondent dans la pièce :
*la Comtesse d'Escarbagnas, la Critique de l'Ecole des Femmes, le
Bourgeois gentilhomme* ont été mis à forte contribution. Mais
l'amertume charitable de La Bruyère, qui s'y associe, vient donner
à d'Allainval une sorte d'accent personnel. Lui aussi — d'après le
chapitre *des Grands* — déplore que les nobles ne s'avisent pas d'être
bons :

Quel dommage que de si aimables petits hommes soient si scélérats, dans le fond !

Le titre même d'*Ecole des Bourgeois* est une ironie : à l'école de la noblesse, signifie d'Allainval, la bourgeoisie perdra ses vertus, sa santé morale. Ecoutez l'écolière et son maître :

BENJAMINE. — Je ferai mon bonheur le plus doux, de vous voir tous les moments de ma vie.
LE MARQUIS. — Hé, Mademoiselle, vous avez un air de qualité : dé-faites-vous donc de ces discours et de ces sentiments bourgeois.
BENJAMINE. — Qu'ont-ils donc d'étrange ?
LE MARQUIS. — Comment, ce qu'ils ont d'étrange ? Mais ne voyez-vous pas qu'on n'agit point ainsi à la Cour ? Les femmes y pensent tout différemment : et loin de s'ensevelir avec un mari, c'est celui de tous les hommes qu'elles voient le moins.
BENJAMINE. — Comment pouvoir se passer de la vue d'un mari qu'on aime ?
LE MARQUIS. — Un mari qu'elle aime ? Cela jure dans le grand monde. On ne sait ce que c'est.
BENJAMINE. — Est-ce qu'il y a du mal à aimer son mari ?
LE MARQUIS. — Du moins il y a du ridicule.

(I, 14.)

Piron le Bourguignon (1689-1754) est fameux par ses mots, qui sont toujours plus judicieux que blessants. Sa passion pour la versification — française, latine, patoise — le détourne de la prêtrise à quoi on le destinait. Il débarque à Paris vers la tren-taine; copiste, secrétaire d'un financier qui se croit poète, il compose pour la Foire quelques farces ou parodies, et un opéra-comique, *Arlequin-Deucalion,* où paraît un seul personnage. En 1728, grand admirateur de l'art et de la moralité de Destouches, il fait jouer au Théâtre Français ses *Fils ingrats,* qui prendront le titre d'*Ecole des Pères.* Il s'essaye à la tragédie, par un *Callisthène* (1730) et un *Gustave Wasa* (1733); puis viennent deux comédies : *l'Amant mystérieux* (1734) et *la Métromanie* (1738). Sa carrière dramatique se clôt sur une tragédie, *Fernand Cortez* (1744). Quoi qu'il en ait dit, il a été académicien, ou du moins élu à l'Académie fran-çaise en 1753, mais le vote ne fut pas ratifié par le roi Louis XV : autour d'une ode de jeunesse fort malpropre, et dont Piron s'était depuis longtemps repenti, ses ennemis, scandalisés, avaient mené grand tapage.

Les Fils ingrats, ce sont trois enfants gâtés par la faiblesse de leur père. Il voudrait que l'un d'eux épousât la fille d'un de ses amis qui a été son bienfaiteur. Mais Angélique est pauvre, et ils

sont égoïstes. Ils refusent, ils hésitent; et Angélique refuse un tel
parti, les punissant ainsi et leur père avec eux. Un seul ingrat
aurait sans doute suffi à la démonstration, et elle en eût été plus
claire : il y a là excès dans le zèle, dans la bonne volonté qui anime
Piron contre le mal.

La Métromanie, c'est la manie de faire des vers, dont est atteint
Francaleu; il a composé une pièce que les acteurs refusent parce
qu'elle a six actes : il la fera donc jouer chez lui. Sa fille, Lucile,
est aimée de Dorante, jeune homme au cœur sûr et au jugement
sain; elle l'est aussi, croit-on, de Damis, poète, « M. de l'Empyrée »,
comme il s'intitule lui-même, et neveu d'un riche capitoul, M. Bali-
veau. Dorante provoque Damis en duel. Mais on s'aperçoit que l'objet
des vœux de Damis n'est pas Lucile : c'est une jeune fille qu'il n'a
jamais vue, une poétesse de Quimper-Corentin, dont les vers l'ont
enthousiasmé. Or cette poétesse est... Francaleu, qui a signé certains
de ses vers d'un nom féminin. Dorante épouse Lucile.

Il y avait de l'actualité dans cette comédie : Voltaire lui-même
et Destouches ne s'étaient-ils pas laissé prendre aux vers que
publiait dans le Mercure, sous le nom de « Mlle Malcrais de La
Vigne », un mystificateur, et Voltaire au point d'adresser à la
muse prétendue des hommages fort galants ? Mais dans la Métromanie aucune allusion trop précise ne vient blesser Voltaire ni
Destouches. Cette pièce aimable, qui n'est d'ailleurs pas très
gaie, continue bien la tradition des Caractères par son héros singulier, un « original », comme on disait déjà, tout possédé d'une
passion inoffensive. Et Piron semble bien avoir suivi La Bruyère
dans une de ses plus chères intentions. Francaleu s'apparente au
« philosophe », vrai portrait du peintre, où La Bruyère, sentimental et susceptible, se plaignait de voir sa pensée incomprise,
et son dévouement à l'humanité méconnu. Le poète de Piron est
serviable aussi, « bon, franc, généreux, brave et désintéressé »,
comme il dit dans sa Préface, mais plus bohème que le philosophe :

> D'état, il n'en a point, ni n'en aura jamais.
> C'est un homme isolé qui vit en volontaire,
> Qui n'est bourgeois, abbé, robin ni militaire,
> Qui va, vient, veille, sue et se tourmente bien,
> Travaille nuit et jour et jamais ne fait rien.
> Au surplus, rassemblant dans sa seule personne
> Plusieurs originaux qu'au théâtre on nous donne,
> Misanthrope, étourdi, complaisant, glorieux.

Le Méchant de Gresset fut représenté avec un vif succès en
avril 1747. Jusque-là l'auteur n'était connu que par une tragédie

incolore, *Edouard III*, une comédie sans valeur, *Sydnei*, et, surtout, par sa *Chartreuse* que Rousseau avait estimée, et *Vert-Vert*
qui en 1735 avait causé sa disgrâce, au collège Louis-le-Grand :
les Visitandines, offensées d'avoir été choisies, dans ce poème
railleur à l'esprit de couvent, pour hospitaliser un perroquet, s'étaient
plaintes à ses supérieurs jésuites ; et le professeur et novice avait
été exilé à La Flèche. Il avait alors quitté la Compagnie, emportant
dans le siècle un goût pour le théâtre affermi par les représentations scolaires. *Le Méchant* lui valut l'Académie, à l'unanimité,
des suffrages; il était âgé de trente-neuf ans. Il se maria, vécut à
Amiens, y fonda une académie. En 1758, dans une *Lettre* que
Voltaire trouva bon de ridiculiser, il exposa ses remords d'avoir
écrit pour le théâtre.

Le « méchant », Cléon, est un maniaque, mais qui n'est pas
inoffensif : il s'occupe et il s'amuse à blesser, à gâter autour de
lui les esprits et les cœurs; il a le

> goût de troubler, de détruire,
> Le talent de brouiller, et le plaisir de nuire.
> Semer l'aigreur, la haine et la division;

tel est son désir unique. Comme Chloé va épouser Valère, il dégoûte
Valère du mariage, et détourne Florise, mère de Chloé, de donner
sa fille à Valère. Mais enfin, grâce à Lisette, qui a su tirer parti de
Pasquin, valet de Cléon, le méchant est connu pour ce qu'il est;
on le chasse, et le mariage projeté aura lieu.

Est-ce comédie de caractères, ou comédie de mœurs ? On
nous assure que la jeunesse du milieu du siècle était en effet
« méchante », par mode autant que par sécheresse de cœur; qu'elle
manquait volontairement, par jeu, par vanité, par insolent égoïsme,
à tous les égards de déférence et de charité que révérait le siècle
précédent. En tout cas il était bien un moraliste selon le cœur de
La Bruyère, le poète comique qui avait tenu à dénoncer une per-
version aussi affligeante. Et son art ne relevait-il pas d'un précepte, du secret même de La Bruyère : « Tout l'art d'un auteur
consiste à bien définir et à bien peindre » ? Moins pittoresque que
La Bruyère, moins imagé, moins vivant, Gresset procède lui aussi
à coups de formules ingénieuses, il s'évertue en insistantes définitions et prend ses étiquettes pour des tableaux. Le « portrait » de
Cléon est fait par Lisette; il est fait par Cléon lui-même :

> Tout languit, tout est mort sans la tracasserie.
> . . . .

Les sots sont ici-bas pour nos menus plaisirs.
. . . .
Toute femme m'amuse, aucune ne m'attache.
. . . .
J'aurai, chemin faisant, les ayant conseillés,
Le plaisir d'être craint, et de les voir brouillés.
. . . .
Etre craint à la fois et désiré partout,
Voilà ma destinée et mon unique goût.

Et Ariste le fait encore, lorsqu'il détaille

Le jargon éternel de la froide ironie,
L'air de dénigrement, l'aigreur, la jalousie,
Ce ton mystérieux, ces petits mots sans fin,
Toujours avec un air qui voudrait être fin,
Ces indiscrétions, ces rapports infidèles,
Ces basses faussetés, ces trahisons cruelles.

Enfin Gresset veut, comme son modèle le moraliste de 1688,
remédier aux erreurs et aux vices, et non pas seulement les combattre; il veut rendre aux hommes, au méchant comme à ses
victimes, le bonheur dont le mal les prive. Vous vous trompez,
dit son sage Ariste, quand vous prenez pour de l'esprit la raillerie :

...A l'esprit méchant je ne vois point de gloire.
Si vous saviez combien cet esprit est aisé !
Le véritable esprit marche avec la Bonté.

Qu'est-ce que toutes vos malveillances subtiles ?

Tout cela n'est-il pas, à le bien définir,
L'image de la haine, et la mort du plaisir ?
. . . .
L'esprit qu'on veut avoir gâte celui qu'on a.
De la joie et du cœur on perd l'heureux langage,
Par l'absurde talent d'un triste persiflage.

d'ailleurs la revanche du Bien saura venir :

Tôt ou tard la vertu, les grâces, les talents,
Sont vainqueurs des jaloux, et vengés des méchants.

Malgré tout le succès de l'esprit des méchants,
Je vois qu'on en revient toujours aux bonnes gens.

Ce qui est bien à Gresset, ce qu'il n'a pu emprunter à La Bruyère,
l'ennemi de la « petite ville », c'est son estime de la province,
ou du moins sa méfiance de Paris. Cléon ne se plaît qu'à Paris :

La Fable exerce ici son humble autorité
Elle ose, même aux Rois, montrer la Vérité.

Frontispice des Fables de LA MOTTE-HOUDAR

Fuir Paris, ce serait m'égorger de ma main !

Là seulement il peut éviter le mal le plus redoutable, le seul qu'il redoute : l'ennui. Et la désinvolture outrecuidante des gens de Paris n'est-elle pas joliment mimée par ce vers :

Elle a d'assez beaux yeux pour des yeux de province.

***

Marivaux est Parisien : né à Paris en 1688, mort à Paris, rue Richelieu, en 1763. Et il a donné le plus grand nombre de ses comédies au plus parisien des théâtres d'alors : les Italiens.

Sa vocation d'homme de lettres se double de la nécessité d'écrire pour vivre, lorsque le système de Law qui l'avait enrichi vient à le ruiner. Avant 1720, il avait composé une comédie insignifiante, *le Père prudent ou Crispin l'heureux fourbe* (1706), une parodie appliquée : *l'Iliade travestie* (1717) — plus tard il travestira encore *Télémaque*, le début de *Télémaque* —; et un roman d'amour et d'aventures : *les Effets surprenants de la sympathie* (1713). L'on chercherait vainement en tout cela, de même que dans sa tragédie d'*Annibal* de 1720, le fameux marivaudage, cette coquetterie savamment minaudière, ces compliments échangés, ces confidences, ces sourires qui laissent espérer, ces ruses assez innocentes. Il devient lui-même enfin dans ses deux comédies italiennes de 1720 : *l'Amour et la Vérité*, et *Arlequin poli par l'Amour*. Jusqu'en 1746 se succèdent ses quelque trente comédies, dont les meilleures sont, ou les plus expressives de sa manière : la première *Surprise de l'Amour* (1722); *la Double Inconstance* (1723); *le Prince travesti* (1724); *l'Ile des Esclaves* (1725); *la Seconde Surprise de l'Amour* (1727); *le Jeu de l'Amour et du Hasard* (1730); *le Triomphe de l'Amour*, *l'Ecole des Mères* (1732); *la Mère confidente* (1735); *les Fausses confidences* (1737). A cette œuvre dramatique Marivaux a ajouté une œuvre romanesque importante [1] : la longue *Vie de Marianne* (1731-1741), et *le Paysan parvenu* (1735-1736); ce sont bien aussi des romans, au moins de confidences, ces journaux qu'il entreprend et laisse si tôt mourir d'inanition : *le Spectateur français* (1722-1723); *l'Indigent philosophe* (1728); *le Cabinet du philosophe* (1734).

Dans cette vie d'écrivain peu d'événements : à trente-deux ans Marivaux épouse Mlle Martin, qui meurt deux ans après; en 1743 il est élu à l'Académie française, grâce à l'appui du cardinal de

---

1. Nous l'étudions dans le chapitre suivant.

Tencin, et contre Voltaire. Sa vieillesse gênée et dolente fut réconfortée par l'amitié dévouée de Mlle Saint-Jean. Il mourut chrétiennement en 1763.

Son caractère rappelle volontiers le caractère de Watteau, à l'œuvre galante de qui l'on a si souvent comparé son œuvre. Marivaux était un homme « sensible », comme on disait alors, c'est-à-dire impressionnable, bien plus que sentimental; « féminin », comme certains l'ont qualifié, si l'on entend par là non pas docile, mais fantaisiste, aisément las d'autrui et de lui-même. Il s'est dit paresseux; tour à tour ses contemporains louaient en lui le bon cœur, l'obligeance, et lui reprochaient son insouciance et sa misanthropie. Non sans raison plusieurs ont remarqué dans son œuvre l'influence de Mme de Lambert, qui a écrit et qui a dû quelquefois lui dire à lui-même, puisqu'il était un assidu de son salon :

> Puisque ce sentiment [l'amour] est si nécessaire au bonheur des humains, il ne faut pas le bannir de la société, il faut seulement apprendre à le conduire et à le perfectionner. Il y a tant d'écoles établies pour perfectionner l'esprit : pourquoi n'en avoir pas pour cultiver le cœur ? C'est un *art* qui a été négligé.

Peut-être faut-il aussi et davantage pour bien pénétrer la « philosophie » de son théâtre, si le mot n'est pas trop grand, l'esprit tout au moins de ses personnages, et l'intérêt que lui-même pouvait prendre à les créer, peut-être faut-il se souvenir, surtout, de la page du *Spectateur français* où il a conté sa déception d'amour, lors de ses dix-sept ans :

> A l'âge de dix-sept ans, je m'attachai à une jeune demoiselle, à qui je dois le genre de vie que j'embrassai. Je n'étais pas mal fait alors, j'avais l'humeur douce et les manières tendres. La sagesse que je remarquais dans cette fille m'avait rendu sensible à sa beauté. Je lui trouvais d'ailleurs tant d'indifférence pour ses charmes que j'aurais juré qu'elle les ignorait. Que j'étais simple dans ce temps-là !...
> Un jour qu'à la campagne, je venais de la quitter, un gant que j'avais oublié fit que je retournai sur mes pas pour l'aller chercher : j'aperçus la belle de loin, qui se regardait dans un miroir, et je remarquai, à mon grand étonnement, qu'elle s'y représentait à elle-même dans tous les sens où, durant notre entretien, j'avais vu son visage; et il se trouvait que ses airs de physionomie, que j'avais crus si naïfs, n'étaient, à les bien nommer, que des tours de gibecière : je jugeais de loin que sa vanité en adoptait quelques-uns, qu'elle en réformait d'autres : c'était de petites façons qu'on aurait pu noter, et qu'une femme aurait pu apprendre comme un air de musique. Je tremblai du péril que j'aurais couru si j'avais eu le malheur d'essuyer encore de bonne foi ses friponneries, au point de perfection où son habileté les portait; mais

je l'avais crue naturelle, et ne l'avais aimée que sur ce pied-là; de sorte
que mon amour cessa tout d'un coup, comme si mon cœur ne s'était
attendri que sous condition. Elle m'aperçut à son tour dans son miroir
et rougit. Pour moi j'entrai en riant, et ramassant mon gant : Ah !
mademoiselle, je vous demande pardon, lui dis-je, d'avoir mis jusqu'ici
sur le compte de la nature des appas dont tout l'honneur n'est dû qu'à
votre industrie. — Qu'est-ce que c'est, que signifie ce discours ? me
répondit-elle. — Vous parlerai-je plus franchement ? lui dis-je. Je viens
de voir les machines de l'Opéra. Il me divertira toujours, mais il me
touchera moins.

(Spectateur français, 1re feuille.)

Si dans le théâtre de Marivaux on trouve auprès de tant de
femmes sûres d'elles-mêmes et de leurs effets tant d'hommes timides,
prêts à la déception, ne serait-ce pas que Marivaux ait cherché,
comme une revanche et un plaisir mélancolique, à redire sa propre
aventure ?

A-t-il raisonné son art, comme la coquette raisonnait ses mines ?
Ne cherchons pas de théories à l'origine de son talent : des goûts
décidés, sans doute : prédilection pour Racine, aversion pour
Molière; peut-être a-t-il connu les féeries de Shakespeare, et y
a-t-il aimé la préciosité du langage et des attitudes d'âme; peut-
être a-t-il lu les premières comédies de Corneille. Il a lu quelques
romans du XVIIe siècle, comme en lisaient ses contemporains; car
l'Astrée, et *Cassandre*, et *Pharamond* ont été réédités alors, et
on publiait un *Esprit de Mlle de Scudéry*, dont la table des matières
est un vrai questionnaire de casuistique amoureuse :

Question I : Faut-il aimer pour être aimé ?
Question VIII : Lequel croit-on qui aime le plus, ou de l'amant
craintif ou du hardi ?
Question XI : Pourquoi les hommes peuvent-ils aimer sans qu'on les
aime, et pourquoi les femmes ne peuvent-elles pas aimer sans être
aimées ?
Question XVI : Un amant feint d'aimer une autre personne que sa
maîtresse, afin de lui donner de l'amour par la jalousie; le dépit fait
qu'elle ne l'aime plus et même qu'elle en aime un autre.
Question XXXII : Lequel marque le plus d'amour, ou de s'en taire,
ou d'en parler, ou des soupirs, ou des larmes ?
Question XXXV : Lequel éteint le plus le feu de l'amour, ou de
l'absence ou du mépris ?

Voilà sans doute l'une des sources où a puisé la mémoire de
Marivaux. Son intention ou son principe, il l'a formulé briève-
ment, — non sans recherche :

J'ai guetté dans le cœur humain toutes les niches différentes où peut se cacher l'amour lorsqu'il craint de se montrer, et chacune de mes comédies a pour objet de le faire sortir d'une de ces niches.

Enfin un encouragement lui vint, et sans doute quelques touches ou nuances nouvelles, de sa meilleure interprète, l'actrice Sylvia des Italiens, si exactement propre aux rôles féminins de Marivaux qu'on se demande si elle était plutôt faite pour eux, ou s'ils n'ont pas été faits pour elle.

La matière de ces comédies est bien frêle, à ne considérer que les événements. Dans la *Surprise de l'Amour*, une marquise, jeune veuve, et un chevalier dont la fiancée est au couvent, sont voisins de campagne : ils en viennent à s'aimer et à s'épouser. Dans le *Jeu de l'Amour et du Hasard* deux jeunes gens qu'on va fiancer ensemble, tiennent auparavant à s'observer l'un l'autre; pour le mieux faire, le jeune homme se déguise en valet, en son propre valet; mais la jeune fille a eu l'idée d'un pareil déguisement, et elle a échangé son costume avec celui de sa servante. Or en dépit de ces métamorphoses, Sylvia aime Dorante et en est aimée, tandis qu'Arlequin plaît à Lisette et l'aime. Dans la *Double Inconstance*, Sylvia qui aime Arlequin et en est aimée finit par épouser le prince, tandis qu'Arlequin épouse Flaminia.

En effet, il n'y a pas là d'intrigue; point de cette « chose ennuyeuse qu'on appelle l'intérêt » comme dit un de nos contemporains [1], pas d'aventures artificiellement agencées et graduées : uniquement des sentiments qui agissent et réagissent les uns sur les autres. La marquise et le chevalier sont d'abord amis; puis le chevalier est jaloux, il le montre, il s'en aperçoit; puis la marquise éprouve du dépit, elle se croit dédaignée; une explication affermit l'amour chez l'un et l'autre; un mouvement de dépit encore, et un stratagème d'un autre personnage, le Comte, qui ne réussit qu'à précipiter la décision du mariage. La distinction réelle de Dorante est reconnue par Sylvia à sa galanterie, tandis qu'Arlequin est un lourdaud. Sylvia prend conscience de ses sentiments d'amour dans un mouvement d'impatience :

LISETTE. — Mais Madame, le futur, qu'a-t-il donc de si désagréable, de si rebutant ?
SYLVIA. — Il me déplaît, vous dis-je, et votre peu de zèle aussi.
LISETTE. — Donnez-vous, le temps de voir ce qu'il est; voilà tout ce qu'on vous demande.

1. Francis Jammes.

Sylvia. — Je le hais assez, sans prendre du temps pour le haïr davantage.

Lisette. — Son valet, qui fait l'important, ne vous aurait-il point gâté l'esprit sur son compte ?

Sylvia. — Hum ! la sotte ! son valet a bien affaire ici !

Lisette. — C'est que je me méfie de lui : car il est raisonneur.

Sylvia. — Finissons vos portraits; on n'en a que faire. J'ai soin que ce valet me parle peu; et dans le peu qu'il m'a dit, il ne m'a jamais rien dit que de très sage.

Lisette. — Je crois qu'il est homme à vous avoir conté des histoires maladroites, pour faire briller son bel esprit.

Sylvia. — Mon déguisement ne m'expose-t-il pas à m'entendre dire de jolies choses ? A qui en avez-vous ? d'où vous vient la manie d'imputer à ce garçon une répugnance à laquelle il n'a point de part ? Car enfin, vous m'obligez à le justifier : il n'est pas question de le brouiller avec son maître, ni d'en faire un fourbe, pour me faire une imbécile, moi qui écoute ses histoires.

Lisette. — Oh ! Madame, dès que vous le défendez sur ce ton-là, et que cela va jusqu'à vous fâcher, je n'ai plus rien à dire.

Sylvia. — Dès que je le défends sur ce ton-là ! Qu'est-ce que c'est que le ton dont vous dites cela vous-même ? Qu'entendez-vous par ce discours ? Que se passe-t-il dans votre esprit ?

Lisette. — Je dis, Madame, que je ne vous ai jamais vue comme vous êtes, et que je ne conçois rien à votre aigreur. Eh bien, si le valet n'a rien dit, à la bonne heure; il ne faut pas vous emporter jusqu'à le justifier : je vous crois, voilà qui est fini; je ne m'oppose pas à la bonne opinion que vous en avez, moi.

Sylvia. — Voyez-vous le mauvais esprit ! comme elle tourne toutes choses. Je me sens une indignation... qui... va jusqu'aux larmes.

(Jeu de l'Amour et du Hasard, II, 7.)

Sylvia apprend la vraie identité du faux valet : elle voit enfin tout à fait « clair dans son cœur »; mais, coquette qu'elle est, elle veut se faire épouser comme servante. Mario — son frère — publie qu'il aime cette soubrette; Dorante va partir, croyant qu'elle ne l'aime pas : alors Sylvia se décide à le retenir, par un aveu détourné de son amour pour lui :

Sylvia. — Vous m'aimez, mais votre amour n'est pas une chose bien sérieuse pour vous... Mais moi, monsieur, si je m'en ressouviens, comme j'en ai peur, s'il m'a frappée, quel secours ai-je contre l'impression qu'il m'aura faite ? Qui est-ce qui me dédommagera de votre perte ? Qui voulez-vous que mon cœur mette à votre place ? Savez-vous bien que, si je vous aimais, tout ce qu'il y a de plus grand dans le monde ne me toucherait plus ? Jugez donc de l'état où je resterais. Ayez la générosité de me cacher votre amour. Moi qui vous parle, je me ferais un scrupule de vous dire que je vous aime, dans les dispositions où vous êtes. L'aveu de mes sentiments pourrait exposer votre raison; et vous voyez bien aussi que je vous les cache.

DORANTE. — Ah ! ma chère Lisette ! que viens-je d'entendre ? tes paroles ont un feu qui me pénètre...

(III, 8.)

Paraissez, Navarrais, Mores et Castillans ! La dernière scène découvre la supercherie de Sylvia, et l'aveu de Sylvia, bien franc, vient enfin.

La *Double Inconstance* ne mène à deux mariages que par l'infidélité de deux cœurs. Quelle allégresse, dans l'amour naissant d'Arlequin et de Sylvia; et comme Arlequin s'enchante lui-même à détailler devant Lisette les progrès de l'amour chez celle qu'il aime, et leurs menus indices :

Les premiers jours il fallait voir comme elle se reculait d'auprès de moi, et puis elle reculait plus doucement, et puis, petit à petit, elle ne reculait plus; ensuite elle me regardait en cachette, et puis elle avait honte quand je l'avais vue faire, et puis moi, j'avais un plaisir de roi à voir sa honte; ensuite j'attrapais sa main, qu'elle me laissait prendre; et puis elle était encore toute confuse, et puis je lui parlais; ensuite elle ne me répondait rien, mais n'en pensait pas moins; ensuite elle me donnait des regards, pour des paroles, et puis des paroles qu'elle laissait aller sans y songer, parce que son cœur allait plus vite qu'elle.

(*Double Inconstance*, I, 6.)

Billets Galants, Billets Doux, Petits soins, étapes sur la carte de Tendre. Cependant, malgré inclination et serments, les deux cœurs profondément épris se laissent séparer l'un de l'autre. Sylvia est coquette, Arlequin est gourmand, et elle se laisse gagner par le Prince, et lui par Flaminia se laisse conquérir. Les étapes de l'apostasie sont, elles aussi, marquées nettement, jalonnées, par de petits mots précis à l'air inoffensif. La *Double Inconstance* laisse-t-elle dans l'âme du spectateur de la tristesse ? Oui, peut-être. En tout cas elle laisse l'impression d'une très subtile virtuosité.

Ce que Marivaux a étudié avec une telle attention, c'est moins l'amour en lui-même, en ses conséquences de force ou de désordre, que les variétés de l'amour, ses diverses « niches », comme il disait, ses nuances, ses degrés, sa croissance ou sa lente éclipse; chacun de ces changements étant révélé, avivé, affermi par un émoi, cette analyse, malgré sa lenteur, reste animée. Ses héros et ses héroïnes sont personnages de salon, tous indifférents à ce qui n'est pas amour ou âme; ils sont tous honnêtes et bons. La coquetterie de Sylvia et de ses sœurs n'est pas méchante; elle est « glorieuse », avide d'hommages flatteurs à l'amour-propre; elle ne fait jamais obstacle à la franchise envers autrui ni envers soi-même. Les âmes

féminines de ce théâtre sont fraîches à force de sincérité et de
clairvoyance, de naturel aussi.

Si elles ont entre elles trop de parenté, la faute en est au style
de Marivaux, trop semblable, uniforme quel que soit le personnage :
toujours spirituel, menu, épigrammatique, s'animant de temps en
temps; ou bien, si Arlequin manque d'esprit, de finesse entendue,
ou sous-entendue, c'est exceptionnellement, l'intention de Marivaux
étant alors trop évidente de le présenter comme un rustre. *Les
Caractères* de La Bruyère ont laissé leur trace sur ce langage, et
ils l'ont laissée, plus nette encore, en certaines considérations et
certains portraits qui font presque hors-d'œuvre dans le dialogue
de ces comédies.

S'irriter, comme l'a fait Brunetière, de la sécheresse rationaliste de ce style, et du calme de ces jeunes cœurs, paraît assez
injuste. Il serait excessif pourtant de faire de Marivaux une âme
sensible, au sens actuel du mot : ses nerfs si affinés et son imagination si romanesque ne suppléent ni la passion, ni le génie.

⁂

La Chaussée emmène la comédie plus loin encore de Molière —
qui n'a plus guère de succès à Paris, aux alentours de 1730 : on
le juge trop sec, trop masculin en quelque sorte, trop peu sentimental : n'est-ce pas Voltaire qui déclare alors :

Si les pièces de Molière étaient un peu plus intéressantes [entendez :
attachantes], on verrait plus de monde à leur représentation : *le Misanthrope* serait aussi suivi qu'il est estimé.

L'observation pénétrante, mordante; des caractères vivants parce
qu'ils sont profonds; du comique qui fait vraiment rire, tout cela
est-il assez élégant ? Non sans doute : on préfère quelque chose
de plus tiède, de plus agité aussi, de plus familier, et qui soit en
outre élégiaque : le même lyrisme prosaïque, qui ravit les spectateurs de *Zaïre*.

A ce vœu La Chaussée (1691-1751) vient satisfaire. Homme de
loisir et d'esprit, fils d'un fermier général, fort capable de rimer
avec gourmandise des contes obscènes, où l'obscène s'allie même
au macabre, en un style marotique qui peine à approcher Rabelais,
il se fait un devoir agréable de prêcher par la comédie bourgeoise
et sensible, la comédie larmoyante, comme on l'a nommée, le
relèvement de la moralité familiale. Aussi les lettrés accueillent-
ils aimablement son *Epître de Clio* (1731), manifeste sans vigueur

pour le vers, pour la rime et l'harmonie, où Molière est malmené : il aurait dû « dédaigner les suffrages des sots », dit La
Chaussée; et où Destouches est loué comme le « restaurateur du
brodequin français ». Et toutes ses comédies sentimentales, le
Rival de soi-même excepté et *Paméla*, sont de grands succès : *la
Fausse antipathie* (1733), *le Préjugé à la mode* (1735), *l'Ecole des
Amis* (1737), *Mélanide* (1740), *Amour pour Amour* (1742), *l'Ecole
des Mères* (1743), *la Gouvernante* (1747), *l'Ecole de la Jeunesse*
(1749), sans parler des pièces destinées aux Italiens, ou au théâtre
de Mme de Pompadour à Bellevue.

Une comédie larmoyante de La Chaussée, c'est d'abord une
comédie romanesque. Voici la *Fausse antipathie* : Léonore n'a eu
de son mariage, d'ailleurs forcé, que la cérémonie religieuse. En
sortant de l'église son mari a tué un rival et s'est enfui. Elle le
croit mort, et elle vit, « veuve et dans le plus bel âge », retirée
chez son oncle Géronte. La femme de Géronte est acariâtre, c'est
une de ces « maudites prudes, dont la vertu bruyante insulte au
genre humain », et qui en outre a une fille d'un premier lit. Cependant Damon, voisin de campagne, marié mais séparé de sa femme,
est si digne de sympathie, que Léonore est prête à l'aimer, et que
la prude lui voudrait faire épouser sa fille; elle charge Léonore de
la négociation. Damon qui, sans trop s'en douter, aime Léonore, va
partir, pour fuir la prude et ses desseins, et pour éviter qu'elle
accuse Léonore de l'avoir dégoûté de la jeune fille. Mais on apprend
que son mariage va être annulé; Léonore apprend que son époux
est encore vivant; elle le reconnaît en Damon :

> O sort trop fortuné ! c'est mon époux que j'aime !

C'est encore une protestation des sentiments naturels les plus
légitimes, contre la tyrannie des respects humains absurdes et
cruels. Voici *le Préjugé à la mode* :

> ... il n'est plus du bon air
> D'aimer une compagne à qui l'on s'associe.
> ... on a fait de l'amour conjugal
> Un parfait ridicule, un travers sans égal.

Constance en est victime : « épouse vertueuse autant qu'infortunée », elle aime son mari Durval, et il l'aime profondément;
mais il n'ose lui témoigner son affection. Si bien que Sophie, cou-
sine de Constance, redoute d'épouser Damon, puisque la suite que
la mode prescrit au mariage est la froideur. Damon s'évertue,
plaisamment puis gravement, à raisonner Durval :

Tout bien examiné, vous verrez qu'un mari
Ne doit jamais aimer que la femme d'autrui.
. . . .
Au dernier des humains tu tiendras ta parole;
Il saurait t'y forcer, aussi bien que lés lois.
Mais une femme n'a pour soutenir ses droits
Que sa fidélité, sa faiblesse et ses larmes
. . . .

DURVAL
Je suis désespéré; mais je cède à l'usage.

Sa plus grande audace est de présenter à Constance, à propos de
Damon et de Sophie, une apologie du mariage en général :

S'il est un sort heureux, c'est celui d'un époux,
Qui rencontre à la fois dans l'objet qui l'enchante,
Une épouse chérie, une amie, une amante;
Quel moyen de n'y pas fixer tous ses désirs ?
Il trouve son devoir dans le sein des plaisirs.

A la fin le préjugé est vaincu, mais difficilement, par l'emploi
de deux ou trois officieux subterfuges.

La comédie larmoyante, ce sont des situations émouvantes et des
accents pathétiques. Dans *Mélanide*, Darviane est le fils du marquis, mais il l'ignore et le marquis ne le sait pas, et son rival
auprès de Rosalie; et Mélanide est mère de Darviane, et elle est
l'épouse du marquis qui se croit veuf... Reconnaissance :

MÉLANIDE
Je vous retrouve donc !

DARVIANE
Cher auteur de ma vie !

LE MARQUIS
Oui, je suis votre père. Oui, je suis votre époux !
Que l'amour et l'hymen nous réunissent tous !
. . . .
O ciel, tu me fais voir, en comblant tous mes vœux,
Que le devoir n'est fait que pour nous rendre heureux.

Et c'est aussi la morale « sensible » et sociale, dans les graves
sentences de *l'Ecole des Mères* :

L'égalité, Madame, est la loi de nature.
. . . .
En aimant ses enfants, c'est soi-même qu'on aime.

Ce style paraît assez terne, et ces intrigues trop adroites ? Lisez plus patiemment, et vous retrouverez dans ces vers souvent médiocres, en dépit des conseils de *Clio*, non seulement des hémistiches de Racine, mais des tours raciniens, et toute une atmosphère d'harmonie romanesque ou féminine qui rappelle volontiers *Phèdre*, et *Bajazet*, et *Andromaque* :

LÉONORE
... Achève, dis-moi tout.

NÉRINE
Que cet amant serait assez de votre goût.

LÉONORE
Ah ! c'est trop voir. Finis. Je ne veux plus t'entendre,
Je te défends... Hélas, que puis-je lui défendre ?
Quoi, de faibles attraits flétris par les douleurs,
Les yeux accoutumés à pleurer vos malheurs,
Pourraient-ils donc causer encore une faiblesse ?
(*Fausse Antipathie*, I, 3.)

... Eclatez sans contrainte
De reproches sans nombre accablez-moi sans crainte,
Les plus sanglants de tous sont ceux que je me fais.
(*Mélanide*, III, 6.)

Dites-lui, qu'en m'ôtant la gloire, il perd la sienne.
. . . .
Mais non. Ne vous servez que de plus douces armes.
. . . .
Hélas ! ne lui portez que des gémissements.
. . . .
Renouvelez-lui bien la foi que je lui donne
De lui garder toujours ce cœur qu'il m'abandonne.
Parlez-lui de son fils.
(*Ibid.*, IV, 1.)

Et puis l'on remarquera, mêlées à ces plaintes lyriques, des maximes, des formules coquettes ou fermes, procédant de La Bruyère, de Boileau, de Molière même, et dont se souviendra le grand dramaturge bourgeois du XIXᵉ siècle Emile Augier. Il reprendra à peu près, à la fin de sa *Gabrielle*, par son :

O père de famille, ô poète, je t'aime !

un vers de l'avant-dernière scène de la *Fausse Antipathie* :

O sort trop fortuné, c'est mon époux que j'aime !

Et voici quelques affirmations et aphorismes de La Chaussée qui ont pu lui plaire :

> Le devoir d'une épouse est de paraître heureuse.
>
> *(Préjugé à la mode,* I, 2.)

> Un éclat indiscret ne fait qu'aliéner
> Un cœur que la douceur aurait pu ramener.
>
> *(Ibid.,* I, 3.)

> L'hymen n'acquitte plus les dettes de l'amour.
>
> *(Ibid.,* I, 5.)

> La mode n'a point droit de nous donner des vices.
>
> *(Ibid.,* II, 1.)

> Etouffez un amour qui n'est plus légitime :
> Le penchant doit finir où commence le crime.
>
> *(Mélanide,* III, 6.)

Enfin, ce que proclament tous ces personnages, sages ou fous, femmes romanesques au cœur d'enfant gâté :

> L'histoire d'une femme est toujours un roman.
>
> *(Fausse Antipathie,* I, 1.)

> Une femme à tout âge est un enfant gâté.
>
> *(Ibid.,* III, 2.)

prétendants, vieillards amoureux, maris qui se réconcilient avec une femme acariâtre, épouses incomprises et mères étourdies, c'est leur besoin d'une sensibilité active, leur avidité de bonheur :

> Plus je sens vivement, plus je sens que je suis.
> L'égalité d'humeur vient de l'indifférence.
> . . . .
> L'insensibilité ne saurait être un bien.
> . . . .
> N'avoir qu'un sentiment, qu'un plaisir uniforme,
> Etre toujours soi-même ? Y peut-on résister ?
> Est-ce là vivre ? Non. C'est à peine exister.

Le fondement de cette « morale », c'est une insouciance de l'esprit de sacrifice. L'intérêt dramatique de ces drames à peine souriants en pâtit : les conflits intérieurs, la lutte contre soi-même, se trouvent abolis; ils ne s'établissent que si les circonstances viennent y aider, si des amis viennent conseiller, dicter une attitude au héros qui restait indécis, non pas déchiré. Encore par-

viennent-ils aisément à convaincre son esprit, non à persuader
son cœur; et, tant que le cœur n'est pas gagné, la volonté n'agit
pas : rien de moins cornélien.

Les contemporains l'ont bien senti; et d'autant plus qu'eux-
mêmes cherchaient tous en ce sens une diversion, ou une consolation, ou une certitude, ou un appui. A l'Académie, en 1741, Bou-
gainville, succédant à La Chaussée, le loue en ces termes :

Les hommes de son siècle lui parurent assez éclairés pour n'avoir pas
besoin d'être avertis des ridicules grossiers que la malignité saisit d'elle-
même, et que l'amour-propre évite; mais, en souhaitant qu'ils devinssent
meilleurs, il pensa qu'un des plus sûrs moyens de leur faire aimer la
vertu était de la leur montrer sous des images touchantes, et dans des
situations à peu près semblables à celles qui se répètent tous les jours
sur la scène ordinaire de la société. [Il le fit dans ses pièces] dont l'objet
est d'inspirer aux hommes le goût d'une morale bienfaisante, et de les
convaincre, par le sentiment, que le devoir est le fondement du bonheur.

Le jugement de Fréron n'est pas différent :

Le genre larmoyant me paraît plus naturel, plus conforme à nos
mœurs que la tragédie : les vices qu'elle peint sont des crimes; les nôtres
sont des faiblesses.

CHAPITRE VII

LES ROMANS

Boileau et Molière avaient quelque temps pu croire que, grâce au *Dialogue des héros de roman,* aux *Satires,* aux *Précieuses ridicules* et aux *Femmes savantes,* l'esprit classique avait détruit chez nous l'esprit romanesque. Ils avaient seulement discrédité la fadeur raisonneuse des longs romans précieux. Leur ami La Fontaine relisait d'Urfé, Mme de Sévigné continuait à goûter La Calprenède. En 1678, la *Princesse de Clèves* semble un essai de roman classique, racinien : Mme de La Fayette pourtant ne fit pas école. Et vers 1690 déjà se forma la seconde Préciosité; les femmes, en qui Boileau discernait justement les ennemies de ses intentions et de son goût, accrurent leur pouvoir sur les Belles-Lettres; le roman reparut de plus belle, et sous les formes les plus diverses reconquit le public français : contes de fées, récits historiques ou mémoires romancés, romans d'observation et de satire, romans d'aventure et de sensibilité, romans anglais adaptés ou traduits, ce fut une invasion de la France par les « ouvriers du pays de Romancie », comme dit le P. Bougeant dans son livre badin de 1735, où il insiste si fort sur les « emprunts » des romanciers à succès. Mais les plagiats ont-ils jamais nui à la réputation des romanciers ? On leur demandait d'intéresser, non d'être originaux ni même d'écrire sans incorrection.

I. — LES CONTES DE FÉES

Avant qu'on songeât à les imprimer, on les contait; et, sous cette forme de récits oraux, ils faisaient parfois les délices des

personnages les plus graves. Ne nous dit-on pas que Colbert, « à
ses heures perdues, avait des gens tout exprès pour l'entretenir
de contes qui ressemblaient assez à ceux de *Peau d'âne* » ? —
En 1690, Mme d'Aulnoy, la première, en risqua un dans son roman
d'*Hypolite comte de Duglas;* en 1695, Mlle Lhéritier plaça deux
contes de fées dans ses *Œuvres mêlées;* en 1696, on en trouve
deux dans un roman de Mlle Bernard; Perrault, la même année,
publie sa *Belle au bois dormant;* en 1697, le même Perrault, sous
le nom de son fils, publie ses huit contes en prose. Alors viennent
quatre volumes de Mme d'Aulnoy, deux de Mlle de La Force,
puis les *Contes* de Preschac, ceux de Mme de Murat, d'autres de
Mme d'Aulnoy, ceux de Nodot, ceux de Mme Durand. L'enthousiasme se prolonge jusque vers 1710. Mme d'Auneuil, de 1702 à
1709, est la grande romancière féerique, si l'on peut dire. Et tout
cela se réédite au cours du siècle.

Mme d'Aulnoy, par son mariage, était prédestinée au romanesque,
l'âge de son mari étant le triple du sien. Au romanesque actif,
réaliste, car de ses intrigues contre M. d'Aulnoy deux gentilshommes furent complices, et victimes. Obligée de quitter la cour,
dénuée de ressources, elle se mit, dans le couvent de Paris où
elle s'était retirée, à écrire un roman, à plagier des Mémoires, à
faire le récit de voyages qu'elle paraît bien n'avoir pas accomplis.
Elle composa même deux opuscules de dévotion. Elle a tant plagié
qu'on lui attribue, sans certitude, d'autres ouvrages restés anonymes, qui sont des plagiats. Mme Dunoyer l'aventurière était une
de ses amies.

Prudemment, elle avait donné à son premier conte le tour d'une
moralité, d'un apologue prouvant que « le temps vient à bout
de tout », et qu'« il n'y a pas de félicité parfaite ». Le succès
venu, elle lâcha la bride à son imagination. Alors ce sont dans
chaque récit de multiples incidents : enlèvements, duels, attaques
de corsaires; ce sont des nombres démesurés : dix mille pantoufles,
six cent mille mulets, cortèges dont le défilé dure vingt-trois heures;
pots de confitures, bassins pleins de dragées s'accumulent chez ses
princesses. L'une de ses originalités est d'aimer les animaux : qu'ils
soient de vraies bêtes, définitives, ou qu'ils soient des hommes pro-
visoirement métamorphosés, toujours elle les montre à leur avantage,
dignes d'affection ou d'excuse, ingénieux, bienfaisants. Ses fées
sont en général bonnes, gourmandes, coquettes; quelques-unes sont
fort méchantes; et elle sait aussi décrire des ogres et ogresses
terrifiants.

On ne peut guère prétendre que Mme d'Aulnoy ait un style; les formules maniérées chez elle sont l'effet de l'improvisation, et l'attention n'en est guère entravée à la lecture. Cette prose est diffuse, féminine, alerte et allante, heureuse de courir d'aventure en aventure, de prodige en merveille.

Mlle Lhéritier, nièce de Charles Perrault et petite-nièce de Du Vair, a dans sa vie une tout autre dignité, et dans ses *Contes*, hélas, bien moins de fantaisie. Son salon avait recueilli les traditions et quelques hôtes de Mlle de Scudéry. C'est une précieuse, qui moralise, qui noblement traduit les *Héroïdes* d'Ovide. Ses *Contes* manquent de naïveté, même de merveilleux; ils abondent en allégories. Elle en a composé deux pour la défense des Modernes : peut-être est-ce ce parti pris moderne, qui l'a engagée à écrire dans ce genre, ignoré des Anciens et méprisé des Classiques.

Voici une autre moderne : Mlle Bernard, nièce du Grand Corneille, et parente de Fontenelle qui, dit-on, l'a aidée de sa collaboration. Poétesse provinciale, habile à tourner des vers de circonstance, elle a traité avant Perrault le sujet fameux de *Riquet à la Houppe*. Là et dans son *Prince Rosier*, les personnages, au lieu d'agir brusquement comme fantoches italiens, ont l'âme nuancée et lente des héros de tragédie. Mme Bernard a d'ailleurs réfléchi sur son art, et s'est donné la règle suivante :

Que les aventures fussent toujours contre la vraisemblance, et les sentiments toujours naturels.

Charles Perrault, esprit toujours en éveil et prêt à l'invention — n'a-t-il pas fait créer les jetons de présence à l'Académie Française ? — s'était essayé dans un grand nombre de genres, avant d'aborder le Conte de fées : il avait composé un poème burlesque, une épopée chrétienne, des satires, une comédie, des ouvrages de polémique, des poèmes de circonstance, des dialogues précieux, des histoires galantes. Il imagine de combattre le scandale des *Contes* libertins de La Fontaine par des contes moraux, chrétiens : et il écrit *Grisélidis*, les *Souhaits ridicules*, et *Peau d'âne*, en vers. Puis vint toute sa série en prose : *Petit Poucet*, *Riquet à la Houppe*, *Cendrillon*, la *Belle au bois dormant*, les *Fées*, le *Chaperon Rouge*, *Barbe Bleue*. Histoires merveilleuses, où le merveilleux pourtant tient moins de place qu'on ne le croit lorsqu'on vient de les lire : huit ou neuf fées, deux ogres, une clef souillée d'une tache indélébile, les bottes de sept lieues, le loup et le chat qui parlent, c'est bien peu en somme. Et les fées sont si proches de l'humanité, et les ogres sont si bien mis hors d'état de nuire ! Il y a du vraisemblable dans ce merveilleux.

Faut-il ici, comme Sainte-Beuve a jugé bon de le faire, parler du rationalisme cartésien de Perrault ? Plus simplement, Perrault goûtait le vraisemblable comme tout son siècle le goûtait, de Chapelain à Fénelon. Il aimait une vraisemblance familière, proche de celle de La Fontaine, si bien qu'en voulant combattre les *Contes* il a presque continué les *Fables*. Même simplicité aussi, même bonhomie, moins narquoise cependant; même usage adroit et mesuré des termes populaires, des tours de pensée populaires; même recherche laborieuse des justes valeurs expressives, aboutissant à l'apparence de la facilité. Perrault lui-même avoue qu'il efface bien plus souvent qu'il n'ajoute : surtout il choisit.

Mlle de La Force trouvait du merveilleux dans le passé légendaire de sa famille, et elle mettait du romanesque, un romanesque fort déréglé, dans sa propre conduite. Obligée par le roi de quitter la cour et de vivre dans un couvent, elle rédigea les *Contes de fées* dont elle enchantait ses amis avant sa retraite. Ce sont anecdotes de cour, décor de Marly ou Versailles, portraits de belles contemporaines comme on en trouvait jadis dans le *Grand Cyrus*. L'amour y tient le principal rôle : soudain, violent, tout-puissant, il est « le Père des fées et le plus grand sorcier » du monde.

Nodot, munitionnaire aux armées, érudit d'occasion, romancier, écrit en 1698 une *Histoire de Mélusine,* où il abrège et affadit un chroniqueur du XIVᵉ siècle, Jean d'Arras. Son *Geoffroy à la Grand Dent* de 1700 n'est qu'un roman d'aventures amoureuses ou galantes.

Mme de Murat est du même monde féodal que Mlle de La Force. Exilée à Loches vers 1694 pour certains libelles qui maltraitaient Mme de Maintenon, elle composa ou improvisa ses *Contes de fées* et ses poésies, et ses chansons, pour se désennuyer. Les goûts que reflètent ses *Contes* sont assez innocents : pour être heureux ou joyeux, il suffit d'un gâteau et de quelque danse. Elle a des préférences littéraires : Montaigne, pour « ses façons de parler naïves », Benserade, La Motte. Elle est vive, tendre, fantasque. Ce n'est pas un écrivain.

Le chevalier de Mailly n'est plus guère connu que pour avoir fourni, dans ses *Aventures des Trois Princes de Sarendip* (1719), un détail au *Zadig* de Voltaire. Son merveilleux, celui qui fait l'originalité des *Illustres Fées* de 1698, et l'étrangeté de l'*Eloge de la Chasse* et des *Principales Merveilles de la Nature* (1723), serait presque troublant; en tout cas, il dénote un esprit troublé par quelques impressions sur la magie hindoue.

Preschac, trop fécond auteur de romans galants ou fantastiques,

FABLE AU ROY. iij

La Belle & le Miroir.

AU ROY·

PRINCE, l'amour du Peuple & ſa chere
eſperance,
 Soleil, qui commence ton cours;
Dont l'aurore déja fait goûter à la France
 Le préſage des plus beaux jours.
Je te voüé (& mon zele en ta bonté ſe fie)
Ces recits ingenus qu'Apollon m'a dictez,
Fables en apparence, en effet veritez:

ã ij

Première page des Fables de LA MOTTE-HOUDAR

est célèbre surtout pour sa courtisanerie; son conte *Sans Parangon*
n'est qu'une allégorie trop claire de Louis XIV. Mme Durand est
une précieuse médiocre, au style conventionnel et nonchalant.
Mme d'Auneuil, enfin, dans sa *Tyrannie des fées détruite* (1702),
affirme que la vogue des contes de fées est passée; elle voudrait
bien la prolonger sans doute, mais elle manque d'entrain, d'imagination; malgré ses efforts, elle ne parvient ni au pathétique ni au
romanesque.

Sur les sources de ces contes on a tenté quelques recherches
méthodiques, les déclarations des auteurs eux-mêmes en cette matière
étant souvent aussi fantaisistes que leurs récits. L'origine populaire
est incontestable; il est remarquable, en outre, que plusieurs de nos
conteurs mondains ont passé leur enfance en province, ou qu'ils ont
fait en province un séjour, volontaire ou non. Quant aux origines
littéraires, les *Romans de la Table Ronde* ont été connus de
Mme d'Aulnoy et de Mlle de La Force. Enfin, tous nos conteurs
ont connu la *Bibliothèque bleue*, qui inlassablement fournissait de
lectures romanesques le bas peuple.

La mode des *Contes de fées* était passée, détrônée par les *Contes
orientaux* : traduction des *Mille et une nuits* par Galland (1704-
1717), *Mille et un jours* de Pétis de La Croix et Le Sage (1710-
1712), lorsqu'elle se ranima un moment grâce à Antoine Hamilton.
Pour égayer la cour de Saint-Germain, ou pour s'en distraire, pour
oublier les expéditions de Jacques II en 1690 et de Jacques III en
1707, où sa bravoure et ses sages avis avaient été inutiles, cet Ecossais si bien francisé composa à la fin de sa vie — il devait mourir
en 1720 — deux contes à magiciennes et à sorcières, à enchantements formés et rompus, dont le titre est connu encore, mais qu'on
ne lit plus. Les *Quatre Facardins*, il faut l'avouer, sont bien ennuyeux.
Mais *Fleur d'épine*, quelle fraîche et délicate histoire ! Comme on
s'apitoie sur les malheurs de cette fille de la magicienne, que sa
tante la sorcière Dentue veut forcer d'épouser l'horrible Dentillon !
Et l'audace, et la constance, et l'insouciance de Tarare, qui s'éprend
d'elle et la délivre, comme tout cela est jeune et aimable ! De-ci
de-là, pour diversifier, quelques malveillances sans fiel : contre la
galanterie, les religieuses en surnombre, la sottise des ministres, les
vieilles femmes qui se rajeunissent. Quelques cortèges, poursuites,
arrivées subites, si allègres « que c'est merveille », comme dit souvent Hamilton : quelques impressions de soleil levant, d'aurore,
de rosée, ou de sous-bois, où l'on reconnaît le chasseur. Et, dans cette
féerie, l'éloge du bon sens, qui sourit des « magnanimités d'opéra »
dont on se grise en vain, et qui est la plus belle des merveilles

lorsqu'il est la simplicité d'un cœur loyal et d'un esprit juste :
Fleur d'épine a « l'esprit naturel, l'humeur douce, le cœur sincère,
l'âme assez fière » : Tarare l'aime donc, à jamais.

II. — Courtilz de Sandras

Les *Contes de fées*, bien loin de détruire par leur « tyrannie »
la vogue du roman historique, avaient contribué à affermir ce
genre si goûté des Précieux : le premier conte de Mme d'Aulnoy
n'était-il pas inséré dans une *Histoire*, celle *du comte de Duglas* ?
Plusieurs auteurs avaient mené de front la composition des *Contes
de fées* et de *Mémoires* ou d'*Annales;* et les archives de la famille
de Lusignan avaient procuré quelques matériaux pour la rédaction
de *Mélusine*. Et puis, c'est en cette fin du règne de Louis XIV
que se déploya le talent de notre plus grand romancier à prétentions d'historien : Gatien Courtilz ou des Courtilz, sieur de Sandras.
     C'est un Gascon de l'Ile-de-France, comme Cyrano de Bergerac.
Officier au régiment de Champagne, puis, de 1683 à 1689, établi en
Hollande, il revient en France, retourne en Hollande; à Paris, où il
est rentré en 1702, on l'arrête et il est logé à la Bastille jusqu'en
1711; il meurt en 1712.
     Ses œuvres sont des *Vies : de Turenne* (1685), *de Coligny* (1686);
des *Histoires : de la guerre de Hollande* (1689), *du duc de Rohan*
(1697), *du chevalier de Rohan* (posthume, 1713), *du maréchal de La
Feuillade* (posth., 1713), *de la comtesse de Strasbourg* (posth., 1716);
des *Mémoires : du comte de Rochefort* (1687), *de J.-B. de La
Fontaine, seigneur de Savoie* (1698), *de M. d'Artagnan* (1700-1701),
de la marquise de Fresne (1701), *du marquis de Montbrun* (1701),
de M. de Bony (1711); ajoutez-y un *Testament politique de Colbert*
(1694) et des *Annales de la Cour et de Paris* (1701). Ses ouvrages
ont ceci de particulier qu'ils mentent à peu près tous à leur titre :
les *Vies* sont plagiées en grande partie sur des écrits originaux, et
il est lui-même l'auteur des *Mémoires.*
     Mais qu'il s'entend à satisfaire et à piquer la curiosité ! Son
domaine, ce sont les « choses particulières et secrètes », les anecdotes sur la cour de Louis XIII, sur Richelieu, Mazarin, la Fronde,
Fouquet, les guerres de Louis XIV. Pas de malveillance aigrie, comme
chez Bussy-Rabutin, son contemporain et ennemi; point de partialité, point de passion de se faire justice ou d'écraser les âmes basses,
à la manière de Saint-Simon; quelque suffisance seulement, dans les
jugements qu'il entremêle à ses tableaux de mœurs.

Certaines de ses anecdotes sont assez grasses. D'autres sont pittoresques, ou du moins expressives : celle, par exemple, de La Feuillade prenant pension chez Prud'homme le baigneur, lui empruntant de l'argent, et le payant d'un soufflet. Il excelle à peindre les foules de badauds, les soldats en maraude, les joueurs dans les tripots, les laquais voleurs, les grisons amoureux et jaloux, les duellistes, les espions, les conspirateurs. Il y a du Jacques Callot en ce Gascon. Mais les bohèmes de Sandras font leur chemin sur la route de la fortune. Son M. de Bony, dont il imagine les *Mémoires*, est un enfant trouvé; il se fait charpentier, épouse une femme de chambre, la quitte pour s'embarquer avec des pirates; après avoir gagné quelque argent, il rejoint sa femme; il plaît à Richelieu, et le voilà un personnage. Son Rochefort, à dix ans, entre dans une troupe de bohémiens, puis s'enrôle dans un régiment qui passe; au siège de Perpignan, il fait prisonnier un officier espagnol; Richelieu le prend comme page, comme confident; il devient ensuite le confident de Mazarin. Son d'Artagnan quitte sa Bigorre natale et vient à Paris, tout fringant sur un cheval qui ne l'est guère. A Paris, il va chez M. de Tréville, à qui il est recommandé; et là il rencontre Porthos, Athos, Aramis. Pour la suite, relisez Alexandre Dumas, qui a pillé les *Mémoires de d'Artagnan*, convaincu du reste que d'Artagnan en personne en était l'auteur.

Et vraiment Dumas avait bien choisi son... modèle. Dans l'œuvre de Sandras, en effet, les personnages les plus vivants, les plus historiques si l'on veut, ce sont ces soldats sans scrupules, si délicats sur le point d'honneur, usant largement des biens de ce monde, du bien d'autrui, et riant dans le dénuement, bohèmes et ambitieux. Lorsque Sandras a voulu sortir de ce monde-là, qui sans doute était son monde, lorsqu'il a par exemple tenu la plume de la marquise de Fresne, les aventures galantes qu'il enchaîne et les sentiments sur lesquels il épilogue sont tristement conventionnels. Dans les *Mémoires de La Feuillade*, cependant, on pourrait rencontrer, de-ci de-là, quelque fraîcheur, quelque profondeur; mais Sandras aurait-il fait parler son héros et son héroïne Mme d'Halluin avec la justesse suggestive que l'on trouve en certains de leurs propos, si, quelque quarante ans auparavant, Mme de La Fayette n'avait laissé imprimer la *Princesse de Clèves* ?

Ce qu'il faut regretter à coup sûr, c'est que Sandras n'ait point pris modèle sur le style de Mme de La Fayette. Le sien est prétentieux à l'occasion; trop souvent il est incorrect. Dans les *Mémoires de La Feuillade*, on lit par exemple :

On ne disait point qu'il y eût été fait mourir.

Ses phrases s'achèvent au petit bonheur :

Ils veulent voir s'ils sortiraient sans qu'il leur en coûtât le nez ou
les oreilles ou quelque autre membre.

Doit-on parler d'une influence de Courtilz de Sandraz ? Son
exemple, en tout cas, et son succès ont été un encouragement à
l'observation, à un réalisme picaresque qui d'ailleurs n'était aucunement un étranger chez nous.

III. — LE SAGE

L'Espagne au xviiᵉ siècle avait ranimé notre ancien goût — celui
des *Fabliaux* — pour l'observation franche, crue, commentée d'avis
sur les meilleurs moyens de n'être pas dupe, de faire fortune ou
même d'être honnête. Ses picaros, Lazarille de Tormes, Guzman
d'Alfarache, ou le Buscon, c'est-à-dire le « rusé coquin », aventuriers par nécessité, effrontés par jeu, inquiétants, séduisants, avaient
suscité en France une vogue extraordinaire des « histoires de
gueuserie », comme on disait, caractérisées par une grande abondance de réalités malodorantes : galeux, tripes sales, vermine de
pendu, etc.; par une description amusée, tantôt menue, tantôt
puissante, des gens de toute condition; par ce trait dominant des
âmes de picaros : la *conformidad*, résignation chrétienne et fata-
lisme moresque. Mais nos réalistes du xviiᵉ siècle avaient bien vite
fait grimacer les visages populaires dont les romanciers espagnols
leur conseillaient l'observation; l'esprit bourgeois de parodie insistante, trop bien représenté par Sorel et Scarron, avait détourné vers
la manie du burlesque le réalisme large et vivant de l'Espagne.
On retrouve cette justesse de vue, ce pittoresque complet, volontiers rabelaisien, chez Molière. Mais Molière avait à plaire au
« plus grand roi du monde »; et, sans s'attarder aux Mascarilles,
aux Sganarelles, aux Piarrots, au gigot en hachis de Tartufe, à
Scapin, ce coquin rusé, il composait la *Princesse d'Elide*, et les
Femmes savantes, et le *Misanthrope*, gardant pour revanche seulement la verve drue de ses servantes.

Tous ces éléments s'assemblent dans le roman de Le Sage :
l'observation précise et railleuse, la caricature sans malveillance,
mais décidée, le désir, formellement avoué, de donner des « instructions morales », et surtout l'imitation, la mise au pillage des

romans espagnols. Les médiocres *Lettres d'Aristénète* de 1695 exceptées, et les *Aventures de M. Robert dit Beauchesne* (1732), qui sont l'étrange carrière d'un flibustier français, Le Sage a pris à l'Espagne la matière dont il a fait ses œuvres : le *Diable boiteux* (1707), *Gil Blas de Santillane* (1715-1735), *Guzman d'Alfarache* (1732), *Estebanille Gonzalès* (1732), le *Bachelier de Salamanque* (1736).

El *Diablo cojuelo, Novela de la otra vida*, le Diable boiteux, roman de l'autre vie, avait été publié à Madrid en 1641 par Luis Velez de Guevara. Le Sage connut de ce livre l'édition de 1671, et, croyant l'auteur encore vivant en 1707, lui dédia son propre *Diable*. C'était une restitution : à Guevara Le Sage avait pris son canevas, et même sa méthode. Le Diable boiteux, démon des plaisirs et des modes nouvelles, est délivré par don Cléophas, écolier d'Alcala, de l'enchantement qui l'emprisonne dans une fiole; en reconnaissance, il va instruire don Cléophas de tout ce qui se passe dans le monde. Il le transporte sur la tour de San Salvador. A son geste les toits des maisons s'enlèvent, et don Cléophas voit en effet tout ce qui se passe chez les pauvres, les riches, les grands, les bourgeois, dans la prison, dans le palais, dans l'hôpital des fous, dans le grenier des poètes. Les anecdotes alternent avec les portraits : portraits brefs, en une phrase ou deux, selon la manière de Guevara; anecdotes et portraits classés par Le Sage en un ordre relatif. En outre, Le Sage a logé dans son roman quelques souvenirs de Quevedo, de Carlos Garcia, de Calderon; en 1726, pour une édition nouvelle, il pille le *Jour et la Nuit de Madrid, Dia y noche de Madrid*, de Francisco Santos (1663). Enfin, les cinq histoires parasites de 1707 et les neuf de 1726 sont toutes traduites ou imitées de l'espagnol.

L'originalité, du moins l'indépendance de Le Sage à l'égard de l'Espagne, est pourtant réelle. Le *Diable boiteux* veut être un roman d'observation, présenter des remarques détachées qui donnent « une parfaite connaissance de la vie humaine », en somme continuer les *Caractères* de La Bruyère. Il en résulte parfois que les anecdotes ou portraits dont il est garni donnent l'impression du déjà vu, du déjà lu. Sans être banal ni conventionnel, cela paraît souvent trop littéraire; et en effet Le Sage a observé souvent à travers les auteurs comiques du xviie siècle. Ce qui lui est personnel ici, c'est la multiplicité de ses portraits, l'allure rapide qui les entraîne, le miroitement de ce « petit univers ».

Le *Diable boiteux* de 1707 n'était pas un roman à clefs; à peine contient-il trois allusions satiriques : à Bourvalais le financier, à Ninon de Lenclos, à Mme de Lambert. En 1726, Le Sage s'approche

davantage de La Bruyère, et sans y toujours gagner; son style prime-
sautier se fait parfois artificiel et lent. Les allusions deviennent
nombreuses dans l'édition nouvelle : à Du Fresny, à La Motte, au
P. Porée, au P. du Cerceau, à Dacier, à Le Blanc, au lieutenant
de police Marc-René d'Argenson, mais celle-ci est toute flatteuse.

Lorsqu'il ne se guinde pas au ton des *Caractères*, Le Sage dans
ses corrections accroît la vivacité naturelle de ses tours : supprimant les conjonctions, ajoutant de brèves interrogations ou apostrophes. Il clarifie et précise jusqu'à la subtilité. C'est le travail du
style seulement, et non celui de l'invention, qu'aimait vraiment ce
« paresseux ».

Gil Blas est aussi original, mais il ne l'est pas plus. Aux romanciers picaresques Le Sage a emprunté son héros et la philosophie de
cette vie déconcertante. Gil Blas, en vrai picaro, chemine à travers
l'expérience souriante et douloureuse du monde : valet d'un bandit,
d'un petit-maître, d'une comédienne, d'un médecin, favori d'un
prélat, secrétaire de deux ministres, il voit tout, comme don Cléophas, mais par étages, et à ses dépens. On a signalé — en l'excu-
sant — le large emprunt que Le Sage a fait à l'*Espinel* d'Obregon.
Il a butiné sa connaissance des choses d'Espagne jusque dans le
livre d'un Italien : la *Relation de ce qui s'est passé en Espagne à
la disgrâce du comte d'Olivarès* (1661). Et dans *Gil Blas* encore
il est fidèle à La Bruyère. A l'intention d'abord ou au conseil du
chapitre *de l'Homme* :

> Celui qui se jette dans le peuple ou dans la province y fait bientôt,
> s'il a des yeux, d'étranges découvertes, y voit des choses qui lui sont
> nouvelles, dont il ne se doutait pas...; il avance par des expériences
> continuelles dans la connaissance de l'humanité; il calcule presque en
> combien de manières différentes l'homme peut être insupportable.

Les amis de Gil Blas sont de petites gens, des aventuriers, des
bohèmes : Fabrice, l'homme de lettres prêt à tous les métiers,
broyeur de couleurs chez un peintre, secrétaire dans un hôpital,
auteur dramatique sifflé; Rafaël, galérien, musulman, ermite, moine,
voleur, et bien pis encore; Scipion, qui déclare :

> Je serais le fils d'un grand de première classe si cela eût dépendu de
> moi; mais on ne choisit pas son père.

Son père était le mari d'une sorcière, et lui se fait escroc, puis
se range, puis tue sa femme, puis, au service d'un vieux savant,
enfile en guirlandes de fil de fer les pensées des auteurs hébreux
et grecs, et se range définitivement, et devint l'intime de Gil Blas.

Dans ce monde où l'on vit d'expédients, les femmes n'ont guère de scrupules. L'une, à vrai dire, Lucrèce, la fille de Laure, est vertueuse jusqu'à l'héroïsme; mais Laure, la vive et rieuse soubrette, est avide d'argent et n'a souci ni des dehors ni de la réalité de la vertu. Voici son cri d'amour à Gil Blas, qu'elle aime par intermittences :

Tu seras mon mari ! Mais il faut m'enrichir auparavant... Je veux encore avoir trois ou quatre galanteries pour te mettre à ton aise.

Du roi, de la cour, Le Sage ne parle que par ouï-dire, et d'après les chapitres qui en traitent dans les *Caractères*. Le clergé est représenté surtout par deux chanoines bons vivants, et par l'archevêque apoplectique et satisfait. Le reste, c'est la foule remuante, mais non pas uniforme : instituteur, muletier, mendiant, bandit, fripier bavard et fourbe, aubergiste obséquieux ou hautain, cuisiniers galants, alguazils qui sont d'anciens voleurs, chacun a sa manie et son infortune. Sur toute cette déprimante misère humaine tranche l'honnête famille des Leyva, grands seigneurs bienfaisants avec délicatesse.

Comme le second *Diable boiteux*, *Gil Blas* est un livre à clefs : Triaquero, le poète à la mode, c'est Voltaire; le docteur Sangrado, c'est le fameux Hecquet, auteur d'un traité *Des vertus de l'eau commune;* l'auteur de tragédies « sanguinaires » est Crébillon. Le seigneur Carlos Alonso de la Ventoleria est le vaniteux acteur Baron. La marquise de Chaves a plusieurs traits de Mme de Lambert. Et combien d'allusions nous échappent !

Il en est une, plus subtile, qui mérite une place à part : les compliments que Gil Blas reçoit sur son style du duc de Lerme et du comte d'Olivarès ne seraient-ils pas ceux que décerne à sa propre manière d'écrire Le Sage lui-même ?

Tu n'écris pas seulement avec toute la netteté et la précision que je désirais, je trouve encore ton style léger et enjoué... Ton style est concis et même élégant; mais je le trouve un peu trop naturel.

Naturel en effet, alerte, le style de *Gil Blas* a quelquefois paru sec, parce que les exclamations et les antithèses qui le scandent nous font penser aux cliquetis de Beaumarchais; et puis Le Sage n'est guère sentimental : l'harmonie de sa phrase ne l'est pas plus. Cependant Le Sage est curieux, il a la mémoire fidèle, il est homme de théâtre, et son style se ressent de tout cela. Sa langue est étoffée d'expressions venues de Molière, et de ces tours populaires, formes proverbiales, mots crus, que l'exemple de Molière recommandait. Parfois ces termes réalistes voisinent dans *Gil Blas* avec les formules du langage noble, les « gueulées » avec le « festin des Lapithes ». Ce style n'est pas pittoresque, les descriptions de Le Sage restant vagues ou ternes; il détaille, il énumère, au lieu de suggérer ou de faire sentir : un repas, chez lui, c'est un menu. Mais ce qu'évoque ce style, tout autrement que les couleurs et les saveurs, ce sont les gestes expressifs, les mouvements de l'esprit ou de l'humeur, qui se traduisent par des attitudes ou des mimiques. Les monologues où Gil Blas délibère et tous les dialogues du roman relèvent ainsi de l'art dramatique.

Il vaut mieux ne rien dire des sentencieuses maximes, heureusement assez rares, où Le Sage a tenu à se montrer disciple de La Bruyère. Leur seul avantage, c'est, par la comparaison qui s'impose, de nous faire mesurer la profondeur du maître.

IV. — MADAME DE TENCIN ET SES ROMANS

Le Sage n'était pas sentimental, et ses héros ne sont pas des rêveurs. Voici un auteur de romans dont l'âme a été aussi positive que sa carrière et ses livres sont romanesques : Mme de Tencin l'intrigante, avide des jouissances de toutes les sortes, ambitieuse de dominer comme de « plaire », la « belle et scélérate chanoinesse Tencin », comme l'appelle Diderot.

Cinquième enfant d'un conseiller au Parlement de Grenoble — plus tard président à mortier, puis premier président du Sénat de Savoie — Alexandrine avait été, ainsi que son frère Pierre, destinée à l'Eglise : à seize ans, en 1698, elle est religieuse au monastère royal de Montfleury. Règle bien souple, train de vie tout aimable chez ces dames dominicaines : le monastère, avec ses jardins, est un but de la promenade des Grenoblois, et les collations, les concerts, l'honnête liberté, comme on dit alors, sont une revanche aux vocations contraintes; il arrive même que certaines religieuses soient obligées d'aller faire retraite aux eaux, pour se rétablir. Elle, que pourtant, selon Saint-Simon, « on venait trouver avec tout le succès qu'on eût pu désirer ailleurs », souhaita plus de liberté encore, et se fit transférer au chapitre noble des chanoinesses de Neuville-les-Dames, en Bresse. Quelques « saisons d'eaux » rendirent le transfert plus aisé, plus souhaitable pour les dominicaines de Montfleury. Sa mère en mourut de douleur.

Vers 1710, Mme de Tencin est à Paris : auprès de sa sœur, Mme de Ferriol, femme légère, et de son frère l'abbé, intrigant en

quête de titres ecclésiastiques, de charges même, et en tout cas
de revenus : « doux, insinuant, faux comme un jeton, ignorant
comme un prédicateur », assure le président Hénault. En 1714
ou 1715, un rescrit — qui n'est pas fulminé parce qu'il a été
rendu sur un exposé faux — la relève de ses vœux. Elle a trente-
trois ans, elle est belle, mais d'une physionomie trop fiévreusement
agitée. Marivaux, qui est de ses amis, la nomme « l'âme la plus
agile qui fut jamais ». Prior, ambassadeur d'Angleterre, s'éprend
d'elle : et aussitôt elle le sollicite d'agir à Versailles pour que l'abbé
de Tencin obtienne une riche abbaye. Bolingbroke devient aussi son
« sujet fidèle et dévoué ». Et le chevalier Destouches, lieutenant
général de l'artillerie, devient auprès d'elle père de d'Alembert. Le
Régent est une de ses conquêtes; mais il se refuse à l'entretenir
des affaires de l'Etat; puis c'est Dubois, au service de qui elle met
les talents d'espionnage de son frère, qui est à Rome et là-bas
approche le prétendant Stuart; puis c'est Schaub; puis c'est le
comte de Hoyne. En 1719, elle travaille à la conversion de Law,
ouvre un comptoir d'agio rue Quincampoix, et patronne des financiers véreux. Son frère, dont elle s'évertue à exciter l'ambition, lui
répond, dans une lettre de 1723 : « Vous avez beau faire, vous ne
me ferez pas croire que je vaille beaucoup. Je ne désire bien réellement et bien sincèrement que me retirer, et vivre tranquillement. »
Mais elle a besoin de lui, pour son propre jeu diplomatique. Enfin
en 1724, après la mort de Dubois, il est nommé prince-évêque
d'Embrun. Mme de Tencin multiplie ses galanteries, malgré le scandale qui termine l'une d'elles : le conseiller de La Fresnais se tue
chez l'ex-religieuse. Après un séjour à la Bastille, elle est acquittée;
mais elle a eu grand'peur, et désormais, selon le mot de Mlle Aïssé,
elle est « aigrie contre tous les gens dont elle n'a pas besoin ».
    Mais la voici devenir une Mère de l'Eglise. L'archevêque d'Em-
brun demande et obtient l'autorisation de réunir un concile pro-
vincial pour juger un de ses suffragants, le vertueux mais « appelant » Soanen. Mme de Tencin alors emploie tous ses amis au service
de l'orthodoxie. La Mothe est chargé de composer un sermon, une
« exhortation au peuple », que prononcera l'archevêque. Soanen
condamné, et relégué à la Chaise-Dieu, Fleury n'en exile pas moins
l'archevêque dans son diocèse, pour ses ripostes trop âpres aux
Jansénistes ou Gallicans. Le salon de Mme de Tencin devient le
centre d'intrigues antijansénistes, assaisonnées de travestissements,
d'un complot d'opérette, le tout destiné à obtenir à Pierre de Tencin
le chapeau de cardinal. La belle conspiratrice, trop remuante, est
exilée à son tour, mais pour peu de temps. Et en 1739, sur la

demande du prétendant anglais qu'il espionnait jadis, Pierre est cardinal enfin. En 1740, son activité au Conclave en faveur du cardinal Lambertini, élu sous le nom de Benoît XIV, lui vaut l'archevêché de Lyon.

On retrouve Mme de Tencin à la cour, « travaillant » pour que le roi s'amourache de Mme de Mailly, puis, avec Richelieu, pour qu'à Mme de Mailly succède Mme de La Tournelle. Elle ambitionne pour son frère la succession de Fleury, qui a 94 ans, et en effet Pierre est appelé, pour quelques mois, à diriger la politique extérieure de la France; son projet d'une descente en Angleterre échoue. En 1744, Mme de Châteauroux meurt; déjà Mme de Tencin chaperonne Mme Lenormand d'Etiolles. Enfin, en 1749, elle meurt.

Son salon — moins important qu'on ne l'a dit dans l'histoire des Lettres Françaises — avait été un instrument d'intrigue entre ses mains inlassables. Intrigues académiques parfois; il a été en outre le lieu de rencontre des Modernes, des savants, des philosophes, des étrangers désireux de devenir, comme disait tel d'entre eux, « français par régénération ». Fontenelle, La Mothe, Saurin le mathématicien sont les intimes. Les hôtes sont : Duclos, l'abbé de Saint-Pierre, l'abbé Prévost, Marivaux, Montesquieu, Piron, Mably, Helvétius, Marmontel, Mairan, Gros de Boze. Les jeux précieux d'analyse morale n'en sont pas exclus. On discute des cas de conscience galante; par exemple celui-ci :

Est-il plus insupportable de se croire haï de ce qu'on aime que d'en pleurer la mort ?

et l'on se trouve collaborer ainsi aux romans de Mme de Tencin.

Il lui est en effet resté le temps d'en rédiger trois : les *Mémoires du comte de Comminges* (1735), le *Siège de Calais* (1739), les *Malheurs de l'Amour* (1747), et la plus grande partie d'un quatrième, qui sera achevé en 1776 par Mme Elie de Beaumont : les *Anecdotes de la Cour et du règne d'Edouard II*.

Dans ces livres on est d'abord tenté de chercher quelques confidences, quelques allusions aux sentiments ou aux aventures de l'auteur. Et l'on trouve en effet, dans le *Siège de Calais*, une dame rancunière et séduisante, Mme du Boulay, qui ressemble fort à Mme de Tencin; dans les *Anecdotes*, ce rôle de miroir, flatteur cette fois, est attribué à la reine Isabelle :

Elle était belle, de cette beauté qui pique plus qu'elle ne touche; les qualités de son âme répondaient à sa figure; elle était plus susceptible de passion que de tendresse, plus capable de bien haïr que de bien aimer, impérieuse, fière, ambitieuse et douce, bonne même, quand son intérêt le demandait. Comme elle était dans la première jeunesse, elle paraissait n'avoir du goût que pour les plaisirs; la coquetterie remplissait son ambition, mais cette coquetterie était encore plus le désir de dominer que celui de plaire.

Mais la grande confidence de Mme de Tencin, ce sont les impressions qu'elle donne, et dans chacun de ses romans, de la vie conventuelle. Par des scènes ou des tableaux : vêture, moine mourant, moine creusant sa fosse, enlèvement de religieuse; par des analyses ou réflexions malveillantes, elle censure les vocations forcées, auxquelles condamnent des parents « barbares »; elle méprise les couvents mondains; cependant elle a tenu à marquer la « sensibilité », la « vraie bonté », qu'elle a rencontrée en bon nombre de religieuses « véritablement raisonnables »; et sa Pauline des *Malheurs de l'Amour* rend ce témoignage à Sœur Eugénie :

Je lui dois le peu que je vaux; elle m'a éclairée sur la plupart des choses; elle me les a fait voir telles qu'elles sont; et si elle ne m'a pas empêchée de faire de grandes fautes, elle me les a du moins fait sentir.

Le sujet des romans de Mme de Tencin, en dépit de la façade historique de deux d'entre eux, est uniquement sentimental ou romanesque. De jeunes cœurs séparés par des haines de famille, l'amant s'enfermant à la Trappe, l'amante se déguisant pour l'y rejoindre, voilà le *Comte de Comminges;* une surprise adultère qu'au bout de quelque temps la mort du mari permet de sanctionner ou racheter par de justes épousailles, tel est le *Siège de Calais.* Les *Malheurs de l'Amour,* c'est l'amertume résignée où vit la naïve Eugénie, trompée par un libertin et désormais défiante de tout amour; et c'est Pauline, déçue par un amant léger, qui fait un mariage de raison; son mari meurt, et elle retrouve l'amant, qui la sauve elle-même de la mort, et meurt pour elle. Et Eugénie et Pauline entrent au couvent. Dans la partie des *Anecdotes* qu'a écrite Mme de Tencin, il ne s'agit guère que de la coquetterie masculine, et de ses improbités.

Des héros divers de ces romans la physionomie est peu diverse. Comme chez Mme de La Fayette, les dames sont de « belles personnes » et les hommes sont « admirablement faits ». Aussi banals et sans caractère, le décor de leurs aventures, et les « hasards providentiels » : morts, maladies, fièvres, qui amènent les événements. Pas de conflit moral non plus : des cas sentimentaux. Ces héros sont à la merci de leur « malheureuse sensibilité »; « tout sert à les attendrir » et ils se demandent seulement quelle impression de plaisir, ou quelle impression de tristesse, ils subiront de préférence.

Il y a pourtant autre chose, dans ces âmes impressionnables. Les contemporains s'en sont aperçus, et ils ont reproché à Mme de Tencin de « peindre la passion avec trop de licence », de présenter « quelque chose d'un peu contraire aux bienséances », des « images de volupté, où la pudeur, ménagée avec art, n'en est peut-être que plus blessée ». L'originalité de Mme de Tencin, dans l'esprit et dans l'accent de ses livres, c'est d'avoir fait parler la tendresse exigeante, les « belles et bonnes passions », qui veulent commander comme des devoirs.

Que voulez-vous, je ne puis être que ce que je suis !

(*Malheurs de l'Amour.*)

Allons dans quelque coin du monde jouir de notre tendresse, et *nous en faire un devoir.*

(*Comte de Comminges.*)

Passions impérieuses, passions pénétrantes, et dont les moindres troubles sont un délice : le mot de *douceurs* revient sans cesse dans ces romans. Passions dont l'enchantement s'exprime parfois en un style dont la cadence aurait presque quelque charme racinien. Ecoutez l'amante déguisée en trappiste, Adélaïde, qui va mourir :

Je suis indigne de ce nom de frère dont ces saints religieux m'ont honorée; vous voyez en moi une malheureuse pécheresse, qu'un amour profane a conduite dans ces saints lieux... Quelle était la disposition que j'apportais à vos saints exercices ? Un cœur plein de passion, tout occupé de ce qu'il aimait. Dieu qui voulait, en m'abandonnant à moi-même, me donner de plus en plus de raison de m'humilier un jour devant lui, permettait sans doute ces douceurs empoisonnées, que je goûtais à respirer le même air, et à être dans le même lieu... Je vins demander à Dieu ma conversion, pour obtenir celle de mon amant. Oui, mon Dieu ! c'était pour lui que je vous priais, c'était pour lui que je versais des larmes, c'était son intérêt qui m'amenait à vous...

L'entendez-vous, ce style vraiment romanesque, entrecoupé de soupirs, s'arrêtant, languissant, reprenant, actif comme l'espérance et l'amour ?

La gloire de Mme de Tencin, c'est d'avoir en quelque mesure préparé l'instrument de rêve et d'harmonie dont Chateaubriand, un demi-siècle plus tard, tirera des sons que l'on croira tout originaux. En formules un peu grêles, et cependant vibrantes, Alexandrine a su dire, avant Chateaubriand, la jouissance des lectures romanesques :

Je regagnais mon appartement aussitôt qu'on avait dîné; j'y passais peut-être les plus doux moments que j'aie passés de ma vie. Dès que mes maîtres m'avaient quittée, je lisais les romans que je dévorais. Un fonds de tendresse et de sensibilité que la nature a mis dans mon cœur me donnait alors des plaisirs sans mélange. Je m'intéressais à mes héros : le malheur et leur bonheur étaient les miens.

(*Malheurs de l'Amour.*)

Et qu'est-ce, dans les *Martyrs*, que l'épisode de Velléda, et la confidence enjôleuse et troublante de la druidesse à Eudore, et sa tristesse et son avidité d'amour :

Je n'ai jamais aperçu au coin d'un bois la hutte roulante d'un berger, sans songer qu'elle me suffirait avec toi,

qu'est-ce, sinon la reprise d'une confidence des *Anecdotes :*

ne me parlez point, me dit-elle, de ma fortune . un désert, une cabane me suffiraient avec vous.

Une telle formule, cependant, et de tels sentiments sont rares chez Mme de Tencin. Elle est trop active pour que ses héros soient désespérés ou langoureux. Les larmes leur sont « douces », et ils passent sans amertume profonde d'une aventure de cœur à une aventure d'amour-propre. Leur devise, comme la sienne, n'est-elle pas cet axiome de son *Siège de Calais :*

Le plaisir d'aimer est le plus grand bonheur.

V. — MARIVAUX ROMANCIER

Il a été l'hôte de Mme de Tencin, et certainement il lui doit la précision de ses études de dévotes. Lui doit-il son *marivaudage*, plus menu dans ses romans encore, que dans son théâtre; plus appliqué; ses préparatifs trop ingénieux d'un embarquement pour Cythère qui serait indéfiniment retardé par un désir, une curiosité de raffiner sans cesse davantage sur des sentiments qu'au fond l'on cherche plus à connaître, ou à provoquer, qu'à contenter; cet art d'aimer qui serait de l'art pour l'art, ce flirt qui ne laisserait pas d'amertume, parce que l'intelligence du moins en sortirait satisfaite ? Mme de Tencin était en pareille matière plus sentimentale, et plus prompte.

A vingt-cinq ans, d'ailleurs, avant de connaître Mme de Tencin, il compose les *Effets surprenants de la sympathie* (1713). Il a lu

sans doute les longs romans du temps de Mazarin, tissus d'incidents, de digressions, d'« histoires ». Voici quelques événements de
ces *Effets*. Au début, une femme que son mari a été obligé de
quitter pour régler des affaires en Angleterre, reçoit de lui une
lettre qu'il a écrite en prison, au moment où il va mourir empoisonné. Leur fils, devenu grand, se croit d'abord épris d'une jeune
femme qui l'a fait soigner dans son château, l'ayant rencontré
blessé dans un bois où il avait été attaqué. Mais, à la fenêtre en
face de la sienne, il aperçoit une jeune fille, Caliste. Il devient
amoureux d'elle, elle de lui. Les aventures cocasses ou imprévues
se multiplient : le château appartient à un ancien pirate, Turca-
mène; il va empoisonner Clorante qui s'enfuit avec Cliton, un
domestique; Clarice et Caliste, déguisées en paysannes, se content
leurs aventures et les peines de cœur de leurs ascendants. Dans
la seconde partie du roman, on trouve un souterrain, des poignards,
une île avec des sauvages; le héros traverse « vingt précipices »;
il civilise les sauvages, leur enseigne l'existence de Dieu, et les
transforme, « en deux années ». Ici prennent place quelques-unes
de ces considérations ou revendications sociales dont Marivaux ne
s'abstiendra jamais, précises, mais non aiguës, et s'achevant galam-
ment. La fin des *Effets de la sympathie*, ce sont des reconnaissances,
et des pleurs de joie, et ce conseil :

> Je souhaite que les Dames apprennent à ne pas causer de malheurs,
> par des rigueurs si funestes.

Le *Paysan parvenu* est plus gaillard; néanmoins, Marivaux n'a
pas eu la force de l'achever. Le héros, fils d'un fermier, arrive à
Paris, et il observe ce qui se passe chez ses maîtres :

> [Ma maîtresse] était une femme qui passait sa vie dans toutes les
> dissipations du grand monde, qui allait au spectacle, soupait en ville,
> se couchait à quatre heures du matin, se levait à une heure après midi;
> qui avait des amants, qui les recevait à sa toilette, qui y lisait les
> billets doux qu'on lui envoyait et puis les laissait traîner partout : les
> lisait qui voulait, mais on n'en était pas curieux; ses femmes ne trou-
> vaient rien d'étrange à tout cela; le mari ne s'en scandalisait point. On
> eût dit que c'étaient là, pour une femme, des dépendances naturelles
> du mariage. Madame, chez elle, ne passait point pour coquette, elle ne
> l'était pas non plus, car elle l'était sans réflexion, sans le savoir; et une
> femme ne dit point qu'elle est coquette, quand elle ne sait pas qu'elle
> l'est, et qu'elle vit dans sa coquetterie comme on vivrait dans l'état
> le plus décent et le plus ordinaire.

Ce « petit libertinage de la meilleure foi du monde », ce « manque
d'inimitié pour le vice » ne déplaît pas au jeune homme, et il

laisse voir que « la fraîcheur et l'embonpoint » de cette aimable
dame le séduisent. Elle ne s'en fâche pas. On voudrait lui faire
épouser Geneviève, la femme de chambre que courtise Monsieur. Mais
il refuse, n'aimant pas « les enfants de contrebande ». Congédié à
la mort du maître, il rencontre sur le Pont-Neuf une dévote, une
« femme à directeur », qui le prend comme domestique. Elle a une
sœur, qui vit avec elle; et cet intérieur éblouit d'abord Jacob :

> On eût dit que chaque chambre était un oratoire: tout y était modeste
> et luisant.

Leur gourmandise, leur appétit de quiétude le fait sourire :

> L'autre sœur était dans son cabinet, qui, les deux mains sur les bras
> d'un fauteuil, s'y reposait de la fatigue d'un déjeuner qu'elle venait
> de faire, et attendait la digestion en paix... [Pour les grâces après le
> repas], les deux sœurs, se levant de leur siège avec un recueillement qui
> était de la meilleure foi du monde, joignaient posément les mains, pour
> faire une prière commune, où elles se répondaient, par versets, l'une à
> l'autre, avec des tons que le sentiment de leur bien-être rendait extrê-
> mement pathétiques.

La cadette aime Jacob, et lui se laisse faire; de-ci, de-là, il remarque
la beauté, ou la grâce, ou la vivacité de telle jeune fille, de telle
dame qui s'intéresse à lui, et dont les grands yeux noirs attendris
semblent espérer, promettre. Mais il épouse la dévote, et s'en trouve
bien :

> Vous eussiez cru que son cœur traitait amoureusement avec moi une
> affaire de conscience.

Telle est l'histoire de ce don Juan passif.

Et voici enfin la *Vie de Marianne,* que Marianne est censée raconter à une de ses amies, en des lettres qui sont les chapitres du roman.
A trois ans, elle était orpheline; elle se souvient bien de la diligence
attaquée, de ses parents tués, des brigands. Un curé et sa sœur la
recueillent. On la place à Paris, chez une lingère, Mme Dutour :
une bonne religieuse y a pourvu, et M. de Climal; M. de Climal, ou
l'homme d'œuvres, n'est pas vraiment hypocrite, malgré les efforts
ou les réminiscences de Marivaux qui l'apparentent à Tartufe; mais,
lui aussi, il subit les effets surprenants de la sympathie, il cède aux
surprises du sentiment ou des sens; il aura d'ailleurs une fin édi-
fiante. Donc il aide Marianne à essayer des gants; il lui donne de
l'argent, une belle robe, il admire ses cheveux, il les touche « avec

passion ». Marianne, d'abord toute reconnaissante et affectueuse, se méfie, prend de l'assurance en voyant plus clair, en connaissant son propre pouvoir, en se démontrant à elle-même qu'elle ne court aucun risque d'aimer d'amour un bienfaiteur, tout bienfait étant une humiliation légère : et Marianne a beaucoup d'amour-propre, beaucoup aussi de gourmandise à goûter ses propres scrupules, beaucoup d'ingéniosité à ruser avec eux.

Seconde partie : Marianne revêt ses beaux atours et va à l'église : toute l'assistance la regarde. Elle, pour gagner l'attention des hommes, sait jouer des « nudités de main ». Elle remarque un jeune homme, il la remarque. En sortant de l'église, elle glisse sur le pavé et tombe, devant un carrosse. Elle est blessée. Le carrosse appartient au jeune homme, qui aussitôt fait transporter Marianne chez lui.

Valville n'était pas [encore] amoureux, il était tendre : façon d'être épris qui, au commencement, rend le cœur honnête, qui lui donne des mœurs et l'attache au plaisir délicat d'aimer ou de respecter timidement ce qu'il aime.

Les premiers propos, les premiers regards heureux de la tendresse naissante sont interrompus par la brusque entrée de l'oncle de Valville, M. de Climal...

Troisième partie : Marianne est revenue chez Mme Dutour. M. de Climal survient, trop semblable à Tartufe et à Arnolphe :

Mais, ma chère enfant, vous me prenez donc pour un saint !...
Car ces jeunes fous savent-ils aimer ?

Il offre à Marianne de la mettre dans ses meubles, et Valville arrive lorsque Climal est à genoux devant Marianne. Elle va pleurer, et même prier, dans une chapelle de couvent. Une dame la remarque. Elle veut être religieuse, mais elle se contente d'être pensionnaire dans le couvent, aux frais de la dame.

Quatrième partie : Cette protectrice, c'est Mme de Miran, mère de Valville. Effusions, récit de l'aventure de la chute et du carrosse. Mme de Miran prie Marianne de faire elle-même renoncer Valville à son amour, à son dessein de l'épouser, les préjugés sociaux s'opposant à une telle union. Marianne tient à Valville devant sa mère un discours admirable, d'où s'ensuivent des pleurs, des soupirs, et le changement des décisions de la bonne dame :

Aime-la, mon enfant, il en arrivera ce qui pourra.

Les huit autres parties sont lentes et compliquées. M. de Climal meurt, Mme Dutour parle trop; Marianne est enlevée et enfermée dans un couvent; Valville s'éprend d'une jeune Anglaise; un officier âgé veut épouser Marianne; elle demande conseil à une religieuse, qui lui raconte sa vie; ce récit détourne Marianne du cloître. Enfin, Valville renonce à la jeune Anglaise; et le mariage de Marianne et de Valville est célébré. Elle apprend alors qu'elle est la petite-fille d'un duc écossais. Depuis, les deux époux vivent

comme deux amants qui ne connaissent d'autre plaisir que de s'aimer, de se dire qu'ils s'aiment et de se le répéter sans cesse.

L'officier âgé, lui, ajoute Marianne, « est presque toujours de notre compagnie ». Rousseau se souviendra de ce troisième partenaire.

Tel est ce long roman, et telle cette petite âme miroitante, pour laquelle nous comprenons fort bien l'inclination de Valville, même sa tendresse, mais bien peu sa passion irrésistible. Marianne déclare :

Je suis née pour avoir des aventures, et mon étoile ne m'en laissera pas manquer.

Pour avoir... et pour voir aussi, pour être une spectatrice industrieusement attentive et jaseuse, faisant part à chaque instant de son expérience des autres et d'elle-même. Est-elle sentimentale, et Marivaux croit-il les femmes très sentimentales ? L'âme romanesque, c'est Valville; quant à Marianne, voici un de ses aveux :

Nous autres femmes, nous pleurons volontiers dès qu'on nous dit : Vous venez de pleurer.

Sur son visage, qu'elle connaît à merveille, ce qu'elle préfère est ce

je ne sais quoi d'agile et de léger qui est répandu dans une jeune et jolie figure.

Elle est sensible à l'honneur, et sa bonté est faite de « petits égards » qu'elle a volontiers pour la dignité d'autrui. Et quelle complaisance pour soi-même : de ses moindres propos, des moindres compliments qu'elle a reçus, elle sait et dit la date. Et quelle insistance d'analyse, quelle minutie tranchante, pour distinguer l'âme masculine et l'âme féminine, la maladresse des hommes, et l'agilité des femmes à travers les nuances et les subtils ressorts des cœurs.

Vraiment Marivaux tient trop à montrer — et jusque dans le rythme sautillant de sa prose qui cependant reste paresseuse — qu'il s'est appliqué et qu'il a réussi à se faire une âme de jeune fille. Il ne faudrait pas penser, du reste, que Marianne ni Marivaux préfèrent l'esprit au cœur. Mais que reprochent-ils à ces raisonneurs qu'ils dédaignent ? D'être au fond des fantaisistes :

Ils ressemblent à ces nouvellistes qui font des nouvelles quand ils n'en ont point, ou qui corrigent celles qu'ils reçoivent quand elles ne leur plaisent pas.

Les lumières du cœur sont plus sincères et plus exactes :

Je pense, pour moi, qu'il n'y a que le sentiment qui nous puisse donner des nouvelles un peu *sûres* de nous... Il n'y a pas de cœur plus *infaillible* que le cœur inspiré par la véritable amitié.

Le cœur qui éclaire et rassure, voilà ce que goûte Marivaux; et voici la femme qu'il préfère :

Mme de Miran avait plus de vertus morales que de chrétiennes, respectait plus les exercices de sa religion qu'elle n'y satisfaisait, honorait fort les vrais dévots, sans songer à devenir dévote, aimait plus Dieu qu'elle ne le craignait, et concevait sa justice et sa bonté un peu à sa manière; et le tout avec plus de simplicité que de philosophie : c'était son cœur, et non pas son esprit, qui philosophait là-dessus.

Autant de mots, dira-t-on, autant de préjugés : séparation des vertus morales et des vertus chrétiennes, dédain des « exercices » religieux, prétention à garder l'équilibre entre la dévotion et l'indépendance, sur tout cela Marivaux a sans doute entendu, chez Mme de Tencin, quelques propos « philosophiques ». Il n'en a gardé à peu près que l'impression du charme, assez neuf encore, de ces regards féminins reflétant une âme à demi chrétienne, philosophe à demi, coquette et bienfaisante, une âme de religieuse émancipée, mais singulièrement plus tranquille que celle de l'ex-dominicaine et chanoinesse Alexandrine.

Marivaux a été romancier aussi dans les périodiques qu'il a entrepris sans pouvoir les faire longtemps vivre. *Spectateur français, Cabinet du philosophe, Indigent philosophe,* ces feuilles sont garnies de réflexions morales qu'entrecoupent des récits romanesques, ou de nouvelles parsemées et allongées de considérations sur les mœurs. Lorsqu'il parle du mariage ou de l'éducation des enfants, Marivaux semble être parfois sur le point d'annoncer Rousseau : il continue

seulement Mme de Lambert, ou il la répète, et tourne court avant
d'avoir dit une parole qui porte.

VI. — L'ABBÉ PRÉVOST

En 1733, lorsque parut la seconde partie de *Marianne*, le journal
de critique le *Pour et Contre* remarquait le peu d'empressement des
lecteurs; mais aussi, expliquait-il,

> Qu'est-ce qu'une personne qui s'interrompt à chaque instant sur la
> plus petite circonstance, pour moraliser sans nécessité ?

Le rédacteur du *Pour et Contre* était l'auteur de *Manon*, le bénédictin dom Prévost.

Par sa vie déjà romanesque ou tourmentée, — et non pas seulement par sa profession — il est plus proche de Mme de Tencin
que de Marivaux. Non qu'il faille croire à toute sa légende, qui le
représente tour à tour jésuite, soldat, jésuite encore, soldat de
nouveau; déserteur, bigame en Hollande, voyageur à Bâle, puis à
Londres, bénédictin en France, garçon de café à Amsterdam, directeur de théâtre, escroquant les libraires, banqueroutier, débauché,
passant à l'anglicanisme, revenant en France pour y être moine
clunisien, et enfin aumônier du prince de Conti. Ses apologistes pro-
testent — un peu haut — contre de telles « calomnies ». La réalité
est moins chargée. Prévost, né à Hesdin en 1697 d'une famille
fort honorable, fut novice chez les Jésuites à Paris, puis à La
Flèche. En 1716, il s'enrôle, passe en Hollande, revient chez son
père. Après quelques chagrins d'amour, il veut entrer dans l'ordre
de Malte, et il se rend à Amiens, pour solliciter l'appui du grand
pénitencier du diocèse, qui était un de ses parents. A Amiens, un
soir, à l'arrivée du coche d'Arras, il voit apparaître celle qui sera
Manon. Il l'aime soudain, il se déclare, tous deux s'enfuient à Paris.
Pour subvenir aux dépenses, il joue, et elle le quitte. Il parvient à
la retrouver; mais de Hesdin son père vient l'arracher à cette
servitude, en faisant arrêter Manon, puis en obtenant qu'elle soit
déportée à la Louisiane. Prévost, averti, suit le convoi jusqu'à Yvetot.
Là il tombe sans connaissance; lorsqu'il se ranime, la nuit était
venue, et il marche vers une lumière qui était la lampe de nuit du
monastère bénédictin de Saint-Wandrille. On l'accueille, il se repent;
il est bientôt novice, puis profès, en 1721, à vingt-quatre ans.
Comme il l'avoue alors dans une lettre à son frère, il a cherché dans

le cloître un refuge contre la « faiblesse de son cœur », contre
« certaines images qui ne se présentent que trop souvent à son
esprit », si séduisantes, et par qui il s'est avec tant de « douceur »
si longtemps laissé vaincre ! Et sans trop tarder il se dit que ses
engagements pourraient bien « n'être pas indissolubles » : il n'en
a prononcé la formule « qu'avéc toutes les restrictions intérieures
qui pouvaient l'autoriser à les rompre ». Ses supérieurs lui font
enseigner les humanités; il prêche; à l'abbaye de Saint-Germain-
des-Prés, il commence à écrire des romans. Irrité d'être transféré
de monastère en monastère — il change huit fois en sept ans —
il menace ses supérieurs d'écrire des *Provinciales* anti-bénédictines.
En 1728, il obtient de Rome son passage dans une observance moins
sévère; mais, avant que le bref de translation soit fulminé, il quitte
Saint-Germain-des-Prés et passe en Angleterre. Il demande sa réhabilitation en 1734, et il rentre chez les Bénédictins; puis il devient
aumônier du prince de Conti, et en 1754 prieur de Gennes. Il meurt
de mort subite, mais non pas voluntaire, en 1763.

Les troubles de son cœur et les désordres de sa conduite se
seraient sans doute, dans un temps moins sociable, gravés en durs
sillons sur son visage : la physionomie de Prévost était restée ou
redevenue souriante, affable, douce, modeste. Dans les derniers
temps de sa vie, il a pris pour résidence, à Chaillot, une petite maison
épicurienne de banlieue, où ses amis viennent le voir, et à laquelle
ne manquent ni le charme des jardins, ni celui d'une « gentille
veuve », sa gouvernante, dont il parle familièrement et dont peut-
être ne faut-il point médire. C'est là qu'il souhaitait de composer
— tel Chateaubriand achevant auprès de Mme de Beaumont son
Génie du Christianisme — trois graves ouvrages d'apologétique :
« l'un de raisonnement, l'autre historique, le troisième de morale »,
écrit-il. Il est vrai que ce troisième aurait étudié seulement « l'esprit de la religion dans l'ordre de la société ».

Son œuvre achevée comprenait 112 volumes, dont 47 de traductions et 65 d'écrits originaux.

*

**

Son premier livre, ce sont ces confessions ou confidences qu'il a
intitulées : *Mémoires et aventures d'un homme de qualité qui s'est
retiré du monde.* Les sept volumes parurent de 1728 à 1731 : le
septième était *Manon*, réimprimé à part en 1733. L'homme de
qualité est le marquis de M***, que la douleur d'avoir perdu celle
qu'il aimait, Selima, a enfermé dans un monastère. Trois ans après,

il en sort, et accompagne le jeune marquis de Rosemont dans sa course aux aventures romanesques. Quinze histoires d'amour se succèdent, assaisonnées de déguisements, enlèvements, naufrages, tous « événements trop extraordinaires », comme Prévost les qualifie quand il est de sang-froid, mais que dans le feu de la composition il accumule. Ce qu'il entasse plus encore, ce sont les scènes de larmes, de deuil, de douleur qui s'étale et se cherche un décor trop pathétique. Le marquis de M*** goûte dans les pleurs « une douceur infinie »; dona Diana de Velez, poignardée, expire dans les bras de Rosemont, qui tombe « sans mouvement et sans connaissance », tandis que « trois corps étendus dans des ruisseaux de sang » témoignent du malheur que l'amour traîne après lui.

Amour racinien, a-t-on dit, non sans vérité. Amour qu'on cherche à maîtriser ou à oublier, qui ne se contient que pour se recueillir et se précipiter plus invincible; amour qui ne cesse de frémir que pour se continuer en insistante tendresse, torrent ou fleuve caché qui suit inévitablement son cours. « Il était fatal à ma famille », dit le marquis de M***, « d'aimer comme les autres hommes adorent, c'est-à-dire sans bornes et sans mesure ». Amour fatal, en effet, qui entraîne la volonté comme la délectation victorieuse des jansénistes, « force secrète », « coup du Ciel », « immuable disposition des volontés de Dieu », amour d'Ariane, amour de Phèdre. Est-on coupable en s'y livrant ? Prévost affirme, et sans doute il veut croire, que toujours « nous sommes libres d'y résister ». Mais de la terreur qu'il en éprouve le témoignage n'est-il pas dans cet anathème, jeté dès le second volume des *Mémoires* :

L'amour est violent, il est injuste, il est cruel, il est capable de tous les excès et il s'y livre sans remords. Délivrez-nous de l'amour !

De cette hantise, de cette soif d'une confidence qui fût un examen de conscience à la fois et un complaisant souvenir, *Manon Lescaut* est l'expression la plus pénétrante. Les incidents ici ou aventures sont chose secondaire : Des Grieux rencontre Manon, il l'aime, tous les deux s'en vont à Paris, elle lui est infidèle à plusieurs reprises et lui revient; il se fait pour elle, ou pour la garder, ou pour la reprendre, escroc, assassin; elle est déportée à la Louisiane; il l'y accompagne, et enfin ils vont s'établir là-bas dans le repos, lorsque, forcés de fuir parce que Des Grieux a blessé grièvement en duel le fils du gouverneur, ils s'arrêtent, et elle meurt.

Qu'est-elle donc, cette Manon, que Musset disait énigmatique ? Ses traits ne nous sont pas connus. Prévost a négligé, par adresse

ou par insouciance, de préciser la couleur de ses yeux, et son portrait
tient en quelques mots moins mystérieux que vagues :

yeux fins et languissants, port divin, teint de la composition de l'amour,
onds inépuisable de charmes.

Son âme reste tout aussi imprécise, et inconsistante. Manon est
« charmante », nous dit-on; Des Grieux découvre sans cesse en
elle « de nouvelles qualités aimables »; elle est désintéressée, ou
plutôt elle n'aime de l'argent que le plaisir qu'il peut procurer. Il
lui faut chaque jour quelque nouvel « amusement à son goût ».
Faute de quoi, elle n'est « plus rien »; elle « ne se reconnaît
plus elle-même », lorsqu'elle manque de ce superflu qui lui est plus
nécessaire que le nécessaire. Elle n'est capable que de la fidélité du
cœur : l'autre fidélité, à ses yeux, est une « sotte vertu ». Elle ne
mérite pas, et elle n'a pas, l'estime de son chevalier : il l'aime.
Il l'aime, et depuis qu'il l'a vue il n'est qu'amour. Avant l'heure
où il l'a connue, son humeur était « naturellement douce et tranquille »; il « s'appliquait à l'étude par inclination »; et Tiberge,
son calme et dévoué mentor, sait bien que seule « la violence de
ses passions » l'écarte de la vertu. Parfois, pour se justifier à ses
propres yeux, ou pour repousser Tiberge en l'effrayant sur la profondeur de sa blessure, il argumente en forme sur la légitimité de
son amour. Mais ses raisonnements au fond ne sont pour lui qu'un
jeu et, en face de l'image de Manon, ils comptent pour lui aussi
peu que tous les sages avis de Tiberge, dont il reconnaît la sagesse,
tous les avertissements et les reproches de son père, qu'il accepte
avec déférence, ou les leçons du supérieur de Saint-Lazare, qui
l'édifient un moment. S'il leur reste indifférent ou indocile, c'est
peut-être parce qu'il voit dans l'esprit chrétien, qu'ils représentent,
une « pratique triste et mortifiante », une croix pesante, qui n'élève
ni ne console, et qui ne satisfait pas une âme avide. Les joies chrétiennes ont été décolorées à ses yeux, comme tout ce qu'il pouvait
estimer ou goûter a perdu pour lui sens et valeur, comme la notion
même de la déchéance et de la faute s'est effacée, le jour où il a vu
Manon. Il ne se sent pas asservi : que ferait-il de sa liberté ? Tiberge
lui apporte ses conseils, l'informe qu'il s'est entremis pour lui,
presque compromis : et le seul remerciement qui accueille cet ami
infatigable, c'est ce cri : « Vous avez donc vu Manon ! » Des
Grieux rêve d'une vie retirée et calme; mais qu'est-ce, sans Manon,
que la « solitude la plus charmante » ? Lorsqu'elle revient à lui,
dans le parloir de Saint-Sulpice, ses « Perfide Manon, ah perfide,

perfide ! » sont, comme les « Cruelle ! » dans les tragédies de Racine : des gémissements, des regrets, des appels, des rappels, bien plutôt que des reproches. Manon lui « tient lieu de gloire, de bonheur, de fortune »; il a « perdu tout ce que le reste des hommes estime »; mais, le cœur de Manon étant « le seul bien qu'il *estime* », son bonheur est trop délicieux encore de le posséder.

Dans la *Préface de Manon Lescaut,* Prévost a doctement affirmé que son roman était un « véritable traité de morale réduit agréablement en exercice », la dégradation du héros devant nous mettre en défiance de nos forces. Est-ce là vraiment la leçon du livre ? Ou bien, comme on l'a dit récemment, nous enseigne-t-il la pitié pour la faiblesse des hommes, victimes de la Passion et du Destin ? La morale de *Manon,* je la verrais plutôt là même où est son enchantement, le secret de son prestige, sa vérité profonde : Prévost a conté ou chanté l'amour de Des Grieux comme un don total de soi-même, don sans retour, sans reprise, sans calcul. Auprès d'un tel sentiment, combien sont superficielles les subtiles clairvoyances du marivaudage ! A dire vrai, Des Grieux se donne comme une pierre se détache et tombe. Cependant, si Prévost a gardé quelque souvenir ici de ses lectures religieuses, n'est-ce pas l'*Imitation* qui a défini passionnément l'amour comme le don de soi ? n'est-ce pas dans l'exacte traduction de Corneille que resplendit cette maxime :

Aussitôt qu'on se cherche, on ne sait plus aimer ?

Au style de ce roman on a reproché la diffusion, le mauvais goût. Telle formule de Manon écrivant à Des Grieux est en effet bien singulière :

[Si je restais avec toi dans l'indigence] la faim me causerait quelque méprise fatale; je rendrais quelque jour le dernier soupir, en croyant en pousser un d'amour.

Chez Prévost, le style n'a guère qu'un mérite : il s'accorde spontanément, par sa démarche ou si l'on veut par son rythme, aux sentiments qu'il est chargé d'exprimer. Sans disposer d'une grande variété de tours, sans faire appel à des images éblouissantes ni à des sonorités avantageuses, seulement en cadençant de ses soupirs la prose fluide et sobre d'un honnête homme de 1730, Des Grieux raconte la mort et l'ensevelissement de son amante, et il nous émeut. Et l'on s'aperçoit alors que la « barre d'or » des funérailles d'Atala et tout leur fastueux pittoresque distraient de la morte l'attention du lecteur, et sans doute le cœur de Chactas.

**

Cette réussite de *Manon Lescaut* ne se renouvelle pas dans la carrière du bénédictin romancier. En 1732, il revient à ses chers Anglais, dont il avait déjà, dans ses *Mémoires d'un homme de qualité*, décrit les mœurs privées et publiques, et il commence la publication de son *Philosophe anglais, ou Histoire de M. Cleveland, fils naturel de Cromwell*, long roman d'un pathétique épais, d'un romanesque compliqué et scabreux, et qui par surcroît veut glorifier la vertu britannique. Cleveland aime Fanny; on empêche leur mariage, en emmenant la belle en Amérique; Cleveland l'y poursuit; il l'épouse; ils ont une fille; le peuple des Abaquis, dont il est devenu roi, brûle la malheureuse enfant, ou du moins Cleveland croit qu'elle est brûlée. Fanny croit Cleveland infidèle, et le quitte. Lui, ayant tout perdu, rentre en France; un bon jésuite l'engage à aimer Cécile, jeune fille de grand mérite. Il l'aime et elle l'aime. Fanny revient, et voilà Cleveland entre deux feux d'amour. On découvre que Cécile est la fille de Cleveland et de Fanny. Cleveland reprend donc sa femme; et Cécile, qui n'a pas renoncé à aimer son père d'un amour qui n'est pas filial, meurt de douleur.

L'étude des passions, de la passion, est conduite cette fois par un moraliste plus que par un romancier. Dans *Manon*, la complaisance de Prévost en ses propres souvenirs laissait à la passion de Des Grieux tout son charme d'illusion et de fougue insouciante. Tiberge seul, et la *Préface*, portaient sur l'amour un jugement. Dans *Cleveland*, le héros lui-même connaît et déplore la « violence et la confusion inexprimable » où la passion l'entraîne; il se ressaisit à la fin, il se dompte, il choisit. La grandiloquence ne lui manque pas : c'était aux yeux de Prévost un élément de couleur locale, lorsqu'il faisait parler un Anglais; mais son âme aussi est élevée.

Le journal d'information et de critique impartiale dont il entreprend en 1733 la publication, le *Pour et Contre*, se ressent de cet incessant désir de moraliser ou d'épiloguer sur l'amour. Là, Prévost se raconte, confesse ses chutes et ses résolutions; la puissance de l'amour fait son étonnement, et les moindres incidents passionnels dont la nouvelle lui vient excitent sa curiosité émue; si dans l'une de ses rubriques il étudie le « caractère des dames illustres par le mérite », l'âme féminine en général est, ici encore, l'objet de son insistante sollicitude. Son indulgence pour elle irait jusqu'à l'hérésie : c'est l'homme, et non la femme, que le bénédictin fait responsable du péché originel.

Son roman de 1735, le *Doyen Killerine*, n'a d'anglais que le nom. La plus grande partie de l'action se passe à Paris, dans le monde de la galanterie et de la débauche, où plusieurs des personnages tombent au moins passagèrement. Ces personnages sont les deux frères et la sœur du bon Doyen, et plusieurs aventurières. « Histoire morale », annonce le titre : oui, lorsque à la fin les coupables se rangent ou sont punis; mais leurs aventures, leurs dérèglements les ont emportés, et Prévost jusque-là n'a été attentif qu'aux fluctuations de leur vie morale, non à leur moralité. La vie, voilà son premier intérêt : la succession des émois dans les cœurs; la succession aussi ou le mélange des traits ridicules et des traits respectables dans une même physionomie, celle du Doyen : homme vertueux, sensible, maladroit, malchanceux, laid de visage et de corps difforme.

Le *Doyen de Killerine* est interminable, comme *Cleveland*. Voici de plus courtes histoires : l'*Histoire d'une Grecque moderne* (1740); l'*Histoire de Marguerite d'Anjou* (1740); les *Campagnes philosophiques ou Mémoires de M. de Montcal* (1741); l'*Histoire de Guillaume le Conquérant* (1742); les *Mémoires d'un honnête homme* (1745). *Marguerite d'Anjou* et *Guillaume le Conquérant* sont des vies romancées. La Grecque moderne, c'est Mlle Aïssé, cette jeune Circassienne dont la vie avait été bien romanesque : quand elle avait cinq ans, en 1698, M. de Ferriol, ambassadeur de France à Constantinople, l'avait achetée pour 1 500 livres; il l'avait fait élever en France, et en 1711 avait voulu l'épouser : à cet homme de soixante-quatre ans elle avait préféré le chevalier d'Aydie. L'amour, l'amitié, le soupçon, la jalousie, l'indélicatesse, sont les seules aventures de l'*Histoire* brodée là-dessus par Prévost.

M. de Montcal est un officier qui veut concilier la philosophie avec le métier des armes, et l'un et l'autre avec l'amour. La manière de Prévost semble se renouveler à ce sujet un peu inattendu — qui lui a sans doute été indiqué par le petit livre d'un authentique officier irlandais, M. de Creden, *Le Militaire en solitude* (1735). Renouvellement encore, ou retour, plus hardi, aux évocations effrontées du *Doyen de Killerine*, dans les *Mémoires d'un honnête homme* : le comte est honnête dans le fond, et sensible; il est « fait pour un monde vertueux »; mais il vit dans la société corrompue de la capitale. La meilleure page du livre est une évocation, fraîche, celle-là, de l'aube à Paris, au mois de mai; et le contraste de cette nature qui s'éveille avec le sommeil pesant des viveurs donne une saisissante impression d'écœurement et de délivrance.

La curiosité, mais la nécessité plus encore, fait entreprendre à

Prévost en 1746 une *Histoire générale des voyages*, dont le titre
est une réclame clinquante :

> *Histoire générale des Voyages, ou nouvelle collection de toutes les
> relations des Voyages par mer et par terre, qui ont été publiées jusqu'ici
> dans les différentes langues de toutes les nations connues.*

Cinq paragraphes de ce ton continuent ou prolongent le seul
énoncé du titre.

Son œuvre s'achève par un livre d'observation romanesque, le
Monde moral, ou Mémoires pour servir l'histoire du cœur humain
(1760). A soixante-trois ans, il reste avide de « connaître les ressorts du cœur », et de méditer sur ces causes indéfiniment variées
des événements humains. « Philosophie douce », dit-il, inoffensive
et délicieuse ou complaisante :

> Caprices, inconséquences, amours et haines aveugles, ruses, emporte-
> ments, contradiction de l'intérieur et du dehors, réalité démentie par
> l'apparence, c'est tout ce que je recueillais de mes souvenirs, et, sans
> pénétrer plus loin, la force du tableau m'attachait.

L'un des personnages de ce roman est chargé des confidences
de Prévost : c'est l'abbé Brenner. Il ignorait l'amour, et soudain,
à la première rencontre qu'il fait de Mlle Tekely, il est saisi par
ces « sentiments capables de pénétrer l'âme, de troubler le sang,
d'agiter tous les esprits et de mêler à ce trouble une incroyable
douceur ». Il lutte, il cherche à croire son amour légitime; mais
son amour est trop violent, trop évident. L'abbé se reprend, et veut
finir ses jours à l'Oratoire.

⁎
⁎⁎

On n'a pas manqué de l'étiqueter préromantique, l'auteur de
Manon et de tous ces romans confidentiels. Il est seulement un
homme « sensible » de 1730, dont les Romantiques parfois se souviendront. Il garde, comme un scrupule de dignité ou comme une
nostalgie, l'estime de la discipline chrétienne; et la vie brûlante, la
violente unité, la richesse douloureuse que les passions apportent
à des âmes sans elles paresseuses, et par elles indifférentes à tout
le reste, l'éblouissent et l'entraînent. Il concilie, ou il juxtapose,
appelant sans cesse Tiberge au secours de Des Grieux; bien moins
proche de *René* que de *Phèdre*.

VII. — L'INVASION DE RICHARDSON

En 1742, paraissait à Londres la traduction française d'un roman anglais. Le traducteur était l'abbé Prévost. Quant au titre du roman, le voici :

Paméla ou la vertu récompensée, suite de lettres familières écrites par une belle jeune personne à ses parents, et publiées afin de cultiver les principes de la vertu et de la religion dans les esprits des jeunes gens des deux sexes : ouvrage qui a un fondement vrai et qui, en même temps qu'il entretient agréablement l'esprit par une variété d'incidents curieux et touchants, est entièrement purgé de toutes ces images qui, dans trop d'écrits composés pour le simple amusement, tendent à enflammer le cœur au lieu de l'instruire.

La Paméla de Richardson faisait ainsi son entrée en France; puis en 1751 ce fut *Clarisse Harlowe* que Prévost traduisit; puis *Grandison* en 1755. La fortune du roman anglais chez nous était faite. Desfontaines et La Place traduisaient, mais en les défigurant, Fielding et Sarah Fielding (1743, 1750, 1749, 1751). Après 1766, Goldsmith, traduit à son tour, affermit ce prestige des lettres romanesques anglaises.

Richardson avait donc voulu que la belle, la touchante Paméla rappelât aux incrédules et aux débauchés de son pays la religion et la vertu. Il avait tenu à combattre par ses romans la « dépravation générale ». Aux Français déjà sentimentaux et utilitaires il impose aisément son goût, son attitude littéraire mi-prédicante misensible. On va désormais chez nous et pour longtemps s'éprendre de ses héroïnes « nobles et tendres », comme les définit justement J. Texte, « accessibles aux tentations parce qu'elles sont extrêmement sensibles, mais profondément religieuses et chrétiennes ». Ce christianisme est-il pourvu d'ailes bien puissantes ? A-t-il vraiment Dieu pour objet ? La notion de désintéressement, d'amour complet de Dieu, lui semble un peu refusée. Il est bourgeois, et trop souvent n'engage à la vertu qu'en vue du bonheur terrestre; il est anglican, d'un protestantisme assurément plus souriant que celui de Genève, et plus confortable, mais, lui aussi, très sermonneur.

L'opportune originalité de Richardson, c'est qu'il a découvert ou fait renaître les sources de l'émotion morale. Il a fait « connaître aux mondains la volupté d'être et de se croire bons » (Texte), il a fait de la vertu une volupté nouvelle, et son œuvre est une sorte de *génie de la morale*, aussi troublant parfois que le seront les épi-

sodes du *Génie du Christianisme, Atala* et *René*. A l'intention de
la moralité sans doute, mais en fait au profit d'un déséquilibre, il
a multiplié les accès de mélancolie, de dépression physique, d'inquiétude délicieuse. Les cas de conscience qu'il présente sont « inté-
ressants », comme on disait alors, attachants, pathétiques. Ils ne
sollicitent guère la réflexion ni la volonté. Ils épanouissent le cœur,
le distendent ou le détendent. Richardson ne donne guère aux âmes
de ses lecteurs que l'illusion de leur vertu, il les satisfait en associant,
en faisant dépendantes l'une de l'autre deux notions que l'on avait
trop opposées peut-être : la vertu et la sensibilité.

Aussi les lecteurs français furent-ils indulgents ou aveugles aux
défauts proprement littéraires de Richardson : à la pesanteur de
son style galant, à son pédantisme, à sa préciosité, à ses digressions
froides, à la longueur invraisemblable de ses « lettres familières »;
ils lui surent gré de manquer d'art, de répéter, d'accumuler, puisqu'il
donnait ainsi l'impression de la vie; d'être minutieusement, complaisamment précis dans la description des personnages, puisque cette
attention menue était de sa part un acte de charitable « sensibilité ».
On nous assure que Richardson pleurait sur ses héroïnes comme sur
des personnes de sa famille : ni pour lui, ni pour ses lecteurs, ses
personnages ne sont des héros de roman roidis ou idéalisés, hôtes
d'un monde différent du nôtre. Et quel enchantement que ses
fraîches jeunes filles, Paméla surtout, si spontanée, candide, naïve,
superstitieuse, héroïque dans cet amour où elle a donné tout son
cœur !

VIII. — ROMANS A SUCCÈS

Voici enfin diverses sortes de romans, dont le seul intérêt est de
nous renseigner sur quelques aspects de la mode littéraire entre
1700 et 1760.

La pédagogie politique — on le verra au chapitre des *Réformateurs* — eut ses romanciers qui marchaient hardiment sur les
traces de Mentor. Les romans historiques ou à prétentions historiques furent nombreux aussi. De ce genre les meilleurs représentants seraient, avec les romans de Mme de Tencin, les *Anecdotes de
la Cour de Philippe-Auguste*, de Mme de Lussan (1734). Un tour-
noi y a une place importante : tournoi-carrousel, avec défilé de
troupes, « discipline parfaite », devises en vieux français de fantaisie, à coups de « onc » destinés à donner de la couleur locale.
Les personnages y sont fort civils, galants, « honnêtes gens »,

et les déclarations ou contestations amoureuses, bien fades. Voilà de quoi pourtant s'enchantaient les bisaïeules des Romantiques.

Des contes orientaux qui firent fureur aux alentours de 1715, le type serait les *Mille et un quarts d'heure, contes tartares* de Gueulette (1715), où l'imprévu se multiplie trop dans la destinée d'un jeune tailleur.

Les romans libertins de Crébillon fils eurent plus de vogue encore, et une renommée plus durable : à la fin du siècle, toute bibliothèque mondaine se devait de les contenir. Ils valurent à leur auteur la prison et l'exil, mais ne l'empêchèrent pas de devenir censeur royal. En plusieurs d'entre eux : les *Egarements du cœur et de l'esprit* (1736), la *Nuit et le Moment* (1755), on peut trouver autre chose que la polissonnerie du *Sopha* (1741) et de *Tanzaï* (1734). L'analyse des sentiments féminins, des sentiments de certaines femmes, y est conduite avec une ingéniosité qui approche des virtuosités de Marivaux, et aboutit à des formules nettes, qui seraient les maximes d'un La Bruyère blasé et persifleur :

Une femme, quand elle est jeune, est plus sensible au plaisir d'inspirer des passions qu'à celui d'en prendre; ce qu'elle appelle tendresse n'est le plus souvent qu'un goût vif qui la détermine plus promptement que l'amour même, l'amuse pendant quelque temps et s'éteint sans qu'elle le sente ou le regrette. Le mérite de s'attacher un amant pour toujours ne vaut pas à ses yeux celui d'en enchaîner plusieurs; plutôt suspendue que fixée, toujours livrée au caprice, elle songe moins à l'objet qui la possède qu'à celui qu'elle voudrait qui la possédât... Une jolie femme dépend bien moins d'elle-même que des circonstances... Est-elle parvenue à cet âge où ses charmes commencent à décroître..., elle songe à prévenir la solitude qui l'attend... Constante par la perte qu'elle ferait de ne l'être pas, son cœur peu à peu s'accoutume au sentiment... Ce qu'on croit la dernière fantaisie d'une femme est bien souvent sa première passion.
(*Egarements du cœur et de l'esprit.*)

Et il ne constate pas seulement, il conseille, ce moraliste :

Dans une situation si embarrassante, tout ce que peut une femme vertueuse est moins de mettre un frein aux transports d'un amant que de se souvenir qu'elle doit le faire.

Parmi les Romantiques, c'est Musset qui se souviendra de Crébillon.

CHAPITRE VIII

POLITIQUES, RÉFORMATEURS, ÉCONOMISTES

Il n'est pas uniquement frivole, ce public du XVIIIᵉ siècle : il se laisse prendre à l'intérêt de la « police », comme on disait encore : de la politique, de l'administration, de l'économie nationale. C'étaient pour lui, depuis la Fronde, choses bien oubliées. Le seul esprit civique qu'admît Louis XIV, c'était « le dévouement à sa personne et à l'Etat ». Et la compagnie du Saint-Sacrement, qui se dévouait à améliorer le sort des pauvres, à atténuer les méfaits de l'esprit de luxe et de lucre, avait été contrainte de cesser peu à peu toute son activité sociale, traquée par l'absolutisme ombrageux. Les Français reviennent donc à une de leurs traditions; mais, comme il est naturel après un si long oubli, ils y reviennent gauchement. Sous le coup des ruines intérieures, puis des menaces extérieures, puis des défaites et des humiliations diplomatiques, l'élite clairvoyante, trop isolée ou clairsemée, réagit sans vraie fermeté : elle est timide, ou excessive. Et la masse relativement cultivée de mondains, qui veut s'émanciper et s'émancipe du grand règne contraint, va se laisser séduire au prestige des « libertés » anglaises, sans en reconnaître les sources, sans en mesurer la valeur.

I. — LES PATRIOTES

Le mot était ancien; et il nous paraît un néologisme, dans la phrase célèbre où Saint-Simon en décore Vauban :

Patriote comme il l'était, il avait toute sa vie été touché de la misère du peuple.

C'est bien l'ancien et traditionnel patriotisme qui anime trois réformateurs de bonne volonté : Boisguilbert, Vauban, Boulainvilliers.

Le Pesant de Boisguilbert, lieutenant général au bailliage de Rouen, publie son *Détail de la France* la même année où paraît *Télémaque*. Pour juger des ressources actuelles de la France, dit-il, il ne suffit point d'apercevoir à Versailles et à Paris « la magnificence et l'abondance extrêmes » : c'est là le fait de « quelques particuliers »; mais « la plus grande partie est dans la dernière indigence »; il faut évaluer exactement le détail de notre décadence économique et financière; il faut en rechercher les causes; et l'on pourra, et l'on peut y trouver des remèdes presque instantanés :

Plus de la moitié de la France est en friche ou mal cultivée,

la diminution des revenus nationaux s'élève à 500 millions chaque année. Pourquoi ce « désordre », qui « n'a jamais eu d'exemple depuis la création du monde » ? Pourquoi ce scandale, d'« un royaume opulent perdant la moitié de ses richesses en trente ou quarante ans » ? Comment en vient-il à « périr de faim et de misère », ce peuple si « laborieux, dans le plus fertile des pays du monde, et sous le n illeur prince qui fut jamais » ? Tout le mal procède d'un établissement mauvais et d'une mauvaise administration des impôts. Si l'on a pris l'habitude en France de « crier contre les impôts », c'est qu'en vérité « il n'y a aucune justice dans la répartition des charges publiques ». Dès lors, on s'en défend comme on peut, autant qu'on le peut; et le riche, plus puissant que le pauvre, se défend mieux que le pauvre, ce qui encore aggrave le mal. Tout retombe sur le cultivateur; il ne peut plus faire pour la culture les frais indispensables; les ferait-il, d'ailleurs, il ne pourrait avoir de ses produits un débit profitable, entravé qu'il est dans leur circulation et leur vente par les droits d'aides et de douanes. Et puis, chez les traitants comme au ministère,

on considère la France à l'égard du Prince, comme un pays ennemi, ou que l'on ne verra jamais, dans lequel on ne trouve point extraordinaire que l'on abatte et ruine une maison de dix mille écus, pour vendre vingt ou trente pistoles de plomb, ou de bois à brûler.

Et l'ironie de Boisguilbert est plus familière et plus appuyée, dans ce détail qu'il présente des démarches auxquelles est astreint un malheureux vigneron désireux de vendre son vin :

Quand vous vendrez un muid de vin il faudra payer dix-sept droits, à sept ou huit bureaux séparés, qui n'ouvrent qu'à certaines heures et à certains jours; et si vous manquez de payer au moindre de ces bureaux, quoique vous l'ayez trouvé fermé à votre arrivée, et que vous ne puissiez retarder sans de grands frais votre marchandise, charrettes et chevaux sont entièrement confisqués au profit des maîtres du bureau, dont la déposition fera foi contre vous, quand vous ne conviendrez pas de la contravention. En allant par pays porter votre marchandise, il faut pareillement faire des déclarations à tous les lieux fermés où vous passez, et y tarder tant qu'il plaira au commis vous faire attendre pour les recevoir, quand vous devriez y employer quatre fois plus de temps qu'il ne serait nécessaire pour faire le voyage sans ces obstacles...

Cependant la France s'affaiblit, et ses ennemis, qui connaissent sa faiblesse croissante, sont tentés d'en profiter.

Quel remède ? Revenir simplement aux deux impôts de nos ancêtres : les feux et la dîme, sous la forme d'une taille tarifée.

Ici il ne nous appartient pas de discuter ou juger la valeur financière des projets de Boisguilbert. Mais nous devons dire qu'en dépit de son langage souvent embarrassé, de ses développements mal proportionnés, de sa pensée parfois restée incomplète, sa tristesse et son amertume devant les souffrances de la nation et la déchéance du sol français sont bien émouvantes. Et puis, lorsqu'il parle des « vingt-quatre heures » suffisantes selon lui pour la reprise du travail, des échanges, de la prospérité, n'est-il pas un témoin de l'extraordinaire confiance des Français d'alors, et de toujours, en leur puissance de relèvement ?

*
**

Vauban, dans sa *Dîme royale* de 1707, dans la partie publiée de sa *Correspondance* et dans tel *Mémoire* ou *Projet* concernant les choses de la guerre, témoigne des mêmes ambitions et d'un même profond sentiment des maux publics. Sans doute, à son image conventionnelle de grand serviteur de la France persécuté et de grand homme impeccable il faut retoucher quelques traits. Le Parlement a condamné son livre, sur l'insistance du chancelier Pontchartrain. Mais Louis XIV, devenu moins jaloux de se réserver à lui-même les inquiétudes patriotiques, ne l'a nullement frappé, comme le prétend Saint-Simon, d'une implacable disgrâce. Dans sa carrière, Vauban a été moins désintéressé qu'on ne l'a dit des honneurs et de l'argent; et l'argent était nécessaire à sa vieillesse trop dépourvue de gravité. Vauban n'en reste pas moins un patriote averti, et fervent. Il a « visité la plus grande partie des provinces », il a « examiné l'état

Fontenelle
Tableau de GALLOCHE

et la situation des pays », il a vu « la pauvreté des peuples », qui va devenir irrémédiable. La France pourrait être fertile et riche : mais « la partie basse du peuple » est obligée de tout fournir : soldats, matelots, impôts. La cause du mal la plus profonde peut-être est l'indifférence de chacun à l'intérêt public :

Le défaut le plus commun à la nation est de se mettre peu en peine des besoins de l'Etat... J'ai vu souvent que beaucoup d'affaires publiques ont mal réussi parce que, les particuliers y ayant leurs intérêts mêlés, ils ont su trouver le moyen de faire pencher la balance de leur côté.

A l'intérêt national il est, lui, sensible en toute occasion. Une éloquence sarcastique agite sa phrase ordinairement placide, lorsqu'il vient à parler des chefs militaires peu ménagers du sang de leurs hommes :

L'émulation qu'il y a entre les officiers généraux fait souvent qu'ils exposent les soldats mal à propos, leur faisant faire au-delà de leur possible et ne se souciant d'en faire périr une centaine pour avancer quatre pas plus que leurs camarades. Ce que je trouve le plus surprenant, c'est qu'on verra ces messieurs, lorsqu'on les aura relevés de tranchée, raconter et se vanter, d'un air suffisant et content, qu'ils auront perdu cent ou cent cinquante hommes pendant leur garde, parmi lesquels il y aura peut-être huit ou dix officiers. Y a-t-il de quoi se réjouir ? Et le prince n'est-il pas bien obligé à ceux qui font avec la perte de cent hommes ce qui se pourrait faire parfaitement avec celle de dix, moyennant un peu d'industrie ?
En vérité, si les Etats ne périssent que faute de bons hommes pour les défendre, je ne sais pas de châtiment assez rude pour ceux qui les font périr mal à propos. Cependant il n'est rien de si commun parmi nous que cette brutalité qui dépeuple nos troupes de vieux soldats et fait qu'une guerre de dix années épuise tout un royaume.

Il sait discerner les projets des Anglais et des Hollandais, « nos véritables ennemis », sur nos colonies d'Amérique et des Indes. Il déplore les manquements du roi à la foi des traités — comme une faute plutôt que comme un crime —; il s'irrite contre l'insolence de M. M. de Berne; il s'alarme du mauvais état de nos troupes, « fort desbissées », dit-il :

quand je pense qu'elles ne sont plus remplies que de jeunes gens sans expérience et de soldats de recrue presque tous forcés et qui n'ont aucune discipline, je tremble.

Il prévoit les suites de la succession d'Espagne acceptée :

10

Voilà la terreur de la monarchie universelle plus grande et mieux fondée que jamais !

*
*

Les ouvrages historiques du comte de Boulainvilliers, dit Montesquieu, sont « écrits avec cette simplicité et cette franchise de l'ancienne noblesse dont il sortait ». Dans ses réflexions philosophiques, violemment hostiles au christianisme, le tour est différent. Mais la « naïveté », comme on disait alors, un certain naturel cordial, une éloquence affectueuse et virile, font l'originalité de ces longues *Préfaces* qu'il a mises aux deux parties de son *Estat de la France extrait des Mémoires dressés par les Intendants du royaume, par ordre du roi Louis XIV, à la sollicitation de Mgr le duc de Bourgogne...* Quand j'ai su, dit-il, la préférence marquée à l'ancienne noblesse par ce prince, à

cette distinction tendre et compatissante, j'avoue que mon cœur ressentit une joie inexprimable.

Mais, après ces effusions, quelle indignation large et grave contre les intendants ! A cette enquête sur l'état du royaume dont on les a chargés, ils n'ont apporté qu'« incapacité, inapplication, prévention » :

Si jamais la conscience des intendants a été intéressée dans les fonctions de leur ministère, elle l'était dans cette rencontre; la misère des peuples, inutilement présente à leurs yeux, trouvait une occasion de se peindre à l'idée d'un prince naturellement juste et pitoyable, qui ne l'aurait jamais oubliée et qui aurait entrepris quelque jour de la soulager; les inconvénients d'un pouvoir absolu, qu'il n'est pas toujours sûr de montrer aux Princes éblouis de leur grandeur, pouvaient par ce canal passer jusqu'au trône; et quelle utilité pour lui et pour nous, s'il avait pu dans cet âge tendre concevoir la relation nécessaire qui est entre le bonheur des sujets et la gloire des Monarques...

Après tout, ce n'est pas leur faute, s'ils n'envisagent en toute mesure d'utilité publique que l'utilité du roi : ils sont généralement de basse naissance, et un milieu de parvenus ne prépare guère à la noble tâche de gouverner les hommes. Quand nos rois les ont institués, sans doute avaient-ils leurs raisons. Cependant la résistance de la nation à cette « nouveauté » a été « le dernier effort de la liberté française ». Il faut donc revenir aux vraies traditions, au véritable esprit de notre monarchie :

l'intérêt particulier de la conservation de ses propres biens joint à l'amour du souverain est le véritable lien des Etats; quiconque ose leur préférer la force et la crainte les expose à des périls, à des malheurs certains, et il se prive, s'il est souverain, du doux nom de Roi et de père de ses peuples pour prendre celui d'oppresseur.

Rappelons donc « nos usages présents à leur véritable origine »; découvrons « les principes du droit commun de la nation »; cherchons ou retrouvons les moyens de rendre le pouvoir royal « aussi durable qu'il est absolu ». Et Boulainvilliers ajoutait dans un *Mémoire* joint à *l'Etat* : l'hérédité n'est valable que « reconnue par le plus grand nombre de ceux qui doivent obéissance ».

Boulainvilliers était mort depuis cinq ans, lorsque son livre parut en 1727. Mais aux sujets de Louis XV cette voix d'outre-tombe ne parut aucunement être une voix du passé. L'édition était faite à Londres, chez ces Anglais dont on raffolait à Paris depuis quelque douze ans; et la liste, les listes des souscripteurs étaient riches surtout en noms de l'aristocratie anglaise. Et puis ce vœu d'un retour à la « liberté française », cette protestation convaincue contre l'absolutisme et ses ministres, était recommandé par le nom du duc de Bourgogne, dont le prestige s'auréolait du prestige de Fénelon.

II. — LES FÉNELONIENS

Ils ne parurent guère tant que vécut Louis XIV. Le 30 mars 1715, à l'Académie Française, le successeur de Fénelon ne risque à *Télémaque* qu'une allusion hésitante; la politique de Mentor, comme disait un polémiste de 1700, était par trop « le revers de notre gouvernement ». La Motte, dans son *Ode* de 1712 sur la mort du duc de Bourgogne, s'est borné à paraphraser en vers quelques thèmes de cette morale politique : fuyez les flatteurs, cherchez le mérite qui se cache, méprisez la gloire des conquérants, soyez pacifique, favorisez l'agriculture. En 1710, en 1714, on ne rencontre, pour délayer *Télémaque* et simplifier en lieux communs ses avis aux princes, que deux romans sans art et sans vigueur.

Sous la Régence, au contraire, quelle popularité pour Mentor ! La politique proprement dite de Fénelon, celle des *Plans de Gouvernement*, reste inconnue au public; elle eut sur l'esprit du Régent une autorité fort éphémère : bien vite Dubois se chargea de détourner son maître des « rêveries de M. de Cambrai ». Mais librement enfin la morale politique de *Télémaque* rayonne.

Télémaque était destiné aux princes : il leur est bientôt dédié. En 1717, le marquis de Fénelon dédie au roi Louis XV la première édition authentique. L'édition hollandaise de 1719 est dédiée au prince d'Orange; l'édition anglaise de la même année, au duc de Glocester : l'une et l'autre sont agrémentées des *Remarques*-clefs de Limiers tout hostiles à Louis XIV et à son gouvernement. *Télémaque* était ainsi présenté aux souverains ou futurs souverains comme le manuel des rois.

Louis XV ne pouvait pas rester insensible aux enseignements féneloniens. Au nom du duc de Bourgogne si vénéré, la voix publique lui souhaitait « de bien profiter des leçons que l'on donnait à son père », afin de « s'attirer l'amour de ses peuples, l'admiration des nations voisines, et les bénédictions de toute l'Europe, sans parler de la faveur du Ciel ». En outre, le meilleur prédicateur de la Régence, Massillon, puisait dans *Télémaque* les leçons qu'il donnait au jeune roi. Dans son *Oraison funèbre de Louis XIV*, déjà, Massillon parlait des victoires du roi défunt, de la guerre en général, et de la succession d'Espagne, d'une manière toute fénelonienne :

> Mais, hélas, triste souvenir de nos victoires, que nous rappelez-vous ?... un siècle entier d'horreur et de carnage..., nos campagnes désertes et, au lieu des trésors qu'elles renferment dans leur sein, n'offrant plus que des ronces..., les arts à la fin sans émulation; le commerce languissant.

Ces lamentations sur les conséquences économiques des guerres étaient exactement conformes à l'esprit de *Télémaque*. Comme Mentor en outre, Massillon flétrit le faste du grand règne :

> La simplicité des anciennes mœurs changea... Le luxe toujours précurseur de l'indigence, en corrompant les mœurs, tarit la source de nos biens; les arts, en flattant la curiosité, ont enfanté la mollesse.

Ces idées et plusieurs autres issues également de *Télémaque* se retrouvent dans le fameux *Petit Carême*. Là surtout elles purent faire impression sur l'esprit de Louis XV, car le jeune roi avait alors neuf ans, et le prédicateur, si nous en croyons Saint-Simon, s'était vraiment mis à sa portée.

Le *Sermon pour la fête de la Purification* contient les adjurations les plus véhémentes, destinées à éloigner le jeune roi de tout projet belliqueux :

> Sire, regardez toujours la guerre comme le plus grand fléau dont Dieu puisse affliger un empire... Rendez votre règne immortel par la félicité de vos peuples, plus que par le nombre de vos conquêtes... N'oubliez jamais que, dans les guerres les plus justes, les victoires traînent toujours après elles autant de calamités pour l'Etat que les plus sanglantes défaites.

Le *Sermon pour le premier dimanche de Carême* développe les méfaits de la flatterie en insistant sur les inconvénients de l'orgueil, le défaut le plus décrié par Fénelon. Et Massillon ajoute, le *troisième dimanche*, en s'en prenant à l'amour-propre :

> Ce n'est pas régner, de ne vivre que pour soi-même; les rois ne sont que les conducteurs des peuples; ils ont, à la vérité, ce nom et ce droit par la naissance; mais ils ne le méritent que par les soins et l'application.

Le *Sermon* suivant montre dans la multiplication des pains non « la toute-puissance de Jésus-Christ », mais « son humanité envers les peuples ».

> et, en effet, est-il pour les princes une gloire plus pure et plus touchante que celle de régner sur les cœurs ? La gloire d'être cher à son peuple et de le rendre heureux n'est environnée que de la joie et de l'abondance.

Il vaut mieux « gagner le cœur de ses sujets que gagner des batailles », reprend Massillon dans le *Sermon pour le jour de l'Incarnation* : « un prince qui n'a que des vertus militaires n'a travaillé que pour lui »; un conquérant est toujours égoïste, tandis qu'un roi pacifique est toujours désintéressé : il est « l'homme de ses peuples », au lieu de se rendre tristement « célèbre en faisant des millions de malheureux ». Et plus l'orateur sacré avance dans la prédication de son *Carême*, plus le développement qu'il donne aux conseils féneloniens devient impérieux :

> Un prince n'est pas né pour lui seul; il se doit à ses sujets. Les peuples, en l'élevant, lui ont confié la puissance et l'autorité, et se sont réservé en échange ses soins, sa vigilance... Ce sont les peuples qui, par l'ordre de Dieu, les ont faits ce qu'ils sont; c'est à eux à n'être ce qu'ils sont que pour les peuples.
>
> (Dimanche de la Passion.)

Ces antithèses trop exactes peuvent sembler toutes littéraires; ces exigences, qui rappellent Mentor et Joad, peuvent paraître nier le droit divin au profit de la thèse du contrat entre souverain et peuple. Massillon pourtant ne se souvient de Fénelon et de Racine que parce qu'il se souvient de la théologie chrétienne la plus traditionnelle, qui nie l'absolutisme, et, plaçant en Dieu le fondement de toute autorité, donne au peuple le droit de conférer l'autorité. La rhétorique ici n'est qu'ornement, guirlande qui distrait de l'austérité des lignes sûres.

La pensée de Louis XV ne restera-t-elle pas marquée, peut-être guidée, par le souvenir des conseils de Massillon ? Il écrit à son fils en 1744 :

Je ne fais la guerre que pour assurer à mon peuple une paix solide et durable..., je sacrifierais pour lui procurer cet avantage tout le reste de mon règne. Il est bon que vous entriez de bonne heure dans ces sentiments, et que vous vous accoutumiez à vous regarder plutôt comme le père que comme le maître des peuples qui doivent être un jour vos sujets.

La visite des champs de bataille lui inspirait de l'horreur, remarque Lavisse; et, parcourant celui de Laufeld, il sortait du silence qui lui était si ordinaire pour s'écrier : « Ne vaudrait-il pas mieux songer sérieusement à la paix que de faire périr tant de braves gens ? » Qui sait si ce goût fénelonien pour la paix ne fut pas une des raisons de son attachement au pacifique cardinal de Fleury ? Si notre diplomatie du XVIII° siècle — qui a bien été celle du roi — est réhabilitée aujourd'hui par tel philosophe italien de l'histoire, c'est parce que, sacrifiant les entreprises de gloire, elle s'est toute appliquée à restreindre les effusions de sang.

Louis XV avait une autre raison d'entendre selon les leçons de Mentor certains de ses devoirs royaux : son oncle Philippe V, qui avait été l'élève de Fénelon, restait, avec une conscience scrupu-leuse jusqu'à être timorée, fidèle aux enseignements qu'il avait reçus. Le message d'abdication qu'il adressait à son fils, le 14 janvier 1724, contenait ces lignes si féneloniennes :

Les devoirs de la royauté mille fois plus redoutables que je ne puis
                                                [l'exprimer...
Songez que vous ne serez roi que pour faire servir Dieu et pour rendre
                                                [vos peuples heureux...
Soulagez vos peuples autant que vous le pourrez.

Un autre prince, dont le prestige allait croître bientôt aux yeux des Français, parut un moment très disposé à ressembler à Télé-maque : c'était Frédéric, prince royal de Prusse. Il compose un *Anti-Machiavel*, où il compare au prince de Machiavel le prince de Fénelon :

Vous verrez dans l'un de la bonté, de l'équité, toutes les vertus. Il me semble que ce soit une de ces intelligences pures dont on dit que la sagesse est préposée pour veiller au gouvernement du monde.

Il admire si bien *Télémaque* qu'il s'en inspire : il blâme la « dan-gereuse morale et les passions effrénées des rois », plus dangereuses

à son gré que « les inondations et le feu du tonnerre »; il leur
voudrait substituer une politique fondée uniquement sur « la justice, la prudence et la bonté »; il déteste l'absolutisme : « Le
souverain, bien loin d'être le maître absolu des peuples qui sont
sous sa domination, n'en est que le premier magistrat »; il préfère à
la « funeste gloire des conquérants » qui tient de la « barbarie »
la gloire de « rendre son peuple heureux », de développer la vraie
« force d'un Etat », qui n'est pas l'étendue, mais « la richesse des
habitants, et leur nombre ». Il ne se sépare guère de Fénelon que
sur la question du luxe, qu'il déclare nécessaire à la bonne santé
d'une nation. Frédéric était-il très sincère en écrivant tout cela ? En
tout cas, il est intéressant de constater que, fort épris des idées
françaises, et fort désireux de s'en montrer épris, il soit allé les
chercher dans *Télémaque*.

Et, tandis que certains souverains d'Europe suivaient, ou sem-
blaient suivre, les conseils de Mentor, la prospérité de Philadelphie
en Amérique faisait paraître Salente réalisable. « Toutes les nations »,
dira plus tard Raynal en célébrant la fondation de G. Penn, « aimè-
rent à voir réaliser et renouveler les temps héroïques de l'Antiquité, que les mœurs et les lois de l'Europe leur avaient fait prendre
pour une fiction. » Les rues tirées au cordeau, l'absence de soldats,
la liberté, tout cela était préconisé dans *Télémaque*. Non pas assurément que Penn fût disciple de Fénelon, puisqu'il était allé établir
sa colonie en 1681. Mais ses motifs, ses moyens, son but n'étaient
pas sans ressemblance, sans parenté même, avec ceux de Fénelon.
« Jamais peut-être la vertu n'avait inspiré de législation plus
propre à amener le bonheur. » Cette formule de Raynal met en
évidence les trois éléments communs aux idées politiques du quaker
et à celles de l'archevêque mystique : la vertu, c'est-à-dire un idéal
moral et religieux; les lois; le désir d'un certain bonheur effectif,
sensible, pour les peuples.

Quel empressement alors des Belles-Lettres et des lettrés médiocres à diffuser les principes de Mentor ! En vers, en prose, en prose
poétique, coulent ou s'épanouissent les éloges de la paix, la censure
des flatteurs et des conquêtes, les conseils aux rois d'aimer leurs
peuples et d'en assurer la félicité. Un seul livre alors ose s'opposer
à l'influence politique de *Télémaque* : c'est la gauche *Utilité du
pouvoir monarchique* (1726) qui combat toute idée d'un gouvernement sans vigueur jusqu'à tenter une apologie du fameux taureau
d'airain de Phalaris. Les romanciers qui « pensent » surchargent
de considérations féneloniennes les aventures de pédagogie politique
qu'ils infligent à leurs héros invariablement vertueux et passifs.

*Aventures de Néoptolème, fils d'Achille, propres à former les mœurs
d'un jeune prince* (1718), complétées de l'*Idée d'un roy parfait, dans
laquelle on découvre la véritable grandeur, avec les moyens de
l'acquérir* (1723); Hi*palque, prince scythe* (1727); Voyages *de
Cyrus*, surtout, où l'équivoque disciple de Fénelon, Ramsay, disserte
sur l'art de régner; condamne les « fausses vertus politiques et
militaires » fondées sur l'amour-propre; blâme les conquêtes et le
luxe (1727); *Sethos*, où l'abbé Terrasson a imité les *Voyages* et, à
travers Ramsay, Fénelon (1731). Toutes ces productions dont la
médiocrité faisait gronder Voltaire ont eu leur heure, parfois leur
longue période de succès. Elles redisaient avec peu d'éclat, mais
continûment, à ces Français las des guerres de Louis XIV sans les
avoir faites eux-mêmes ni avoir vraiment souffert de leurs conséquences, las de l'absolutisme au moment où il s'affaiblissait, la vieille
cantilène de fronde idéaliste.

Elle tournait au murmure facile, et la prose poétique qui l'exprimait à l'imitation de *Télémaque* l'affadissait encore, lorsque, en
1747, l'*Examen de conscience sur les devoirs de la royauté*, publié à
La Haye et à Londres, vint donner à la morale politique de
Fénelon un accent, un élan nouveaux. Grimm, dans sa *Correspondance littéraire*, se refuse un moment à y reconnaître « l'élégance qui
caractérise cette plume célèbre ». Adieu Calypso en effet, et les
pampres, et le zéphyre, le char d'Amphitrite porté brillamment
sur les eaux, la lenteur des avis de Mentor, le tableau complaisant
de Salente restaurée, et les bons rois que la contemplation récompense, et les rois égoïstes punis dans un Tartare trop proche de
celui de Virgile pour que les supplices en paraissent tout à fait
réels. Du poème, de l'allégorie, on passait soudain à l'interroga-
toire, presque au réquisitoire :

Connaissez-vous assez toutes les vérités du Christianisme ? Vous serez
jugé sur l'Evangile, comme le moindre de vos sujets... Espérez-vous que
Dieu souffrira que vous ignoriez sa loi, suivant laquelle il veut que
vous viviez et que vous gouverniez son peuple ?...
Ne vous êtes-vous point imaginé que l'Evangile ne doit point être la
règle des rois comme celle de leurs sujets; que la politique les dispense
d'être humbles, justes, sincères, modérés, compatissants, prêts à par-
donner les injures ? quelque lâche et corrompu flatteur ne vous a-t-il
point dit, et n'avez-vous point été bien aise de croire, que les rois
ont besoin de se gouverner pour leurs Etats par certaines maximes de
hauteur, de dureté, de dissimulation, en s'élevant au-dessus des règles
communes de la justice et de l'humanité ?...
Avez-vous travaillé à vous instruire des lois, coutumes et usages du
royaume ?
Avez-vous étudié la vraie forme du gouvernement de votre royaume ?...

On dit d'ordinaire aux rois qu'ils ont moins à craindre les vices des particuliers que les défauts auxquels ils s'abandonnent dans les fonctions royales. Pour moi, je dis hardiment le contraire, et je soutiens que toutes leurs fautes dans la vie la plus privée sont d'une conséquence infinie pour la royauté...

Avez-vous bien examiné si la guerre dont il s'agissait était nécessaire à vos peuples ? Peut-être ne s'agissait-il que de quelque prétention sur une succession qui vous regardait personnellement; vos peuples n'y avaient aucun intérêt réel. Que leur importe que vous ayez une province de plus ?...

N'avez-vous point négligé de connaître les hommes ?

N'avez-vous point autorisé, sous prétexte d'orner votre cour, le luxe d'habits, de meubles, d'équipages et de maisons, de tous ces officiers subalternes ?... N'en a-t-il pas été de même des autres courtisans, chacun selon son degré ? Ils sucent, pendant qu'ils vivent, le royaume entier; en quelque temps qu'ils meurent, ils laissent leurs familles ruinées. Vous leur donnez trop, et vous leur faites encore plus dépenser. Ainsi ceux qui ruinent l'Etat se ruinent eux-mêmes. C'est vous qui en êtes la cause, en assemblant autour de vous tant d'hommes inutiles, fastueux, dissipateurs, et qui se font de leurs folles dissipations un titre auprès de vous pour vous demander de nouveaux biens qu'ils puissent encore dissiper...

A la fin de l'édition de La Haye, un *Supplément* sentencieux, tiré de l'*Histoire de Fénelon* qu'avait en 1723 publiée Ramsay, prenait l'aspect d'une déclaration de principes. Et ces principes, c'étaient la fraternité des peuples, le dévouement au bien public, la nécessité des lois, la haine égale du despotisme et de l'anarchie, la tolérance civile, l'absolutisme des rois pour le bien, leur impuissance légale de faire le mal, l'utilité d'un sénat qui modère l'autorité royale. Tout cela, assurément, sonnait autrement en 1747, à la veille de l'*Esprit des Lois* et de l'*Encyclopédie*, qu'en 1723. « Voilà le langage de la Vérité, de la Raison et de l'Equité ! » dit aussitôt le *Journal universel*; et il ajoute : « Mais ce langage est-il écouté et suivi par les ministres des princes et par le clergé même ? » et puis, étendant à l'ensemble de l'*Examen* une opinion qui lui est sans doute inspirée par la première phrase citée de Ramsay : « Toutes les nations de la terre ne sont que les différentes familles d'une même république », il déclare que le roi docile aux conseils féneloniens « aurait la satisfaction inexprimable de se voir adoré non seulement de ses peuples, mais aussi de toutes les nations du monde. C'étaient les deux points que le célèbre archevêque de Cambrai avait en vue ».

L'aversion, chrétienne dans son origine, de Fénelon pour le régime de Versailles s'est exprimée cette fois en termes trop virulents pour ne pas enhardir étrangement, dans l'élite « philoso-

phique » et dans son troupeau de sectateurs, cet esprit rebelle qui
n'est pas chrétien. Alors la légende durcit en traits de penseur
« laïque », comme on dit aujourd'hui, la physionomie de l'archevêque. Légende intéressée; légende reconnaissante aussi d'un
Examen si rigoureux aux rois. En 1755, d'Argenson, à l'Académie
des Inscriptions, regrette que les « gouvernements modernes aient
été perfectionnés plutôt en vue de l'absolu pouvoir que du bonheur
des peuples »; sans doute la paix règne, « base d'un grand bonheur »; et « l'Europe est devenue une espèce de république fédé-
rative »; mais nous n'en sommes pas encore revenus aux mœurs
de l'Antiquité, où « les gouvernements paraissaient soumis à la
censure des philosophes »; et notre politique étrangère est trop uniquement réglée par « quelques ruses italiennes, maximes tirées
de Machiavel plutôt que de Platon ». Et aussitôt il se souvient
de Fénelon, dont les maximes politiques étaient puisées, dit-il,
« dans l'ancienne philosophie ». Encore quelques années, et Fénelon,
dans les éloges académiques de 1770, deviendra l'un des saints de
l'église encyclopédiste.

Cependant un réformateur, en 1756, se soucie peu d'accommoder Fénelon en philosophe ancien ou moderne. C'est le marquis de Mirabeau. Dans son *Ami des Hommes*, il vénère *Télémaque*,
mais pour sa politique saine, dit-il, pour « les principes de vraie
prospérité » qu'il met en lumière. Le réalisme du marquis est
tout proche parent de celui de Fénelon : réalisme de noblesse
« champêtre » et patriarcale, restée consciemment et fermement
attachée à la civilisation française telle qu'elle était avant le « grand »
règne. « Mes principes, que je crois vrais, sont, ainsi que mes conséquences, diamétralement opposés à presque toutes les idées que
j'ai trouvées dans le monde sur ce chapitre ». Ces principes si personnels de Mirabeau sont bien semblables à ceux de Fénelon : diminution du luxe, augmentation de l'abondance, et de la population,
par la pratique de l'agriculture : « Aimez et honorez l'agriculture »,
« méprisez le luxe... l'agriculture qui peut seule multiplier les
subsistances est le premier des arts »; le luxe tend à détruire « la
politesse, l'industrie et les arts »; il porte les artistes à « enché-
rir sur la vraie beauté », à « la charger d'ornements, l'embellir, par
les détails »; il « appauvrit tout le monde en multipliant les
besoins prétendus »; il a détruit ce « *decorum* de simplicité » qui
faisait l'agrément de la société féodale.

En dépit de son style inexpérimenté, « quelquefois original, toujours louche et défectueux », avoue-t-il lui-même, le marquis
est venu rendre à l'esprit réformateur de Fénelon une jeunesse

vraie, une vigueur saine, tandis que les lecteurs aigris et trop
adroits de l'*Examen* saluaient en Fénelon un révolté.

III. — L'ABBÉ DE SAINT-PIERRE

On a insisté sur les ressemblances de sa pensée politique avec
celle de Fénelon. Comme Mentor conseillant Idoménée, ou comme
Fénelon écrivant les *Tables de Chaulnes*, il est avide de réformes,
méticuleux à réformer dans le détail, et plein de foi en l'efficacité
de ses *Projets;* et l'aversion pour le régime de Versailles est aussi
spontanée, aussi profonde, chez le cadet normand qu'était l'abbé
de Saint-Pierre, que chez le cadet périgourdin. Mais, il faut le
redire, Fénelon est avant tout chrétien, prêtre, mystique. Il s'est
défié des « sciences qui enorgueillissent », de la « sagesse » raisonneuse, de la raison; il aimait la Beauté de Dieu, et le beau
littéraire chez les Anciens; en lui le goût du fait n'excluait pas
l'élan vers le surnaturel; son esprit ou son accent d'illusion
n'étaient souvent qu'une suite de son mysticisme; et lorsqu'il
blâmait Louis XIV, il souhaitait passionnément un retour à la
vraie tradition, libérale et chrétienne, de la monarchie française.

Auprès de l'abbé de Saint-Pierre, nous changeons de climat.
Nous voici dans une atmosphère laïque, humanitaire, c'est-à-dire
où l'on ne s'intéresse qu'aux hommes. Là, l'idée de progrès n'est
pas seulement une hypothèse agréable, mais une conviction arrêtée,
un dogme; et tout : institutions, beaux-arts, inventions, belles-
lettres, doit se subordonner au progrès du bonheur humain ici-bas.

Charles-Irénée Castel de Saint-Pierre était né en 1658, d'une
famille illustre de Normandie. Après des études médiocres, il est
prêtre à vingt ans, prêtre singulier ou scandaleux : sans doctrine,
sans conduite, haïssant le latin, le grec, la théologie. En 1680, il
s'installe à Paris, où il suit les cours d'anatomie de Duverney,
de chimie de Lemery, de physique de de Launay, de Bourdelot.
Celui-ci, qui se fait nommer l'abbé Bourdelot, est médecin à la
mode, intrigant, poète, musicien, philosophe. Il discute *de omni
re scibili* avec assurance, faisant profession d'« aller droit à la
vérité », sans que « nulle autorité lui en impose » ! Tel est l'ini-
tiateur de l'abbé de Saint-Pierre à la hardiesse de pensée.

Ceux qui l'encourageaient, ce sont ses amis normands, débar-
qués à Paris avant lui : Fontenelle, l'abbé de Vertot; et Varignon,
qui l'a accompagné. A eux quatre ils ont loué une « cabane » au
faubourg Saint-Jacques. Là, nous dit un contemporain,

M. Varignon logeait tout en haut; il y composa son livre sur la nouvelle mécanique; M. l'abbé de Vertot, qui y venait aussi trois jours la
semaine, logeait dans la chambre voisine et travaillait à son *Histoire
des révolutions de Portugal*. M. l'abbé de Saint-Pierre, qui logeait
au-dessous, composait des observations morales sur les différents partis
que prennent les hommes pour augmenter leur bonheur, et M. de Fontenelle, qui logeait en bas, composait des poésies pastorales. Ils allaient
l'après-midi continuer leurs conversations et leurs disputes au jardin du
Luxembourg et profitaient ainsi de leurs critiques mutuelles.

Faguet, qui cite ce passage, le commente ainsi : « C'est le berceau
du xviii° siècle, cette petite maison du faubourg Saint-Jacques. »
Augmenter le bonheur humain, tel est dès lors le but de notre
abbé. Il lit Pascal; et dans les *Pensées,* sans doute parce qu'elles
exhortent le libertin à cesser d'être indifférent à son salut, il
aperçoit la même invitation à « augmenter son bonheur ». Il
constate ou se persuade que « la plus grande partie du bonheur
ou du malheur vient des bonnes ou des mauvaises lois ». Dès
lors il croit

que la morale n'est pas la science la plus importante pour le bonheur
des hommes, mais que c'est la politique ou la science du gouvernement,
et qu'une loi sage peut rendre incomparablement plus d'hommes heureux que cent bons traités de morale.

C'est le temps où La Bruyère fait son portrait sous le nom de
Mopse, l'importun partout à son aise : et déjà, en effet, l'abbé,
sans fausse modestie, avoue à peu près que seuls deux obstacles
l'empêchent de devenir « ministre général » : ce sont : « la constitution présente de notre monarchie et son peu de talent pour la
flatterie ». Fontenelle l'introduit au salon de Mme de Lambert.
Mme de Lambert et Fontenelle le font élire, comme grammairien
et plus encore comme partisan des Modernes, à l'Académie Française (1694). Il est depuis 1692 aumônier de Madame, mère du
futur Régent. En 1712, il est secrétaire de l'abbé de Polignac à
Utrecht. Six ans après, dans sa *Polysynodie,* avec la lourde désinvolture que lui connaissait La Bruyère, ne s'avise-t-il pas de déclarer
que le feu roi a laissé chez ses voisins la réputation d'un « voisin
fâcheux, sans parole, injuste, et d'autant plus digne de leur haine
qu'il employait plus de puissance à les ruiner » ? Et dans le royaume,
ajoute-t-il, Louis XIV « a-t-il forcé ses sujets, par l'abondance
qu'il leur a procurée, à regretter son administration ? » Scandalisée,
l'Académie punit cette étourderie grave de l'exclusion perpétuelle.
Mais, en 1723, le club de l'Entresol, que l'abbé Alary vient de fonder

sous le patronage de Bolingbroke, accueille le « fameux abbé de Saint-Pierre », comme on se met à l'appeler. Là il lit un grand nombre de ses innombrables *Projets*, et sans doute écoute sans ennui les *Voyages de Cyrus* que lit Ramsay, leur auteur; il discute ou applaudit ces idées alors fort aventureuses, que d'Argenson réunira en une manière de Somme quasi prophétique dans ses *Considérations sur le gouvernement de la France* : décentralisation, égalité civile, abolition des privilèges, suppression de la vénalité des charges, réforme des tribunaux, division de la France en départements et en districts, élection des administrateurs; d'Argenson imagine même un plan de confédération italienne, et préconise le percement de l'isthme de Suez; en outre, il appelle le mariage : « un droit furieux qui passera de mode ». Cette fois, ce ne fut pas l'abbé de Saint-Pierre qui fut exclu : c'est le club qui, par l'ordre de Fleury, se ferma.

En 1734, il découvre que « l'excès de nourriture, la vie trop sédentaire et le défaut de transpiration suffisante » causent un grand nombre de maladies. Il invente donc le *fauteuil de poste* ou *trémoussoir*, appareil mécanique qui aura pour la santé tous les avantages de la saignée, de la chasse, de la marche, et sera accessible à toutes les bourses.

En 1743, l'abbé mourait d'apoplexie, pleuré des indigents, car il était charitable de son argent et de son temps, et non pas seulement de ses avis, de ses *Projets* idéalistes.

Son *Projet pour rendre la paix perpétuelle en Europe* en est le plus connu, et le premier en date (1712); mais jusqu'en 1741, et dans les seize volumes de ses *Ouvrages de politique et de morale*, combien d'autres *Projets*, et de combien de sortes ! D'abord sa *Polysynodie* de 1718, « où l'on démontre que la pluralité des conseils est la forme du ministère la plus avantageuse pour un roi et pour son royaume », le *Projet de taille tarifée* (1723), et un *Mémoire pour diminuer le nombre des procès,* et un autre *pour augmenter le revenu des bénéfices* (1725). En une même année (1726), il *explique physiquement certaines apparitions,* veut *rendre les spectacles plus utiles à l'Etat,* et amasse des *observations générales sur le Dictionnaire universel.* Le *Mercure* accueille cette copie, ou les *Mémoires de Trévoux*, indulgents ou sans méfiance envers son inlassable volonté du mieux : ce ne sont, disent-ils, « que des projets »; mais « avec le temps il s'en réalise toujours quelque chose... et les bonnes pensées qui se répandent produisent toujours quelque bonne action ». Affermi par cette sympathie, l'abbé passe d'un *Projet pour l'extirpation des corsaires de Barbarie* à des *Observations politiques sur le célibat des prêtres;* et puis ce sont un *Projet pour rendre les livres et autres monuments plus honorables pour les auteurs futurs et plus utiles pour la postérité*, un *Projet pour rendre les chemins praticables en hiver*, un autre *pour renfermer les mendiants*, et *pour multiplier les collèges de filles*, et *pour perfectionner la médecine*, ou *le commerce*, ou *les établissements religieux*, ou *le clergé de France*; ou des *Observations sur les progrès continuels de la raison universelle* (1737)... Dans chacun de ses volumes, tous les sujets se coudoient, comme dans les copies qu'il envoie de tout cela au ministre. On peut les voir aux Archives des Affaires étrangères, ces manuscrits qui portent en guise de signature la devise de l'abbé : *Paradis aux bienfézans* — car il réformait aussi l'orthographe.

*
**

On peut les classer, cependant, ces idées si diverses, semblables en ceci que, toutes, l'abbé les déclare réalisables par des « bureaux ».

La politique extérieure, c'est le *Projet de paix perpétuelle*, qu'il a l'habileté de placer sous le patronage d'Henri IV, et qui n'en faisait pas moins sourire de doute les contemporains, même Leibniz. De la guerre il ne professe pas une horreur mystique. Il voudrait seulement s'en débarrasser, en même temps que des négociations diplomatiques, comme d'un obstacle au progrès de chaque nation : la vraie tâche d'un Etat, selon lui, consistant uniquement dans les réformes intérieures. Et il suppose réalisable, possible, facile, que les nations n'aient pas à se défendre.

A l'intérieur, la souveraineté n'est aux yeux de l'abbé qu'une délégation du peuple. Non qu'il soit républicain : mais le droit divin, le fondement divin de l'autorité, lui est une notion étrangère. Il n'a pas confiance aux états généraux, dont les députés lui paraissent très incompétents. Pour organiser le progrès de la monarchie française, et sans doute de tout gouvernement, il imagine l'*Académie politique*. Composée de quarante membres, cette compagnie se recruterait dans trois groupes d'« étudiants politiques » de trente membres chacun, pris dans la magistrature, la noblesse et le clergé. Elle serait chargée de fournir de compétences les Conseils, et d'éveiller et d'entretenir l'attention de l'élite nationale sur les questions d'intérêt public, sur la science du gouvernement; elle attribuerait aux bons *projets* politiques des récompenses importantes.

Ses vues d'économiste ne manquent ni d'importance ni de valeur : il a annoncé le développement du machinisme, et préconisé la division du travail et la liberté du travail. Mais son attitude de moraliste politique est plus personnelle encore : il fait du développement de la moralité le principal devoir politique, et il considère l'intérêt porté aux choses de la politique comme le principal devoir moral.

De là vient sa part d'influence dans la formation d'un sentiment assez nouveau en 1726 : la vénération, le culte des « grands hommes ». L'expression n'était pas nouvelle, et le xvi° siècle et le xvii° siècle avaient souvent célébré les héros de l'Antiquité. Ce qui est nouveau, c'est l'intérêt plus précis et plus attendri que l'on porte à ces grands hommes, de l'Antiquité et de tous les temps. Déjà Fénelon, dans le *Télémaque*, conseillait qu'on apprît aux enfants « à chanter les louanges des héros qui ont été aimés des dieux, qui ont fait des actions généreuses pour leurs patries, et qui ont fait éclater leur courage dans les combats ». L'affaire des Cérémonies chinoises avait ramené l'attention sur le sort éternel des « Sages du Paganisme ». Le *Pantheisticon* de Toland, les *Lettres Persanes* de Montesquieu vantaient les mérites des héros. Et voici que l'abbé de Saint-Pierre, armé de son idéalisme méthodique, compose un *Discours sur la véritable grandeur et sur la différence qui est entre le grand homme et l'homme illustre*. Les seules qualités intérieures font le grand homme, prononce-t-il; et il distingue trois éléments de la grandeur :

1° La grandeur des talents pour surmonter les grandes difficultés.
2° La grandeur du zèle pour le bien public.
3° La grandeur des avantages procurés ou aux hommes en général, ou aux concitoyens en particulier.

Le premier élément, trop individuel, n'intéresse guère l'apôtre de la Bienfaisance; mais il accorde toute son estime aux « grands génies » qui, par leurs spéculations ou leurs actes, ont « augmenté le bonheur » de leur nation ou de l'humanité. Ni saint Louis d'ailleurs ni Jeanne d'Arc ne sont admis dans son Panthéon : l'un ayant commis des Croisades, l'autre ayant péché par « fanatisme ».

Ses intentions de moraliste politique commandent ses réformes en matière d'instruction de la jeunesse. Il déplore qu'on enseigne tout dans les collèges, sauf la *vertu*. Pourquoi n'y pas employer « une grande partie des heures du matin » ? On ferait apprendre par cœur des formules vertueuses, « en beaux vers »; on ferait accomplir des « actes de prudence, de justice », tout comme on fait composer un thème.

Ce prêtre singulier, qui repousse le célibat ecclésiastique et abomine la théologie comme inutile au « bonheur social », a des idées

religieuses, ou sur la religion. Son Dieu est celui des *Bonnes gens*
de Béranger : insoucieux de tout, sauf de voir les hommes « vivre
en paix ». Dans un *Discours contre le mahométisme*, il ne laisse
pas d'attaquer le christianisme ou les chrétiens à travers la religion
musulmane, comme les *Oracles* de son ami Fontenelle avaient visé
les miracles chrétiens. Et il voudrait que le gouvernement s'employât
à « diminuer notre disposition au fanatisme », par l'application
du *Projet* suivant :

> Il serait important que le Ministère fondât un prix tous les ans pour
> celui qui, au jugement de l'Académie des Sciences, expliquerait le mieux
> par les règles de la nature les effets extraordinaires de l'imagination qui
> sont racontés dans les livres des Grecs et des Romains, et les prétendus
> miracles que racontent *les Protestants, les Schismatiques et les Maho-
> métans.*

Le but religieux de l'institution monastique échappe à cet abbé
commendataire. Il veut donc *perfectionner* les couvents d'abord en
réduisant à huit le nombre des congrégations : quatre d'hommes,
quatre de femmes; encore seraient-elles chargées des écoles et des
hôpitaux; il leur faudrait aussi former, pour le bien de la « société
chrétienne », des architectes et des ingénieurs.

Ainsi court ce cerveau bienfaisant et suffisant, que n'alourdis-
sent ni la connaissance du passé, ni l'étude des réalités métaphysiques : elles n'éclairent pas non plus sa route. Montesquieu,
qui pourtant goûtait un entrain si vif vers le mieux social, a eu
un mot net sur les chimères de l'abbé :

> L'abbé de Saint-Pierre dit : « il faut choisir d'honnêtes gens », comme
> on dit, lorsqu'on enrôle : « il faut prendre un homme de cinq pieds
> six pouces ».

On devine que l'art d'écrire, et l'art en général, sont choses bien
secondaires pour un esprit de cette sorte. Il veut rendre les Belles-
Lettres utiles, et l'Académie Française, ou, comme il souhaite qu'elle
s'appelle, l'Académie des Bons Ecrivains, « plus utile à l'Etat ».
Voici là-dessus un de ses axiomes :

> Règle : la valeur d'un livre, d'un règlement, d'un établissement ou
> autre monument public, est proportionnée au nombre et à la grandeur
> des plaisirs actuels qu'il procure et des plaisirs futurs qu'il doit pro-
> curer au plus grand nombre d'hommes.

Les Académiciens bons écrivains composeront des vies d'hommes
illustres. Pour juger des ouvrages utiles, on instituera une « Aca-

ŒUVRES

DE

JEAN-BAPTISTE

ROUSSEAU.

NOUVELLE EDITION,

*Revûe, corrigée & augmentée fur les Manufcrits
de l'AUTEUR.*

TOME PREMIER.

A BRUXELLES.

M DCC XLIII.

Frontispice des œuvres de Jean-Baptiste ROUSSEAU

démie des vertus », bureau de gens vertueux et connaisseurs. Les écrivains satiriques seront punis. En fait d'éloquence, l'abbé n'admet que celle qui est propre aux géomètres; en fait d'orthographe, celle qui reproduit la prononciation exactement. La fondation de l'Académie des Beaux-Arts excite son indignation contre Colbert :

La peinture, la sculpture, la musique, la poésie, la comédie, l'architecture prouvent les richesses présentes d'une nation : elles ne prouvent pas l'augmentation et la durée de son bonheur; elles prouvent le nombre des fainéants, leur goût pour la fainéantise qui suffit à entretenir et à nourrir d'autres espèces de fainéants: gens qui se piquent d'esprit agréable, mais non pas d'esprit utile : ils veulent exceller sur leurs pareils, mais ils se contentent sottement d'exceller dans des bagatelles, dans des choses peu importantes pour un bonheur un peu durable...
Colbert, grand travailleur, en négligeant les compagnies de commerce maritime, pour avoir plus de soin des sciences curieuses et des beaux-arts, prit l'ombre pour le corps, donna l'ombre aux Français et laissa le corps aux Hollandais et aux Anglais.

De telles réflexions, disait Voltaire, sont « grossières et écrites grossièrement ». Voltaire dit aussi : « Il était peu lu; ceux qui le lisaient se moquaient de lui ». Oui, à Versailles, à Berlin, à Cirey, où l'on raille la candeur du *Bienfézant* qui biffe la guerre et la diplomatie, et exige des Académiciens la profession de la vertu. Mais à Paris, dans les provinces, son idéalisme utilitaire semble bien avoir été plus populaire que décrié. Diderot ne le repousse pas, lui dont l'*Encyclopédie* sera en partie une réhabilitation des « arts utiles ». Et il séduit, par sa brutalité peut-être, l'âme d'un « citoyen de Genève », qui déjà se met à haïr les « fainéants agréables » du beau monde.

IV. — La politique de Locke

Les mêmes lecteurs qui haussent les épaules aux « rêveries » de l'abbé de Saint-Pierre lisent avec recueillement ou relisent l'*Essai sur le Gouvernement civil*. Paru à Londres en 1690, dès 1691 le petit livre de Locke avait été traduit en français, et sept éditions de la traduction française avaient été publiées en six ans. Une autre version fut donnée en 1724, assez inexacte d'ailleurs.
Ce n'était pas la première fois qu'au xvii" siècle la pensée politique anglaise était venue agir sur la nôtre. La théologie absolutiste de Jacques Iᵉʳ, l'absolutisme philosophique de Hobbes, les

pamphlets républicains de Milton avaient pénétré chez nous, et enhardi les desseins ou les passions de nos ministres, de nos rois, de nos Frondeurs. Mais cette fois, après le succès de l'usurpation de Guillaume d'Orange, depuis les échecs, les revers de Louis XIV, on se tournait avec curiosité vers le théoricien ou l'apologiste de la nouvelle Constitution anglaise, vers l'authentique représentant de ce peuple qui, au dire d'un voyageur français, « avait beaucoup retenu, en se rangeant sous l'état de l'empire, de l'humeur qui domine naturellement dans les esprits de tous les hommes en l'état de liberté ».

Locke lui-même était-il si libéral, si réaliste, si prosaïque, puisque les fervents de chez nous applaudissaient en lui une « sagesse » terre à terre, une modération tout opposée aux ambitions magnifiques de leur grand roi, à « ce héroïsme » dont les gestes tendus avaient fatigué la France ? Mesuré dans son style comme il était courtois dans ses manières, Locke, au fond de l'âme et dans ses principes, ses goûts politiques, était un violent. Enthousiaste de l'étude à Oxford, il avait été enthousiaste de Cromwell, enthousiaste de Charles II. De son puritanisme réfléchi et sentimental il avait gardé une méfiance profonde de tout clergé; de son amitié pour Shaftesbury et de sa collaboration avec cet homme d'Etat passionné et sans scrupule, le culte de la politique expérimentale; et il était resté à peu près jusqu'à sa mort le confident, le conseiller souvent écouté de Guillaume III, le roi taciturne et ardent.

A la base de sa doctrine politique, il y a l'aversion puritaine contre l'Eglise anglicane qui, toute séparée qu'elle soit de Rome, maintient le droit divin, l'origine divine de l'autorité, le caractère sacerdotal du Pouvoir, appuyant d'ailleurs son propre prestige au prestige royal.

Cette union des évêques et du roi, Locke en est l'adversaire :

Pour récompenser les princes d'avoir fait leurs vilaines besognes, ils ont, quand les princes ont favorisé leurs desseins, prêché la monarchie de droit divin. Mais, malgré le droit divin de la monarchie, dès qu'un prince a osé rejeter leurs doctrines et leurs cérémonies, dès qu'il a été moins disposé à exécuter les décrets de la hiérarchie, ils ont été les premiers et les plus empressés à créer des difficultés à son autorité, à exciter des troubles contre son gouvernement.

Ce fragment d'une de ses premières dissertations politiques marque bien son sentiment initial, et permanent. Il nie la monarchie de droit divin, qu'elle soit absolue ou limitée, et raille ses partisans :

Ils devraient bien nous indiquer où Dieu a donné au magistrat le pouvoir de faire quoi que ce soit dans un autre dessein que celui d'assurer la conservation et le bien-être de ses sujets dans cette vie, ou nous laisser libres de croire de cette théorie ce que nous voulons.

La pensée de Locke est proche de tel *Propos de table* de Selden, qu'il put entendre, avant de le lire dans le recueil de 1689 :

La royauté est une chose que les hommes ont faite dans leur intérêt, pour obtenir la tranquillité, absolument comme si dans une famille on désigne quelqu'un pour acheter les provisions.

La seule fin qu'il conçoive de la société civile, c'est « la conservation des membres de cette société dans la paix et le salut ».

Que l'*Essai* soit une œuvre de circonstance, Locke ne le cache aucunement : c'est une apologie de Guillaume III et de l'Angleterre, une « justification », dit-il, qu'il estime fondée sur les principes les plus incontestables :

J'espère que ce traité suffira pour établir le trône de notre illustre sauveur, notre présent roi Guillaume, pour justifier son titre par le consentement du peuple, source unique du gouvernement légitime, qu'il possède d'une façon plus complète et plus claire qu'aucun prince de la Chrétienté, et pour justifier à la face du monde le peuple d'Angleterre, dont l'amour pour ses droits naturels, joint à la résolution de les conserver, a sauvé la nation quand elle était à deux doigts de l'esclavage et de la ruine.

Pour connaître les devoirs et les droits du gouvernement civil, Locke envisage d'abord les hommes *à l'état de nature*, avant toute société ou hors de la société. L'état de nature a-t-il duré ? a-t-il même existé ? Peu importe : dans le monde moderne, en tout cas, les souverains sont bien les uns à l'égard des autres dans cet état d'indépendance naturelle. Hors de la société, les hommes sont donc libres, égaux, et la raison leur montre comme guide la *loi naturelle*. Ils ont le droit de propriété, que crée le travail; droit sacré faute duquel « la terre demeurerait inculte ». La famille et le pouvoir paternel sont également antérieurs à l'état de société : la raison n'étant pas développée chez les jeunes enfants, ils ne sont pas libres; mais l'autorité paternelle est uniquement pour eux un « secours ».

C'est un pacte d'individus, qui forme toute société :

Partout où un certain nombre d'hommes s'unissent en une seule société de telle sorte que chacun d'eux renonce à son pouvoir d'exécuter la loi naturelle, et le cède à la collectivité, là, et là seulement, se trouve une société politique et civile. Et cette renonciation a lieu partout où un certain nombre d'hommes, dans l'état de nature, entrent en société pour composer un peuple, un corps politique, sous un gouvernement suprême; ou bien quand un homme se joint et s'incorpore à un gouvernement établi déjà.

La liberté de chacun est amoindrie; mais « le pouvoir de la société » — ou de la majorité, qui la représente — « ne peut s'étendre au-delà du bien commun ».

Chacun, d'ailleurs, a contre l'arbitraire, contre les « décrets improvisés », des garanties. Le pouvoir est « obligé de gouverner suivant des lois permanentes, promulguées et connues », lois égales pour tous, « pour le favori à la cour et le paysan à la charrue ». Et les impôts, qui sont nécessaires à la bonne marche de l'Etat, ne peuvent être établis et levés sans le consentement général. Quel que soit le détenteur du pouvoir suprême, la souveraineté reste au peuple, et par conséquent le droit de révolte :

Il garde à perpétuité le pouvoir de se délivrer des entreprises et des desseins de toutes sortes de personnes, même de ses législateurs, s'ils venaient à être assez fous ou assez pervers pour former et exécuter des desseins contre les libertés et les biens du sujet.

En matière sociale, l'*Essai* reste indifférent aux pauvres. Dans un *Mémoire* antérieur, Locke avait seulement réclamé une loi nouvelle contre les mendiants et vagabonds, plus rigoureuse que celles de la reine Elizabeth. Dans les condamnations qu'il souhaitait prononcées sans appel par le premier inspecteur venu, que devenait la liberté individuelle ? et dans ce travail des prisonniers qu'il préconisait, travail des adultes, travail des enfants assurant un bénéfice au directeur du *workhouse*, où était l'esprit de charité ?

Ces principes que Locke affirmait être « partout à l'abri de la critique » étaient du moins bien étrangers alors à l'esprit français. La monarchie absolue avait si bien discipliné les âmes à chercher avant tout la gloire du roi, sans lui demander compte de son souci, à lui, du bien commun ! Le sens de la collaboration de chacun au bien public s'était tellement effacé, depuis que les états généraux n'étaient plus appelés à consentir les impôts extraordinaires, et à proposer des remèdes aux maux de la communauté française ! L'aveu du fondement divin de l'autorité, et, dans le populaire, une affectueuse confiance en cette autorité royale qui, venant de Dieu, ne pouvait être que bienfaisante, cette idée et ce sentiment chrétiens étaient vivants chez nous. Ce qui ne vivait plus, c'était le

sens de la dignité chrétienne de chaque âme en face du pouvoir
royal. Aussi ne songea-t-on pas à discerner cet élément chrétien dans
la politique de Locke, encore moins à mesurer l'orthodoxie — c'est-à-
dire la justesse — de son individualisme et de son pacte social.
On n'aperçut dans l'*Essai* que l'œuvre « raisonnable » d'un lati-
tudinaire ou d'un « philosophe »; on n'en tira que le désir de
se passer de Dieu pour la réforme de l'Etat et de la Société. Faut-
il ajouter que l'indifférence aux misères sociales put s'accroître
chez certains lecteurs de cet *Essai* si fermé aux droits du pauvre ?

V. — L'APOLOGIE DU LUXE

De l'étranger enfin nous venait une doctrine économique, qui
était aussi une doctrine morale nouvelle; la France de *Turcaret*,
puis du Régent, puis des fermiers généraux, n'était que trop
disposée à l'accueillir : l'apologie du luxe.

Bayle l'avait commencée, et aussitôt l'avait faite sarcastique à
l'esprit chrétien. Il se demandait « si la fraude, l'avarice, la violence, l'ambition, ne sont pas absolument nécessaires pour la conservation des Etats ». Elles le sont en effet, répondait-il :

Un Etat situé entre plusieurs autres qui travaillent à l'engloutir a un
besoin nécessaire des mêmes moyens dont ils se servent pour augmenter
leur puissance... Il faut donc que ses sujets aient les mêmes passions
qui font la force de l'ennemi, l'industrie de s'enrichir, l'amour des
commodités de la vie, le désir de la gloire humaine, etc. Il faut que
ceux qui le gouvernent opposent ruse à ruse, dissimulation à dissimulation, tromperie à tromperie... Pendant que les sociétés humaines se
rempliront de jalousie et de mauvaises intentions les unes contre les
autres, elles ne pourront se passer du vice.

Ainsi, une société chrétienne, authentiquement chrétienne, « ne
serait pas propre à se maintenir » au milieu des peuples « infidèles
ou chrétiens à la mondaine ». De vrais chrétiens « se contente-
raient de la nourriture et de la vêture, selon la frugalité des
apôtres »; ils seraient « comme des brebis au milieu des loups ».
L'esprit évangélique mène à des désastres politiques; il faut donc

laisser les maximes du christianisme pour thème aux prédicateurs;
conserver cela pour la théorie, et ramener la pratique sous les lois de
la nature, qui permet de rendre coup pour coup, et qui nous excite
à nous élever au-dessus de notre état, à devenir plus riches et de
meilleure condition que nos pères.

Le luxe modéré fait « circuler l'argent; il fait subsister le petit peuple ».

« *Private vices, public benefits* », immoralité individuelle, bienfait social, tel est le mot, le message, comme on dit aujourd'hui, de Bernard de Mandeville, médecin hollandais établi à Londres. Telle est la leçon de sa *Fable des Abeilles*, qu'il publia d'abord en 1706, puis en 1714 en la commentant de *Remarques*, puis en 1723. Il ne parut de traduction française qu'en 1740. Mais le *Journal des Savants* et la *Bibliothèque anglaise*, dès 1725, ont signalé la *Fable* comme un ouvrage d'importance.

Assez longue pour un apologue — 400 vers — elle est nette : une ruche prospère, tandis que tous les vices y règnent. Mais les abeilles supplient Jupiter de les rendre vertueuses et sages. Leur prière est exaucée : la ruche tombe dans le désordre et la misère. Les abeilles rougissent de leur vertu, et se dispersent. Les *Remarques* précisent : tous les vices des particuliers sont utiles à la prospérité d'un Etat; mais le luxe lui est bien nécessaire. « L'orgueil, source des dépenses, est une source de félicité publique; l'envie et la vanité sont des ministres de l'industrie; la frugalité n'est pas autre chose qu'une suite de la pauvreté; les beaux-arts abandonnent une société frugale. » Ces formules qui résument exactement, et comme en « propositions », plusieurs des *Remarques*, se trouvent en 1740 dans les *Mémoires de Trévoux*. Et un janséniste de la fin du siècle, Tabaraud, réduit aux quatre points suivants la doctrine morale de Mandeville :

1° L'homme n'est point naturellement sociable.

2° Les sociétés ne se sont formées et ne se soutiennent que par les vices et que par des illusions.

3° La distinction de la vertu et du vice est une affaire de pure convention, ouvrage de la politique des ambitieux, de la cupidité des hommes sensuels, de l'ivresse des imaginations fortes et possédées d'un fol amour pour la gloire chimérique.

4° Les sentiments de pudeur, de modestie, d'humanité, de compassion, et les actions qui en résultent, n'ont rien qui mérite réellement le nom de vertu, parce qu'elles sont ordinairement viciées par le motif qui les anime.

Qu'est-ce que le luxe ? C'est, dit Mandeville, « tout ce qui n'est pas absolument nécessaire pour la subsistance de l'homme », tout ce que « la réflexion et l'expérience ont fait trouver pour rendre la vie plus agréable ».

Certains adversaires du luxe admettent son utilité, en niant sa nécessité; d'autres nient son utilité même. Economiquement parlant, on l'accuse de détruire des richesses; mais dans un pays sans luxe, la consommation sera insuffisante, et le commerce périclitera, avec l'industrie. Politiquement, on l'accuse d'affaiblir l'énergie nationale; mais l'énergie d'une nation dépend de conditions toutes différentes : une sage administration financière, une sage législation, un clergé inoffensif, la liberté de conscience, « telles sont les maximes qui conduisent infailliblement un Etat au plus haut point de grandeur mondaine ». Soyons donc reconnaissants aux « femmes les plus abandonnées » :

Contribuant à la consommation du superflu et du nécessaire de la vie, elles sont très utiles dans la société. Elles aident par leur luxe à entretenir le laborieux ouvrier, qui, chargé d'une famille nombreuse, cherche à lui procurer le nécessaire par des moyens honnêtes.

Que les politiques, pour rendre une société « considérable et puissante », tâchent seulement de « mettre en jeu les passions de ceux qui la composent ». La vanité surtout rendra une nation florissante, forte, active au travail comme aux plaisirs, et heureusement méprisante pour l'« innocence stupide » des âmes éprises de la frugalité, cette « vertu indolente et fainéante ». Enfin, voici, selon Mandeville, l'utile « train des jours » d'un *mondain*, c'est-à-dire, car le mot est pris ici avec le sens qu'il a dans la langue religieuse, d'un homme qui tourne le dos à l'ascétisme chrétien :

L'homme mondain, voluptueux, aspire à posséder des palais superbes et des jardins délicieux. Son plaisir principal est de surpasser les autres hommes par le nombre et la beauté de ses chevaux, par la magnificence de ses carrosses, par une nombreuse suite et par des meubles de grand prix. Pour satisfaire ses désirs, il doit avoir des maîtresses aimables, qui soient jeunes et belles. Elles doivent être de différent tempérament, et avoir des attraits différents, pour faire ses plaisirs. Il faudrait aussi que ses caves fussent fournies de ce que chaque pays produit de plus excellent. Sa table devrait être décorée de plusieurs services, dont chacun serait composé d'une variété choisie des mets les plus exquis. Le bon goût doit y donner les preuves d'une cuisine achevée. Pendant le repas, une musique harmonieuse et des flatteries bien tournées entretiennent successivement les oreilles des convives. Il n'emploie jamais, fût-ce pour les moindres bagatelles, que les ouvriers les plus capables, les plus expérimentés et les plus ingénieux, afin que son jugement et son goût paraissent dans les moindres choses. La délicatesse lui plaît dans tout ce qui l'approche et dans tout ce qui est employé autour de sa personne. Il exige qu'on y observe religieusement une propreté extraordinaire. Telles sont les choses que le *Mondain* honore du nom de plaisir.

Ce mondain, comme A. Morize l'a excellemment prouvé, sera celui de Voltaire.

D'où venaient au médecin hollandais — qui d'ailleurs conteste que la légendaire frugalité de la prospère Hollande soit frugalité de principe, et même qu'elle soit bien réelle et complète — cette doctrine et une telle assurance ?

De Bayle, assurément; de Saint-Evremond l'épicurien; de La Rochefoucauld peut-être, qui, selon d'autres intentions à vrai dire, bafouait les vertus. Plus encore, à mon sens, beaucoup plus, du spectacle de délirante confiance que l'Angleterre commençait à donner en son mercantilisme. De nos jours, les effets de cette attitude économique et morale s'étant manifestés et se développant, nous la pouvons mieux juger. Au début du xviii\u1d49 siècle, sa puissance seule et ses succès apparaissaient à des penseurs dédaigneux ou négligents de la réflexion théologique, de la méditation religieuse, et tôt satisfaits, trop heureux de rencontrer des faits à opposer aux déductions des moralistes chrétiens.

Quelle allégresse, alors, dans l'essor ploutocrate de l'Angleterre ! A l'intérieur, l'argent donne la puissance politique : sièges de députés aux Communes, majorité, cela se vend, s'achète. L'argent est le but de la paix, le but de la guerre. Cette passion de la richesse, cette considération unique qui s'attache à l'argent, frappa Montesquieu pendant son séjour à Londres. Au siècle précédent, tel pénétrant moraliste anglais qui voyait ce sentiment naître, Francis Trigge, s'en alarmait, s'en attristait, constatant que l'Angleterre cessait d'être « joyeuse », pour devenir « soupirante et chagrine », depuis que l'avait envahie la cupidité, *covetousness*. Déjà cette cupidité des grands propriétaires anglais généralisait le système de l'*enclosure*, de la clôture des domaines, pour y élever des moutons, l'industrie de la laine donnant de gros bénéfices; et les paysans cultivateurs se trouvaient chassés, parfois par villages entiers. Les domaines des monastères accueillants au menu peuple des champs étaient passés, de par la volonté d'Henri VIII, aux mains d'exigeants seigneurs laïques. Au xviii\u1d49 siècle, sous la poussée des propriétaires terriens et des riches commerçants maîtres des lois, les *yeomen*, cultivateurs libres, disparurent; et, à partir de 1760 environ, un prolétariat se forma, nombreux, douloureux, mais combien ignoré de nos anglomanes ! Faut-il aller, comme un penseur anglais de nos jours, jusqu'à rendre responsable de ce méfait moral, social, économique, le puritanisme, qui aurait « développé la religion dans le sens d'une poursuite de l'argent » ? Faut-il au contraire incriminer la démoralisation générale sous Charles II, qui a pu en effet accroître l'indifférence morale aux moyens capables d'enrichir ? En tout cas, l'Angleterre, la haute société anglaise, au début du XVIII° siècle, s'enrichissait sans scrupule, méprisait la pauvreté comme une tare et les pauvres comme des sots, et cette fois unissait ce qu'avait séparé la Réforme commençante : la cupidité et la joie insouciante.

Voilà l'état d'âme qu'exprimait et glorifiait par ses *Abeilles* Mandeville le médecin, cynique par humour peut-être, et, selon le tour d'esprit latin, humaniste, formulant en loi morale universelle un sentiment dépourvu d'autorité, particulier à son temps et à son pays d'adoption.

En France, dans cette Guyenne si fière encore d'avoir longtemps été anglaise, Mandeville eut en 1734 un disciple : l'économiste Melon, ancien secrétaire du Régent, puis de Law, Colbert-Melon, comme l'appellera Voltaire dont l'*Essai sur le Commerce* eut en trente ans cinq éditions. Le chapitre IX de l'*Essai* est une apologie du luxe. Le luxe est nécessaire et bienfaisant, dit l'auteur; la frugalité de Sparte est un mythe; celle de Genève est ridicule; Caton était un rustaud, un usurier, un ivrogne; « le somptueux Lucullus, encore plus grand capitaine et aussi juste que lui, fut toujours libéral et bienfaisant ». Sans doute l'ascétisme chrétien est-il respectable :

Mais les hommes se conduisent rarement par la religion; c'est à elle à tâcher de détruire le luxe, et c'est à l'Etat de le tourner à son profit.

Voilà comment une formule conciliante sépare : la morale chrétienne a son domaine, la politique a le sien, et la politique doit, puisque ce sont des faits et des forces, utiliser les passions :

Si les hommes étaient assez heureux pour se conduire par la pureté des maximes de la religion, ils n'auraient plus besoin de lois : le devoir servirait de frein au crime et de motif à la vertu; mais malheureusement ce sont les passions qui conduisent, et le législateur ne doit chercher qu'à les mettre à profit pour la société. Le militaire n'est valeureux que par ambition, et le négociant ne travaille que par cupidité; souvent l'un et l'autre pour se mettre en état de jouir voluptueusement de la vie, et le luxe leur devient un nouveau motif de travail.

Par des raisons et par des chiffres, Melon s'efforce de démontrer que le luxe soutient le commerce et l'industrie, qu'il ne fait jamais tort à la production des denrées indispensables, qu'il est « le destructeur de la paresse et de l'oisiveté », le sûr ressort de l'activité des peuples et des individus. Quelle cruauté cependant pour notre nature humaine, que d'aller ainsi froidement, scientifiquement, la déclarer insensible à tout autre motif que les jouissances voluptueuses ou confortables ! Comme on comprend que de telles vues, si dénigrantes et si incomplètes, aient déchaîné la colère sainte de Rousseau, son vœu de réhabiliter — à l'excès — notre nature, sa volonté de rompre avec une civilisation qui faussait l'âme humaine, ignorant sa direction originelle, et la détournant de sa vraie fin !

CHAPITRE IX

LES « ATTENTATS CONTRE LA RELIGION »

La vieille tragédie, même rajeunie par les excès d'une terreur bien artificielle; la comédie, même fardée de sentiment; les romans, sensibles, coquets, prêcheurs à l'anglaise; ce ne sont que diversions littéraires à l'ennui des âmes désœuvrées, désaffectées de l'effort moral et intellectuel par les loisirs de Versailles, demeurées cependant curieuses du vrai, et désireuses d'action. De ce goût de l'absolu, de ce zèle héréditaire d'apôtre, ces gentilshommes ou ces bourgeois d'élite ne se trouvent pas détournés, comme tels de leurs descendants aujourd'hui ou hier, par ce sens aigu du beau et du relatif qui fait l'homme de musée : en face de leurs Watteau, de leurs Boucher, de leurs La Tour, ils ne sont point des Goncourt fébriles, mais des amateurs souriants : cela encore pour eux est amusement plus que joie. Car cela ne satisfait pas, ne rassure pas sur les « sujets qui en valent la peine », comme dit énergiquement Voltaire : Dieu, l'immortalité, la matière, l'âme des bêtes, la liberté des opinions, des recherches, des consciences. Là-dessus, ils veulent savoir : savoir plus qu'on ne leur en dit, dans leurs collèges affables, fermés aux inquiétudes de pensée; savoir autre chose que l'enseignement, doré à l'ancienne mode, des sermonnaires lettrés; autre chose que le jansénisme des convulsionnaires ou le molinisme contesté; autre chose que les certitudes chrétiennes gallicanes de Bossuet déçu et de Louis XIV imposant à sa cour le fardeau de sa tardive conversion. Ils veulent changer de catéchisme, ils attendent les nouveaux prophètes.

Nouveaux, ou reprenant une inspiration qui déjà avait fait ses preuves ? Le courant souterrain de libre-pensée, dont Sainte-Beuve a exprimé par une image fameuse le passage à travers le xviiᵉ siècle orthodoxe, était plus ancien, plus profond, plus capable d'une nouvelle efficacité que Sainte-Beuve lui-même ne l'a su. « Si la philosophie du xviiiᵉ siècle a des antécédents, c'est dans l'Italie païenne de 1500 qu'il faut les chercher. » Cette formule à demi dubitative de Renan désigne une source bien authentique de la pensée « philosophique ». Le nom de Pomponazzi n'est guère prononcé au xviiiᵉ siècle; Voltaire lui-même semble l'avoir ignoré. Cependant les conclusions de Pomponazzi et de l'école de Padoue se laissent toutes découvrir dans les thèses des nouveaux philosophes.

Les averroïstes du xvᵉ siècle et du xviᵉ siècle avaient déclaré la raison impuissante à prouver l'immortalité de l'âme. Quelle est donc, selon la raison, disaient-ils, la fin de l'homme ? Un bonheur proportionné à sa nature : le travail quotidien de chacun stoïquement exécuté, les vertus pratiquées, assurant la bonne marche de l'Humanité. Mais, sans l'immortalité, que deviennent les vertus ? Elles s'épurent, répond le Padouan; elles deviennent désintéressées : « La récompense essentielle de la vertu est la vertu même, la vertu seule, qui donne le bonheur; le châtiment du vice est le vice »; et il insiste : « Aristote, interrogé sur ce que lui avait valu la philosophie, répondait : ce que l'espoir des récompenses vous fait accomplir, ce que vous fait éviter la crainte d'une punition, je l'accomplis par amour pour la vertu et par sentiment de sa noblesse, je le fuis par honte du vice ! » Après la « vénalité » des chrétiens, c'était la sottise des foules que dénonçait Pomponazzi, et l'instinct criminel de la canaille; il disait achevée l'ère des oracles; il déclarait inventées les fausses religions, par les chefs d'Etat, en vue du bien commun; il attribuait les miracles à la fourberie des prêtres; et, excluant de la prière toute demande, il la réduisait à un acte d'admiration. Ne reconnaît-on pas ici les négations agressives qui seront celles de Diderot et de Voltaire, et jusqu'à la morale de *Candide* : « Il faut cultiver notre jardin » ?

Cependant les Padouans affirment que leur œuvre de destruction et de critique n'a d'effet et n'en veut avoir que dans le domaine de la raison. Le chemin de la Foi et la route d'Aristote ne peuvent s'identifier, disent-ils : Pomponazzi philosophe ne croit pas à l'immortalité, mais Pomponazzi chrétien y croit. Dédoublement hypocrite, se sont exclamés certains historiens, conciliation trop adroite ! Est-ce bien sûr ? l'Eglise au xiiiᵉ siècle, puis au Concile de Latran, a condamné cette attitude comme une erreur, non comme un subterfuge. Le fidéisme qu'on peut relever dans Montaigne et le fidéisme de Pascal n'en sont-ils pas issus ? L'orthodoxie de Descartes, je veux dire son adhésion aux dogmes chré-

tiens, s'explique-t-elle autrement ? Seule la Révélation lui fait
admettre l'immortalité de l'âme, car il « confesse que par la seule
raison naturelle nous pouvons bien faire beaucoup de conjectures
à notre avantage et avoir de belles espérances, mais non point
aucune assurance ». Lorsqu'on retrouve la distinction des Padouans
sous la plume de Bayle, de Fontenelle, de Voltaire même, pourquoi n'y voir, comme on l'a fait, qu'une ruse de guerre ? L'école
averroïste a transmis à ses disciples lointains, mais authentiques,
avec ses sujets de discussion — d'inquiétude — et sa dialectique
rationaliste, sa méthode qui peut rendre les services d'une perfidie,
mais qui lui est pourtant assez essentielle pour mériter d'être jugée
sincère chez un grand nombre de ceux qui en ont usé.

Peut-être même serait-il juste de dire que cette méthode, deve-
nue habituelle, classique, chez les croyants et les incroyants du
XVIIe siècle, a donné aux nouveaux penseurs, dans le début du
XVIIIe siècle, à la fois hardiesse et indécision. Il y a dans la LXVIe des
Lettres Persanes une formule bien significative :

> On s'attache ici beaucoup aux Sciences; mais je ne sais si on est fort
> savant : *Celui qui doute de tout comme philosophe n'ose rien nier
> comme théologien.*

Montesquieu avait donc rencontré plusieurs de ces « hommes
contradictoires », comme il les appelle, qui portaient à l'impatience
son âme avide d'unité. De même, si les premières audaces de Voltaire sont plus espiègles qu'assurées, s'il y paraît toujours forcer
sa voix, ne serait-ce pas pour n'avoir pas encore réussi à établir
en lui-même cette unité entre la spéculation et la croyance, qu'au
reste il déclarait n'avoir pu s'établir en certaines grandes âmes
du siècle de Louis XIV ?

**
*

Les esprits forts du grand siècle finissant et les libertins du
Temple ne méritent pas le mépris où souvent on tient leur pensée.
Ils ont eux-mêmes parlé de leur débauche avec tant de complaisance ! Les historiens ou fureteurs n'ont eu que trop facile la tâche
de les fleurir d'anecdotes grasses. Leur badinage, épais ou léger,
a fait oublier leur inquiétude et leur doctrine. Cependant, l'une
au moins des *Lettres* de Fénelon *sur divers sujets de religion et de
métaphysique* est une réponse aux doutes de Philippe, duc d'Orléans,
le futur Régent. Quant à Chaulieu, son vers nonchalant, on l'a vu,

sait à l'occasion se crisper en duretés précises, en négations, en blasphèmes renouvelés de Lucrèce. Son panthéisme, ou la divinisation qu'il fait de la Nature, n'est-elle pas issue de Vanini, le satanique doctrinaire ? Sa « philosophie », où il persévère malgré les déceptions et la vieillesse, c'est la joie de vivre exaltée contre la morale religieuse. Une lettre que lui adresse en 1711 le chevalier de Bouillon permet de mesurer assez exactement la part de la débauche, du laisser-aller, et la part de la méditation, chez ces « paresseux », comme ils s'intitulaient trop volontiers.

Je fus voir hier, à quatre heures après midi, M. le marquis de La Fare, en son nom de guerre M. de la Cochonnière, croyant que c'était une heure propre à rendre une visite sérieuse; mais je fus bien étonné d'entendre, dès la cour, des ris immodérés, et toutes les marques d'une bacchanale complète. Je poussai jusqu'à son cabinet, et je le trouvai en chemise, sans bonnet, entre son *rémora* et une autre personne de quinze ans, son fils l'abbé versant des rasades à deux inconnues, des verres cassés, plusieurs cervelas sur la table, et lui assez chaud de vin. Je voulus, comme son serviteur, lui en faire quelque remontrance : je n'en tirai d'autre réponse que : ou buvez avec nous, ou allez vous promener. Il ne parla pas tout à fait si modestement. J'acceptai le premier parti, et en sortis à six heures du soir ivre-mort. Si vous l'aimez, vous reviendrez incessamment voir s'il n'y a pas moyen d'y mettre quelque ordre : entre vous et moi, je le crois totalement perdu. *Il me lut votre lettre en pleine table, que je trouvai remplie d'un badinage, d'une philosophie et d'une fermeté contre les malheurs, qui m'enchanta et qui m'engagea plus que jamais à être votre disciple,* et avec autant de fidélité que Damis en a eu pour Apollonius de Tyane. Vous trouverez mon ermitage prêt à vous recevoir; et là, parmi les pots et avec des minois gracieux, *nous tiendrons des propos sur toutes sortes de chapitres, et je vous remercierai encore de m'avoir mis en état de jouir des plaisirs sans remords, et d'essuyer les malheurs sans faiblesse.*

Ces mêmes intermèdes de réflexion grave, ce même besoin d'être rassuré par une philosophie, ne les trouve-t-on pas chez M. de la Cochonnière lui-même, lorsqu'il explique son passage de Vénus-Uranie à l'autre Vénus :

De Vénus-Uranie, en ma verte jeunesse,
    Avec respect j'encensai les autels,
Et je donnai l'exemple au reste des mortels
    De la plus parfaite tendresse.

Cette commune loi, qui veut que notre cœur
    De son bonheur même s'ennuie,
Me fit tomber dans la langueur
    Qu'apporte une insipide vie.

> Amour, viens, vole à mon secours,
> M'écriai-je, dans ma souffrance;
> Prends pitié de mes tristes jours !
> . . . .
> Il m'envoya l'autre Vénus.

Cela mérite-t-il après tout moins d'égards que telles strophes
A Olympio des *Voix intérieures* :

> Sans doute en mon avril, ne sachant rien à fond,
>   Jeune, crédule, austère,
> J'ai fait des songes d'or comme tous ceux qui font
>   Des songes sur la terre.
>
> J'ai vu la vie en fleur sur mon front s'élever
>   Pleine de douces choses.
> Mais quoi ! me crois-tu donc assez fou pour rêver
>   L'éternité des roses !
>
>   Qu'importe ! je m'abrite en un calme profond.

En 1705 — l'année où mourut Ninon de Lenclos — les libertins du Temple héritèrent d'un nouveau prestige : celui de leur
vieil ami Saint-Evremond, dont Silvestre et Des Maizeaux publiaient
à Londres les *Œuvres complètes*. Œuvres trop complètes sans doute,
l'édition préparée ayant été revue par Saint-Evremond en personne, mais à un âge où sa mémoire risquait trop d'avouer des
apocryphes. Il était mort en 1703, exilé restant volontairement en
exil, protestataire sans emphase contre le roi despote. Les généro-
sités de son testament avaient un arrière-goût de malveillance pour
l'Eglise : il léguait ses biens « en partie aux indigents, de quelque
religion qu'ils fussent, et en partie aux pauvres Français exilés
comme lui ».

La haine, le mépris de la contrainte, voilà ce qu'il enseignait,
d'une voix souvent harmonieuse, d'un accent généralement libre
et calme, mais que le sarcasme venait parfois roidir en épigrammes
insistantes. Sa sagesse, c'était un abandon réfléchi et modéré à la
fantaisie :

Je veux me laisser aller à ma fantaisie, pourvu que ma fantaisie n'aille
pas tout à fait à l'extravagance, car il faut éviter le dérèglement aussi
bien que la contrainte.

La morale de Sénèque ne lui inspirait qu'aversion : il y est
trop question de la mort, disait-il, elle me « laisse des idées trop

noires ». Le vrai moraliste, digne d'être écouté et imité, est
Pétrone : « supérieur à ses charges », il ramenait tout « à lui-
même ». Sa mort « est la plus belle de l'antiquité » : dans la
mort de Caton il y a « trop de chagrin », dans celle de Socrate
une indiscrète curiosité de l'au-delà; à l'infortuné Socrate « la
mort fut un objet considérable ». Seul Pétrone « a fait venir la
mollesse et la nonchalance dans la sienne ». Le secret du
bonheur, c'est de « vivre à l'aventure », de « sortir souvent comme
hors de soi », de chercher des plaisirs « que fournissent les choses
étrangères », et de « se dérober ainsi la connaissance de ses propres
maux ». Ainsi l'on pourra « mourir à l'aventure »... En amour, la
règle doit être l'inconstance; et Saint-Evremond donnait à Ninon
de Lenclos ce conseil superflu :

> Il faut brûler d'une flamme légère,
> Vive, brillante, et toujours passagère,
> Etre inconstante aussi longtemps qu'on peut,
> Car un temps vient, que ne l'est pas qui veut.

Ce n'était pas de la gaieté, cela; et l'on n'en apercevait guère
non plus dans telle lettre où Ninon, après quelques libres formules
sur son âme et son corps, s'avoue peu satisfaite par la carrière qu'elle
a parcourue :

> Qui m'aurait proposé une telle vie, je me serais pendue.

A quoi Saint-Evremond répondait, d'un vers chantant, mélancolique et presque narquois, à la manière de La Fontaine :

> L'esprit vous satisfait, ou du moins vous console,

et puis, reprenant son refrain d'indifférence à la mort :

> J'aime la vie, et n'en crains pas la fin.

A l'égard de la religion, il se présentait en juge assez hautain :
son action, déclarait-il, réussit à être gênante et insuffisante à la
fois :

> A considérer purement le repos de cette vie, il serait avantageux que
> la religion eût plus, ou moins, de pouvoir sur le genre humain. Elle
> contraint, et n'assujettit pas assez.

Mais à considérer la vérité ? Ici Saint-Evremond revient — lui
aussi — à la distinction de la raison et de la foi, pour bafouer l'esprit

La Tragédie
Tableau de VAN LOO

religieux. Dans sa fameuse *Conversation du maréchal d'Hocquin-court avec le P. Canaye*, le Révérend Père maudit « la peste de ces esprits forts qui veulent examiner toutes choses par la raison », et s'écrie :

> Point de raison ! c'est la vraie religion, cela ! Point de raison ! Que Dieu vous fait, Monseigneur, une belle grâce ! *Estote sicut infantes.* Soyez comme des enfants. Les enfants ont encore leur innocence; et pourquoi ? Parce qu'ils n'ont point de raison. *Beati pauperes spiritu !* Bienheureux les pauvres d'esprit : ils ne pèchent point.

Cette ironie de 1665 renouvelée des *Provinciales*, plus sèche à vrai dire et plus arbitraire dans l'interprétation des textes cités, survenait en 1705 comme une autorité de plus, pour discréditer les préceptes et les conseils ennemis de la « paresse ». Enfin, Des Mai-zeaux, dans la *Vie* qu'il joignait aux *Œuvres*, insistait, sans nommer les maîtres de Padoue, sur l'esprit padouan qui guidait Saint-Evre-mond en ces matières :

> Saint-Evremond soutient que jamais homme n'a été bien persuadé par la Raison ou que l'âme fût certainement immortelle, ou qu'elle s'anéan-tît effectivement avec le corps... Vouloir se persuader l'immortalité de l'âme par la raison, c'est entrer en défiance de la parole que Dieu nous en a donnée, et renoncer, en quelque façon, à la seule chose par qui nous pouvons en être assurés.
>
> (*Vie de S.É.*, nouvelle éd. de 1711.)

Bayle meurt en 1706. Aventurier de religion, abjurant à vingt-deux ans son calvinisme natal, abjurant le catholicisme l'année suivante, précepteur, professeur à Sedan, en 1680 il avait marqué, par la harangue et la contre-harangue qu'il avait composées à pro-pos de l'affaire de Luxembourg, quel cas il faisait de la raison raisonnante pour atteindre à la vérité et pour la démontrer. Impro-bité, a-t-on dit, ou manque de hauteur d'esprit ? Peut-être, peut-être seulement.

Et puis étaient venues les *Pensées diverses sur la comète* : il n'y a pas de présages, dit Bayle; et il dit aussi : l'athéisme vaut infi-niment mieux que l'idolâtrie pour la tranquillité des Etats; d'ailleurs, les hommes, les chrétiens en particulier, ne se conduisent nullement dans la pratique selon leurs principes.

Et puis viennent des factums ou pamphlets, où il raille à coups

de faits dénigrants toutes les sectes au profit des droits de la
conscience, de la « conscience errante ».

Enfin il publie son *Dictionnaire*, sa « chambre des assurances
de la république des lettres », comme il l'appelle, recueil incomplet et exubérant, abondant en anecdotes piquantes, plus encore
en articles de philosophie et de religion, au bout du compte ins-
taurant le culte du fait, devant lequel systèmes, éloquence, habiles
démonstrations doivent plier leur pompeux bagage. La raison, Bayle
ne l'estime que servante de l'expérience; à elle seule elle demeure,
selon lui, incapable de prouver l'existence de Dieu; elle peut nous
montrer cependant combien la morale du Dieu de la Bible est opposée à la nôtre. Est-il pyrrhonien foncièrement ? L'est-il, comme on
l'a prétendu, au moment même où il déclare que la « grâce de
Dieu » préserve du pyrrhonisme les vrais fidèles ? Ce seraient là,
croit-on, précautions et grimaces ? Inquiétude, bien plutôt, conscience en effet qui erre de la raison, à laquelle il ne croit guère,
à la foi, qui n'a plus sa confiance; révolte contre les lieux communs
de morale et de prédication, si naturelle à tout érudit jaloux de ses
certitudes spéciales. Bayle, dans le *Dictionnaire*, puis en 1704 dans la
Continuation des Pensées diverses, a été le doctrinaire de la méfiance,
d'une méfiance qui n'est pas purement l'esprit critique ni hyper-
critique, mais le geste malveillant d'une âme déçue, un réflexe
d'apostat. C'est vers cette trouble lumière que s'empressait la jeunesse universitaire de 1700, séduite par la parenté de sa propre
inquiétude. La même parenté d'amertume ne portait-elle pas Voltaire, dans ses jours d'impatience et de tristesse intellectuelles, à
reprendre, en les avivant, les interrogations sarcastiques de Bayle, et
ces énumérations de faits si redoutables à la Raison comme à la
Foi ?

*

Bayle appelait Spinoza un « athée de système ». C'est bien comme
un bréviaire d'athéisme que le XVIIIe siècle a lu et vulgarisé l'*Ethique*
et surtout le *Traité théologico-politique*, parus depuis quelque trente
années déjà. On n'y cherchait pas alors cette « ivresse de Dieu »
qu'y découvrira Novalis, ni ces traces de sympathie pour le christianisme qu'un Delbos y saura discerner. On y voyait éclater cette
confiance, ce parfait attachement à la Raison, qui en effet caractérisent Spinoza; ce panthéisme, identifiant Dieu et le monde, la
nature et Dieu; niant toute Création; cette négation de la liberté
humaine, cette impassibilité devant le vice et la vertu, cette estime
de la joie de vivre, ce mépris de la mortification, cet épicurisme qui

déclare absurde l'esprit de sacrifice : il faut « méditer non pas la mort, mais la vie », disait Spinoza. Il travaillait en outre à établir que la Bible n'est pas une révélation privilégiée, mais un simple livre de piété; qu'il n'y a rien de réel dans les prophéties, ni dans les miracles, ni dans les récits de l'Ecriture. La religion donc, selon lui, ne devrait être que pratique de la charité et de la justice.

C'est le spinozisme, surtout ce sont les négations du spinozisme, que diffusent, entre 1700 et 1730, certains livres déistes ou athées, qui restent manuscrits et qu'on multiplie en copies, pour tromper la surveillance. M. Lanson a signalé tout l'intérêt de cette propagande active et violente. Le principal apôtre en paraît avoir été le comte de Boulainvilliers. Il avait traduit l'*Ethique;* dès 1712 il avait achevé un *Essai de métaphysique dans les principes de Spinoza;* il composa vraisemblablement une *Vie de Spinoza* qui, jointe à un *Esprit de M. Benoît de Spinoza,* circulait en copies depuis 1706 sans doute; le titre du recueil était : *Traité des Trois Imposteurs,* c'est-à-dire des trois grands fondateurs de religion : Moïse, Jésus-Christ, Mahomet. A ce lourd blasphème répondaient bien les six chapitres, le second surtout : *Des raisons qui ont engagé les hommes à se figurer un Etre insensible, qu'on nomme communément Dieu. De l'ignorance des causes physiques, et de la crainte produite par des accidents naturels, mais extraordinaires ou terribles, est venue l'idée de l'existence de quelque puissance insensible; idée dont la politique et l'importance n'ont pas manqué de profiter. Examen de la nature de Dieu. Opinion des causes finales réputée comme contraire à la science physique.*

Spinoziste également, et matérialiste, le curé Meslier, dont le *Testament* circula longtemps en copies avant d'être publié, non sans atténuations, par Voltaire en 1762. « L'être est incréé; les vérités sont éternelles; les choses sont possibles ou impossibles en elles-mêmes, et non par une volonté extérieure; la substance est une; le mal est nécessaire comme tout est nécessaire. » M. Lanson, qui résume ainsi la partie métaphysique du *Testament,* estime « impossible que, directement ou indirectement, Meslier n'ait pas reçu de Spinoza son instruction philosophique ». La doctrine du curé athée est plus brutale dans les notes qu'il a calligraphiées aux marges des *Œuvres philosophiques* de Fénelon. Voici quelques-uns de ces commentaires tranchants :

> L'univers est de lui-même ce qu'il est... La nature se suffit à elle-même... Ce n'est pas la matière qui pense, mais c'est l'homme, composé de matière...

L'idée d'un Etre nécessaire est très véritable; mais l'idée d'un Etre infiniment parfait n'est qu'une vaine fiction de l'esprit humain.
Que sait-on si la masse infinie de l'univers ne pense pas?... Il n'y a véritablement qu'une seule espèce d'être qui est la matière ou l'étendue.
Si Dieu n'est pas véritablement rien de particulier, il faut qu'il soit tout ce qui est, ou qu'il ne soit rien du tout. S'il est tout ce qui est, tout est donc Dieu.
Il n'est rien autre chose que la matière ou la nature elle-même, qui est tout en tout...

Tels autres *Sentiments* manuscrits *des philosophes sur la nature de l'âme*, tel opuscule attribué à Fréret, la *Lettre de Thrasybule à Leucippe*, qui circula en copies très nombreuses, sont spinozistes eux aussi à quelque degré. C'est enfin sur Spinoza que s'appuient les tentatives secrètes ou velléités de réponse à Pascal, dont enfin Voltaire risquera au grand jour le scandale.

***

Locke, traduit par nos réfugiés, nous donne dès 1696 par son *Christianisme raisonnable*, dès 1700 par son *Essai sur l'Entendement humain*, des leçons de libéralisme et d'esprit positif. On voit alors en lui un maître de déisme, un socinien, qui « restitue la raison dans ses droits ». Il admet la Révélation et la Rédemption, sans doute; mais, commenté par Coste, son principal interprète, il porte à négliger la métaphysique, pour s'enfermer dans l'expérience et se passionner pour l'observation du concret. Coste, tout en faisant valoir la pensée de Locke, la combat au passage, lorsqu'elle lui semble trop conservatrice de l'esprit et du dogme chrétiens. Et puis Locke doutait de la réalité des miracles. Le miracle, disait-il, est

une opération sensible que le spectateur regarde comme divine parce qu'elle est au-dessus de sa portée et contraire même, à ce qu'il croit, aux lois établies de la nature.

Voilà qui n'était point fait pour déplaire aux disciples français de Spinoza. Enfin, sa critique des idées innées ferme à la raison humaine ce domaine où les Padouans avaient déclaré la raison humaine incompétente.

Locke, en matière politique et religieuse, dans son *Essai* de 1691 *sur le gouvernement civil*, s'était prononcé en faveur de la tolérance et d'une Eglise nationale soumise à l'Etat [1].

---

1. Sur la politique de Locke, voir le chapitre précédent.

***

Nous voici donc enfin venus à cette question de la Tolérance, qui passionne tout le xviiie siècle. Il n'est pas une idée dont les « philosophes » se soient faits avec plus de complaisance les apôtres que l'idée de la Tolérance. On la retrouve, inlassablement préconisée, dans les *Histoires* épigrammatiques de Voltaire et dans les sarcasmes de ses *Contes;* dans l'*Esprit des Lois,* les journalistes de Trévoux relèvent non sans humour qu'à cet attribut de la Vérité, l'intolérance, Montesquieu, si accommodant en général, réserve de très dures flèches. On la retrouvera, la Tolérance, dans les prêches académiques de d'Alembert, les invectives de Diderot, les *Eloges* de Thomas, dans la *Profession de foi du Vicaire savoyard,* dans les leçons de la *Nouvelle Héloïse,* et à leur suite dans tous les *Discours* et tous les poèmes qui mettront les oracles de l'*Encyclopédie* en périodes ou en vers. Partout alors la Tolérance s'oppose au *fanatisme,* au « fanatisme de religion ». On la présente aux incrédules comme une des formes de l'incroyance, et comme un de ses résultats sociaux les plus heureux; aux chrétiens, on la recommande comme l'attitude la plus naturelle et la plus actuelle de la Charité.

Elle pouvait être en effet charité opportune, ou révolte contre la pensée catholique. Deux expressions se rencontrent, chez les auteurs de traités politiques et chez les théologiens des quatre derniers siècles, où figure la notion de tolérance, et qu'il ne faut pas confondre l'une avec l'autre. Tantôt il s'agit de la « tolérance civile », et tantôt du « tolérantisme ». La première est une attitude politique, autorisée par l'Eglise en certains cas; le second est une hérésie. L'Etat pouvait « tolérer » en fait l'erreur religieuse, mais sans lui reconnaître les mêmes privilèges ni les mêmes libertés qu'à la propagande de la Vérité; et il mettait la force de ses lois humaines au service de la vraie religion; d'autre part, être « tolérantiste » ou « tolérant », c'était admettre comme équivalents aux yeux de Dieu les divers cultes et les diverses religions. L'Edit de Nantes était un acte de tolérance civile, les Arminiens hollandais étaient des tolérantistes.

Sur le principe de la collaboration de l'Eglise et de l'Etat, sur l'emploi de la force au service de la vraie religion, la doctrine traditionnelle de l'Eglise était alors et est aujourd'hui celle-ci : « Il ne saurait être question d'employer la force des lois humaines pour imposer la religion chrétienne à celui qui n'y croit pas encore, pour contraindre un juif, un musulman, un infidèle, à recevoir le baptême. Mais, dans un pays officiellement catholique, la force des lois

humaines peut être employée pour imposer à des chrétiens en rébel-
lion contre l'Eglise les pénalités temporelles fixées par l'Etat chrétien
et catholique [1]. »

Au XVI° siècle et au XVII°, les doctrines protestantes avaient-elles
vraiment, comme on l'a tant dit, préparé l'avènement de la « liberté
de conscience » ? La libre inspiration selon Luther n'était nullement incompatible avec la notion d'orthodoxie, d'une orthodoxie
d'Etat ou de principauté : le *cujus regio ejus religio* des Traités
de Westphalie ne sera-t-il pas une solution politique d'origine protestante ? Calvin avait anathématisé l'erreur et l'indifférence, et
ses inquisiteurs genevois avaient torturé les errants. Théodore de
Bèze, sans doute, patronnait Arminius à Bâle; mais à Genève il
maintenait la tradition du roide fondateur de la Ville-Eglise. Lorsque
Jurieu combat l'intolérance de Louis XIV, il ne nie pas le droit du
souverain à punir l'hérésie, il ne proclame pas le droit de chaque
âme à l'indifférence ou à l'erreur; la Réforme demeure à son sens
l'Eglise authentique, et c'est une orthodoxie, qu'il entend venger.

Ce n'est pas le Protestantisme de Luther et de Calvin qui a inau-
guré la liberté de conscience non plus que la liberté d'examen. C'est
l'humanisme, au XVI° siècle; et, dans la fin du XVII° siècle, ce sont
les variations effectives, proverbiales, des Eglises protestantes en
Hollande et en Angleterre. « S'il prenait fantaisie au diable d'établir une école en Hollande », disait-on couramment, « il y trouverait des disciples. » L'état religieux de l'Angleterre était le chaos.
A côté des calvinistes et des anglicans, on trouvait les unitaires et
les sociniens, qui niaient la divinité du Christ et sa préexistence :
les Arminiens, croyant par sentiment au libre-arbitre et au salut
universel; les latitudinaires, dont le christianisme philosophique sub-
stituait à la foi aux dogmes la recherche libre dans la Bible et
prétendait découvrir la vérité par les lumières de la raison. La
fondation Boyle, par ses « lectures » annuelles, s'efforçait de combattre l'athéisme. Enfin la philosophie baconienne, la foi dans l'avenir de la science, ralliait nombre de partisans, que la fondation de
la Société Royale avait encouragés dans leur ambition de codifier
les connaissances humaines. La riche aristocratie versait à l'indifférence, et les jeunes intellectuels marchaient, chacun selon son
étoile, à la découverte d'un Credo ou d'un élan. Telle était la
« liberté anglaise », comme on dira bientôt avec émerveillement
dans la France éblouie par le prestige de l'Angleterre victorieuse,

---

1. Y. de La Brière. *L'emploi de la force au service de la vraie religion,*
dans les *Etudes,* oct.-déc. 1911.

dans la France affaiblie, presque repentante de la Révocation de
l'Edit de Nantes, et doutant de la justesse d'une attitude politique
et religieuse qui s'est incarnée en son vieux roi. Et tandis que ses
réfugiés, en Angleterre et en Hollande, lui vantent dans leurs journaux ces pays qui leur ont fait accueil, elle reçoit des émigrés :
jacobites, orangistes, ministres congédiés comme Bolingbroke, ou
aventuriers de religion comme ce Ramsay, dont la carrière et la
propagande tolérantiste, trop symboliques, méritent, en dépit de sa
personnelle médiocrité, une place d'honneur ici.

Né en 1686 à Ayr, en Ecosse, d'un père calviniste et d'une mère
anglicane, Ramsay a étudié la philosophie à Edimbourg, la théologie à Glasgow; l'inquiétude religieuse le saisit, ou plus exactement
la curiosité théologique. La diversité des confessions anglaises l'a
jeté, nous dit-il, dans un « tolérantisme outré ». Il passe en Hollande; là il suit les cours de Boerhaave, le chimiste théologien, et
de Nieuwentyit, le médecin apologiste. Poiret, le mystique protestant, disciple d'Antoinette Bourignon l'illuminée, réfutateur de
Spinoza et de Locke, l'accueille dans son ermitage de Rheinsbourg.
Chez Poiret, la ferveur religieuse s'accompagne d'indifférence à
l'égard des dogmes et des Eglises. Ramsay quitte la Hollande pour
la France. Y vient-il connaître d'autres mystiques ? rejoindre le
prétendant Stuart par loyalisme, ou chargé d'une mission d'espionnage ? En 1709, le voici à Cambrai où Fénelon — désapprouvé par
Mme Guyon — le convertit au catholicisme. En 1714, il devient
à Blois secrétaire de Mme Guyon, et les disciples de la prophétesse,
qui appartiennent à des confessions diverses et qu'elle n'amène pas
à l'Eglise, le prennent pour confident de leurs états d'âme. Fénelon
meurt, puis Mme Guyon. Ramsay, « fier comme un Ecossais »,
accepte quelques titres, pensions et préceptorats : un instant même
le Prétendant l'appelle à Rome pour l'éducation de ses enfants. Il
se fait le biographe, l'éditeur, l'apologiste de Fénelon, non sans
accroître son propre prestige; il accède à ce « café d'honnêtes gens »
qu'est l'Entresol, et songe à entrer à l'Académie. En 1727 paraît son
roman de pédagogie politique et religieuse, les *Voyages de Cyrus*.
Puis c'est vers la Franc-maçonnerie qu'il s'oriente : d'Angleterre,
où il est accueilli cordialement en 1728, il rapporte les rites maçonniques; grand orateur et chancelier de l'Ordre en France, il prononce aux réceptions un discours où quelques réminiscences de Fénelon s'épanouissent encore, gauchement ou habilement déformées.

C'était la « tolérance civile » qu'il avait fait d'abord prêcher
par son héros. Dans l'*Essai de politique... selon les principes de
l'auteur de Télémaque* (1719), Ramsay, venant à traiter des limites

du pouvoir royal en matière religieuse, exclut des pouvoirs du souverain tout « droit sur la liberté de l'esprit ou de la volonté des citoyens ». Il n'a de puissance, dit-il, que sur les « actions extérieures ». Les prêtres doivent enseigner la religion « par la voie de persuasion »; le roi « doit laisser les sujets dans une parfaite liberté d'examiner, chacun pour soi, l'autorité et les motifs de crédibilité de cette Révélation ». Et Ramsay ajoute immédiatement : « La Religion vient de Dieu, comme dit un auteur célèbre, elle est au-dessus des Rois : si les Rois se mêlent de la Religion, au lieu de la protéger, ils la mettent en servitude. » La citation de Fénelon est exacte : mais elle est détachée d'un passage où Mentor vient de conseiller à Idoménée l'abstention en matière religieuse, sauf pour « appuyer la décision quand elle sera prise par les Etruriens », c'est-à-dire par l'Eglise. Ramsay aurait été mieux inspiré en citant le *Discours pour le sacre de l'Electeur de Cologne*, où Fénelon, après avoir également revendiqué contre l'absolutisme des souverains l'indépendance de l'Eglise, se prononce contre l'emploi de la contrainte, de la « crainte servile », dans les conversions à une « religion d'amour ».

C'est dans ce *Discours* que puise Ramsay en 1723, lorsque, dans son *Histoire de Fénelon,* il rapporte ou prétend rapporter les conseils de tolérance que Fénelon aurait donnés au chevalier de Saint-Georges. Conseils fameux à travers tout le xviiie siècle, et qui peut-être ont alors plus assuré le prestige de l'archevêque que *Télémaque* même. Les paroles adressées par Fénelon à l'Electeur avaient été vives, catégoriques : « L'amour n'entre point dans le cœur par contrainte... la force peut-elle persuader les hommes ?... Nulle puissance humaine ne peut forcer le retranchement impénétrable de la liberté d'un cœur... Supportez ce que Dieu supporte... » Cependant Fénelon parlait d'un droit de « correction »; et, tout en conseillant à l'Electeur de n'employer la « correction » « qu'à l'extrémité », il n'excluait aucunement ce moyen peu tolérant. De la correction, il n'est pas trace dans la bouche tout amène du Fénelon de Ramsay.

Notre apologiste de la tolérance fénelonienne ne s'en tint pas là. Le Pur Amour, affirmait-il dans cette même *Histoire,* le christianisme de Fénelon « n'ajoute rien au pur déisme que le sacrifice de l'esprit », perfectionné par la « catholicité ». Et il présentait Fénelon affirmant en ces termes sa confiance au salut des infidèles : « Chacun sera jugé selon la loi qu'il a connue, et non selon celle qu'il a ignorée. Nul ne sera condamné que parce qu'il n'a point profité de ce qu'il a su pour mériter d'en connaître davantage... » Et il appuyait ces paroles de l'autorité de « saint Augustin ».

C'était en effet le sens d'un passage de saint Augustin, cité par Fénelon, dans l'*Instruction pastorale en dialogues*, contre l'idée janséniste de la prédestination. Mais surtout c'était une réminiscence de saint Paul. Et saint Paul et saint Augustin, dans leur contexte que Ramsay ne citait pas, maintenaient soigneusement le privilège unique d'efficacité de la loi chrétienne pour le salut des hommes. Dans les *Voyages de Cyrus* le tolérantisme de Ramsay s'épanouit et s'affirme plus librement. Une base historique et doctrinale lui est venue; et voici la grande idée de notre penseur et érudit improvisé : au fond de toutes les religions païennes se trouvaient les dogmes essentiels du christianisme; ces dogmes importaient seuls aux yeux des sages, qui perçaient aisément au-delà des allégories, des mythologies utiles à la foule et exploitées par l'ignorance ou la fourberie des prêtres. Cette théorie sera longuement développée dans le *Discours sur la mythologie des Anciens*, qui fait suite aux *Voyages;* elle est l'âme du roman, où Cyrus constate avec joie, à chacune de ses consultations philosophiques et religieuses, que « les grands hommes de tous les temps et de tous les pays pensaient de même sur la Divinité, et sur la Morale ».

De ce beau principe Ramsay n'était pas l'inventeur; du reste, il cite ses auteurs dans les notes. Sans critique, mais non sans intention, il avait amalgamé la tradition de l'Eglise sur le salut possible aux infidèles avec le quiétisme gnostique de l'Alexandrin Hermès Trismégiste et le symbolisme égyptien d'Horapollon; il s'était souvenu d'Herbert de Cherbury qui, au XVIIᵉ siècle, prétendait retrouver chez les païens un déisme moral en cinq articles tout voisin du Christianisme; de Cudworth, dont le *True Intellectual System of the Universe* (1678) combattait l'athéisme en montrant l'unité de Dieu reconnue par les Anciens, par Zoroastre et les Mages, par Orphée et les Egyptiens; de Huet, dont la *Démonstration évangélique* s'efforçait de prouver que « presque toute la théologie des Gentils dérivait de Moïse ». Ramsay avait consulté ces livres, anglais ou français, qui depuis 1700 attiraient l'attention des curieux sur les religions orientales, et plus spécialement sur la religion persane : l'*Histoire de la Religion des Anciens Persans*, de Thos Hyde (1700), qui découvrait dans les croyances persanes primitives des ressemblances nombreuses et importantes avec le judaïsme et le christianisme; les *Preuves de la Raison Humaine montrées dans la vie de Hai Ebn Yokdhan*, traduites de l'arabe en anglais par S. Ockley (1708); les *Voyages* de Chardin (1711), qui vantaient l'humanité et la tolérance des Persans; l'*Histoire des Juifs et des peuples voisins*, de Prideaux, qui parlait de Zoroastre comme d'un « grand imposteur » d'origine juive, très versé dans la religion juive, et réformant selon la Bible la religion des Mages. En 1724, Levesque de Burigny publiait son *Histoire de la Philosophie païenne* : ce n'était guère qu'une compilation; mais il en ressortait que l'existence de Dieu et ses attributs reconnus par le Christianisme n'avaient pas été ignorés des païens, non plus que l'immortalité de l'âme, la Providence, l'idée de la grâce, la nécessité de la prière, les devoirs envers soi-même et envers autrui, etc. Plus près de l'apparition des *Voyages de Cyrus*, Fréret, combattant en 1725 la *Chronologie* de Newton, était amené à étudier l'origine et la nature du polythéisme chez les Anciens : à l'explication évhémériste donnée par Newton, il opposait une interprétation toute religieuse; il retrouvait la Trinité chrétienne chez les Egyptiens : leur culte extérieur était extravagant, mais ils avaient un « culte spirituel », fondé sur « une philosophie véritablement religieuse ».

Ce tolérantisme ainsi documenté, Ramsay ne se borna pas à le proposer dans les *Voyages*. Il le reprit dans son *Discours sur le Poème épique* refondu pour l'édition de *Télémaque* de 1734, l'associant mieux de la sorte au nom de Fénelon.

Ainsi Ramsay avait attaché au prestige de Fénelon l'idée de tolérance en ses divers aspects : tolérance civile, par le récit des conseils au prétendant anglais; tolérantisme déiste, en montrant une « philosophie sublime », une adoration de « l'Ordre », dans la religion fénelonienne; tolérantisme mystique, lorsqu'il prétendait retrouver chez les païens le Pur Amour selon Mme Guyon; tolérantisme érudit, en recherchant dans les religions de l'Egypte ou de la Perse le détail précis des dogmes essentiels à l'*Ancien* et au *Nouveau Testament*. Si le prestige de Fénelon y a acquis, presque jusqu'à nos jours, un éclat équivoque, Ramsay, lui, y a gagné un prestige démesuré et trop durable. En vain raillait-on son visage gourmé, ses barbarismes, sa prétentieuse incompétence : il n'est capable, disait-on, que d'écrire des « Essais universels » : vingt-deux éditions paraissaient au xviiie siècle de ses indigestes *Voyages*, et cinq au xixe : cette disproportion entre l'œuvre et le succès ne rend-elle pas manifeste l'aveugle amour qu'ont éprouvé les Français pour l'idée essentielle du livre — la seule idée permanente du médiocre qui l'avait compilé : la Tolérance ?

Habileté ou sincérité, Ramsay, dans sa propagande, s'était abstenu de toute malveillance à l'adresse de l'Eglise. Il semblait être ou il était tout occupé à sa tâche de conciliateur érudit, de fénelonien, çà et là de prophète. Mais l'idée de tolérance avait un autre visage, chez ce Locke dont Ramsay avait un moment contredit le *Gouvernement civil*; la popularité et l'autorité croissantes en France du penseur politique anglais répandaient chez nous son *Epistola de Tolerantia* de 1689, où éclate, si catégorique, la haine du clergé catholique, et de tout clergé.

Locke avait pu, dans un *Mémoire* de jeunesse, complimenter Numa d'avoir évité à Rome les factions religieuses en reconnaissant que la vraie religion se réduit à la morale; il avait pu s'instruire auprès de Shaftesbury des avantages économiques que la tolérance des sectes diverses procurerait à l'Angleterre. Mais dans l'*Epître* latine il s'agissait de bien autre chose. Cette fois Locke affirme que le souverain temporel n'a rien à voir en matière spirituelle; et il affirme que l'Eglise est

une société volontaire d'hommes qui se réunissent de leur propre gré, afin d'adorer publiquement Dieu, de la façon qu'ils pensent lui être agréable et capable de sauver leurs âmes.

Les prêtres sont chose inutile : n'est-il pas dit dans saint Mathieu que « quand deux ou trois seront assemblés au nom du Christ, le Christ, selon sa promesse, sera avec eux » ? Liberté des cultes donc, et liberté de conscience.

Mais de cette tolérance est exclue toute Eglise dont les doctrines peuvent être nuisibles à l'Etat. « La souveraineté est de droit divin », « les rois excommuniés perdent leur couronne et leur royaume »; de telles maximes mettent d'elles-mêmes hors la loi ceux qui les professent. Or ces maximes, affirme Locke, c'est au Clergé qu'on les doit :

Les chefs et les conducteurs de l'Eglise, poussés par l'avarice et le désir insatiable de dominer, se servant de l'ambition immodérée des magistrats et de la crédulité superstitieuse de la changeante multitude, ont mélangé et confondu deux choses très différentes en elles-mêmes, l'Eglise et l'Etat... Qui ne voit que ces excellents hommes sont plus ministres d'Etat que ministres de l'Evangile, et qu'en flattant l'ambition des princes et en favorisant leur esprit de domination, ils s'efforcent de consolider dans l'Etat cette tyrannie qu'autrement ils ne pourraient établir dans l'Eglise ? Tel est le malheureux accord que nous voyons entre l'Etat et l'Eglise.

Que ces coups fussent destinés à la Haute Eglise anglicane, même au césaro-papisme anglais, le puritanisme initial de Locke nous en répond; mais cet esprit puritain aussi nous avertit que c'est à tout clergé que Locke entend s'attaquer. Et puis, désireux de fonder en raison sa méfiance, sa terreur si l'on veut, des entreprises catholiques sur l'Angleterre et sur la Réforme, il dénonce comme un danger pour tout Etat le Sacerdoce. A la sécurité de toute société humaine la tolérance civile est nécessaire. Or de toute tolérance le Prêtre est l'ennemi. Telle est sa majeure, telle sa mineure; la conclusion, au cours du xviii° siècle, pénétrera peu à peu l'esprit français.

Un autre livre de Tolérance méchante que vénéra tout le xviii° siècle, et qui fut réédité en 1807 et en 1816, ce furent les *Cérémonies et Coutumes de tous les peuples du monde* — les *Cérémonies,* comme on les nommait couramment. De 1723 à 1737 parurent ses onze épais volumes in-folio, l'ouvrage entier se vendant 1200 ou 1500 francs. Le texte était de Jean-François Bernard, et l'illustration avait été composée ou dirigée par le consciencieux Bernard Picart. Il avait lui-même gravé la vignette de titre, qui représentait, à la suite l'un de l'autre, sur le même plan, un juif debout en prière, un moine à genoux avec un chapelet, un musulman à genoux avec un chapelet, un idolâtre à genoux. Après quoi la *Préface* se déroulait, ou le *Discours préliminaire,* exposant sans détours la philosophie de l'entreprise :

> On est obligé d'avouer qu'excepté les caractères de révélation que l'on reconnaît en quelques religions, elles « conviennent toutes en plusieurs choses, ont mêmes principes et fondements » dans l'esprit d'une bonne partie des hommes, « s'accordent » généralement « en la thèse, tiennent même progrès et marchent du même pied »[1].

Excepté, quelques religions, voilà de quoi, n'est-ce pas, rabattre la fierté chrétienne ! D'où vient cette identité des religions ? De l'esprit d'imitation naturel aux hommes ? Oui, « un peuple est le singe de l'autre ». Mais surtout l'origine des religions est identique, et elle n'est « pas fort difficile à trouver » : ce sont les cérémonies qui ont rendu religieux la plupart des hommes :

> La plus grande partie des hommes ignoreraient qu'il y a un Dieu, si le culte qu'on doit lui rendre n'était accompagné de quelques marques extérieures...
> On a cru que pour obtenir le secours de Dieu et le pardon de ses péchés, il fallait, si je l'ose dire, l'importuner par une infinité d'exclamations réitérées, l'éblouir par des cérémonies fastueuses ou extraordinaires, et par des usages gênants et insupportables; mais peu de gens ont été capables de s'élever jusqu'à la Divinité et de franchir les barrières que leur opposaient tant de pratiques.

---

1. « On se sert ici des propres termes dans lesquels Charron s'exprime en son livre 2 *de la Sagesse.* »

Et voici, à grands traits, l'histoire ou le tableau de toutes les religions, car toutes, dit l'auteur, se ressemblent par les mêmes tares. Une égalité des religions par le bas, l'égalité dans les titres au mépris du sage, telle est la raison fondamentale de l'indifférence, du tolérantisme agressif que prêche le livre des *Cérémonies* :

Les premiers hommes invoquèrent Dieu en pleine campagne, ou chacun dans ses foyers, au milieu de sa famille, sans bruit, sans mystère, et sans aucune de ces inventions humaines qui dans la suite ont produit l'irréligion des uns et la bigoterie des autres. Cela était trop simple; on alla bientôt le servir dans les bois, on y bâtit des chapelles. Le silence y inspirait la dévotion. On lui consacra les plus hauts arbres des forêts. On passa aux collines. La dévotion demande le silence et le recueillement, que les forêts et les champs inspirent.

La dévotion s'étant ainsi retirée en des lieux déserts et affreux, il n'est nullement étonnant que des hommes plus dévots que les autres aient abandonné le soin de leur vie, cessé de travailler de leurs mains, et soient devenus fainéants, et même sauvages en l'honneur des dieux. Mais cela ne suffisait pas : on donna un tour mystérieux à ce culte solitaire, et l'on y joignit des pénitences.

Les chrétiens mêmes se sont accommodés à cette dévotion solitaire et difficile : [ils ont] de pieux reclus, qui ne cèdent point en austérité aux Bramines des Indes, et qui pratiquent volontairement tout ce que le corps peut souffrir de plus bizarre, de plus pénible, et de plus cruel, faisant peut-être gloire d'expier dans la compagnie des bêtes sauvages les désordres qu'ils n'avaient pu éviter dans la compagnie des hommes.

Des antiques sacrifices humains il reste cette forme bénigne : les processions catholiques; la débauche se glissait dans les temples païens : dans les églises « il se fait trop souvent encore des déclarations d'amour ». Enfin le clergé s'est multiplié, partout et toujours :

C'est là l'origine de tant de gens inutiles, qui prétendent servir les autels qui les font vivre. La religion véritable devint peu à peu moins spirituelle, mais plus étendue en cérémonies; la fausse devint plus mystérieuse et plus opiniâtre. Les prêtres trouvèrent le secret d'empêcher les hommes d'agir sans en avoir auparavant été consultés. Ils firent mouvoir tous les ressorts des passions, ils conduisirent les intrigues, et s'emparèrent même des cours des princes. Ils damnèrent enfin pour l'amour de Dieu. Telle a toujours été l'autorité des ecclésiastiques dans toutes les religions.

Plus les gens sont ignorants, plus ils sont craintifs, et plus aussi ils sont en état d'être dirigés.

Et les railleries pleuvent sur le culte des reliques, les tableaux votifs, le rosaire, pratiqués de tout temps, consacrés dans toutes les religions, et regardés enfin comme l'unique refuge de ces dévots qui ne se sentent ni le courage, ni la vertu nécessaire pour être simples dans le culte de l'Etre Suprême.

Après cela, qu'importent, à propos des cérémonies catholiques, ces protestations de « respect pour des choses *devenues* saintes » ? Ce respect n'était qu'occasion à insolences et à déclarations de tolérantisme :

Il faut avoir pour elles tous les égards que l'on a pour des parents fort âgés. On supporte leurs infirmités à cause du poids des années qui les accable. Toute la différence que l'on trouve ici, c'est que la vieillesse de nos cérémonies est extrêmement vigoureuse. Elle durera plusieurs siècles : elles ont hérité de leurs parents une forte constitution, et, peu contentes de cette force de tempérament, elles leur ont enlevé dans leur premier âge toute la substance qui les nourrissait.

C'est en 1723 que ces duretés étaient assenées. Lorsque les *Lettres anglaises* paraîtront, onze ans plus tard, leurs ironies à l'adresse de la religion romaine ne feront-elles pas figure de timidités ?

*
**

Enfin, il faut faire ici une place à ce penseur haineux, dont les violences antichrétiennes rebutaient même quelques athées. C'est Toland, irlandais né catholique, apostat en Ecosse, orangiste actif, durement hostile aux Stuarts et à la France. La thèse de son *Adeisideimon* (1709) est la proposition de Bayle selon laquelle les athées seraient moins dangereux à l'Etat que les superstitieux. Ses *Letters to Serena* (1704) ne seront traduites en français que pendant la grande bataille, en 1768, par d'Holbach, qui note d'ailleurs la rareté des exemplaires anglais restés chez les libraires. Là Toland étudie d'abord l'*Origine et la force des préjugés* : et tout de suite éclate son animosité contre les prêtres :

Le Prêtre s'empare promptement de l'enfant pour le mettre dans l'esclavage...
Il y a des hommes payés par la Société et séparés des autres dans presque toutes les nations, non pour détromper ou éclairer leurs concitoyens, mais pour entretenir les peuples dans leurs erreurs.

L'Immortalité de l'âme, dit-il dans sa seconde *Lettre,* a été « inventée chez les païens », et à une époque assez tardive. Au début (*Lettre III*), la religion était très simple; mais

ceux qui les premiers formèrent des projets funestes contre la liberté
des hommes ont été les premiers qui s'efforcèrent de dépraver leur
raison...

Les pratiques bizarres, ridicules, cruelles ou incommodes, dans l'origine furent symboliques. Mais par la suite les prêtres firent usage de
toutes ces choses pour faire croire au vulgaire qu'ils avaient une correspondance intime avec le ciel, et pour se faire payer, d'une façon
proportionnée aux services importants qu'ils rendaient à la Société.
[Les cérémonies] empêchent le peuple de réfléchir sur le fond des
choses.

De plus, il y eut souvent un parti formé entre le Prince et le Prêtre,
par lequel le premier s'engageait à maintenir le second dans tous ses
avantages pourvu qu'en revanche celui-ci soumît le peuple à son pouvoir absolu. A l'aide de cet accord le souverain put faire tout ce qu'il
voulut.

« Je souhaiterais », écrira le curé Meslier dans son *Testament*,
« que tous les tyrans fussent pendus avec des boyaux de prêtres. »
Diderot saluera d'avance le jour où l'on verra

> des boyaux du dernier prêtre
> Serrer le cou du dernier roi.

L'atroce association aura toute sa fortune sous la Terreur. Mais
lorsque la Restauration proclamera l'alliance nécessaire de l'autel
et du trône, dans les colères acharnées de nos anticléricaux c'est
encore le double ressentiment de Toland qui passera.

※※

Voici maintenant, dans la France de ce demi-siècle, quelques
manifestations littéraires de cette philosophie qui, mollement ou
avec brutalité, se détourne du Christianisme. Livres de second ordre,
hâtifs dans la pensée ou dans le style, ou dont l'auteur a manqué
de génie [1]. Mais les médiocres ont leur importance dans l'histoire
littéraire : témoins inhabiles, mais souvent plus spontanés que les
autres des tendances nouvelles, ils habituent le public aux nouveautés, ils le préparent à accepter des formules durables, classiques;
en leur dégrossissant la matière, ils enhardissent les meilleurs écrivains.

Les *Dialogues entre MM. Patru et d'Ablancourt sur les plaisirs*,

---

1. Les œuvres des penseurs autrement personnels, des grands écrivains
qu'ont été Voltaire et Montesquieu, figureront en des chapitres spé-
ciaux, sauvegardant leur unité. Je rappelle que l'histoire de l'*Encyclopédie* se trouvera au tome VII.

que Baudot de Jully publia anonymes en 1701, sont la première protestation mondaine contre l'esprit janséniste en morale. Jusque-là l'opinion commune des honnêtes gens gardait sinon en faveur de l'austérité, du moins contre le relâchement, les préventions en traits de feu des *Provinciales*. Avait-on au jansénisme, parmi ces orgueil-leux, ces ambitieux marchant au repentir, quelque sympathique reconnaissance d'une morale fondée sur la délectation et sur un certain amour de soi-même ? Peut-être : Fénelon a cru devoir et pouvoir dénoncer à grand fracas un épicurisme foncier dans la doctrine janséniste. Cependant, toute fondée qu'elle pût être sur l'intérêt, l'austérité janséniste n'en était pas moins l'austérité, l'exi-gence, la mortification, l'effort à dépouiller le vieil homme, la crainte des jugements de Dieu, l'horreur tremblante de nos péchés et de nos faiblesses. Dans les *Dialogues*, Patru est le prophète de cette répression inexorable. En termes que Baudot avait choisis bien ton-nants et emphatiques, il s'écriait :

Pour le dire hardiment, c'est un crime pour un chrétien que de vouloir être ce qui s'appelle heureux sur la terre !

A quoi, doux et posé, d'Ablancourt réplique :

J'ai regret, sans mentir, que mille honnêtes gens de mes amis, qui ont beaucoup de vertu et qui pourtant jouissent sans façon des douceurs qui s'offrent quelquefois à eux dans le cours de la vie, soient en péril d'être damnés pour cela.

L'homme n'est pas assurément né pour le plaisir; mais le plaisir est un légitime adoucissement à nos peines; l'homme ne peut sans cesse se tendre en héros :

L'homme est grand, noble, excellent, mais il est faible aussi.

Et, jouant sur le mot de nature humaine, ou négligeant la notion de nature déchue, ou faisant un argument *ad hominem* de la notion augustinienne de délectation, il insistait :

Vous savez qu'il est permis de vivre conformément à la Nature, qui n'est autre chose que Dieu même... Or il n'y a pas de sentiment plus naturel à l'homme que celui du plaisir... On n'a qu'à se consulter soi-même : que chacun se sonde, et il trouvera en soi je ne sais quel penchant et un fonds inépuisable d'amour pour tout ce qui plaît...

Dans la Création, tout est agréable : terre, arbres, fleurs, mer, cieux :

Les Comédiens Français
Tableau de WATTEAU

En bonne foi, croirons-nous que Dieu ait créé tout cela pour nous perdre ? Nous a-t-il tendu des pièges dans cette prodigieuse quantité de choses délicieuses qu'il nous offre partout ? N'ayons pas un sentiment si bas et si injuste de la Divinité !

Du reste, le vrai plaisir, la « volupté » n'est pas la débauche : c'est une

satisfaction du cœur et de l'esprit, causée par la vue et par la jouissance réglée de ce que la nature produit d'agréable, et des autres biens que Dieu nous donne.

L'homme parfait est voluptueux... Pourvu que la raison conserve son empire, tout est permis.

Les rigoristes affirmaient comme une vérité chrétienne que jamais durant sa vie terrestre le Christ n'avait souri : Baudot affirme que saint François de Sales « riait comme un autre homme dans les occasions ». Et il finit sur cette menace :

Lorsque les hommes voient qu'on leur défend tout, qu'on leur fait un crime de tout, comme ils se sentent bien, et qu'ils ne peuvent vivre sans l'usage de quelques douceurs, ils se jettent dans toutes sortes de plaisirs, sans se soucier du plus ou moins de l'offense.

Telle est cette première protestation mondaine contre les excès ou les étroitesses du jansénisme, protestation mêlée, où un sens chrétien équilibré voisine avec Epicure.

Voici, en 1710, le premier pamphlet déiste : les *Voyages et aventures de Jacques Massé*, publiés anonymes à Bordeaux et à Cologne, c'est-à-dire en Hollande. L'auteur est Simon Tyssot de Patot, Genevois, professeur de mathématiques à Deventer en Over-Yssel, esprit actif, appliqué, sans grâce, avide de précision et de rigueur géométrique, et qui s'est défini lui-même en deux traits : « Tout ce qui ne se démontre pas m'est suspect » et : « Je suis partisan de la vie ». Les *Voyages*, bien entendu, sont imaginaires, prétexte à « conversations curieuses ou très curieuses », comme l'annonce l'adroite *Table*, et « conversations un peu fortes sur des matières de religion », comme a soin de l'indiquer la *Lettre à l'éditeur*. Les réflexions de Jacques Massé et les suggestifs propos de ses interlocuteurs ont pour théâtre Lisbonne, où le héros, d'abord libertin, se convertit non sans peine; puis le « beau pays » du Déisme où un naufrage l'a jeté; enfin Goa, terre d'Inquisition. Sa conversion n'avait point été hâtée par la première lecture qu'il avait faite de la Bible : quel « roman mal concerté » ! Les Prophéties, quel « galimatias ridicule » ! L'*Evangile*, quelle « fraude pieuse, inventée pour bercer les femmelettes et les esprits du commun » ! Mais enfin il a été ressaisi par la religion de son enfance : tant sont vivaces « les sentiments que nous avons pris en naissant » ! Il va être vraiment un bon représentant et un bel apologiste du Christianisme, auprès des personnages éclairés du « beau pays ».

Aussi son rôle est-il borné à proposer les dogmes chrétiens à leurs critiques. L'Incarnation est une idée « insupportable », déclare un Juge : il faut être « bien vain et présomptueux » pour admettre « que l'Esprit universel s'abaisse jusqu'au particulier, et se familiarise avec un ver de terre ». La Création, déclare un prêtre, est « une pure allégorie »; les miracles, imaginations. Jésus-Christ est un « grand homme », le « fils de Dieu par excellence »; l'Enfer est absurde : « l'Esprit universel ne peut en aucune manière du monde être offensé par personne »; lorsqu'on transgresse les lois établies pour le bien de la société humaine, on offense la société, mais non pas Dieu. La notion d'âme est inintelligible; d'ailleurs, nous donnons trop volontiers le titre de ressort caché, de mystère vénérable, aux causes que nous ne pouvons définir. « Pauvretés donc, puérilités et impertinences » que toutes ces prétendues vérités ! Et puis, il y aurait beaucoup à dire sur les impostures des prêtres et des rois. Impostures parfois utiles sans doute, puisqu'il est bon, selon Polybe, que « le peuple, déréglé et méchant, soit réprimé par les terreurs paniques de l'autre vie ».

Où donc est la vérité religieuse ? En aucune Eglise; mais en toutes, si l'on a au fond de l'âme le déisme. Deux nobles interlocuteurs de Jacques Massé, un bon vieillard et un prisonnier stoïque de l'Inquisition, professent là-dessus le même *Credo* :

De quelle religion ? — Je suis, me dit [le prisonnier], universaliste, ou de la religion des honnêtes gens; j'aime Dieu de tout mon cœur, je le crains, je l'adore et je tâche de faire aux hommes, sans exception, ce que je souhaite que l'on me fasse à moi-même.

Je crois, [dit le vieillard], une substance incréée, un esprit universel souverainement sage, et parfaitement bon et juste, un Etre indépendant et immuable, qui a fait le Ciel et la Terre, qui les gouverne; mais d'une manière si cachée et si peu proportionnée à mon néant que je n'en ai qu'une idée très imparfaite. Cependant, voyant la nécessité de son existence et la dépendance où nous sommes à son égard, [je lui rends des] hommages et adorations, ne parle de lui qu'avec respect, et n'y pense même qu'en tremblant, ce qui fait la principale partie de notre culte. L'autre [consiste en remerciements à ce Dieu] sans aucune prétention pour l'avenir, et bien moins après la mort, puisque alors n'existant plus, nous n'aurons absolument besoin de rien.

Ces articles de la foi nouvelle passeront, chez Voltaire, en inquiétudes agressives; réfractés par Voltaire et ses médiocres confrères
en déisme, ils iront dans la *Chute d'un ange* animer le credo et
les oracles du vieillard, où l'Incarnation est niée avec tant de hauteur, où Dieu est adoré si profondément, mais de si loin.

L'aversion ou les rancunes protestantes contre le « papisme »
mettent, elles aussi, leur note dans ce concert de dénigrements de
la Foi catholique.

Des Maizeaux, le publiciste, semble d'abord assez judicieux et
impartial. Sa meilleure espérance n'en est pas moins, de son propre
aveu, « l'extirpation entière du plus grand ennemi de la Religion
Chrétienne, l'esprit du Papisme ». Pour lui, libre examen équivaut
à libre inspiration. Il félicite Bayle dont au reste il défend la mémoire contre ceux qui le croient athée ou destructeur de dogmes,
pour avoir

regardé l'examen en fait de religion comme un devoir indispensable;
comme le seul moyen de s'assurer de la vérité, et par conséquent le
seul de connaître la volonté de Dieu et de se mettre en état de la
suivre.

Mais le manifeste le plus décidé du protestantisme rationaliste
— très rationaliste, très huguenot — est alors le *Traité de la morale
des Pères de l'Eglise*, que Jean Barbeyrac, un réfugié lui aussi, devenu
professeur de droit à Groningue, a composé en 1728 contre *l'Apologie de la morale des Pères* du P. Ceillier, bénédictin (1718).

L'Ecriture Sainte, dit Barbeyrac, est souvent obscure; mais la
tradition, dont les Pères sont les dépositaires, a-t-elle plus de clarté ?
En matière de célibat, par exemple, pourquoi nous fierions-nous à
leurs « règles impraticables » ? En réalité, le Christ n'est pas venu
établir des devoirs nouveaux :

La plupart des devoirs dont l'Evangile exige l'observation sont au
fond les mêmes que ceux qui peuvent être connus de chacun par les
seules lumières de la Raison. La Religion chrétienne ne fait que suppléer au peu d'attention des hommes, et fournir des motifs beaucoup
plus puissants à la pratique de ces devoirs, que la Raison abandonnée
à elle-même n'est capable d'en découvrir.

Cependant Dieu n'a pas entendu substituer sa grâce à l'effort de
l'homme :

C'est à chacun à chercher le vrai fondement des préceptes généraux :
à les développer, autant qu'il lui est possible; à en tirer, par de justes

conséquences, des règles particulières, applicables aux divers états de
la vie, et à une infinité de cas qui se présentent tous les jours.

Les « ministres publics de la religion » doivent simplement étudier
et enseigner la morale. Les Pères ne l'ont pas fait : ils se sont
« attachés aux dogmes de pure spéculation »; ils ont eu tort.
On objectera l'autorité de Calvin et de Théodore de Bèze, théologiens eux aussi à la façon des Pères ? Qu'importe ?

J'ai rejeté sans façon l'autorité de Calvin et de Bèze, quand il m'a
paru que ces grands hommes ne suivaient pas eux-mêmes les principes
de la Réformation, dont ils ont été en partie les instruments.

Il n'y a pas d'autre autorité que celle de « l'Ecriture Sainte et
de la Raison ». Mettre en avant des autorités, c'est « dialectique
de préjugé ». Et voici, à l'avant-dernier paragraphe du livre,
la malédiction jetée par Barbeyrac à l'Eglise :

Après cela faut-il être surpris que l'Ignorance, avec de si bons
patrons qu'elle avait déjà sur la fin du vi^e siècle, ait fait tant de progrès
dans les suivants, et amené enfin ce déluge d'erreurs qui ont inondé
le Christianisme ? Une fausse science, empruntée des Juifs et des païens,
y avait frayé le chemin dès les premiers siècles. L'ambition et les
autres vices des ecclésiastiques, pour arriver à leurs fins, achevèrent
d'étouffer ou de confondre dans un tas d'absurdités et de superstitions
ce qui s'était encore conservé de vérités pures. Mais, grâce à Dieu, sa
Providence n'a pas permis que le *Flambeau* de l'Evangile demeurât pour
toujours *sous le boisseau*. Malheur à ceux qui ferment les yeux à la
lumière !

Cependant la nouvelle génération mûrit ou grandit, qui a pu
lire Chaulieu et les premiers rationalistes avec les yeux avides et
candides de l'adolescence. Le marquis d'Argens, né en 1704, a peut-
être été — puisqu'il le conte bruyamment en ses *Mémoires* :
« J'aimais généralement tout ce qu'on appelle femmes » — un
forcené de plaisir. Il est certainement un forcené d'irréligion. Des
pamphlets fiévreux, brutaux, orduriers, voilà ce que sont ses recueils
de *Lettres*, qu'il rédige à la diable à partir de 1738 : *Lettres juives,
Lettres chinoises, Lettres cabalistiques* (1738, 1739); puis viennent
les éditions augmentées, et le *Législateur moderne* (1739). Les
Œuvres complètes du marquis rempliront en 1768 vingt-quatre
volumes.

L'originalité de d'Argens, c'est l'insistante férocité de son injure :
*crasseux, dégoûtants, vicieux, friponneries, fourbes, hypocrisies, tas
de grimauds, d'ignorants, de moines, de faux dévots*, ces mots lui

sont ordinaires, il les redit gloutonnement. Quant à son fonds
d'idées ou de faits historiques, il ne lui appartient guère : sur les
Jésuites il pille les *Provinciales;* sur les religions, manifestement il
se souvient des *Cérémonies,* de Toland, des spinozistes athées; on
retrouve dans son texte des formules de Saint-Evremond, de Montesquieu, de Voltaire. Mais justement il paraît avoir tenu à composer, si l'on peut dire, une *Somme,* un livre vulgarisateur des
doctrines ou des sentiments impies, tels qu'il les goûtait dans les
livres et dans sa propre vie désordonnée.

Il veut donc, cet apôtre, engager les Français timides ou « bizarres » à faire au profit des « Sciences » l'unité dans leur esprit.
Qu'ils voient, dans l'histoire de l'Eglise et des royaumes, la vraie
nature des ecclésiastiques :

> Persécuteurs aussitôt qu'ils ont pu l'être. Aussi corrompus autrefois
> qu'aujourd'hui. Séditieux et rebelles,... ambitieux, chicaniers,... cause
> de la plupart des troubles. Partout et toujours trompeurs. Très avares...
> Leurs violences détruiront le Papisme... En tout pays, abusent de la
> religion pour maîtriser les peuples.

Les Jésuites, bien entendu, ont pour « doctrine favorite » la
déposition et le meurtre des rois. L'Inquisition est « l'ennemie mor-
telle de la bonne philosophie »; la théologie a été formée, par
« l'ignorance et la superstition », d'un amas de choses « puériles,
inutiles et absurdes »; sans elle saint Thomas aurait pu être un
penseur. Quant à saint Bernard, il n'a été que l'apôtre de l'ignorance, enfiellé du reste, et, dans ses expressions, souvent impudique.
Toutes les religions se valent à peu près, satisfaisant toutes à coups
d'impostures le besoin de « merveilleux » naturel au « peuple »;
cependant la religion musulmane est digne d'estime, malgré l'inévitable « tissu d'impertinences » dont elle s'encombre : les musul-
mans sont charitables, et ils « pratiquent exactement » le pardon
des injures. Les grands hommes de d'Argens sont le « vertueux »
Julien, et Calvin qui, « appuyé de la Raison, venge le bon sens
opprimé ». Ses peuples préférés, ce sont les Suisses, pour leur « amour
de la liberté », et les Anglais, à qui il dédie en ces termes virulents
son *Législateur moderne :*

> A qui pourrais-je offrir avec plus de raison un livre dont le but est de
> montrer les inconvénients qui naissent de la superstition, et de la sou-
> mission servile que la plupart des hommes ont pour les imposteurs,
> qu'ils regardent comme les interprètes des volontés de la Divinité ?...
> Vous vous êtes garantis jusqu'ici de subir le joug de ces maximes
> odieuses, dont on a fait des lois fondamentales dans des pays peuplés

de vils esclaves qui, tremblants au nom d'un misérable moine, ont plus de respect pour un scélérat revêtu de l'emploi d'inquisiteur que pour un héros doué de mille vertus.

Qu'il me soit permis de comparer un simple marchand de Londres à un grand d'Espagne, qui meurt de faim, de misère et d'orgueil, dans les ruines d'un antique château.

[Ce marchand] n'a du commerçant que le nom et l'extérieur; au dedans, tout respire en lui la grandeur, la magnificence, la générosité, l'intrépidité : il connaît parfaitement les intérêts de son pays, il est toujours prêt à y sacrifier les siens... Quatre ou cinq marchands de Londres fournirent à la moitié des frais de la plus glorieuse campagne du prince Eugène.

Un gentilhomme, né sujet ou plutôt esclave des moines et des prêtres, est bien différent de ces bourgeois généreux... Il donne le nom de *Religion* à l'esclavage le plus honteux, et j'ose dire le plus infâme... Etre gouverné par un ramas de misérables, nés pour la plupart dans la lie du peuple !... gens que l'univers entier méprise, que les personnes vertueuses détestent, et que les savants regardent comme les plus mortels ennemis des Sciences et des Belles-Lettres !

Quel document que ce lourd manifeste de la philosophie nouvelle, si vite tournée en préjugés haineux ! Ils se pressent ici, amers aux peuples catholiques, reconnaissants aux Anglais « libres » et riches. Plus tard, sur le second versant du siècle, lorsqu'ils auront triomphé à Paris et dans les académies provinciales, ils perdront leur entrain d'assaut, et se feront sensibles. Ils vivront cependant, nets et durs à l'occasion, et si robustes qu'on croirait parfois lire le fameux *Dictionnaire des idées reçues* de Flaubert, en parcourant la *Table* des *Lettres juives*. De cette *Table*, on peut, sans injustice je crois, détacher cette formule comme une explication de l'anti-cléricalisme de d'Argens :

RELIGIONS : leur joug insupportable fait qu'on ne les observe point.

1748 est l'année où paraissent les *Mœurs* de Toussaint, l'*Homme-machine* de La Mettrie.

Toussaint — Panage, selon le pseudonyme qui hellénise son nom — s'affirme moraliste; et il a en effet étudié dans La Bruyère l'art d'écrire ou de décrire avec une désinvolture appliquée. Dès l'*Avertissement*, par une formule indirecte et tranchante, il détache des religions la moralité :

Ce sont les mœurs qui en sont l'objet; la Religion n'y entre qu'en tant qu'elle concourt à donner des mœurs; or, comme la Religion naturelle suffit pour cet effet, je ne vais pas plus avant.

Va-t-il donc laisser le Christianisme en paix ? Ecoutons-le : la Nature, dit-il, a gravé dans nos âmes des idées de vertu : les « faux dogmes » les obscurcissent, et les « lois d'Etat qui sont contraires à la pureté de la Loi Naturelle ». La mortification est mauvaise :

> Dieu nous aime : n'espérons donc pas lui plaire en nous haïssant. Nos passions sont innocentes... Le sentiment n'est point libre : il ne peut donc être criminel... nos passions ne sont point notre ouvrage : ce sont des présents de la Nature, ou pour mieux dire des dons de Dieu.

Tous les cultes se valent, et partout les prêtres ont fait « dégénérer la religion en de vains spectacles ». Cependant, parmi cette « diversité des hommages », qui après tout plaît à Dieu peut-être,

> s'il y a quelque culte qui suppose des dogmes contraires à ceux de la religion naturelle, c'est celui que Dieu réprouve.

L'Homme-machine parut bien réellement en Hollande : à Leyde où La Mettrie s'était retiré aussitôt après avoir publié un gros libelle contre ses confrères les médecins à son gré trop peu philosophes : l'*Ouvrage de Pénélope*. Il allait être obligé cette fois de s'enfuir précipitamment, pour éviter le châtiment que lui réservaient les Hautes Puissances, indignées de son matérialisme.

L'homme est une machine et il n'y a dans tout l'univers qu'une seule substance diversement modifiée.

Cette conclusion du livre était préparée et aggravée par une désinvolte histoire des premiers âges de l'humanité :

> Des animaux à l'homme, la transition n'est pas violente : les vrais philosophes en conviendront. Qu'était l'homme avant l'invention des mots et la connaissance des langues ? Un animal de son espèce, qui, avec beaucoup moins d'instinct naturel que les autres, dont alors il ne se croyait pas le roi, n'était distingué du singe et des autres animaux que comme le singe l'est lui-même, je veux dire par une physionomie qui annonçait plus de discernement. Réduit à la seule connaissance intuitive des leibniziens, il ne voyait que des figures et des couleurs, sans pouvoir rien distinguer entre elles; vieux comme jeune, enfant à tout âge, il bégayait ses sensations et ses besoins, comme un chien affamé ou ennuyé de son repos demande à manger ou à se promener. Les mots, les langues, les lois, les sciences, les beaux-arts sont venus; et par eux enfin le diamant brut de notre esprit a été poli.

Dieu existe-t-il ?

Le plus grand degré de probabilité est pour l'existence d'un Etre suprême.

En tout cas, « la nature nous a tous créés uniquement pour être heureux », et le bonheur ne peut consister ni à connaître Dieu, ni à le servir comme le font les Chrétiens intéressés, redoutant l'Enfer, ou raisonneurs, ou incapables de « sentir la nature » :

Ne nous perdons point dans l'infini, nous ne sommes pas faits pour en avoir la moindre idée.

Il est égal d'ailleurs pour notre repos, que la matière soit éternelle, ou qu'elle ait été créée; qu'il y ait un Dieu, ou qu'il n'y en ait pas.

L'univers ne sera jamais heureux, à moins qu'il ne soit athée... Plus de guerres théologiques, plus de soldats de religion, soldats terribles ! La nature, infectée d'un poison sacré, reprendrait ses droits et sa pureté ! Sourds à toute autre voix, les mortels tranquilles ne suivraient que les conseils spontanés de leur propre individu, les seuls qu'on ne méprise point impunément, et qui peuvent seuls nous conduire au bonheur par les agréables sentiers de la vertu.

En tout cela, La Mettrie déclarait n'avoir eu pour guide que son culte hardi de la Vérité fondée sur l'observation et l'expérience. Son livre, en réalité, est fait surtout d'affirmations, et c'est la haine qui l'anime contre les esprits qui cherchent la Vérité autrement que par l'observation et l'expérience. Certaines de ses idées, pourtant, offrent plus d'intérêt pour nous que son positivisme étroit. Cet attachement à une vérité, indifférent aux ruines qui peuvent s'ensuivre, ne manquerait pas de grandeur, s'il ne comportait pas un consentement trop joyeux à ces ruines. Mais voici plus original. La Mettrie croit à une toute-puissance de l'éducation, comme tous ses contemporains, mais autrement que la plupart d'entre eux : les « prodiges de l'éducation », dit-il, éclatent en ce qu'elle a réussi à nous tirer au-dessus de nos semblables les animaux. Enfin, telle intuition ou déduction de l'*Homme-machine* a bien pu jouer dans l'histoire des idées et même dans l'histoire littéraire le rôle de chiquenaude initiale. Le prestige unique du médecin positiviste, ce prestige appelé à une telle fortune, est chanté lyriquement par La Mettrie. Et puis nos Romantiques du XIXe siècle et leurs prédécesseurs de la fin du XVIIIe, si attentifs au pouvoir des sons et de l'imagination, si ambitieux d'identifier imagination et génie, n'ont-ils pas été préparés par quelques vues de *l'Homme-machine*, dont voici les formules :

Tout se réduit [dans l'éducation de l'humanité primitive] à des sons et à des mots. Mais qui a parlé le premier ? On doit croire que les hommes les mieux organisés, ceux pour qui la Nature aura épuisé ses bienfaits, auront instruit les autres...

Je crois que toutes les parties de l'âme peuvent être justement réduites à la seule imagination, qui les forme toutes... Celui qui a le plus d'imagination doit être regardé comme ayant le plus d'esprit ou de génie... La plus belle, la plus grande ou la plus forte imagination est donc la plus propre aux sciences et aux arts.

Ainsi, quelques germes du Romantisme ont crû d'abord obscurément dans le sol du XVIII° siècle en apparence ou légendairement le plus stérile.

L'année suivante, en 1749, la *Lettre sur les Aveugles à l'usage de ceux qui voient* est le premier ouvrage de Diderot qui vraiment fasse scandale. Auparavant, sa traduction très personnelle de l'*Essai sur le mérite et la vertu* de Shaftesbury (1745) était théiste, comme on disait, c'est-à-dire opposée à l'athéisme :

Point de vertu sans croire en Dieu; point de bonheur sans vertu; ce sont les deux propositions de l'illustre philosophe dont je vais exposer les idées. Des athées qui se piquent de probité, et des gens sans probité qui vantent leur bonheur, voilà mes adversaires.

Les *Pensées philosophiques* (1746) étaient d'un aspect, d'un tour nouveau, que La Harpe converti définira sans bienveillance, mais assez justement : « un esprit vif, mais qui ne conçoit que par saillies, et qui hasarde beaucoup pour rencontrer quelquefois; un style qui a du nerf, mais qui laisse trop voir l'effort; des idées, mais plus souvent des formes gratuitement sentencieuses ou impératives ». Là Diderot s'animait à un éloge catégorique des passions :

Il n'y a que les passions, et les grandes passions, qui puissent élever l'homme aux grandes choses... Les passions sobres font les hommes communs. Les passions amorties dégradent les hommes extraordinaires. La contrainte anéantit la grandeur et l'énergie de la nature... Plus d'excellence en poésie, en peinture, en musique, quand la superstition aura fait sur le tempérament l'ouvrage de la vieillesse... Ce serait donc un bonheur, me dira-t-on, d'avoir les passions fortes ? Oui, sans doute, si elles sont toutes à l'unisson. Etablissez entre elles une juste harmonie, et n'en appréhendez point de désordres.

Cet amour de la vie était contre la « superstition » quelque chose d'assez violent. Cependant, soit précaution, soit conviction sincère, les *Pensées* contenaient en outre quelques pages véhémentes contre l'athéisme, où l'auteur « priait Dieu pour les sceptiques ».

La *Lettre sur les Aveugles* pouvait être inoffensive, si Diderot s'était borné à entretenir la dame à laquelle il l'adresse du très

ingénieux aveugle-né du Gâtinais, ou du célèbre aveugle Saunderson, qui avait professé les mathématiques à Cambridge et donné
des leçons d'optique. Mais Diderot écrit « à l'usage de ceux qui
voient »; et sa *Table* analytique de neuf pages témoigne de cette
intention que ses digressions surabondamment réalisent; voici le
début de la *Table* :

> ABSTRACTION utile, nuisible.
> AVEUGLES-NÉS amis de l'ordre
> font peu de cas de la pudeur
> sont enclins au matérialisme
> merveilles de la nature sans force pour eux
> placent l'âme au bout des doigts.

Et voici quelques pensées en marge de l'exposé technique ou du
récit :

> Si l'animal raisonne,... comme on n'en peut guère douter...
> Je n'ai jamais douté que l'état de nos organes et de nos sens n'ait
> beaucoup d'influence sur notre métaphysique et sur notre morale, et que
> nos idées les plus purement intellectuelles, si je puis parler ainsi, ne
> tiennent de fort près à la conformation de notre corps.
> Tant nos vertus dépendent de notre manière de sentir, et du degré
> auquel les choses extérieures nous affectent.
> Comme [les aveugles-nés] voient la matière d'une manière beaucoup
> plus abstraite que nous, ils sont moins éloignés de croire qu'elle pense.

Le vin le plus corsé de ce festin philosophique, ce sont les derniers moments de l'aveugle, et ses entretiens suprêmes avec le pasteur Holmes. Le pasteur, sans adresse, mais professionnellement, parle
des Merveilles de la Nature comme du spectacle qui prouve l'existence de Dieu. Saunderson-Diderot lui réplique que cette preuve
n'en est pas une pour lui, non seulement parce qu'il est aveugle,
mais parce que la philosophie lui prescrit une autre attitude en face
des phénomènes qu'il ne comprend pas : Dieu n'est pas une explication de l'énigme du monde, mais une énigme supplémentaire.
Alors le pasteur rappelle que de grands esprits, des philosophes ont
cru en Dieu. Sans doute, répond Saunderson, il serait « téméraire de nier ce qu'un homme tel que Newton n'a pas dédaigné
d'admettre ». Et pourtant, Newton a étudié l'univers tel qu'il est
aujourd'hui : qu'était-il aux premiers jours du monde ? Je l'ignore,
mais Newton ne le sait pas non plus. Aujourd'hui encore la nature
produit des monstres : lui-même, Saunderson, n'en est-il pas un par
sa cécité ? Notre monde actuel ne serait-il pas un premier aboutissement, une étape relativement heureuse dans les sélections aveugles

de la matière ? Ici l'idée d'une matière éternelle et toute-puissante, presque divinisée, entraîne Diderot à des accents d'une incontestable grandeur : Saunderson, dit-il, « reprenant un ton un peu plus ferme », ajouta :

> Je conjecture donc que, dans le commencement, où la matière en fermentation faisait éclore l'Univers, mes semblables étaient fort communs. Mais pourquoi n'assurerais-je pas des mondes ce que je crois des animaux ? Combien de mondes estropiés, manqués, se sont dissipés, se reforment et se dissipent peut-être à chaque instant, dans des espaces éloignés, où je ne touche point et où vous ne voyez pas; mais où le mouvement continue et continuera de combiner des amas de matière, jusqu'à ce qu'ils aient obtenu quelque arrangement dans lequel ils puissent persévérer. O Philosophes, transportez-vous donc avec moi sur les confins de cet univers, au-delà du point où je touche et où vous voyez des êtres organisés; promenez-vous sur ce nouvel Océan, et cherchez, à travers ses agitations irrégulières, quelques vestiges de cet Etre intelligent dont vous admirez ici la Sagesse !
> Mais à quoi bon vous tirer de votre élément ? Qu'est-ce que le monde, monsieur Holmes ! un composé sujet à des révolutions qui toutes indiquent une tendance continuelle à la destruction : une succession rapide d'êtres qui s'entresuivent, se poussent et disparaissent; une symétrie passagère; un ordre momentané. Je vous reprochais tout à l'heure d'estimer la perfection des choses par votre capacité; et je pourrais vous accuser ici d'en mesurer la durée sur celle de vos jours; vous jugez de l'existence successive du monde comme la mouche éphémère de la vôtre. Le monde est éternel pour vous, comme vous êtes éternel pour l'être qui ne vit qu'un instant. Encore l'insecte est-il plus raisonnable que vous. Quelle suite prodigieuse de générations d'éphémères atteste votre éternité ! Quelle tradition immense ! Cependant nous passerons tous sans qu'on puisse assigner ni l'étendue réelle que nous occupions, ni le temps précis que nous aurons duré. Le temps, la matière et l'espace ne sont peut-être qu'un point.

Aucune certitude donc, sinon la durée, incommensurable à l'homme, de la matière animée. Saunderson mourant sort du délire pour s'écrier : « O Dieu de Clarke et de Newton, prends pitié de moi ! » Politesse conventionnelle, révérence de style à un Etre Suprême, devenu moins qu'hypothétique à tous les lecteurs de l'entretien. Musset, dans une strophe douloureuse de son *Souvenir*, se rappellera les destructions incessantes évoquées par Diderot, et gardera au fond du cœur l'amertume des autres destructions, entreprises avec tant d'ardeur lyrique par le matérialiste blasphémateur.

Passons les quelque dix ans où l'*Encyclopédie* naît et s'affermit, et arrivons au dernier scandale d'idées immédiatement antérieur à *Candide* : le livre de l'*Esprit* (1758). L'auteur cette fois n'était pas un bohème, ni même un homme de lettres : Helvétius, ci-

devant fermier général à cent mille écus de rentes, était maître
d'hôtel de la reine; et son prestige personnel de mécène, d'ami des
lumières, d'élève de Voltaire mais à la manière de Frédéric, c'est-à-
dire en le jugeant, s'augmentait de toute la pure gloire de son
père et de son grand-père, les médecins bienfaisants des armées,
de la cour et des pauvres. Sa « chasse aux idées », comme il
disait, l'avait mené loin, cet homme timide et audacieux.

Sans déclamation, presque sans art littéraire, mais avec une
assurance qui ne manque pas de fierté, Helvétius proclame sa
foi à l'expérience, aux faits, à la recherche du vrai, à toute
recherche sincère : le vrai est toujours utile aux hommes, dit-il,
et « une nation sans lumière est une nation avilie ». Son dessein,
c'est de « traiter la morale comme toutes les autres sciences, et
de faire une morale comme une physique expérimentale ».

Qu'est-ce que l'esprit ? Nos deux puissances passives — spirituelles ou matérielles, peu importe : la raison ne nous renseigne
pas là-dessus — la sensibilité et la mémoire, sont les seules « causes
productrices de nos pensées ». Juger, c'est sentir, puisque c'est
comparer des tableaux où la mémoire nous peint les effets de telle
ou telle idée. Si les passions nous trompent, c'est qu'elles empêchent
ou limitent cette comparaison. Elles ont d'ailleurs leur utilité, puisque
leurs mirages nous enhardissent. La principale cause de nos erreurs,
c'est l'ignorance : ignorance du vrai sens de certains mots, tels que
matière, espace, infini, amour-propre, liberté. Les disputes théologiques sont d'ailleurs « presque toutes fondées sur un abus de
mots ».

Les idées peuvent se ranger en trois classes : les utiles, les nuisibles, les indifférentes. Qu'est-ce que la vertu ? C'est l'habitude
de diriger ses actions au bien général. Il y a de fausses vertus,
vertus de préjugé : « Toutes celles dont l'observation exacte ne contribue en rien au bonheur public » : chasteté et pratique des morti-
fications. Le libertinage n'est un vice qu'aux yeux de la religion,
d'une certaine religion : « avec le bonheur d'une nation il n'est point
incompatible »; et pourquoi ravir à l'humanité l'un de ses rares
plaisirs ? Un vice autrement redoutable, et qui prépare la ruine des
empires, c'est l'oubli, auquel se livrent certains particuliers ou
certains corps, de l'intérêt public. On déclame donc à tort contre
le luxe et la débauche : l'aumône des femmes vertueuses est socia-
lement moins féconde que les prodigalités d'une courtisane.

Il faut perfectionner la morale; et d'abord, écarter les obstacles
qui retardent son progrès : le fanatisme et la « demi-politique ».
Les fanatiques haïssent toute « vérité nouvelle »; les autres sont

des paresseux, des lâches. Mais enfin on commence à connaître la source principale des calamités qui ont désolé le monde : l'ignorance. La dissiper, voilà la meilleure des tâches; il y faut des ménagements, lorsqu'on a affaire à des préjugés peu dangereux; mais lorsqu'on se heurte à « des hommes qui, jaloux de la domination, veulent abrutir les peuples pour les tyranniser », c'est autre chose. Alors

il faut, d'une main hardie, briser le talisman d'imbécillité auquel est attachée la puissance de ces génies malfaisants; découvrir aux nations les vrais principes de la morale; leur apprendre qu'insensiblement entraînés vers le bonheur apparent ou réel, la douleur et le plaisir sont les seuls moteurs de l'univers moral; et que le sentiment de l'amour de soi est la seule base sur laquelle on puisse jeter les fondements d'une morale utile.

La moralité est indépendante des religions; l'intérêt personnel est seul inoffensif et efficace. Aux lois de l'utiliser.

Les lois peuvent unir les intérêts particuliers à l'intérêt général. Elles peuvent surtout, et elles doivent, hâter les progrès de l'esprit. Par quelle méthode ? Il ne s'agit pas d'aiguiser la sensibilité physique, qui est assez sûre. Ce qui trop souvent manque aux hommes, c'est la mémoire, parce qu'ils sont trop peu capables d'attention. Or l'effort d'attention ne peut vraiment être déterminé que par une passion. Les passions ont établi la société humaine :

Les passions sont, dans le moral, ce que, dans le physique, est le mouvement : il crée, anéantit, conserve, anime tout, et sans lui tout est mort; ce sont elles aussi qui vivifient le monde moral. C'est l'avarice qui guide les vaisseaux à travers les déserts de l'Océan; l'orgueil, qui comble les vallons, aplanit les montagnes, s'ouvre des routes à travers les rochers, élève les pyramides de Memphis, creuse le lac Mœris, et fond le colosse de Rhodes. L'amour tailla, dit-on, le crayon du premier dessinateur. Dans un pays où la révélation n'avait point pénétré, ce fut encore l'amour qui, pour flatter la douleur d'une veuve éplorée par la mort de son jeune époux, lui découvrit le système de l'immortalité de l'âme. C'est l'enthousiasme de la reconnaissance qui mit au rang des dieux les bienfaiteurs de l'humanité, qui inventa les fausses religions et les superstitions, qui toutes n'ont pas pris leur source dans des passions aussi nobles que l'amour et la reconnaissance.

C'est donc aux passions fortes qu'on doit l'invention et les merveilles des arts; elles doivent donc être regardées comme le germe productif de l'esprit, et le ressort puissant qui porte l'homme aux grandes actions... J'entends, par ce mot de *passion forte*, une passion dont l'objet soit si nécessaire à notre bonheur que la vie nous soit insupportable sans la possession de cet objet.

Une passion est d'autant plus estimable qu'elle contribue davantage à l'intérêt général : tel est l'« amour vertueux de la patrie », et l'amour des sciences, qui anime ces « héros paisibles », les astronomes, les botanistes. Mais toutes les passions créent une « supériorité d'esprit ». Le simple homme de bon sens est « un homme dans le caractère duquel la paresse domine »; il ignore toujours « les moyens les plus décisifs, les plus propres à produire de grands effets, qui ne peuvent être aperçus que par des hommes passionnés ». Et Helvétius intitule un de ses chapitres : *On devient stupide dès qu'on cesse d'être passionné.*

D'où viennent-elles, ces passions si puissantes ? Ici, l'accent de l'écrivain médiocre s'élève, s'exalte. Passionné lui-même, c'est-à-dire, selon une de ses formules décidées, « élevant ses pensées au-delà des pensées communes, et osant dire ce qu'il pense », il atteint à une fermeté lyrique, qu'on oublie trop de remarquer :

Il semble que, dans l'univers moral comme dans l'univers physique, Dieu n'ait mis qu'un seul principe dans tout ce qui a été. Ce qui est, et ce qui sera, n'est qu'un développement nécessaire.

Il a dit à la matière : Je te doue de la force. Aussitôt les éléments, soumis aux lois du mouvement, mais errants et confondus dans les déserts de l'espace, ont formé mille assemblages monstrueux, ont produit mille chaos divers, jusqu'à ce qu'enfin ils se soient placés dans l'équilibre et l'ordre physique dans lequel on suppose maintenant l'univers rangé.

Il semble qu'il ait dit pareillement à l'homme : je te doue de la sensibilité; c'est par elle qu'aveugle instrument de mes volontés, incapable de connaître la profondeur de mes vues, tu dois, sans le savoir, remplir tous mes desseins. Je te mets sous la garde du plaisir et de la douleur : l'un et l'autre veilleront à tes pensées, à tes actions; engendreront tes passions; exciteront tes aversions, tes amitiés, tes tendresses, tes fureurs; allumeront tes désirs, tes craintes, tes espérances; te dévoileront des vérités; te plongeront dans des erreurs; et, après t'avoir fait enfanter mille systèmes absurdes et différents de morale et de législation, te découvriront un jour les principes simples, au développement desquels est attaché l'ordre et le bonheur du monde moral.

La voilà, l'éloquence sobre et palpitante de ce XVIIIe siècle que l'on croit si sec et si uniquement négateur : une foi l'anime, précise dans son Credo, confiante, enthousiaste.

Et Helvétius poursuit : que les lois donc exaltent l'amour, c'est-à-dire, précise-t-il, la recherche du plaisir sensuel; qu'on réserve de belles femmes comme récompense au courage militaire. C'est l'amour des dames qui a donné à la chevalerie française sa légendaire bravoure. L'amour seul peut « nous faire supporter, avec délices, le

pénible fardeau de la vie, et nous consoler du malheur d'être ».
Le sacrifice, l'ascétisme, est au rebours de la sagesse.

Le despotisme éteint les passions : « il avilit et dégrade les
âmes » : Helvétius consacre à le discréditer un long réquisitoire,
où l'éloge des « peuples du Nord », et des lois « toujours douces »
des républiques, alterne avec les déclarations de mépris aux nations
opulentes, aux peuples esclaves. A la fin, sous couleur d'un blâme
véhément du despotisme oriental, la monarchie absolue du roi
très-chrétien reçoit l'anathème raisonné que voici :

> Qu'on examine à quoi tiennent les reproches de barbarie et de stupi-
> dité que les Grecs, les Romains, et tous les Européens ont toujours faits
> aux peuples de l'Orient : l'on verra que les nations n'ayant jamais donné
> le nom d'esprit qu'à l'assemblage des idées qui leur étaient utiles, et le
> despotisme ayant interdit dans presque toute l'Asie l'étude de la morale,
> de la métaphysique, de la jurisprudence, de la politique, enfin de toutes
> les sciences intéressantes pour l'humanité, les Orientaux doivent, en
> conséquence, être traités de barbares, de stupides, par les peuples éclairés
> de l'Europe, et devenir éternellement le mépris des nations libres et
> de la postérité.

Ainsi certaines circonstances ou conditions extérieures affai-
blissent l'esprit; d'autres le développent. L'art de l'éducation consiste
donc à créer les circonstances favorables; l'éducation est toute-
puissante, et « l'homme de génie n'est que le produit des circonstances dans lesquelles cet homme s'est trouvé ».

Qu'est-ce que le génie ? un pur don de nature, une inspiration
mystérieuse ? En réalité, l'homme de génie est un inventeur : il
découvre des rapports nouveaux, féconds, utiles. Dans la formation
des hommes de génie, le hasard a sa part; cependant « le hasard
ne fait rien qu'en faveur de ceux qu'anime un vif désir de la
gloire ». Ce désir est donc l'âme même de l'homme de génie.

L'écrivain de génie sait trouver les expressions fortes, c'est-à-
dire nettes, précises, décorées d'images exactes, « grandes sans être
gigantesques », d'« images de mouvement » surtout.

Auprès du génie, que l'« esprit juste » est chose médiocre, de
même que le « bon sens », cette « absence de passions fortes »,
inaccessible à leurs « coups de lumière » ! Dans un Etat malade,
les administrateurs de bon sens sont gens « très dangereux » :
manquant de clairvoyance et d'énergie, ils conservent ce qu'il faudrait retrancher. La raison, elle aussi, a cette infériorité sur le
génie, d'être une froide calculatrice, qui paralyse au lieu d'animer
à l'action.

Le plus méprisable est l'« esprit du siècle », qui « ne contribue en rien à l'avancement des arts et des sciences » : esprit de conversation, persiflage, médisance agréable, « la seule ressource qu'on ait maintenant pour faire l'éloge de soi et de sa société », suffisance, vanité, envie qui dénigre les inventeurs et voudrait les décourager. Le grand homme est orgueilleux : sans doute ! et il est aisé de se moquer de cet orgueil. Cependant « il est des hommes à qui l'on ne pourrait arracher cette orgueilleuse opinion d'eux-mêmes sans étouffer le germe de leur esprit. » Sans doute ils sont peu sociables : mais « ils vivent dans le recueillement, et c'est dans le silence de la solitude que les vérités se dévoilent à leurs yeux ».

A la lumière de ces indications ou de ces principes, il serait possible d'établir une saine pédagogie. Toutefois

l'art de former les hommes est, en tout pays, si étroitement lié à la forme du gouvernement, qu'il n'est peut-être pas possible de faire aucun changement considérable dans l'éducation publique, sans en faire dans la constitution même des Etats.

Il faudrait, d'abord, abandonner l'enseignement du latin, langue difficile et « inutile », « consacrer quelque temps à l'étude raisonnée de la langue nationale », à l'étude « des principes de la morale et des lois de son pays »; il faudrait spécialiser d'assez bonne heure les enfants, selon leur avenir possible. Pour cette amélioration de l'instruction publique les bonnes volontés ne manqueraient pas. Mais le gouvernement des « grands empires » se désintéresse de l'éducation : « dans les grands empires, on sent rarement le besoin pressant d'un grand homme »; et surtout l'on n'y a pas l'amour de la gloire, qui se trouve accaparée de telle sorte par les puissants en place qu'aucun appel d'émulation ne s'établit plus dans la masse nationale; l'injustice « préside à la distribution des grâces, et l'amour de la gloire s'éteint dans tous les cœurs ». Dès lors, l'éducation se borne à quelques « maximes vagues »; les éducateurs évitent de donner une idée trop nette de la vertu. Il n'y a pas de vertu dans les Etats despotiques : on n'y trouve que des « coquins timides et prudents » :

Qu'espérer enfin d'un peuple chez qui l'on ne peut citer comme honnêtes que les hommes prêts à le devenir, si la forme du gouvernement s'y prêtait ? où d'ailleurs, personne n'étant animé de la passion forte du bien public, il ne peut par conséquent, y avoir d'hommes vraiment vertueux ?

F.L. DIABLO COIVELO

Magdeleine Horthemels fec.

Frontispice du « Diable-Boiteux » de LE SAGE

Cette amertume et cette affirmation de principe commencent la dernière page de l'*Esprit*.

La publication de ce livre a effaré Malesherbes, le « demi-politique »; elle a rallié en un seul camp les ennemis et les victimes de la Philosophie, jusque-là épars et divisés. L'*Esprit* a forcé les hésitants à prendre parti; il a décidé Jean-Jacques à combattre pour le salut de la morale chrétienne et pour la sauvegarde d'un Dieu. Puis le silence se fit et la publication de l'*Homme*, aggravation et commentaire de l'*Esprit*, ne le rompit guère. En 1797, La Harpe dénonça en Helvétius un des meneurs intellectuels de la Révolution destructive. Vers le même temps, la *Décade philosophique*, et le salon de Mme Helvétius à Auteuil s'efforçaient de faire revivre, ou survivre, les principes du grand homme. Depuis, le livre de 1758 a été déclaré indigeste, et les amateurs de l'histoire des idées et des lettres ont renoncé à l'étudier.

Il mérite vraiment l'attention. Sans doute il n'est pas l'ouvrage d'un maître écrivain. Helvétius n'ordonne guère ses idées tumultueuses; il abonde en redites; ses insistances semblent défaut de sûreté dans le choix du terme propre ou du tour juste. Ou bien elles sollicitent sans grâce la sensualité du lecteur par de lubriques évocations, toujours les mêmes; ou bien, sans variété, elles ressassent les insultes basses, les apologues lourdement ingénieux contre les « bonzes », les « bramines », les « miracles prétendus » des « temps d'ignorance », la superstition « des Egyptiens ». Ce sont là scories « philosophiques », impatiences d'assaillant en face de remparts qu'il juge inefficaces, et qui l'arrêtent pourtant.

La puissance du livre, c'est d'abord cet hymne continu à la vie qui s'élève, étrangement pénétrant, de ses pages les plus simplement belles comme de ses chapitres les plus prétentieux et médiocres. Qu'Helvétius parle des passions, du génie, du despotisme qui paralyse ou du libertinage qu'il croit exaltant, c'est contre l'inertie qu'il invective, c'est l'ardeur de vivre qu'il célèbre. Il a contribué à discréditer l'absolutisme en le montrant engourdi, paresseux de sa nature, incapable de susciter des énergies nouvelles, ou d'accueillir et d'entretenir celles qui s'offraient. Il a donné à l'enthousiasme républicain ses premières formules, sa première raison d'être. La « vertu » de l'*Esprit* est plus décidée que celle de l'*Esprit des Lois*, plus doctrinaire; Mme de Staël, dans sa *Littérature*, développera la préférence qu'Helvétius accorde aux peuples du Nord, sa confiance aux passions et à l'enthousiasme, son horreur du persiflage de salon, son sentiment des rapports que les chefs-d'œuvre littéraires ont avec les mœurs et les institutions de leur temps : elle ne prononcera pas avec plus de foi le mot de liberté : l'*Esprit* est une des sources les plus certaines de l'élan et de la pensée romantique.

Enfin deux romantiques, Michelet et Quinet, l'un épris de vie fiévreuse, l'autre ennemi systématique de l'Eglise, ont transmis, infusé aux apôtres de la foi laïque le dogme helvétien d'un Etat reposant sur l'Ecole, conditionné par une éducation publique. Helvétius a fait plus que prévoir, il a efficacement préparé.

CHAPITRE X

LES RÉSISTANCES CHRÉTIENNES ET DÉISTES

Résistance en effet, attitude défensive, alors qu'il aurait fallu reconquérir. Résistances isolées les unes des autres, divergentes parce que la controverse janséniste supprime cohésion et subordination, et parce que la Révocation de l'Edit de Nantes a trop séparé protestants et catholiques. Enfin, il faut bien le dire, la préparation à la lutte n'était pas égale pour les chrétiens et pour leurs adversaires. Nos rationalistes héritaient de toute l'activité intellectuelle anglaise du xviiᵉ siècle, de toute une tradition de confiance en la raison, de « philosophie ». Notre xviiᵉ siècle à nous, « siècle de grands talents bien plus que de lumières », comme Voltaire le nommait en un geste de déception ou de dépit, avait été un temps d'active reconstruction catholique : de reconstruction catholique par l'action, plus que par l'effort de la pensée. Les études théologiques n'avaient guère porté que sur les problèmes de la Grâce et de la Prédestination; on avait étudié, on avait prêché les conséquences morales des dogmes plus que les dogmes eux-mêmes. Siècle de moralistes, de directeurs de conscience, de la Compagnie du Saint-Sacrement, de Bossuet... Et tout ce labeur se révélait incomplet. Quelle amertume pour Bossuet, lorsque, à la fin de sa vie, il s'en voit signaler les insuffisances ! Dans ses méfiances irritées contre les aventureux mystiques, contre Richard Simon, contre les Cartésiens, contre le théâtre, contre les Jésuites indulgents aux Chinois, dans ses proscriptions absolues et hâtives, on ne peut pas ne pas sentir une émouvante angoisse. Il redoute la « philosophie » qui approche, comme un père redoute l'enseignement de mauvais maîtres de pensée, pour ses enfants qu'il n'a pas assez instruits ou fait instruire, dont il n'a pas assez armé l'intelligence contre l'erreur. Voilà pourquoi il crie à Jurieu, dans ses *Avertissements,* que l'on ne doit pas mettre en question les *principes.* Si cet homme naturellement doux se fait brutalement autoritaire, c'est que les coups d'autorité sont sa ressource dernière, *ultima ratio,* pour défendre les âmes dont il a la charge. Père de l'Eglise, il l'est par ce sentiment paternel bien autrement que par sa théologie.

... Et dans le siècle qui vient, les chrétiens devront accepter l'aide de ces déistes, que Bossuet ne pouvait souffrir.

I. — FÉNELON ET LES FÉNELONIENS

Bossuet, déçu par les Cartésiens, et toujours et de plus en plus en alerte contre le péril déiste, avait de bonne heure engagé Fénelon à combattre une philosophie qui s'affirmait trop distante de la théologie catholique. Et Fénelon en 1681, docile encore au « Père de l'Eglise » gallicane, avait composé une *Réfutation* du système de Malebranche sur la nature et la grâce. On sait que Bossuet fut satisfait de cet opuscule : il pouvait en effet y retrouver sa méthode de discussion, la démarche même ordinaire à sa pensée dans des ouvrages de ce genre, et jusqu'au rythme de son style. Comme lui, Fénelon s'efforce de faire de la clarté sur la question, en définissant certains points essentiels; il demande à l'auteur qu'il combat plus de simplicité; avec une indulgence déjà épiscopale, il attend de lui une juste soumission; il se défie des nouveautés et de leurs raffinements, qu'il malmène avec une rudesse pleine de bonhomie, au nom de saint Augustin et de Tertullien. L'originalité, la personnalité de Fénelon n'est guère indiquée, ici, que par l'énergie avec laquelle est défendue la liberté de Dieu, et par l'ingéniosité de l'argumentation. La *Réfutation de Malebranche* ne fut pas connue du public au XVIIIe siècle.

La *Réfutation de Spinoza,* qui parut en 1731 — dans un recueil hypocrite, destiné à vulgariser le spinozisme — est autrement personnelle de pensée et de style. L'aisance des formules, l'assurance de l'affirmation, la souplesse du raisonnement, la dévotion, pourrait-on dire, à l'idée d'infini et à l'idée d'unité, font de ces pages sans apprêt, si vives, comme un chef-d'œuvre en miniature. Cependant les premiers lecteurs jugèrent cette *Réfutation* peu concluante. Ils doutèrent même que la pensée de Fénelon fût tellement incompatible avec celle de Spinoza. Il y a une distance infinie du néant à l'être, disait Fénelon : or Spinoza avait-il dit autre chose, lorsqu'il soutenait que la création était contradictoire, en tant que le néant et l'être le sont ?

A son tour, Fénelon avait sollicité Bossuet d'« exécuter un plan qui contînt les preuves des vérités nécessaires au salut, lesquelles fussent tout ensemble et réellement concluantes, et proportionnées aux hommes ignorants » : car il faudrait atteindre et les simples, et les rationalistes, « qui abusent de leur esprit contre la vérité ». Cette intention sera réalisée par Fénelon lui-même dans les *Lettres sur divers sujets de religion et de métaphysique,* et dans le traité *de l'Existence de Dieu.*

En vue de ce livre, il « ramasse » dès 1701 « diverses preuves de la Divinité tirées de l'art qui éclate dans toute la nature ». Ramsay, lorsqu'il vient à Cambrai quelques années plus tard, l'aide vraisemblablement à compléter ce premier dessein, en lui faisant connaître les apologistes anglais et hollandais qu'il a lus ou entendus lui-même : H. More, par exemple, qui, dans son *Antidote contre l'Athéisme* (1653), s'était proposé de démontrer l'existence de Dieu par l'étude des notions de perfection absolue, de spiritualité, d'éternité, de bonté, de puissance, comme Fénelon le fera dans la seconde partie de son livre; et par la considération de la nature extérieure : terre, eaux, plantes, animaux, corps humain. Depuis 1692, les « lecteurs » de la fondation Boyle combattaient l'athéisme : l'un d'eux, Clarke, insistait sur « la conformation admirable des plantes et des animaux »; un autre, G. Derham, démontrait « l'existence et les attributs de Dieu par les œuvres de la Création » : il reprendra ses arguments dans sa *Théologie physique* (1713) et dans sa *Théologie astronomique* (1715), qui les populariseront. Hors de la fondation Boyle, J. Ray, en 1691, voyait la « puissance de Dieu manifestée dans les œuvres de la Création », dans la marche des astres, dans les détails de la structure des plantes et des animaux; et il avait voulu venger les causes finales du mépris où les avait tenues Descartes. En Angleterre encore, en 1712, Richard Blackmore publie sa *Création,* « poème philosophique où l'on démontre l'existence de la Providence de Dieu ». En Hollande, Bœrhaave, dans ses cours de 1703 que Ramsay put suivre, manifestait le même enthousiasme pour les merveilles de la Création, et Nieuwentyit allait bientôt écrire son *Véritable usage de la contemplation de l'univers pour la conviction des athées et des incrédules.* Cette apologétique, très baconienne d'esprit, étant « simple et tirée des observations physiques et des expériences », sans le

secours « d'aucune faible supposition », devait s'accorder aisément
à tout ce que l'intelligence de Fénelon contenait de positif. Grâce
à Ramsay sans doute, Fénelon précédait dans la connaissance des
idées anglaises le xviiiᵉ siècle français, et s'adaptait par là d'avance,
en quelque mesure, à l'esprit de nos « philosophes ».

A la fin de sa vie, le péril janséniste l'occupe, l'angoisse : et
il découvre au jansénisme et à l'esprit de « libertinage », libre
conduite, libre-pensée, un fondement commun :

> La grande mode des libertins de notre temps n'est point de suivre
> le système de Spinoza. Ils se font honneur de reconnaître un Dieu
> créateur, dont la sagesse saute aux yeux dans tous ses ouvrages; mais,
> selon eux, ce Dieu ne serait ni bon ni sage, s'il avait donné à l'homme
> le libre arbitre, c'est-à-dire le pouvoir de pécher, de renverser l'ordre,
> de se perdre éternellement. [Les libertins nient la liberté]; cette illusion
> flatteuse, disent-ils, vient de ce que la volonté de l'homme ne peut être
> contrainte dans son propre acte, qui est son vouloir; elle ne peut être
> déterminée que par son plaisir, qui est son unique ressort...
>
> (*Lettres sur divers sujets... L. V., sur l'Existence de Dieu.*)

Dans ses *Instructions pastorales*, il estime donc combattre à la
fois la pensée antichrétienne, et la doctrine janséniste.

Enfin, c'est peut-être par la diffusion de ses ouvrages de spiritualité que son mysticisme servira le plus efficacement et le
plus personnellement la cause chrétienne.

*
**

« En général, les philosophes de notre siècle se sont montrés
trop antithéologiens, et nous autres théologiens avons aussi peut-
être été un peu trop antiphilosophes. » Cette phrase du fameux
abbé Lamourette, à la fin du xviiiᵉ siècle, manifeste un regret.
Elle indique en même temps un des motifs, un des sujets du prestige
de Fénelon. Le Traité *de l'Existence de Dieu*, les *Lettres au P. Lami*,
les *Lettres sur divers sujets de religion et de métaphysique* unissent
ce que Lamourette regrette de trouver trop souvent séparé, la
pensée philosophique et la pensée religieuse. Ou plutôt, dans ces
ouvrages, Fénelon allie et subordonne la pensée philosophique à un
dessein d'apologétique : pour combattre l'athéisme, il réunit les
preuves de l'existence de Dieu les plus sensibles au commun des
esprits, et les plus acceptables aux penseurs de son temps.

La part de la préoccupation apologétique semble même chez
lui plus grande que la part de l'originalité philosophique. Les
merveilles de la nature et l'idée des causes finales, qui tiennent tant

de place dans sa *Démonstration*, n'étaient point arguments nouveaux : elles figurent tout au long dans les *Psaumes;* au Moyen
Age, saint Bonaventure, par son *Itinerarium mentis ad Deum,*
conduisait à Dieu l'esprit humain en observant les traces divines
marquées sur le monde visible. Au xvi° siècle, la preuve de l'existence de Dieu par le spectacle de la nature était une sorte de lieu
commun. Au xvii° siècle, l'idée de Dieu se trouve fréquemment asso-
ciée par les mystiques à des images, comparaisons, descriptions tirées
des choses de la nature; en 1684, Abbadie écrit dans sa *Vérité de la
religion chrétienne,* dont la diffusion fut considérable : « Pour
voir qu'il y a une sagesse souveraine, il ne faut qu'ouvrir les yeux,
et les porter sur les merveilles de la nature ». Et les apologistes
anglais contemporains de Fénelon appuyaient sur ce même argument leur déisme ou leur christianisme.

La philosophie de Fénelon ne paraît pas plus originale dans la
seconde partie de son traité, dans la *Démonstration de l'existence
de Dieu et de ses attributs tirée des preuves purement intellectuelles,
et de l'idée de l'infini même*. Là Descartes et son doute méthodique
sont mis largement à contribution. Malebranche y est utilisé plus
abondamment encore, et le P. André, dans la *Vie de Malebranche*
son maître, détaille ces derniers emprunts. Fénelon, dit-il, a adopté
les principes fondamentaux de Malebranche : « la notion de Dieu
sous l'idée de l'Etre universel, la preuve de l'immortalité de l'âme
par la distinction évidente de l'Etre pensant et de l'Etre étendu,
l'union des deux substances de l'homme par les seuls décrets de la
volonté de Dieu », enfin le principe selon lequel « la Raison qui
nous éclaire intérieurement, que tous les hommes consultent, qui
leur répond en tous lieux, est le Dieu que nous adorons ».

Mais les idées de Fénelon ont beau être issues de Malebranche,
de Descartes, reprises de l'apologétique traditionnelle, apparentées
à l'apologétique anglaise contemporaine, il se les est appropriées,
parce qu'il les a conçues selon ses propres tendances religieuses.
Son semi-quiétisme, sans doute, l'a porté à goûter plus qu'aucune
autre la preuve de l'existence de Dieu par les merveilles de la
nature, comme les Malaval et les Labadie l'avaient goûtée; et si,
après avoir composé vers 1680 une *Réfutation de Malebranche*, il
en vient après 1700 à reproduire Malebranche, c'est qu'il était
conduit vers un certain panthéisme par son idée toute guyonienne
de l'immensité, de l'omniprésence de Dieu, et de la passivité à
l'action divine convenable aux créatures.

Un autre élément guyonien de la théodicée fénelonienne, et qui
en complète l'originalité, c'est le caractère tout intellectuel de l'at-

titude que prend en face de Dieu l'esprit, l'âme de Fénelon. Les
élans, les oraisons jaculatoires de son traité ne sont guère que des
cris d'admiration. La beauté de Dieu, l'ordre divin du monde, la
sagesse de la Providence, satisfont ou éblouissent sa raison, plutôt
qu'ils n'excitent en lui la reconnaissance, et à proprement parler
l'amour. C'est que le pur amour fénelonien et guyonien n'est rien
moins que sentimental. « C'est la Religion éternelle et universelle de toutes les Intelligences », écrivait Poiret, le mystique protestant, dans sa *Préface* des *Justifications* de Mme Guyon. Et Bossuet
jugeait de même quand il déclarait dans la *Summa doctrinœ*, que
les *Maximes des Saints* conduisaient les âmes au mépris des « sentiments », et à ne « trouver en Dieu et en Jésus-Christ d'autre
nourriture de leur piété que la seule idée purement intellectuelle
et très abstraite de l'Etre infini ». « Que reste-t-il autre chose »,
ajoutait-il, « que d'établir le déisme ? » Ainsi Fénelon était bien
destiné, semble-t-il, et comme préparé à agir par sa philosophie
religieuse sur son siècle rationaliste, ou tout au moins à lui plaire.

Il pouvait séduire aussi ses lecteurs, qui étaient ceux de *Télémaque,* par l'enchantement de son style. Ces phrases qui se pressent
et se recouvrent en vagues miroitantes, l'on n'y voit que diffusion
d'abord; mais qu'elles sont précises et nerveuses, et variées ! On
voudrait bien prononcer à leur éloge les mots de jeunesse et de
fraîcheur. Mais toute cette légèreté profonde et brillante manque
trop d'adjectifs émouvants, et de ces tours cordiaux si habituels à
Bossuet, de ces appels charitables à un interlocuteur qu'on veut
convaincre ou ébranler, intéresser à son salut. Une fois dans son
Traité, Fénelon s'est souvenu de Pascal : mais qu'est devenu dans
son lyrisme l'accent pathétique des *Pensées* ? L'homme entre deux
infinis est angoissant chez Pascal : les deux infinis qui environnent
l'âme humaine chez Fénelon ne sont que tableau des merveilles
produites par la puissance et la bonté de Dieu. Mais quel radieux
sourire dans ces « gloires » qui, à la fin des énumérations pro-
bantes, resplendissent d'adoration :

O mon Dieu ! si tant d'hommes ne vous découvrent point dans ce
beau spectacle que vous leur donnez de la nature entière, ce n'est pas
que vous soyez loin de chacun de nous. Chacun de nous vous touche
comme avec la main ; mais les sens, et les passions qu'ils excitent, empor-
tent toute l'application de l'esprit. Ainsi, Seigneur, votre lumière luit
dans les ténèbres, et les ténèbres sont si épaisses qu'elles ne la com-
prennent pas : vous vous montrez partout, et partout les hommes
distraits négligent de vous apercevoir... O beau jour sans nuage et sans
fin, dont vous serez vous-même le soleil, et où vous coulerez au travers
de mon cœur comme un torrent de volupté ! A cette douce espérance,

que mes os tressaillent et s'écrient : *Qui est semblable à vous ?* Mon cœur se fond et ma chair tombe en défaillance, ô Dieu de mon cœur et mon éternelle portion !

(Ire partie.)

O vérité précieuse ! ô vérité féconde ! ô vérité unique ! en vous seule je trouve tout, et ma curiosité s'épuise. De vous sortent tous les êtres, comme de leur source; en vous je trouve la cause immédiate de tout : votre puissance, qui est sans bornes, n'en laisse aucune à ma contemplation. Je tiens la clef de tous les mystères de la nature, dès que je découvre son auteur. O merveille qui m'explique toutes les autres, vous êtes incompréhensible, mais vous me faites tout comprendre. Vous êtes incompréhensible, et je m'en réjouis. Votre infini m'étonne et m'accable; c'est ma consolation.

(IIe partie.)

Lamartine l'adorateur, le fénelonien Lamartine ne se serait-il pas souvenu de ces formules impalpables et précises dans son *Désert*, où, prosterné devant l'« idée de Dieu », il est si reconnaissant à Dieu d'être « Mystère »,

[et] relève son front inondé de ténèbres.

Et le vers enthousiaste de Hugo clamant l'existence de Dieu :

Il est, il est, il est, il est éperdument !

n'est-il pas une réminiscence encore du Traité de Fénelon :

quand est-ce que tout moi-même sera réduit à cette seule parole immuable : IL EST, IL EST, IL EST ! Si j'ajoute : IL SERA AU SIÈCLE DES SIÈCLES, c'est pour parler selon ma faiblesse, et non pour mieux exprimer sa perfection.

Le succès de l'*Existence de Dieu* et des *Lettres sur divers sujets* fut prompt, et durable : de 1712 à 1715, on compte six éditions de la *Première Partie;* en 1718, trois du traité complet, trois des *Lettres;* huit du Traité, de 1719 à 1740. L'*Existence de Dieu* est en 1719 « traduite dans toutes les langues de l'Europe », affirment les *Mémoires de Trévoux.* Le prestige de Fénelon apologiste en impose même à l'irrévérent Fontenelle, qui parle sans ironie, peut-être, des « sublimes réflexions où la Physique nous conduit sur l'auteur de l'univers »; même à Bolingbroke le libre-penseur, qui lui aussi reconnaît « la sagesse et la puissance qui éclatent dans la construction, l'ordre et l'harmonie de l'univers », et qui ont amené « quelques philosophes à la connaissance d'un Etre Suprême qui existe par lui-même ».

Et les disciples ou imitateurs de bonne volonté se multiplient : Billecocq, dans son *Livre universel* (1717), prouve « l'Etre Suprême », par le spectacle de « ces grands corps qui roulent si majestueusement et si régulièrement sur nos têtes »; les moindres merveilles du corps humain provoquent ses exclamations : « Avec quel arrangement », s'écrie-t-il, « sont disposés les quatre doigts et le pouce ! » Rollin, dans son *Traité des Etudes,* professe comme Fénelon que « l'univers dans toutes ses parties annonce et montre son Auteur »; et il insiste lui aussi sur les causes finales. En 1732 et les années suivantes, paraît le *Spectacle de la Nature* de Pluche. Tout en marquant plutôt la « bonté du Créateur », les bienfaits de sa Providence, que la beauté de son œuvre, cette histoire naturelle en dialogues procède de l'*Existence de Dieu.*

Les poètes paraphrasent l'argument des Merveilles de la Nature : On le retrouve dans la *Religion défendue* de Deschamps (1733), dans la *Religion* de Louis Racine (1743), dans la *Grandeur de Dieu* de Dulard (1749), et dans l'*Essai sur l'homme* de Pope et dans les *Nuits* d'Young si vite populaires chez nous.

Voici des naturalistes, étrangers à vrai dire, mais traduits en France et réintroduisant ainsi dans le courant de la pensée française les dérivations d'apologétique fénelonienne dont ils avaient bénéficié. C'est G.-A. Fabricius, dont la *Théologie de l'eau, ou Essai sur la bonté, la sagesse et la puissance de Dieu, manifestées dans la création de l'eau,* est traduite en 1741 de l'allemand en français; c'est Lesser, un Allemand encore, qui publie en 1738 à Francfort une *Théologie des Insectes,* traduite en 1742; il voit des « marques de la toute-puissance et même de la bonté de Dieu dans les dommages que causent les insectes », et jusque dans « la vermine », puisqu'elle « nous engage à la propreté du corps ». Même utilisation des merveilles de la nature dans la *Théologie naturelle* de W. Paley, dont la *Bibliothèque britannique* en 1745 donne en français de longs extraits. En vain Formey, dans les *Mémoires de l'Académie de Berlin* de 1747, compose un *Examen de la preuve qu'on tire des fins de la nature pour établir l'existence de Dieu,* où il critique le raisonnement selon lequel « il y a de l'ordre, donc il y a un Dieu »: l'argumentation remise en vogue par Fénelon n'en subsiste pas moins : en 1750, l'abbé Dupetit-Château la reprend et la résume dans son *Idée de la vérité et de la grandeur de la religion démontrée par des preuves claires et à la portée de tout le monde.*

De cette philosophie apologétique que disent cependant les philosophes de profession, les penseurs d'expérience ? Malebranche, qui, à vrai dire, étant mort en octobre 1715, n'a pu connaître que la *Première Partie de l'existence de Dieu*, voit en Fénelon

un bel esprit, dont le fort consistait dans une imagination vive, délicate et sublime, vaste, brillante, accompagnée d'une mémoire agréable...; [il y a] peu de justesse dans ses idées, qui sont presque toujours excessives; peu de clarté dans ses principes, qui ne sont quasi jamais bien démêlés, ni bien fixes, ni suivis, ni dégagés des fantômes sensibles : peu d'étendue et de pénétration d'esprit dans la plupart des raisonnements, qui sont plutôt d'un dialecticien pointilleux sur les termes que d'un logicien solide et profond; peu de régularité dans sa manière d'écrire, qui, toute belle qu'elle est d'ailleurs, se répand quelquefois trop comme un torrent qui rompt ses digues.

Leibniz est plus favorable : il juge *l'Existence de Dieu* « fort propre à toucher les esprits », et souhaite du même auteur « un ouvrage semblable sur l'immortalité de l'âme ».

Vers 1760, les Merveilles de la Nature sont enfin discréditées : « les philosophes, et les gens du monde qui les écoutent déclarent que c'est là une preuve bien populaire ».

*
**

Apologiste philosophe, Fénelon s'était fait en outre, depuis 1704, apologiste théologien, contre le jansénisme.

Les disputes jansénistes s'étaient ravivées en 1702 par la publication du fameux *Cas de conscience*. Dans le *Cas de conscience*, dit d'Aguesseau, « on supposait un confesseur embarrassé de répondre aux questions qu'un ecclésiastique de province lui avait proposées et obligé de s'adresser à des docteurs de Sorbonne pour se guérir de scrupules vrais ou imaginaires. Un de ces scrupules roulait sur la nature de la soumission qu'on doit avoir pour les constitutions des Papes contre le Jansénisme... L'ecclésiastique de province condamnait les cinq propositions, dans tous les sens condamnés par l'Eglise, et même dans le sens de Jansénius; mais dans le sens que présentent les cinq propositions considérées en elles-mêmes, indépendamment du livre de Jansénius : sur la question du *fait*, c'est-à-dire sur la question de savoir si les cinq propositions se trouvaient en fait dans le livre, il pensait que le *silence respectueux* était suffisant. Est-il permis d'absoudre l'ecclésiastique ? » Oui, décidait le confesseur, car ses sentiments ne sont « ni nouveaux, ni singuliers, ni condamnés par l'Eglise ».

« Un très grand nombre de docteurs, à qui la consultation fut présentée », ajoute d'Aguesseau, « ne sentirent ni le piège qu'on leur tendait, ni les conséquences de leur décision: il y en eut environ quarante qui souscrivirent, sans beaucoup de réflexion, à la décision qui leur fut présentée, et qui devint bientôt publique. » Le scandale fut d'autant plus grand que le cardinal de Noailles passait pour favoriser cette décision. Le pape condamna le *Cas de conscience*, et trente-neuf docteurs se rétractèrent.

Fénelon publia l'année suivante une *Ordonnance et instruction pastorale sur le Cas de conscience* (10 février 1703). En 1705, trois nouvelles *Instructions* reprennent le même sujet, en combattant les objections qui avaient été faites à la première; en 1706, deux *Lettres* à M. de Bissy, évêque de Meaux, revinrent à la charge; et Fénelon adressa en outre, la même année, une *Lettre à un Théologien au sujet de ses Instructions pastorales*, et une *Réponse à M. l'Evêque de Saint-Pons*. Il avait, dès 1703, écrit deux *Lettres* sur l'*Ordonnance* du cardinal de Noailles, et fait l'apologie du *Bref* de Clément XI condamnant le *Cas de conscience*. Puis vinrent ses apologies du *Bref* et de la Bulle *Vineam Domini* où Clément XI condamnait le « silence respectueux »; sa *Lettre sur l'infaillibilité de l'Eglise touchant les faits dogmatiques;* son *Mandement pour la réception de la constitution Unigenitus;* enfin son *Instruction pastorale en forme de dialogues.*

Quelle activité, et jusqu'à la veille de sa mort, chez ce prêtre de santé délicate, et dont les études théologiques, jadis, avaient été ralenties ou abrégées par cette délicatesse même ! Il y a chez Fénelon, incontestablement, une vue nette et douloureuse des maux que les querelles jansénistes, sans cesse renaissantes, vont causer à la France, aux forces chrétiennes françaises, dans le siècle qui commence. Il y a aussi en lui une aversion profonde, et qu'il faut bien nommer irréductible, contre l'idée de la Grâce, l'idée de Dieu, l'idée de la religion et de la morale que se font les Jansénistes, et plus généralement les âmes de la génération d'Arnauld et de Pascal. La Bulle *Unigenitus* en 1713 condamne les *Réflexions morales* de Quesnel. Mais, en 1699, Bossuet avait approuvé en grande partie la doctrine de Quesnel, et composé pour ce livre un *Avertissement* que les Jansénistes appelèrent dans la suite une *Justification.* Lisez l'*Instruction en dialogues,* surtout dans sa III⁰ partie où sont déduites les conséquences morales du Jansénisme. Vous constaterez que Fénelon ne cesse de s'en prendre à la « délectation victorieuse », c'est-à-dire à l'idée que les Jansénistes donnaient de la grâce efficace. Et tantôt il combat le déterminisme janséniste, tantôt, et de préférence, il combat ce qu'il nomme l'épicurisme des disciples de saint Augustin. Toute son argumentation repose sur cette idée : la grâce ne peut pas être une délectation, car il n'y a pas de religion ni de morale possible si l'homme est incapable de pur amour. Il faut que l'homme puisse aimer le Bien pour lui-même, indépendamment du plaisir qu'il en reçoit, pour pouvoir résister au plaisir, et choisir le devoir, le Bien. Au fond, il semble que Fénelon réunisse deux sens du mot *plaisir* ou deux sortes de *plaisir* : la recherche du plaisir, cupidité viciée de la nature déchue, qui nous rend capables d'être attirés par ce qui n'est pas le Bien Suprême; et recherche du plaisir ou plutôt du Bonheur, consistant à désirer ce pour quoi l'homme est fait : le plaisir marquant alors, nous permettant de constater, que notre fin véritable est atteinte. Au fond, plus encore il travaille, de ses forces qui bientôt vont défaillir, à la revanche de son mysticisme. Ses *Lettres au P. Lami, bénédictin, sur la Grâce et la Prédestination* déclarent que sur ces questions si controversées la vraie solution aux difficultés consiste à aimer Dieu indépendamment du motif de la récompense. Son *Mémoire* de 1710 au P. Le Tellier *sur les affaires du Jansénisme et sur quelques autres affaires du temps*, résume ainsi la querelle du Quiétisme :

Feu M. de Meaux a combattu mon livre par prévention pour une doctrine pernicieuse et insoutenable, qui est celle de dire que la raison d'aimer Dieu ne s'explique que par le seul désir du bonheur. On a toléré et laissé triompher cette indigne doctrine, qui dégrade la charité en la réduisant au seul motif de l'espérance. Celui qui errait a prévalu : celui qui était exempt d'erreur a été écrasé.

Voici donc, dans l'*Instruction en dialogues*, l'« indigne doctrine » de « celui qui errait » fustigée, sans amertume, d'une allègre ironie à l'aide de la verve de Pascal, ô sacrilège, et de certaines formules prises telles quelles aux *Provinciales* :

Ne savez-vous pas, dit M. Fremont [le janséniste], qu'il faut préférer le devoir au plaisir, quand l'un n'est pas d'accord avec l'autre ?
Il est vrai, répondit M. Perraut, qu'on m'instruisait ainsi dans ma première jeunesse, avant que vous m'eussiez ouvert les yeux. On me faisait entendre que les plus grands saints étaient ceux qui avaient le plus renoncé au plaisir, pour lui préférer la vertu. On me racontait que ces saints avaient passé leur vie dans les ténèbres, dans l'amertume et dans les croix les plus rigoureuses; mais cette éducation n'était qu'un reste de molinisme. Les casuistes mêmes que nous accusons du plus honteux relâchement, loin de me dire qu'il ne faut suivre la vertu qu'autant que le plaisir y détermine, m'assuraient au contraire que la

vertu n'est jamais si pure que quand on s'y attache indépendamment du plaisir, et malgré les plus affreux dégoûts. On me prêchait sans cesse que quiconque veut suivre Jésus-Christ doit *se renoncer*, et *porter sa croix*. On ne me parlait que de *la voie étroite*. Je la regardais comme un sentier escarpé et hérissé d'épines, pendant que la vie mondaine me paraissait un chemin large et uni, où les fleurs naissent sous les pas. J'étais tombé dans une dévotion mélancolique, farouche et sauvage. J'avais peur de mon ombre. Je ne voyais partout que tentation, péché, diable et enfer. Mais vous m'avez bien soulagé le cœur. Vos leçons m'ont appris à n'avoir plus d'autre directeur ni d'autre casuiste que mon plaisir le plus vif et le plus flatteur. Il est vrai, selon les paroles de saint Augustin que vous venez de me citer, qu'il faut préférer le devoir à un petit plaisir qui s'y oppose, quand le devoir rentre dans la règle de suivre le plus grand plaisir. Cette doctrine se réduit à dire qu'il faut vaincre les petites tentations, et être vaincu par les grandes. C'est ainsi que nous devons entendre saint Augustin. A proprement parler, les dévots et les libertins sont d'accord, sans s'en apercevoir. Les libertins suivent un plaisir, qui est une joie folâtre et évaporée. Les uns et les autres remplissent également leur unique devoir, qui est de céder en toute occasion à cet enchantement... Ainsi ils sont tous réunis dans un centre commun : c'est le seul ressort du plaisir, qui remue tous les cœurs...

Quel pamphlet souple et narquois, que cette *Instruction pastorale* ! Quelle désinvolte abondance ! Quelle dureté racinienne, c'est-à-dire souriante et blessante !

Une telle défense de l'orthodoxie contre le jansénisme eut en somme peu d'écho. Les jansénistes se contentèrent d'afficher leur mépris pour la science théologique de Fénelon : Quesnel le déclara tout uniment ridicule et vaniteux. Un disciple du P. Malebranche, le P. André, qui n'est pas suspect de faveur au jansénisme, aperçut dans l'exposé et la discussion de l'archevêque des « injures », de « folles déclamations », des excès, des habiletés, des lectures hâtives, enfin « un petit reste de son amour pur de son livre des Maximes des Saints ». En 1731 seulement le procédé dialectique de Fénelon contre les jansénistes est repris par un jésuite, le P. Patouillet, dans une *Apologie de Cartouche*, « dialogue entre un docteur catholique et un janséniste de bonne foi » :

Il faut nécessairement abandonner vos principes, ou bien ouvrir tous les cachots... : posés une fois vos principes, je ne vois plus au monde ni meurtrier, ni empoisonneur, qui n'ait en main de quoi justifier tous ses désordres, et qui ne puisse à l'aide de vos maximes faire l'apologie de ses noirs attentats.

Suivant un parallèle de Cartouche et du diacre Pâris, qui dut être d'autant plus sensible aux jansénistes que Cartouche non seulement était un brigand, mais avait été élève des jésuites. Les crimes de Cartouche trouvaient donc leur excuse :

> S'il avait la grâce, il n'a pu les commettre; s'il n'avait pas la grâce, il n'a pu s'en défendre... S'il a succombé, c'est son malheur et nullement son crime, et, par une suite nécessaire, c'est à l'auteur même de la grâce, et non point à Cartouche, qu'il faut s'en prendre de tous les vols et de tous les larcins qu'il a commis.

En vain objecterait-on que la grâce peut être méritée : la notion de mérite est supprimée, si la grâce est invincible; que la grâce peut être demandée : selon Quesnel, la prière des impies est un nouveau péché. Jusque-là, le P. Patouillet badinait, et non sans esprit :

> La cupidité de Cartouche en voulait au bien d'autrui. C'était là sa marotte; et c'est sur cela qu'elle était extrême et capricieuse au-delà de toute expression.

Dans le dernier tiers de l'opuscule, il s'élève presque à l'éloquence :

> Aimer Dieu ! Eh ! le puis-je ? Tandis que Quesnel me le dépeint sous les traits les plus odieux..., d'un tyran qui commande des choses impossibles, et qui, non content de les commander, damne encore impitoyablement ceux qui les ont exécutées...

A la fin, portant avec humour le procédé de Fénelon à son comble, il dresse une « table méthodique des pratiques de Cartouche et des maximes de Quesnel répandues dans cet ouvrage à l'usage de ceux qui sont abandonnés de la grâce ».

Il ne semble pas que l'*Apologie* du P. Patouillet ait eu plus de succès que n'en méritait ce jeu d'esprit dénué non pas de profondeur, mais de gravité : même auprès des lecteurs des *Lettres Persanes* ou des *Lettres Anglaises*, il n'était pas bon qu'on plaidât la cause de la vérité religieuse, des doctrines sûres et saines aux âmes, sur ce ton de paradoxe : pour défendre la foi, le persiflage paraît toujours superficiel.

⁕

La véritable apologétique de Fénelon, la plus efficace sans doute, en tout cas la plus suivie, ce n'est pas son épiscopal pamphlet en dialogues, mais ses ouvrages de spiritualité. Il s'était empressé jadis, dès sa conversion au Pur Amour, de faire rayonner ce mysticisme dans ses lettres et avis de direction. La *Véritable et solide piété*

de 1690, les *Réflexions saintes* de 1704, les *Sentiments de piété*
de 1713 sont composés de fragments de lettres, en particulier de
lettres adressées à Mme de Maintenon au temps où celle-ci accor-
dait à Mme Guyon et à Fénelon toute sa confiance spirituelle.
En 1714, Fénelon s'occupait à les reviser en vue d'une nouvelle
édition. Or les *Œuvres spirituelles* proprement dites, qui ne com-
prennent ni les *Sermons*, ni les *Prières*, ni les *Instructions sur les
sacrements*, eurent une quinzaine d'éditions de 1716 à 1752. Ajoutons que l'influence religieuse de Fénelon se transmet à ses lecteurs
non seulement par ces livres d'édification, mais encore par son traité
philosophique, voire par *Télémaque*.

Cette diffusion n'est pas du goût de tout le monde, car les
ennemis du mysticisme guyonien veillent et surveillent : le quiétisme, dit l'un d'eux, « est un incendie dont les cendres fument
encore ». Assurément, Fénelon veut, comme il le proclame, enseigner à aimer Dieu « sans intérêt propre », et il insiste sur notre
devoir de « préférer Dieu et sa gloire à nous et à notre béatitude ».
Il compare, non sans une ironique indulgence, l'âme qui a besoin,
pour aimer Dieu, du motif de la béatitude au « malade qui ne peut
pas marcher sans bâton ». Il s'élève, avec une véhémence indignée,
qui rappelle ses commentaires des *Articles d'Issy*, contre les adversaires du Pur Amour :

Si quelqu'un s'imagine que cet amour parfait est impossible et chimérique, et que c'est une vaine subtilité qui peut devenir une source d'illusion, je n'ai que deux mots à lui répondre : Rien n'est impossible à
Dieu; il se nomme lui-même le Dieu jaloux; il ne nous tient dans le
pèlerinage de cette vie que pour nous conduire à la perfection. Traiter
cet amour de subtilité chimérique et dangereuse, c'est accuser témérai-
rement d'illusion les plus grands saints de tous les siècles, qui ont
admis cet amour, et qui en ont fait le plus haut degré de la vie
spirituelle.

Mais enfin les *Œuvres spirituelles* n'ont jamais été condamnées;
Fénelon engage son mystique désapproprié à « ne jamais mépriser » l'adorateur intéressé; et, loin d'engager à l'indifférence pour le
salut, il subordonne seulement le désir du salut au désir de la
gloire de Dieu, « comme la fin subalterne à la fin principale ».

Sa direction spirituelle, ce sont surtout des conseils de calme
intérieur. Evitez, dit-il à Mme de Maintenon, l'excès des scrupules,
le raffinement dans la mortification, le romanesque dans le service de Dieu. Le devoir présent suffit; la plus grande et la plus
nécessaire des pénitences est de s'oublier soi-même. Ces avis, sans

A

SON ALTESSE ROIALE

MONSEIGNEUR

LE DUC D'ORLEANS,

REGENT DE FRANCE.

ONSEIGNEUR,

*P*erfonne *n'ignore que* VOTRE ALTESSE ROIALE
*redoute les loüanges autant qu'*ELLE *les mérite ;*

                       *   *tandis*

Page de dédicace au Régent
du « Dictionnaire » de BAYLE (éd. 1720)

doute, avaient toute leur opportunité pour Mme de Maintenon elle-même, et pour les âmes de sa trempe ou de son temps, violentes, actives, volontaires, plus capables de conversion, où l'on s'arrache, que d'abandon, où l'on se détache; mais enfin les âmes dévotes de tous les temps ont pu et peuvent goûter ces appels à la simplicité, insistants, presque intimes, précis en tout cas et positifs, et positifs tout en laissant de temps en temps la place, comme dans l'*Existence de Dieu*, à des élans lyriques :

> La règle pour trouver ce juste milieu dépend de l'état intérieur et extérieur de chaque personne, et on ne saurait donner de règle générale sur ce qui dépend des circonstances où se trouve chaque personne en particulier. Il faut se mesurer sur sa faiblesse, sur son besoin de se précautionner, sur son attrait intérieur, sur les marques de providence pour les choses extérieures, sur la dissipation qu'on y éprouve, et sur l'état de sa santé... Venons aux exemples...
> O puissance incompréhensible de mon Créateur ! O droit du créateur sur sa créature, que jamais la créature ne comprendra assez ! O prodige d'amour que Dieu seul peut faire ! Dieu se met, pour ainsi dire, entre moi et moi; il me sépare d'avec moi-même; il veut être plus près de moi par le pur amour que je ne le suis de moi-même, il veut que je regarde ce *moi* comme je regarderais un être étranger; que je sorte des bornes étroites de ce *moi*, que je le sacrifie sans retour, et que je le rapporte tout entier et sans condition au Créateur de qui je le tiens. Ce que je suis me doit être bien moins cher que celui par qui je suis...

Et l'on voit peu à peu, de ces pages que l'on a crues d'abord si abstraites, si impersonnelles, se lever la physionomie expressive, l'âme de Mme de Maintenon, scrupuleuse, entière, aisément déconcertée et rebutée; et en face d'elle le regard du directeur, perspicace et extatique.

Les écrivains mystiques disciples ou admirateurs de Fénelon n'ont pas été nombreux au xviii° siècle. Poiret, l'ermite protestant de Rheinsbourg, qui s'est fait l'éditeur de Mme Guyon, et qui donne une édition des *Œuvres spirituelles* de Fénelon en 1718, meurt en 1719, sans avoir eu grande influence en France. Mme Guyon meurt en 1717, vénérée du marquis de Fénelon, « pilier boiteux de son église », comme l'appellera injurieusement Voltaire dans un moment d'humeur méchante. Les âmes dociles à la Prophétesse sont surtout, selon sa dénomination, des *Trans*, des étrangers en général protestants : allemands, anglais, hollandais, suisses, chercheurs de moyens courts pour aller à Dieu, avides de se confier, voire de se confesser, et dont les lettres édifient la petite chapelle guyonienne comme ils sont édifiés eux-mêmes par les lettres de N[otre] M[ère]. Le

15

doctoral *Instinct divin recommandé aux hommes* du Suisse romand Béat de Muralt (1727), procède du mysticisme guyonien, et ce piétisme prépare bientôt, au moins dans l'âme de Jean-Jacques, une revanche de l'instinct religieux contre le rationalisme.

En France, le mysticisme n'est guère représenté alors que par deux auteurs : l'abbé de Brion et le P. de Caussade. Encore affirment-ils ses droits à l'existence, plus qu'ils n'en offrent une image persuasive.

L'abbé de Brion en 1717, dans ses *Considérations et entretiens spirituels*, commence par admettre quelques principes des *Maximes des Saints;* l'année suivante, dans une *Paraphrase sur divers Psaumes*, il s'efforce de s'opposer nettement à la spiritualité guyonienne, et il déclare la guerre au jansénisme aussi. Enfin, en 1728, il publie, pour fixer sa doctrine et la justifier, un *Traité de la vraie et fausse spiritualité, avec un examen de quelques livres attribués à M. de Fénelon.* Là il renie solennellement Fénelon, en tâchant de maintenir le mysticisme. Il n'y a, dit-il, d'amour pur de Dieu qu'en théorie : nous admirons à la fois et aimons Dieu « infiniment parfait » qui en outre « nous a donné des témoignages si éclatants de son amour » par son incarnation. Aussi l'amour le plus pur « a toujours quelque rapport à nous, nous voulons et nous désirons tous être heureux ». Et d'autre part, selon l'esprit de Fénelon, il déclare que « l'union essentielle n'est point une voie extraordinaire ». Mais le jugement que la *Vraie et fausse spiritualité* porte sur le quiétisme, sur les ouvrages de Mme Guyon, et sur les *Œuvres spirituelles* de Fénelon, est extrêmement dur. Le quiétisme, dit Brion, n'est qu'une « illusion » : il semble désintéressé, mais il est égoïste; un quiétiste « n'a pour objet que soi-même et sa propre estime dans ses œuvres »; il ne « diffère des Epicuriens que par le nom et les termes ». Mme Guyon est le « chef » des quiétistes de France; sa doctrine, si justement condamnée dans les *Maximes des Saints*, reparaît « beaucoup plus dangereuse et plus captieuse », dans les *Œuvres spirituelles.* Là Fénelon « ne présente jamais à l'âme Jésus-Christ pour modèle, ni comme le divin objet dont nous avons besoin pour nous soutenir et nous animer dans les combats ».

Le P. de Caussade, lui, est un conciliateur. Dans son *Instruction spirituelle en dialogues* (1741), dont la forme aimable et alerte rappelle les dialogues profanes ou théologiques où Fénelon s'était complu, il veut réconcilier Fénelon et Bossuet sur le terrain mystique. La querelle du quiétisme, dit-il, a discrédité le mysticisme : on a « abusé de la saine doctrine » de Bossuet. N'entrons pas dans le récit de la querelle : la simple lecture de l'*Instruction pastorale*

de Bossuet *sur les divers états d'oraison* « nous donnera souvent
l'occasion de remarquer avec une agréable surprise que, pour le
fond de la vraie spiritualité, ces deux grands prélats n'étaient pas
si éloignés de sentiment qu'un certain public l'a pensé ». Le P. de
Caussade renonce à définir Mme Guyon, et s'en tient pour l'apprécier aux actes officiels. Il ne cite pas non plus Fénelon. Mais ce
sont les principes féneloniens qu'il a la prétention de retrouver dans
l'*Instruction* de Bossuet. Et il dépense à la démonstration de sa
thèse une ingéniosité qui parfois ne laisse pas d'étonner. Veut-il
découvrir la défense de l'amour pur dans l'*Instruction pastorale* ?
Il cite loyalement le texte de Bossuet : « Donc séparer ces deux
idées, Dieu souverainement bon en lui-même, et par là infiniment
communicatif, les séparer, dis-je, autrement que par abstraction,
c'est une doctrine contraire à la piété, à toute la théologie, à toute
l'Ecriture Sainte. » Et il en conclut, le bon Père de Caussade :
« Par où l'on voit évidemment que M. de Meaux admet l'amour
pur par abstraction des motifs intéressés ». Son apologie du mysticisme est plus zélée qu'exacte dans le choix de ses arguments.

*
* *

Le prestige de Fénelon auprès des mondains contribue assurément à maintenir contre les méfiances rationalistes le prestige du
sacerdoce et du dogme catholiques. Ceux mêmes qui le nomment
« patriarche des faux mystiques » le louent de sa soumission au
Bref qui l'a condamné; Mathieu Marais, gallican, admirateur de
Bayle, correspondant de Des Maizeaux, tient à avoir une copie de
son *Mandement* pour le Carême de 1711.

Peu à peu, cependant, ce prestige de Fénelon se laïcise, dans
l'opinion du siècle. Seul le marquis de Fénelon, sincèrement chrétien et peut-être mystique, maintient dans sa *Vie* et dans les articles
qu'il donne à Moreri la renommée d'un Fénelon attaché à l'esprit
du sacerdoce. Du sacerdoce Fénelon ne garde que les fonctions,
chez ses autres admirateurs, gauches et soucieux de dessiner sa
silhouette au goût du jour, ou trop adroits, et ambitieux de compter
un « philosophe » dans les rangs mêmes du clergé de Louis XIV.
Bossuet, lui, en dépit d'une tentative passagère d'annexion par les
rationalistes, reste bien un prêtre, aux yeux des penseurs d'alors.
Mais n'est-il pas le persécuteur de Fénelon ? Qu'il soit donc le
prédicateur du Christ, de l'austérité, de l'intransigeance doctrinale.
Fénelon n'en apparaîtra que mieux en grand homme tolérant et

sensible, adorateur sans fanatisme d'un Etre Suprême sans exigences, et sans précision.

II. — LA PRÉDICATION

Les *Sermons* de Fénelon eurent jusque vers 1750 plusieurs éditions. Mais ils ne lui donnèrent pas cette gloire d'orateur que plusieurs sermonnaires acquirent alors si brillante, presque légendaire; on contait les miracles de leur éloquence : toute l'assistance se levant, au sermon de Massillon sur le *Jugement dernier,* prête à se répartir à la droite et à la gauche du prédicateur comme s'il était le Juge Suprême; et le Père Bridaine déchaînant sans cesse les larmes d'admiration et de repentir. Effets du talent, de la rhétorique, de la doctrine ? Pour l'apprécier, pour connaître plus exactement la prédication durant ce demi-siècle, une enquête est nécessaire sur la formation intellectuelle et morale que recevaient les futurs prédicateurs.

Le 29 septembre 1750, Mgr de Fitz-James, évêque de Soissons, écrivait à Montesquieu, qui lui avait dit ses craintes pour l'*Esprit des Lois* d'une censure ecclésiastique : Je ne suis moi-même partisan d'une censure que lorsqu'elle peut être « médicinale » : quand elle peut remédier au mal, et non pas seulement l'interdire. Contre les livres dangereux, le vrai remède n'est pas là :

> Pour couper la racine du mal il faudrait songer sérieusement à ranimer les études de théologie, qui sont entièrement tombées, et tâcher de former des ministres de la religion qui la connaissent, et soient en état de la défendre.

La décadence, si grave aux jours de l'*Encyclopédie,* avait commencé à Paris dès la fin du règne de Louis XIV. Les cours dictés, méprisés des séminaristes, n'étaient guère qu'occasion à paresse et à vacarme; cependant ils étaient fort nécessaires : les maîtres de Saint-Sulpice n'osent pas y renoncer; et les Oratoriens, qui d'abord n'en avaient pas voulu, les adoptent. Des soutenances publiques on se défie à Saint-Sulpice; ailleurs on s'y complaît. Les professeurs ne sont pas « tous ignorants », comme l'affirment les partiales *Nouvelles ecclésiastiques;* un grand nombre sont savants au con-

traire; mais, chez les étudiants, tous les témoignages le recon-
naissent, le zèle et la discipline fléchissent.

« Un séminaire n'est pas une université », avait jadis prononcé
Godeau. Selon cet esprit, on enseigne seulement les « vérités saintes,
nécessaires et profitables ». Pas de droit canon, pas de théologie
positive; l'histoire est réservée en général pour les lectures du réfectoire. Le chant, les cérémonies et rites; l'Ecriture Sainte surtout.
Pour l'étudier et l'interpréter, on n'ignore pas le parti à tirer des
relations des missionnaires sur les coutumes et les langues des
païens, des Orientaux; mais de l'exégèse de Richard Simon qu'a
foudroyée Bossuet, de la critique de Spinoza, des recherches du protestant Leclerc, il ne semble pas qu'on parle beaucoup. Les Jésuites,
jadis accueillants à R. Simon, sans doute ne s'y refuseraient pas.
Mais les jansénistes veillent, hostiles en pareille matière à toute
lumière nouvelle. Dans les manuels — *Théologie de Poitiers* (1708),
Théologie de Habert (1709) — les tendances adverses : molinisme
et jansénisme, se mêlent ou s'équilibrent.

La vie intérieure reste particulièrement en honneur à Saint-Sulpice;
mais, là comme ailleurs, dès le début du siècle, la mise des lévites
perd sa simplicité; ils se laissent par la mode imposer la perruque,
la frisure, la poudre. Les Oratoriens sont jansénistes ou suspects
de jansénisme; en général, ils ne prêchent qu'après avoir exercé plusieurs années de professorat. Les Jésuites ne se détournent pas du
bel esprit académique; mais leurs études prolongées, leur forte discipline intellectuelle, leur expérience de directeurs et de régents assurent
à leur prédication une supériorité de souplesse et de profondeur.

**

Le premier de ces prédicateurs, et par la date et par la valeur
littéraire, a été un Oratorien : Massillon. Né en 1663 à Hyères,
longtemps professeur : à Pézenas, Marseille, Montbrison, Vienne,
ses vrais débuts d'orateur sacré à Paris ont lieu l'année de *Télémaque*.
De 1699 à 1718, tous les ans il prêche *Avent* ou *Carême* à Paris
ou à la cour. Nommé évêque de Clermont en 1717, il prêche en
1718 à la cour son fameux *Petit Carême*; depuis 1721 il réside dans
son diocèse, jusqu'à sa mort en 1742.

Massillon a été traité durement par le grand apologiste de Bossuet au siècle dernier : Brunetière, qui, par l'outrance même de
son culte pour l'incomparable orateur moraliste, a contribué peut-
être à déchaîner la réaction favorable à Fénelon et aux mystiques,
qui dure encore. Brunetière reproche à Massillon d'oublier ou

d'omettre le dogme; de nommer Jésus-Christ : « le législateur des Chrétiens », et d'avoir été estimé ou loué par les philosophes, gloire qu'il partage, ajoute-t-il sarcastiquement, avec Fénelon.

La morale politique du *Petit Carême* nous a permis de ranger Massillon parmi les politiques féneloniens. A Fénelon Massillon s'apparente aussi par le tour « prophétique » de sa période, par les mots tranchants, excessifs, qu'elle met en valeur. Comme Fénelon, Massillon est impressionnable. Il s'exalte à déclarer « bien plus noires » que la trahison de Judas les rechutes des pécheurs. Quand il veut ramener ses prêtres au soin scrupuleux de leurs devoirs, il leur dit :

> Dès que vous avez perdu cette piété *tendre* (délicate, susceptible), qui fait qu'on est *effrayé* du ministère *terrible* et qu'on ne s'y croit jamais assez disposé, vos fonctions deviennent des *crimes*.

Prenons garde cependant que ces véhémences trop accentuées, tout en étant naturelles à Massillon, et accréditées auprès de son goût par la mode littéraire du temps, pourraient bien être voulues aussi. Massillon voit le clergé et les fidèles de France guettés, sollicités par l'indolence, l'apathie, le désir de satisfaire Dieu à peu de frais. Aussi tient-il à troubler cette « insensibilité », cette « espèce d'engourdissement ».

Est-il opportuniste d'une autre manière, moins pure celle-là, en s'abaissant à courtiser certains de ses auditeurs ? Brunetière le lui reproche, et il relève avec indignation le parallèle que voici :

> Le peuple, livré en naissant à son naturel brute et inculte, ne trouve en lui, pour les devoirs sublimes de la religion, que la pesanteur et la bassesse d'une nature laissée à elle-même; il ne sent rien au-dessus de ce qu'il est : né dans les sens et dans la boue, il s'élève difficilement au-dessus de lui-même.
>
> Une haute naissance nous prépare, pour ainsi dire, aux sentiments nobles et héroïques qu'exige la foi : un sang plus pur s'élève plus aisément; il en doit moins coûter de vaincre leurs passions à ceux qui sont nés pour remporter des victoires.

Mais à ces paroles flatteuses assurément, mondaines, elles aussi excessives, que de contre-parties dans l'œuvre du prédicateur ! Il a bien su voir et montrer les grands exposés à toutes les tentations :

> Le plaisir devient l'unique soin qui les occupe, ils se reposent de leur élévation sur leurs titres, tout le reste est pour leurs passions. Ce sont les grands qui ont donné du crédit à l'impie...
> Les grands ne croient être nés que pour eux-mêmes.

Non vraiment, ici non plus qu'en d'autres matières la doctrine de Massillon ne doit paraître téméraire ni choquante. Massillon est pondéré, équilibré, ferme et doctoral à l'occasion :

Ce ne sont pas les sentiments qui prouvent la vérité de l'amour, ce sont les sacrifices.
C'est l'amour, mes Frères, qui fait les véritables pénitents; car la pénitence n'est que le changement du cœur, et le cœur ne change qu'en changeant d'amour : la pénitence n'est que le rétablissement de l'ordre dans l'homme; et l'homme n'est dans l'ordre que lorsqu'il aime le Seigneur pour quoi il est fait : la pénitence n'est qu'une réconciliation avec Dieu.

Le *Sermon sur la Pécheresse* abonde en passages de ce genre, où le style de définition est à peine, et à de longs intervalles, accentué d'un mot véhément.

Et cependant, est-ce être malveillant pour ce prédicateur si apostolique, que de relever, dans les tableaux qu'il fait des passions humaines, de leurs troubles, de leur malheur, non pas une insistance complaisante, mais une séduction dans l'analyse ténue et le style chantant, qui fait penser à Racine, à ses héroïnes délicates et tourmentées, blessées, repentantes, amères après une longue recherche du plaisir ? Ecoutez-le traiter des passions : au moment même où il en dénonce la néfaste puissance aux âmes d'illusion qui l'écoutent, n'est-ce pas Phèdre qui vient hanter sa mémoire, Phèdre docile au mirage d'amour, mêlant le remords à l'avidité du péché, Phèdre en quête d'une délectation qui enfin l'entraîne hors de sa délectation criminelle, et lasse de tant de chocs reçus, et de toutes ses attentes ?

Les raisons ne manquent jamais aux passions...
Vous fuyez peut-être les occasions qui vous ont séduit, vous ne craignez pas celles qui peuvent encore vous séduire : le crime vous alarme, le danger ne vous touche pas; vous vous faites à vous-même un plan de conduite, d'où vous ne bannissez que vos malheurs passés; vous retenez tout ce qui peut vous y conduire par d'autres routes...
La tristesse, les remords, le désespoir, sont la seule consolation qu'elles laissent dans le cœur après elles...

(*S. du Véritable Culte.*)

Et nous, détrompés depuis tant d'années par notre propre expérience; nous, instruits par nos propres dégoûts, lassés du monde...; nous qui, comme le reprochait autrefois Tertullien aux païens, portons encore une âme chrétienne au milieu de toutes les passions qui la souillent, et qui lui [à Dieu] adressons même en secret des soupirs et des regrets que la tristesse du crime nous arrache.... nous qui éprouvons tous les jours combien il est triste d'être livré à soi-même et de porter le poids et les inquiétudes d'un cœur criminel; nous qui, après avoir essayé si longtemps de tout ce qui peut flatter notre cœur, n'avons réussi qu'à augmenter sa noirceur et sa tristesse : nous, sans consolation du côté de Dieu que nous ne servons pas, sans douceur du côté des plaisirs qui ne nous touchent plus, sans repos du côté du cœur, qui est devenu le théâtre de nos remords et de nos inquiétudes; nous, mes Frères, nous ne pouvons cependant nous déprendre de nous-mêmes... Nous flottons, dit saint Augustin, entre le dégoût du monde et le dégoût de Dieu; entre la lassitude des passions et le peu d'amour pour la justice; entre l'ennui des plaisirs et de la vertu.

(*Pour le Jour de saint Benoît.*)

Pourquoi dans le retour de ces mots : tristesse, inquiétude, y a-t-il une douceur fiévreuse, comme un gémissement flatteur ? Pourquoi ce rythme musical, d'une musique qui endolorit plus qu'elle n'apaise ? Ah ! que l'on se représente bien Chateaubriand enflammé par une telle lecture, comme il l'a été en effet, et rêvant tumultueusement de saint Augustin et de ses fautes, de la Phèdre de Racine, et de sa propre sylphide, et de son éternel ennui, et des cadences troublantes où frémira la plainte de Velléda !

Puisqu'il l'a tant lu et tant goûté, n'est-ce pas chez Massillon enfin — en même temps que chez Rousseau et Bernardin de Saint-Pierre — que Chateaubriand puisera sa grande idée d'un Christianisme passionné et sentimental ?

Mais, d'ailleurs, vous vous trompez de regarder comme des inclinations inalliables avec la piété ces penchants de vivacité pour le plaisir nés avec vous. Ce seront des dispositions favorables au salut, dès que la grâce les aura sanctifiées. Plus vous êtes vif pour le monde et pour ses faux plaisirs, plus vous le serez pour le Seigneur et pour les biens véritables; plus les créatures vous ont trouvé tendre et sensible, plus la grâce trouvera d'accès et de sensibilité dans votre cœur; plus vous êtes né fier, hautain, ambitieux, plus vous servirez le Seigneur noblement, sans crainte, sans ménagement, sans bassesse; plus vous paraissez né d'un caractère facile, léger, inconstant, plus il vous sera aisé de vous déprendre de vos attachements criminels, et de revenir à votre Dieu; enfin vos passions deviendront elles-mêmes, s'il est permis de parler ainsi, les facilités de votre pénitence... Un cœur que les créatures ont pu toucher offre de grandes dispositions à la grâce... Le même fonds qui fait les grandes passions, quand il plaît au Seigneur de changer le cœur, fait aussi les grandes vertus.

(*S. s. la Pécheresse.*)

Les fougues de Jean-Jacques extasié devant le « Grand Etre » qui pardonne ou bénit les passions humaines, les rêveries pittoresques de Bernardin sur les femmes des marins priant avec confiance au bord des flots, et sa formule : « Nos passions servent d'ailes à nos vertus », seront plus véhémentes ou plus attendries : sans l'avoir voulu, mais incontestablement, l'un et l'autre, et Chateaubriand, ils développeront la théologie de la délectation que Massillon leur aura transmise, claire et décidée, à travers les grâces de sa période racinienne.

**

L'assurance doctrinale de Massillon et son harmonie se retrouvent peu chez ses successeurs, qui souvent ont tâché d'être ses disciples. Les Oratoriens ses confrères qui, d'abord, jusqu'en 1729, seuls avec les séculiers et à l'exclusion des Jésuites, ont accès aux chaires de la capitale, prêchent la morale à peu près uniquement : ils blâment les vices les plus évidents alors, l'usure, la débauche, la paresse; ils s'excusent auprès de leur auditoire, lorsqu'il leur arrive de quitter « la peinture des mœurs », pour tenir un langage « un peu théologique ». A la première croissance du rationalisme ils n'opposent guère que des conseils d'humilité : cette vertu, répètent-ils, est plus nécessaire que la science. Ils s'adressent moins à l'intelligence qu'au cœur : « l'homme, c'est le cœur », déclare l'un d'eux, le P. Surian.

Après 1729, les Jésuites eux aussi prêchent rarement les « mystères ». Leur Père Segaud, tout en affirmant que « l'intime persuasion du dogme et des vérités de l'Evangile est le meilleur remède contre les tentations de la chair », est surtout un moraliste. Dans l'œuvre immense du P. de Neuville on n'aperçoit qu'un sermon sur l'Incarnation, un sur la Rédemption, un sur le Jugement dernier. Et le P. Pérussault veut seulement montrer que la religion chrétienne est sublime parce qu'elle est aimable. Du texte évangélique, ils tirent des leçons édifiantes, et une idée du vrai fidèle, qu'ils mettent en parallèle avec une idée du mauvais chrétien. Ils ne manquent pas de franchise; et aux grands, qui les déçoivent, ils disent de telles duretés que, dans le public, on accuse la Compagnie de flatter ainsi le populaire :

Où serez-vous, fiers mortels, orgueilleuses créatures, où vous placerez-vous, poussière insolente ? Déguisez votre origine, étalez vos distinctions, vos titres, vos qualités, qu'êtes-vous en sa présence ? Hommes et pécheurs. En qualité d'hommes qu'êtes-vous ? cendre, poussière, voilà votre noblesse.

(Sur le Jugement Général.)

A ces apostrophes, le P. Pérussault ajoute une invective aux châteaux bâtis sur « l'injustice », et cimentés du « sang des pauvres ». Et le P. de Neuville s'écrie :

Combien de fois, dans ce qu'on appelle grands, tout a paru petit, excepté leur pouvoir et leurs vices !

Plus souvent cependant l'éloquence des bons Pères est une éloquence tutélaire de directeur qui rassure en conseillant :

Ne vous alarmez donc pas, âmes pénitentes, de sentir plus que jamais la vivacité des passions, l'impression des objets, la révolte des sens, la violence des tentations : il fallait vous en alarmer lorsque vous ne les sentiez pas, et que faute de discerner le sommeil de la mort, du repos de la vie, dans vos chutes continuelles vous jouissiez d'une paix profonde. Défiez-vous sans vous décourager; veillez sur vous-mêmes, sans vous troubler; craignez toujours sans jamais désespérer; le secours de Dieu ne vous manquera pas...

(Le P. Segaud, S. pour le jour de la Quasimodo.)

Mais ce temps est aussi celui où, à Paris, l'éloquence académique des sermonnaires prétend « orner les vérités saintes » en « se servant de l'imagination pour aller au cœur ». Quelle imagination, hélas ! Des tableaux où la volonté et la patience ont plus de part que le talent; où l'âme, s'appliquant à être spectatrice des scènes évangéliques, finit par les dessiner, sans entrain, sans élan, sans génie, comme en ces estampes pieuses du XVII° siècle finissant, si mornes à force de bonne volonté. L'application des sens prescrite par saint Ignace, la « composition » ou reconstitution de la Passion, de la Crèche, du Thabor, sont vraiment, chez ces sermonnaires, plus laborieuses et méritoires que capables de pittoresque et de vie. Quant aux ornements, ce sont les divisions artificielles, les parallèles qui se prolongent d'autant plus qu'ils sont aisément riches d'antithèses — le P. de Neuville n'a-t-il pas tout un développement sur les avantages du ciel et les inconvénients de l'enfer ? — les sentences vides, où les procédés de La Rochefoucauld et de La Bruyère, et de Sénèque ou de Claudien, sont exactement mis en usage.

En province, Bridaine, missionnaire général, prêche en quarante-deux ans deux cent cinquante-six missions. C'est un orateur-né, chez qui la vigueur et la brusquerie alternent avec la douceur pénétrante; familier, imagé, puissant sur ceux qui l'entendaient tout autrement que sur ceux qui le lisent aujourd'hui.

Vers 1750, les prédicateurs changent de sujets, et de ton. Il ne s'agit plus de rassurer; il ne suffit plus, pour amener à la foi et aux œuvres chrétiennes, de déconseiller la curiosité spéculative comme un acte d'orgueil : il faut combattre et il faut instruire. L'immo-

ralité s'étend, le luxe grandit, le déséquilibre social s'accroît, la
doctrine philosophique se répand et s'affermit. On attaque donc,
parfois avec une franchise rudoyante, les mœurs dépravées de la
cour; pour anathématiser les grands, débauchés et incrédules, on
emprunte à la déclamation des philosophes quelques mots excessifs :
« cœurs indignes de l'humanité dont ils sont l'opprobre ». Louis XV
n'est pas épargné; mais, lorsque le Grand Aumônier prévoit à l'adresse
de Sa Majesté quelque vérité un peu forte, il a soin d'avertir le
royal pécheur, qui évite l'esclandre en partant pour la chasse.

On attaque la mode du philosophisme qui sévit dans l'élite de
la nation : l'abbé Clément et le P. de Neuville décrivent ainsi,
non sans quelque verve satirique, les grands seigneurs attentifs,
dociles, crédules aux philosophes, les applaudissant comme les « oracles de la vérité, les restaurateurs de la liberté, les vengeurs de
l'humanité, les bienfaiteurs de l'univers »; se glorifiant comme
eux d'être anglomanes, rêvant avec eux d'innocence primitive, et
avec eux se révoltant à l'idée d'un Enfer, d'un Purgatoire, d'une
Prédestination, d'une Providence.

Contre ces vulgarisateurs de l'incrédulité et contre leurs maîtres,
les prédicateurs en renom : Clément, le P. de Neuville, le P. Le
Chapelain, et le fameux abbé Poulle, le second Massillon, comme
on l'appelle alors, se décident à présenter les titres du Christianisme. Ils rappellent les traditionnelles preuves historiques: miracles
et prophéties, constance des martyrs, diffusion du christianisme. Ils
développent plus souvent les preuves morales. Les vertus naturelles
seraient bien fragiles, dit le P. de Neuville, sans l'appui des sanctions
chrétiennes; elles s'épurent, elles s'élèvent, lorsque le désir d'imiter
les vertus du Christ les anime. Notre religion est seule capable de
multiplier les vrais héros, les grands hommes. Elle rend les mœurs
plus douces, dit le Père Le Chapelain, en recommandant la maîtrise
de soi-même. La Foi, dit l'abbé Poulle, loin d'affaiblir le cœur et
d'obscurcir l'esprit, est un soutien et une lumière. Elle est utile
aux Etats, en montrant leur devoir aux souverains, aux sujets, aux
pauvres, aux riches. Elle nous affranchit des passions, elle nous fait
prêtres par le détachement, prophètes par la vue anticipée de notre
sort éternel. Quel bienfait pour l'humanité que cette religion qui
prescrit le travail et l'exactitude à accomplir les devoirs d'état !
Un mauvais chrétien est un mauvais citoyen; une nation vraiment
chrétienne est un peuple de frères. Notre foi, dit l'abbé Clément,
si supérieure à l'islamisme immoral, est une consolation, une sécurité pour nos cœurs, puisqu'elle nous promet qu'au Ciel nous retrou-
verons nos amis. Dès ici-bas, le vrai croyant est béni de Dieu, et

attire la bienveillance divine sur la ville qu'il habite et sur l'Etat dont il est sujet.

Les prédicateurs répondent à certaines accusations de détail : le Moyen Age chrétien était barbare : Cependant il a produit de très grands hommes. Les moines sont méprisables : Calomnie, répliquent le P. de Neuville et le P. Le Chapelain, dans leurs sermons sur *l'Etat religieux* et *les Ordres religieux* : les religieux soutiennent et propagent la foi, ils expient, et généralement ils donnent de beaux exemples de vertu.

Et que sont-ils, ces penseurs si vantés, dont est si fort le prestige d'indiscipline ? Qu'est ce Bayle, leur maître à tous, sinon un

homme habile à tourner la vérité en problème, à rajeunir les anciennes erreurs, toujours ennemi de la religion, soit qu'il l'attaque, soit qu'il la défende ?

(Le P. de Neuville, S. sur le Scandale.)

Quel Credo ont-ils assemblé ?

Comment comprendre ce vaste univers sans maître, sans Dieu, un ouvrage sans ouvrier; un ordre, une sagesse infinie, sans intelligence qui soit sage et qui ordonne; un mouvement sans moteur, des lois sans législateur; un monde où tous les êtres ne sont qu'un seul être, c'est-à-dire un monde qui ne connaît point de Dieu, parce que dans le monde tout est Dieu... [ou bien] un Dieu qui aime l'ordre et qui ne sait ni récompenser la vertu qui le respecte, ni punir le crime qui l'outrage, c'est-à-dire un Dieu qui n'est point Dieu; une providence qui souffre, qui permet qu'une religion qui n'est que mensonge, imposture, réunisse tous les caractères de divinité, de vérité : la pureté de la morale, la sublimité des dogmes, l'héroïsme des vertus, l'autorité des miracles, le suffrage des prophètes, une providence sans providence.

(Le P. de Neuville, S. sur la Résurrection de Jésus-Christ.)

Quel est sur les mœurs privées ou publiques l'effet de leurs leçons ? La philosophie est impuissante à établir la vertu, une seule vertu :

Humiliez-vous et confondez-vous devant l'enfance divine, philosophes superbes, raisonneurs éternels sur les principes de la corruption humaine et les moyens d'en tarir la source. Vous déclamez sans cesse contre le siècle où vous avez à vivre; vous inondez le monde de vos vains systèmes pour le ramener à l'innocence et à la pureté de son origine. Mais que produira jamais, pour la réforme des mœurs, cet amas de préceptes spécieux, de maximes plus fastueuses que solides ? Votre morale a-t-elle fait disparaître un seul vice de la terre, et l'univers entier ne serait-il pas encore dans la superstition et l'idolâtrie, s'il n'avait eu que vous pour docteur et pour maître ?

(Le P. Le Chapelain, S. sur la nativité de Jésus-Christ.)

La philosophie a corrompu les mœurs françaises :

Depuis que l'irréligion (nous ne vous rappellerons pas, mes très chers frères, une époque bien éloignée) depuis que l'irréligion a prévalu, qu'elle a renversé la digue formidable de la Foi, la nation ne se reconnaît plus elle-même. Quel débordement de corruption ! Quelle agitation dans les esprits ! Quelles opinions ! Quels systèmes ! Quelles mœurs ! Quel avilissement ! Quels scandales ! Quelles passions ! Quelles idoles ! Quel luxe ! Quelles ruines ! Quels forfaits ! On n'ose les dévoiler dans les arrêts mêmes qui les foudroient. Mais aussi quelle preuve de la nécessité de la Foi ! Que les ministres évangéliques se taisent : elle n'a pas besoin d'apôtre ni de défenseur. Sa cause est devenue la cause de la société.

(Abbé Poulle, *S. sur la Foi.*)

Et l'abbé Clément voit en tremblant se former contre la France qui devient impie les nuées tonnantes de la colère divine. Humilions-nous, faisons pénitence, cessons d'être des chrétiens imprévoyants, mondains.

Les accents vraiment religieux abondent, chez ces prédicateurs témoins du grand péril et qui n'ont guère su l'annoncer. L'utilité sociale du Christianisme reste pourtant un de leurs thèmes ordinaires; sans doute parce que les adversaires mettaient leur effort à nier cette utilité. Mais aussi aux esprits de ce temps, chrétiens ou non, l'utilité d'une doctrine apparaissait souvent comme la marque de sa vérité. Cette justification terrestre du Christianisme, cette apologétique d'homme sensible ou de politique, semble avoir parfois chez les orateurs gêné l'élan de la pensée, et même de la phrase. Alourdie de considérations sociales et humanitaires, leur expression ne s'allège que dans l'analyse morale : lorsque l'abbé Poulle, par exemple, dessine les mines et travers des nonnes mondaines; encore s'encombre-t-il de périphrases pour désigner « ces vierges imprudentes, qui, sans nécessité, trahissent le secret de leur retraite, et se livrent indiscrètement aux entretiens des sectateurs du siècle ». Et puis, si Massillon rappelait Racine par son harmonie, et par sa vue janséniste du cœur humain, le « second Massillon », lui, se borne à délayer quelques traits d'*Athalie*, ou d'*Andromaque*, ou même des tragédies de Voltaire.

III. — LES RÉPONSES AUX ADVERSAIRES : APOLOGIES PROTESTANTES ET CATHOLIQUES

Mais suffisait-il de prêcher, d'exhorter les âmes pieuses, et de s'élever à la contemplation de la beauté ou de l'infinité de Dieu ?

Les attaques étaient vives; il fallait répondre, maintenir cet accord de la raison et de la foi qu'un Bossuet chez nous avait un moment réalisé, cet accord de la raison et de la conscience qui paraissait aux protestants modérés être le vrai Christianisme; ne pas laisser aux rationalistes destructeurs le privilège de ce « tribunal suprême », comme disait Bayle, de cette raison que Malebranche vénérait comme une « arme puissante pour se rendre maître des esprits ».

Des premiers ouvrages de Bayle, les Protestants du Refuge, Jurieu l'intransigeant excepté, n'avaient guère pris d'alarme. Le *Diction-naire* leur ouvrit les yeux. Aussi Leclerc en 1699, puis en 1706, se charge-t-il de « défendre la Providence ». Le responsable du mal moral, dit-il, « c'est l'homme, qui a fait mauvais usage de sa liberté ». Mais cette liberté est un bienfait de Dieu. La raison est « conforme à la foi », développe Jaquelot en 1705 : la religion révélée s'accorde en partie avec la religion naturelle, et la dépasse en partie, mais sans la contredire. La liberté est pour l'homme le privilège qui l'approche le plus de Dieu. Bayle d'ailleurs ne paraît pas se douter que la pensée de Dieu s'intéresse à l'univers, et non pas simplement au bonheur de la société humaine; et que Dieu n'entend peut-être pas à la manière de Bayle le bonheur de l'humanité. Bayle réplique à Jaquelot, et la controverse se prolonge, Jaquelot se trouvant gêné par sa position de demi-rationaliste, et Bayle triomphant amèrement.

La *Théodicée* de Leibniz, sa « justification de Dieu », paraît en 1710; il l'a, de son propre aveu, entreprise comme une réponse à Bayle. Sa thèse, où l'on verra un parti pris, est l'optimisme : de tous les mondes possibles Dieu a choisi pour le créer le meilleur. La raison est conforme à la foi, en dépit des sophismes de Bayle, qui déclare faux ce qu'il ne comprend pas : or

Ce qui est *contre* la raison est contre les vérités absolument certaines et indispensables, et ce qui est *au-dessus* de la raison est contraire seulement à ce que l'on a coutume d'expérimenter ou de comprendre.

Dieu n'est pas un despote fantasque; sa liberté n'est ni l'indifférence ni l'arbitraire : « on ne limite point la puissance de Dieu en disant qu'il ne saurait faire l'impossible ». L'homme avec sa liberté peut abuser des dons de Dieu, mais cette liberté est un bien, et blâmer Dieu de nous l'avoir donnée est présomptueux. Le mal physique vient du mal moral, et là encore nous devons suspendre notre jugement. Le mal est négatif, dit en somme Leibniz; le bien est positif, et incommensurable. Par là, par son esprit de confiance, la *Théodicée* est chrétienne; mais ce Dieu nécessité à une création excellente, ce Dieu absous d'avoir voulu le mal parce qu'il était impossible qu'il le voulût, qu'il est lointain, impersonnel, mathématique !

La métaphysique est-elle si nécessaire ou si utile à défendre la Révélation ? Bayle l'a bafouée, Locke ne s'en est pas soucié; les faits seuls comptent aux yeux de nos penseurs. Or la réalité historique suffit, pour légitimer la Foi. « Je veux prouver par les faits seulement que la religion chrétienne est véritable et divine », écrit l'abbé Houtteville, en tête de sa *Vérité de la religion chrétienne prouvée par les faits* (1722).

Les faits, ce sont les miracles rapportés par l'Evangile. Prévus de Dieu, « entrant comme le reste dans l'économie de ses desseins », ils ne pouvaient être prévus par l'homme. Les Evangélistes, qui les racontent, sont sincères et véridiques; ceux qui doutent de leur parole manquent vraiment de bonne foi : les déclarant tantôt grossiers et trop crédules, tantôt d'une extrême finesse à tromper. Ces miracles ont eu des témoins; ils ont rendu possible ou facile la conversion du monde païen; ils ont été admis par les Juifs, par Mahomet. Les prophéties se sont accomplies en Jésus; sa résurrection est le fait le plus incontestable, le miracle le plus probant.

La principale objection qu'Houtteville rencontre, et qu'il combat avec insistance, est celle des rationalistes : il la résume ainsi :

Les faits, quelque certains qu'on les suppose, n'arriveront jamais à un degré de certitude qui égale et qui balance la contradiction palpable des mystères. Les faits n'ont qu'une évidence historique et le faux des mystères est d'une évidence métaphysique. Loin donc que les faits démontrent la vérité des dogmes, il est manifeste au contraire que l'absurdité des dogmes démontre la fausseté des faits sur lesquels on veut appuyer les dogmes.

Et il répond : les mystères ne sont pas absurdes : ils sont seulement obscurs, inintelligibles; les faits sont certains; l'humilité intellectuelle est plus sage que la sagesse superficielle des raisonneurs.

L'effort de pensée d'Houtteville se marquait dans son expression par quelque préciosité, quelque tension; et les contemporains, comme à Montesquieu plus tard, lui reprochent d'« allier des expressions qui n'étaient pas faites l'une pour l'autre et qui, se trouvant ainsi bizarrement assemblées, présentaient à ses lecteurs les idées les plus monstrueuses ». Il n'est, à dire vrai, ni un grand écrivain, ni un penseur profond. Le sens historique manque trop à cet apologiste qui s'appuie sur l'histoire : il ne se représente les contemporains du Christ que comme des rationalistes, à l'esprit clair, prêts à douter et à combattre, dont l'aveu par conséquent, conversion ou silence, est plus significatif et probant. En tout cas, il a nettement indiqué le « paradoxe », comme il dit, du rationalisme, qui, plutôt que d'admettre la possibilité du surnaturel lorsque des faits l'en viennent avertir, préfère s'échapper en doutes et en hypothèses.

La *Vérité de la religion prouvée par les faits* fut accueillie comme un grand livre : tant on souhaitait une apologie qui rassurât les âmes fidèles, et déconfît ces mécréants sans cesse plus audacieux ! Les autres apologistes d'alors restent en effet bien timides, et superficiels, en dépit de l'énergie parfois pathétique de leur conviction et de leur zèle. Régis le cartésien cherche à « faire voir que les mystères sont croyables » (1704) ; le bénédictin dom François Lamy veut « amener l'incrédule à la religion par la raison » (1710) ; l'oratorien Duguet, janséniste illustre, directeur spirituel écouté, compose un imposant *Traité des preuves de la foi chrétienne* (1706, publié en 1736) : il suffit, dit-il, « de s'informer si Dieu a parlé pour s'aveugler sur ce qu'il a dit; et, après les preuves de la Révélation, il n'en faut plus attendre des choses révélées »; le Christianisme « ne commande à l'homme que d'être heureux et ne lui défend que d'être misérable »; et il vulgarise et développe les *Pensées* de Pascal. Le jésuite Dez improvise une « justification » de la foi chrétienne et catholique (1714) ; Jean Denyse, professeur au collège de Montaigu, « démontre la vérité de la religion par ordre géométrique » (1717). Le P. Cl. Buffier, dans son *Traité des premières vérités* de 1724, s'inspire de Descartes et de Locke, et, les discutant l'un et l'autre, s'efforce d'établir une philosophie du sens commun, capable de « conduire aux principes les plus solides de religion ». Enfin, Jacob Vernet commença en 1730 à publier sa traduction du traité latin de Turretin son coreligionnaire sur la *Vérité de la Religion chrétienne* : livre honnête, où les preuves classiques sont consciencieusement présentées et développées. On en donna à Paris, en 1753, une édition retouchée à l'usage des catholiques.

En face de ces apologistes, argumentant sans puissance et sans nouveauté, le prestige des adversaires rationalistes demeure bien fort. Comme l'avoue Louis Racine, la France n'a plus de « grands hommes » pour défendre la religion; et, ajoute-t-il, elle est « inondée d'ouvrages dont l'objet est de renverser toute religion, qui ne sont pas, à la vérité, composés par de grands hommes, mais auxquels un certain attrait, qui les fait lire, ne manque jamais. » Cet attrait des livres philosophiques, c'était surtout l'appel flatteur qu'ils adres-

434 DE L'EXIST. DE DIEU,

J'ai l'idée de deux eſpeces de
l'être ; je conçois l'être penſant
& l'être étendu. Que l'être é-
tendu exiſte actuellement ou
non, il eſt certain que j'en ai
l'idée. Outre ces deux eſpeces
de l'être, Dieu ſans doute peut
en tirer du néant une infinité
d'autres, dont il ne m'a donné
aucune idée ; car il peut former
des créatures correſpondantes
aux divers degrez d'être qui
ſont en lui, en remontant juſ-
qu'à l'infini. Toutes ces eſpeces
d'êtres poſſibles ſont éminemment en lui, & comme dans
leur ſource. Tout ce qu'il y a
d'être de verité & de bonté dans
chacune de ces eſſences poſſibles découle de lui, & elles ne
ſont poſſibles qu'autant que leur
degré d'être, eſt contenu éminemment en Dieu. Dieu eſt donc
éminemment & d'une maniere

Annotations du curé MESLIER aux marges
de « l'Existence de Dieu » de FÉNELON

saient à la raison, à l'avidité de tout comprendre et de tout discuter.

La raison est-elle donc un guide si sûr, si nécessaire, si universel ? commencèrent à dire quelques penseurs qui tenaient à sauvegarder leur foi, ou une foi. Le sentiment intérieur, l'expérience personnelle, la conscience, et la conscience du bonheur spirituel que goûte l'âme religieuse, pourquoi cela ne serait-il pas à chacun une justification suffisante de son Credo ? Ces nouveaux apologistes sont, est-il besoin de le dire, des protestants surtout, et des déistes; quelques catholiques cependant se rencontrent parmi eux, comme on en trouvera parmi les disciples de Jean-Jacques, et pour le même motif, parce qu'ils tiennent à fuir le rationalisme destructeur.

L'un des premiers est Vessière de La Croze, bénédictin devenu protestant. Dans ses *Entretiens sur divers sujets d'histoire, de littérature, de religion et de critique* (1711), il « plaint fort » ceux qui raillent les preuves de sentiment : sans elles, dit-il, « il est impossible de faire régner le christianisme et fort difficile de le mettre véritablement en état de tenir tête au sophisme des libertins ». L'homme pieux a « comme un sixième sens » par lequel il « goûte Dieu ». Pour ramener à Dieu le monde qui s'éloigne de lui, laissez ces argumentations qui chargent la mémoire sans intéresser le cœur : faites « sentir aux hommes tout le poids de leur misère et adressez-les à Dieu qui peut seul leur donner la santé et la vie intérieure et qui en effet la donnera à tous ceux qui la lui demanderont ».

Les *Entretiens*, rédigés d'une plume molle et fade, furent peu goûtés du public. Peut-être aussi venaient-ils trop tôt, en France du moins, où le rationalisme alors était dans toute l'ardeur de sa croissance et de son émancipation.

Quelque quinze ans plus tard, le piétisme de Béat de Muralt est autrement décidé, et se fait autrement entendre. L'« infirme, la trompeuse raison », la science, la philosophie « qui nous ont fait tout le mal possible », voilà ce que Muralt attaque d'abord, dans sa *Lettre de 1725 sur les Voyages* :

Les raisonnements, lorsque nous nous y abandonnons, et que nous en faisons notre principal langage, étouffent les sentiments; et comme c'est d'un goût corrompu qu'ils proviennent, ils nous corrompent le goût de plus en plus, et nous éloignent de la simplicité où la vérité se trouve; ils nous sortent de nous-mêmes et nous font vivre hors de nous... Il faudrait les laisser à ceux qui sont hommes par la tête, et en qui il [l'art de raisonner] opère et manifeste ses merveilles, au peuple des savants, qui font de la science leur capital, et qui, dans l'ivresse qu'elle leur cause, renoncent aux avantages du cœur, qu'ils ne connaissent pas, qui se perdent en eux et qu'ils détruisent dans les autres. Je ne saurais m'empêcher de regarder ces gens-là comme les auteurs d'une des sources de l'égarement et de la folie des hommes.

Le vrai guide de l'âme, c'est la « lumière qui éclaire tout homme venant en ce monde », c'est la conscience, l'« instinct divin », que Muralt exalte dans son opuscule de 1727, *l'Instinct divin recommandé aux hommes*. Seule la conscience nous rassure et nous renseigne sur ce qui fait le prix de la vie; elle nous mène infailliblement à la religion : religion naturelle couronnée de christianisme, ou, comme dit Muralt en 1739 dans ses *Lettres fanatiques*, « déisme tourné vers Jésus-Christ ».

Marie Huber est une chrétienne de la même chapelle :

L'obéissance à la conscience est la véritable clef de la connaissance; c'est l'introduction à toute vérité.

Sa règle est la conscience; sa religion, la « religion essentielle à l'homme » que prêchent ses *Lettres* de 1738, est la « voix de l'Evangile » identifiée à la « voix de la nature »; c'est « un système de religion où tout aboutit non à la spéculation, mais à l'action ».

Et voici Formey, qui apporte lui aussi une sécurité, un réconfort. Son *Système du vrai bonheur* (1750) énumère les « seuls motifs capables de produire la vertu ». Ce sont :

Un désir constant de sa propre perfection, une affection sincère pour les autres hommes, un amour dominant pour l'Etre suprême.

La nature n'est pas faite de « penchants corrompus » : elle est « cette voix intérieure de la raison, qui nous appelle à la recherche de la Vérité et à l'amour de la Vertu ». Le plaisir ne nous contente pas : un « sentiment intérieur » nous invite à un bonheur d'une autre sorte. Il y a en moi « une source d'actions essentiellement différentes de celles qui découlent de l'amour-propre, et néanmoins essentielles à ma Nature ». J'atteindrai au bonheur si, « à chaque instant de ma vie », je réussis à « n'être que ce que ma Nature, et la Nature universelle des choses, veulent que je sois ». Je prendrai « l'habitude de ne laisser échapper aucune trace de beauté et de régularité sans y donner mon attention, et cette hygiène de contemplation m'apportera sans fin la joie, « l'égalité d'âme, la douce tranquillité », un état de délicieuse « tendresse ». Formey, l'année suivante, insiste dans un *Essai sur la perfection*. La perfection, c'est l'harmonie; pour l'homme, c'est le « maintien et l'accroissement des facultés de son âme et de son corps ». A ce but nous guident la Nature et la « Loi écrite dans nos propres cœurs ». Cette Loi Naturelle est assez forte pour nous discipliner, nous « mater »; les athées mêmes doivent le reconnaître; mais à la bien entendre, on reconnaît en elle la voix de Dieu :

Oui, mon Dieu, je t'aperçois et je t'adore dans tous tes ouvrages, j'y découvre tes vues, j'entends ta voix qui m'appelle à les seconder, et je me hâte de répondre à cette glorieuse vocation, dans laquelle je trouve ma propre félicité.

Elle se confond enfin, selon Formey, avec la religion chrétienne qui, « bien comprise et bien expliquée, n'est autre chose que le parfait rétablissement de la Loi Naturelle ». Dans ses *Mélanges* de 1754, Formey s'en prend aux savants qui vont si « vite sur la route de l'erreur »...

Le plus personnel et le plus attrayant des apologistes est alors Berkeley. Avec un entrain jeune et heureux, il avait en 1713 attaqué les libres-penseurs, par ses *Dialogues entre Hylas et Philonous*, par des articles au *Guardian*. Puis il avait voyagé, en France notamment, où il observa les « philosophes mesquins » des salons : il fit leur caricature enjouée dans ses sept *Dialogues d'Alciphron* en 1732. Il forme et soumet à Walpole un vaste plan d'apostolat chrétien en Amérique; il étudie les néo-platoniciens, bataille contre les newtoniens; évêque anglican de Cloyne en Irlande, il marque sa sympathie aux catholiques. Son dernier ouvrage est *Siris ou Réflexions et recherches philosophiques concernant les vertus de l'eau de goudron et divers autres sujets connexes entre eux et naissant l'un de l'autre* (1744). En France, il fut connu surtout par *Alciphron*, traduit en 1750.

L'attitude, la doctrine philosophique de Berkeley est célèbre : c'est l'immatérialisme : ni le temps n'existe en lui-même, ni l'espace; « vaine est la distinction entre le monde spirituel et le monde matériel »; « rien n'existe proprement que des personnes, c'est-à-dire des choses conscientes : toutes les autres choses sont moins des existences que des modes d'existence des personnes ». Le langage nous trompe en nous faisant croire à une réalité qui serait indépendante de l'esprit; la physique mécaniste conduit à l'athéisme : en faisant de l'attraction un attribut de la matière, une cause du mouvement, Newton exclut l'idée d'une force motrice spirituelle.

Alciphron donc, le « philosophe mesquin », croit à l'existence indépendante de la matière. Il croit Newton; il croit à l'existence indépendante de l'esprit, et s'imagine que la religion naturelle peut vivre sans la religion révélée. Or « jamais la religion naturelle ou rationnelle n'est devenue la religion populaire ou nationale d'aucun pays ». Raison et révélation se trouvent dans le même rapport d'interdépendance que concret et abstrait.

Alciphron est libertin d'une part, et d'autre part métaphysicien. Athée et ennemi de la vertu, niant l'« immortalité de la nature humaine », il estime uniquement la « liberté de penser », dont il vante avec emphase les résultats :

C'est aux nobles défenseurs de ce privilège et de cette perfection de la nature humaine, je veux dire les esprits forts, que nous avons l'obligation de toutes les importantes découvertes, qui ont été faites en dépit de l'esclavage et de la superstition.

Il déclame aussi contre les prêtres :

Les prêtres, dans toutes les religions, sont du même caractère. Je veux dire qu'ils sont tous animés d'un esprit de persécution, qu'ils ne manquent jamais de déployer contre tous ceux qui ont le courage de penser de leur propre chef et qui refusent de se laisser mener les yeux bandés et les fers aux mains, par leurs vénérables conducteurs !

Mais comment Alciphron a-t-il formé ses principes ? Par la méditation, par la lecture ? Non : il a seulement « fréquenté les bonnes compagnies », hanté cercles, tavernes, cafés. Il ignore le travail méthodique, et sa présomption de petit-maître a tôt fait de fermer la bouche, par quelque sarcasme désinvolte, à un théologien ou à un vieillard cultivé. La conversation impertinente et brillante, voilà son élément :

Il n'est pas étonnant que vous autres, campagnards, n'ayez point d'idée des avantages d'une conversation polie, qui tient l'âme dans une continuelle activité, exerçant ses facultés et l'obligeant à employer ses forces en mille occasions, et sur mille objets différents, qui ne sont jamais venus dans l'esprit d'un misérable pilier de collège, non plus que dans celui d'un laboureur.

Dans ces conversations mondaines, « les modes vont toujours en descendant » : aujourd'hui l'on « prouve que l'homme et la bête sont réellement de la même nature »; demain on démontrera « que l'homme est une pièce d'horlogerie ou une machine », et « qu'un homme n'est non plus responsable de ses actions qu'une cloche du son qu'elle rend ». On écrit sur l'utilité du vice, sur le bonheur d'une république d'athées. On ne voit plus dans le respect qu'une formalité. La vertu, c'est une invention des législateurs : c'est une « chimère décriée ». L'intérêt particulier, le plaisir, les « aimables excès du vice », voilà le vrai but et le vrai motif, selon ces « petits philosophes » si attentifs à « la nature animale de l'homme ».

Et d'autre part, et en même temps, les voici en extase devant la beauté abstraite de la vertu : « O ravissement, ô enthousiasme, ô quintessence de beauté ! ».

Contents de ces cris adorateurs, ils raillent la variété des religions, comme si cette variété même n'était pas une « obligation nouvelle d'examiner », d'étudier et de méditer.

Les « petits philosophes » ne méritent aucun égard. Comme l'ignorance et le mauvais goût, leur « humeur licencieuse, vulgairement appelée liberté de penser », devrait être bannie, pour ses désordres.

A Mandeville et à son apologie des vices, la meilleure réponse est celle de l'abbé de Saint-Pierre :

> Les passions injustes excitent au travail, mais les passions vertueuses n'y excitent pas moins !... Cet auteur se serait bien épargné de la peine s'il avait compris que les passions innocentes suffisaient pour exciter les hommes à acquérir des richesses et de la réputation.
> (*Œuvres* de l'abbé de Saint-Pierre, XVI, 151 sq.)

IV. — Trois poètes : le cardinal de Polignac, Louis Racine, Pope.

Si diverse qu'elle ait été, si éparse, si inégale, cette protestation chrétienne — d'un christianisme souvent libre — était assez vivante, cependant, pour susciter ou entraîner le concours de quelques talents poétiques : le cardinal de Polignac, Pope, Louis Racine, en sont les principaux : le premier célèbre jusqu'au début du XIXᵉ siècle par son *Anti-Lucrèce* en vers latins; le second, au christianisme si mêlé, au catholicisme si équivoque, applaudi par la France presque entière pour son *Essai sur l'Homme;* l'autre, dont la *Religion*, aujourd'hui si oubliée, meublait encore la mémoire des premiers Romantiques.

**

Grand seigneur et diplomate, amateur d'art, archéologue, Polignac (1661-1741) a été curieux plus encore de philosophie et de sciences. Il reste honnête homme plus que savant; sa formation est du XVIIᵉ siècle, mais elle n'est point figée; les conversations et sa propre ouverture d'esprit le tiennent au courant des événements intellectuels. A l'Académie des sciences il appartient depuis 1711 en qualité de membre honoraire; il est le successeur de Bossuet à l'Académie Française; et l'Académie des Inscriptions l'admet en 1717. Appliqué, probe, nullement autodidacte, il a des systèmes qu'il combat et qu'il expose une connaissance approfondie; dans sa dialectique un peu sommaire, dans ses mouvements poétiques très littéraires et tout aisés, dans son élégant latin, emprunté à trop d'auteurs divers pour paraître servile, dans son accent allègre et sûr, on sent plus le contentement du beau discoureur qu'un zèle d'apologiste, et, surtout, que la joie impérieuse et inquiète d'une âme qui aurait elle-même cherché sa foi. Les contemporains, cependant, plus sensibles que nous aux agréments d'une virtuosité « poétique » qui paraphrasait Newton et Descartes avec tant d'exactitude et d'éclat, témoignèrent pour l'*Anti-Lucrèce* d'une déférence empressée, et d'une sincère estime. Voltaire, à peu près seul, maugréait de temps en temps contre ce poème trop peu philosophique, et trop acharné, disait-il, à écraser de son « artillerie » l'Epicurisme périmé.

Pourquoi, en effet, au XVIIIᵉ siècle combattre Lucrèce et Epicure ? Peut-être certains propos railleurs, où Bayle mêlait des vers de Lucrèce à des déclarations de « bon protestantisme » ont-ils engagé le cardinal à relire le *De natura rerum* et à y chercher l'origine du moderne libertinage. En tout cas, Lucrèce et Epicure à la fin du XVIIᵉ siècle étaient plus que jamais en faveur auprès de nos penseurs indépendants. La responsabilité en revenait à Gassendi et surtout à son fervent sectateur Bernier, dont l'*Abrégé de la philosophie de Gassendi* (1670) était un manuel d'épicurisme.

Polignac s'en prend d'abord à la morale épicurienne; il dénonce la fragilité de sa base; et puis, dit-il, si Epicure voit dans la vertu le plus grand des plaisirs, pourquoi les Epicuriens combattent-ils la religion, qui est pour la vertu si douce et si consolante ? Hobbes identifie loi de nature et loi morale ? Mais quel enfer qu'une société régie par la seule loi de nature ! Le vrai citoyen, le vrai sage, c'est le chrétien.

Les trois livres suivants de l'*Anti-Lucrèce* discutent la physique d'Epicure : *Vide, Atomes, Mouvement*. Le vide d'Epicure, repris par Gassendi, combattu par Descartes, est adopté par Newton; mais l'attraction, que Newton substitue à la pression de l'éther, est une de ces forces occultes chères au Moyen Age; c'est « un nom donné pour une cause », à la manière d'Aristote et des Scolastiques; et Leibniz disait en 1715 : c'est un retour « des romans raisonnables aux contes de fées ». Polignac oppose aux atomes d'Epicure une argumentation elle-même très scolastique, puis quelques affirmations rapides au panthéisme de Spinoza. Le reste du poème étudie la nature de l'âme, l'union de l'âme et du corps, l'âme des bêtes, l'origine et la propagation de la vie; dans le dernier livre, qui n'est pas achevé, sont abordées les questions de l'éternité de la matière, de l'origine du mal moral. Descartes et Platon ici soutiennent ce qu'on peut nommer l'inspiration du cardinal.

De cet Ovide chrétien ou de ce Delille latin, comme on voudra l'appeler, on peut sourire. On n'en doit pas moins avouer son importance dans l'histoire de notre poésie scientifique et philosophique. Les sources d'enthousiasme seront ouvertes par Buffon, par les naturalistes, par tous les penseurs qui, avec eux, exaltent la vie ou la matière. Les ingéniosités latines de Polignac, publiées deux ans avant la *Théorie de la Terre* et le premier volume de l'*Histoire naturelle*, montraient opportunément que la tâche « poétique » en de tels sujets était possible et séduisante. Sa clarté, ses incessantes comparaisons, ses images d'une grâce qui n'était pas toujours apprise, estampes çà et là rehaussées de couleurs nobles ou délicates, son style fluide, qui coule et scintille sur les abstractions, quelle émulation toutes ces réussites ne devaient-elles pas susciter ? Les épopées didactiques de la seconde moitié du siècle dériveront toutes à quelque degré de l'*Anti-Lucrèce*; et l'*Hermès* de Chénier, et, bien plus tard, la virtuosité si aisée et si précise d'un Lamartine exposant sa propre pensée philosophique et religieuse.

*
**

Ce n'est pas un apologiste que Pope : avant tout il est poète, artiste facile et laborieux, docile à notre Boileau au point de considérer comme secondaire le sujet qu'il traite, et comme primordial l'effort déployé pour le traiter. Mais justement les considérations morales de son *Essai sur l'Homme* étaient d'autant plus capables de pénétrer dans les cerveaux français — et de nous familiariser avec la pensée anglaise — que son éducation littéraire l'a apparenté à quelques grands écrivains de notre XVIIᵉ siècle et à plusieurs de nos grands moralistes. Il est le plus français des poètes anglais, et si parfois il se méfiait de la France, il la raillait juste assez pour accroître son prestige britannique auprès de nos mondains.

Sa pensée religieuse a déconcerté ses contemporains. Né et resté catholique en une Angleterre qui de plus en plus se cuirassait de protestantisme, blessé de certains propos grossièrement irréligieux de Voltaire, il n'en est pas moins l'ami, et on le croit un moment le disciple, de Bolingbroke, ce fanfaron timide d'incrédulité, qui, dit un contemporain, « a passé sa vie à charger son fusil contre le christianisme », sans avoir le courage de presser la détente, ayant « peur de la détonation ». Bolingbroke hait la religion révélée et n'estime pas la religion naturelle. Or c'est à lui qu'est dédié l'*Essai sur l'Homme*, et c'est lui qui a donné à Pope l'idée première de ce poème. Voltaire a parlé de Pope comme d'un déiste. Louis Racine l'a d'abord cru tel, puis, sur la foi de Ramsay, l'a jugé catholique ou à peu près, puis est revenu à son premier sentiment. Le P. Tournemine a déclaré l'*Essai sur l'Homme* inoffensif, ajoutant qu'il fallait être bien malveillant pour y trouver des attaques contre le Christianisme; ses confrères du *Journal de Trévoux*, l'année suivante, accusent Pope d'impiété flagrante, presque de scélératesse. Lui cependant, en une lettre à Ramsay destinée à être mise sous les yeux de Louis Racine, se défendait d'estimer Spinoza, et citait Pascal comme son inspirateur. Que penser et qui croire ?

Il faut en effet de la malveillance pour retrouver chez le poète les amertumes irréligieuses de son conseiller. Bolingbroke traitait de fous les apologistes, il parlait des « rodomontades insensées et méchantes » de Clarke, qui maintenait les attributs moraux de Dieu; il se gaussait du Droit naturel; les théologiens qui essayaient de prouver la divinité de l'Ecriture étaient selon lui des « matamores », des « Don Quichotte », coupables de « fraude, d'imposture, de blasphème »; ils étaient par surcroît « impudents et pervers », en « prétendant qu'il y a une loi de droite raison commune à Dieu et à l'homme ». « Prêcher l'obligation d'imiter Dieu est faux et impie. » A la Bible, à Moïse, aux Juifs, à saint Paul, il réserve ses injures les plus catégoriques : présomptueux, absurde; fou, méprisable, horrible, impudent.

De là il y a loin aux quatre épîtres morales de l'*Essai* : *l'Homme par rapport à l'univers*; *l'Homme par rapport à lui-même*; *l'Homme par rapport à la société*; *l'Homme par rapport au bonheur*. Nous sommes partie d'un Tout, disait Pope; c'est orgueil de tout rapporter à nous; c'est orgueil que l'idée d'une perfection chimérique; nos vœux attaquent l'ordre général, ils sont une révolte contre la Providence : tout ce qui est, est bien. Bornés, faibles, doués de raison et de passions, de vertus et de vices, nous agissons selon deux principes : la raison et l'amour-propre. Modérons nos passions qui sont pourtant à la racine de nos vertus; passions et vices sont les instruments de la Providence, en vue du bien général. Tous les êtres étaient faits pour l'union, la dépendance mutuelle; l'humanité a commencé par une ère de bonheur, de « règne de Dieu », où l'orgueil était inconnu, et les arts, « qui aident à la vanité ». Les rois patriarches étaient vénérés, et peut-être ce sentiment éveilla-t-il l'attention humaine sur l'existence de Dieu. Alors « l'homme trouvait que tout était bon; il marchait à la vertu dans les voies du plaisir ». Mais l'esprit humain se pervertit; la crainte, la « créance monstrueuse que plusieurs ont été faits pour un », établit la tyrannie. Et la « superstition » collabora avec la tyrannie et la crainte :

La crainte fit des démons, et une faible espérance fit des dieux : dieux de partialité, d'inconstance, de passion, d'injustice... L'enfer fut bâti sur la haine, et le ciel sur l'orgueil. Alors la voûte céleste cessa d'être sacrée; on construisit des temples; des autels de marbre furent élevés et arrosés de sang.

Pope approche de Bolingbroke, de Lucrèce ? Non : de son ton tranchant, de son style clair à la française, il blâme des sentiments qu'il juge excessifs, désordonnés : ce n'est pas un philosophe, mais seulement un moraliste :

C'est ainsi que l'amour-propre borné dans un seul, sans égard à ce qui est juste ou injuste, se fraye un chemin à la puissance, à l'ambition, aux richesses, à la volupté : ce même amour-propre, répandu dans tous, fournit lui-même des motifs pour le restreindre; il est la source du gouvernement et des lois.

Alors peut se rétablir la vraie religion et le juste gouvernement fondé sur l'équilibre des « intérêts naturellement contraires ». Quel est le meilleur gouvernement ? « Le mieux administré. » Quelle est la vraie religion ?

Laissez les plus zélés disputer sur les différentes maniè..s de croire : tout ce qui s'oppose à l'unique, à la grande fin, est faux; et tout ce qui contribue au bonheur du genre humain et à la correction des mœurs vient de Dieu.

Et qu'est-ce que le bonheur ? L'usage des vrais biens : la santé, la paix, le nécessaire; la vertu, l'amour de Dieu et l'amour des hommes.

Non, tout cela n'est pas d'un révolté, d'un révolutionnaire. Cela n'est pas non plus d'un authentique chrétien, et il est difficile de croire le second traducteur de l'*Essai*, l'abbé du Resnel, lorsqu'il veut montrer en Pope un apologiste des vertus théologales, « foi vive, espérance ferme, charité ardente ». Du Resnel ajoute, moins précis, mais plus exact : l'*Essai* « ne tend qu'à inspirer une grande idée de Dieu, une soumission parfaite à sa volonté, l'amour de ce sage et bienfaisant Créateur, et l'amour de tous les hommes. » Ce sont en effet quelques impressions chrétiennes, que l'*Essai* suggère : d'un christianisme très incomplet, qui ne serait aucunement impérieux, d'où la gêne et l'esprit de sacrifice seraient à peu près exclus, où Dieu ne recevrait que des remerciements. Mais enfin Pope maintient dans son poème, et il contribuera à maintenir dans les âmes sans discipline qui le liront avec bonheur, l'idée de la Providence faussée, naïve ou niaise et dont Voltaire sans doute ne se contentera quelque temps que pour ne pas accepter l'autre Providence : il s'en débarrassera dans un moment d'impatience et de rancœur, et il en voudra à l'optimisme déiste de cette confiance fragile où il s'était appuyé.

Ce qu'il y a de plus chrétien peut-être dans l'*Essai sur l'Homme*, ce sont quelques réminiscences de nos moralistes. A Montaigne, dans l'*Apologie de Raymond Sebond*, Pope a pris quelques réflexions propres à rabaisser l'orgueil de l'homme, à rabrouer la raison humaine. A Pascal il emprunte beaucoup plus, séduit peut-être qu'il a été par la beauté de l'expression : il traduit — mal, parfois, confondant *rebut* et *rébus* — les *Pensées* sur les contradictions de la nature humaine, la vanité de la science et de la philosophie, la puissance de l'orgueil, de l'espérance, de l'opinion, l'habitude et la folie du divertissement, la domination exercée par les créatures sur l'homme, grâce aux passions, aux impressions qu'elles excitent en lui, la suprématie restant malgré tout le privilège du « roseau pensant »; le besoin pour chacun de l'estime d'autrui, et l'insuffisance de la renommée pour assurer le bonheur. La Rochefoucauld a pu confirmer Pope dans son sentiment de l'empire universel de l'amour-propre.

Cependant l'amour-propre selon Pope n'est pas l'amour-propre que La Rochefoucauld dénonce et découvre chaque fois avec amertume. Pope l'optimiste voit dans l'amour-propre un ressort aussi agréable que nécessaire pour aller au bonheur et à la vertu. L'originalité chrétienne de Pascal, son dessein et son accent exigeant d'apôtre, sa volonté d'inquiéter les indifférents, ne se retrouve pas davantage dans ce livre de sécurité qu'est l'*Essai sur l'Homme*. Pope n'a cordialement adopté que l'esprit de Montaigne, une partie de l'esprit de Montaigne : l'incertitude.

Incertitude entre les religions, incapacité d'adhérer à un dogme, ambition ou présomption d'être à soi-même son seul juge, tous les articles du *Credo* libéral de Pope furent divulgués et vulgarisés en France lorsque, en 1740, parut à Londres la traduction de sa *Prière universelle*. Le traducteur était, qui l'eût cru, Le Franc de Pompignan, qui jugea bon de s'expliquer là-dessus dans une *Lettre* au *Journal des Savants* : sa traduction n'avait été qu'un exercice, une gageure; on l'avait imprimée à son insu; lui-même ne professait aucune de ces propositions damnables. Et il ajoutait qu'un homme tel que M. Pope, ouvertement catholique à Londres, n'avait pu les écrire que dans un accès d'« enthousiasme mal réglé, qui l'avait écarté sans doute de ses véritables principes ». Pope n'avait donc pas alors en France la réputation nette d'un libertin de pensée; mais on admettait que l'inspiration, ou le développement d'un thème, pouvait le mener hors des frontières de l'orthodoxie. Voici les strophes les plus décidées de cette traduction vite populaire chez les déistes français, et dont certaines formules seront le plus bel ornement des *Odes à l'Etre suprême*, lors de la fête commandée et présidée par Robespierre :

> O toi que la Raison, que l'instinct même adore,
>   Souverain maître et créateur
>   De tout l'univers qui t'implore,
>   Jéhovah, Jupiter, Seigneur !

> Source, cause première, être incompréhensible,
>   Que je suis borné devant toi !
>   Ta bonté seule m'est visible,
>   Le reste est un chaos pour moi.

> Mais le bien et le mal, dans cette nuit obscure,
>   Dépendent de ma volonté,
>   Et tu gouvernes la nature,
>   Sans enchaîner ma liberté.

> N'écoutons seulement que notre conscience;
>   Elle nous rend le bien plus cher
>   Que le ciel qui le récompense,
>   Le mal plus affreux que l'enfer.

> Empêche que mon cœur de tes dons efficaces
>   Ne rejette les heureux fruits :
>   Recevoir, c'est payer tes grâces;
>   Je t'obéis, quand je jouis.

> Mais cessons de penser qu'imperceptible atome
>   Notre terre borne ta loi :
>   N'es-tu souverain que de l'homme ?
>   Tant d'autres mondes sont à Toi.

Faut-il qu'un vil mortel ose venger Dieu même ?
    Que tes foudres lui soient remis,
    Et qu'il prononce l'anathème
    Sur ceux qu'il croit tes ennemis ?
. . . .

Fais que de mon prochain je plaigne les souffrances,
    Toujours lent à le condamner;
    Et pardonne-moi mes offenses
    Pour mieux m'apprendre à pardonner.
. . . .

Que le pain, que la paix soient ici mon partage
. . . .

Ton Temple est en tous lieux, tu remplis la nature;
    Tout l'univers est ton autel;
    Rien ne vit, n'existe, ne dure,
    Qui ne t'offre un culte éternel.

Si l'on méconnaît la fermeté au moins littéraire de cette *Prière* déiste, peut-on juger à sa valeur la *Prière à Dieu* par laquelle Voltaire conclura son *Traité de la Tolérance,* et le déisme adorateur de Lamartine, et le succès, la popularité inouïe du *Dieu des bonnes gens* de Béranger ? De son christianisme catholique, Pope a retenu tout juste assez pour en faire une source du christianisme des Romantiques.

Aux Romantiques aussi il a donné, de loin, mais incontestablement, le désir de mêler à des impressions de cloître des rêves d'amour ou d'érotisme; son *Epître d'Héloïse à Abélard,* imitée des *Héroïdes* d'Ovide et inspirée d'une traduction à tous égards libre des vraies lettres d'Héloïse, a été bientôt traduite et paraphrasée chez nous. Elle flattait la polissonnerie du siècle et son horreur des contraintes, et sa sensibilité; elle fut utilisée auprès de l'opinion publique dans la campagne de dénigrement entreprise contre les ordres monastiques. Là encore, il n'est pas impossible de dire que les lecteurs et les imitateurs de Pope dépassèrent son texte, et que son texte déjà dépassait sa propre pensée. Victime à sa manière de notre classicisme qu'il aimait, son expression trop claire, trop générale, trop portée à se développer sans contrôle, transmutait en axiomes éloquents des sentiments assez étroits...

*

Ce n'est pas chez Louis Racine que la forme l'emporte sur le fond. En vain, dans sa jeunesse studieuse, il avait entendu Boi-

leau lui-même lui déconseiller la route du Parnasse. Sa propre
modestie, si sincère — il aimait à se dire, comme l'Hippolyte
de *Phèdre*, « fils inconnu d'un si glorieux père » — ne l'arrêta pas
sur la voie, ingrate entre toutes, de la poésie didactique. Poussé
par son zèle janséniste et sa ferveur chrétienne, à vingt-huit ans,
en 1720, il compose un poème de *la Grâce*; en 1743, aux « ides
de janvier », il dédie au pape Benoît XIV les six chants de sa
Religion. Lorsqu'il meurt, en 1763, il est le protecteur de Lebrun
— qu'on surnommera Pindare — et de Delille; au début du xixe siècle on reliera ensemble deux traductions du *Paradis perdu* : celle de
Delille, en vers, et celle qu'un demi-siècle auparavant Louis Racine
avait donnée en prose.

Poète apologiste, il a voulu dans sa *Grâce* « rendre sensibles
les vérités les plus abstraites ». Mais, il le proclame, la tâche poétique lui a été extraordinairement facilitée par l'Ecriture Sainte
et les Pères : « Je n'ai presque fait que traduire », dit-il, « et j'ai
remarqué que les endroits qui ont été le mieux reçus, lorsque je
les ai récités, étaient l'assemblage de plusieurs pensées des Prophètes, rendues fidèlement. » Quant à sa théologie, la voici : deux
vérités sont incontestables : la toute-puissance de Dieu, et la liberté
de l'âme humaine.

Sont-elles contradictoires, et la certitude de l'une doit-elle nous
faire renoncer à admettre également l'autre ? La géométrie, elle
aussi, a ses propositions contradictoires en apparence, et indubi-
tables cependant. Nous ne devons donc pas ici hésiter à croire sans
comprendre : humilions-nous et adorons. Sur ce sujet, les païens les
plus sages, Homère, Horace, Euripide, Lucain, Cicéron, ont exagéré tantôt le pouvoir divin, tantôt l'indépendance et le pouvoir
de l'homme; de même les hérétiques, dont les uns ont nié la grâce,
les autres la liberté. Les vrais maîtres de la sûre doctrine sont saint
Augustin et saint Thomas : Louis Racine enseigne donc la *délectation victorieuse* et la *prémotion physique* : et c'est Bossuet, surtout, le thomiste clair et sage; c'est Bourdaloue qui n'a jamais
rien sacrifié de l'Evangile, de la « sévérité » évangélique.

Agissons comme pouvant tout, prions comme ne pouvant rien, c'est
la conclusion que je souhaite qu'on tire de ce poème.

Louis Racine ne condamne aucun système, sauf le molinisme;
il ne raille personne, et, au risque d'« affaiblir quelques vers »,
il a sacrifié certains traits un peu vifs qui, paraît-il, lui avaient
d'abord échappé.

Et le poème s'ordonne ainsi : chant I : nécessité de la grâce :
la chute de l'homme, l'insuffisance de la Raison et de la Loi;
Jésus-Christ apporte la grâce. Chant II : puissance de la grâce,
permanence de la liberté. Chant III : la grâce produit le « changement des cœurs ». Chant IV : la Prédestination.

Pour traiter un tel sujet, quelque audace était nécessaire. Louis
Racine le sait, et son début annonce même quelque entrain jeune,
généreux : aujourd'hui, dit-il, les « prophètes » — les prêtres — se
contentent de gémir, de regretter le passé, de redouter les malheurs
de la fin du monde : aux poètes donc l'audace, aux vrais poètes
chrétiens, à la fois instruits et zélés ! Mais ces accents de fraîche
énergie durent peu; et voici les rides, qui bientôt leur succèdent :
apostrophes conventionnelles : « Réveillez-vous, mortels... sortez,
humains..., ô Loi Sainte...! »; traits brillants, trop capables de
rehausser une chute de sonnet, une fin de couplet ou de tirade;
termes généraux, noyant de leur fadeur sentencieuse une précision
pittoresque; vers-maximes, qui sortent du collège, paraphrase trop
élégante de la *Genèse*, mythologie morale : « La superstition, fille
de l'ignorance ». Et puis les auteurs que le poète vénère s'imposent trop exactement à sa mémoire humble et fidèle, à moins qu'il
n'accommode gauchement leur texte à la cadence de ses alexandrins. Le mot célèbre de Bossuet sur la superstition de l'Egypte
devient ici :

> Et tout fut hors Dieu seul comme Dieu révéré.

Telle ironie éloquente des *Provinciales* se rétrécit en cette
pointe :

> O suffisant pouvoir qui ne suffit jamais !

A son propre père Louis Racine emprunte quelques hémistiches,
quelques mouvements; et les deux derniers vers de sa *Grâce* sont
venus, à peine déformés, de la prière d'Esther.

Ce qui est plus personnel chez le versificateur bien intentionné,
c'est sa sympathie pour les élégiaques latins; la mélancolie de
Catulle l'a touché, et, non sans délicatesse, il en traduit quelques
accents. C'est aussi la fidélité profonde, avec laquelle il rend, au
chant II, tel long passage des *Confessions* de saint Augustin. La
démarche même, le rythme de la phrase du Père africain modèle
la phrase de Louis Racine, et dans son langage décoloré jette enfin
de la variété et de la vie. Ecoutez les vieilles illusions sensuelles,
revenant solliciter le converti :

Nous t'offrons tous nos biens, et tu veux nous quitter ?
Sans nous, sans nos douceurs, qui peut se contenter ?
Le sage en nous cherchant trouve un secours facile;
Son corps est satisfait, et son âme est tranquille.
Mortels, vivez heureux, et profitez du temps.
.. ..
Et toi que dès longtemps nos bienfaits ont charmé,
Crois-tu donc qu'avec nous ton cœur accoutumé
Puisse ainsi s'arracher aux délices qu'il aime ?
Hélas, en nous perdant tu te perdrais toi-même.

Et maintenant, voici le roide langage de la Chasteté :

Tu m'aimes, je t'appelle, et tu n'oses venir.
Faible et lâche Augustin, qui peut te retenir ?
Ce que d'autres ont fait, ne le pourras-tu faire ?
Incertain, chancelant, à toi-même contraire,
Tu veux rompre tes fers, tu veux et ne veux plus.
Ne fixeras-tu point tes pas irrésolus ?
Regarde à mes côtés ces colombes fidèles :
Pour voler jusqu'à moi Dieu leur donne des ailes.
Ce Dieu t'ouvre son sein, jette-toi dans ses bras.

Enfin, le mérite le plus durable de Louis Racine dans la *Grâce*
est d'avoir travaillé, dès 1720, à affirmer notre langue « poétique »,
à la rendre plus précise et plus sûre, plus sobre même, dans
l'expression des idées de philosophie ou de théologie. Il a su trouver
des formules nettes sans pédanterie, et faciles en apparence, pour
définir l'état de la grâce chez Adam, l'impuissance de la volonté
livrée à elle-même, ou, dans ces vers du Chant II, l'opération de
la grâce :

Notre cœur n'est qu'amour : il ne cherche, il ne suit
Qu'emporté par l'amour dont la loi le conduit.
Le plaisir est son maître : il suit sa douce pente,
Soit que le mal l'entraîne, ou que le bien l'enchante;
Il ne change de fin que lorsqu'un autre objet
Efface le premier par un plus doux attrait.
La Grâce qui l'arrache aux voluptés funestes
Lui donne un avant-goût des voluptés célestes,
Le fait courir au bien qu'en elle il aperçoit,
Voir ce qu'il doit chérir, et chérir ce qu'il voit.
C'est par là que la Grâce exerce son empire :
Elle-même est amour, par amour elle attire;
Commandement toujours avec joie accepté,
Ordre du souverain qui rend la liberté.

A cette tâche littéraire il n'est pas seul alors à s'efforcer, et
les poètes libertins, à leur manière, l'ont précédé de leurs réus-

sites. De son application ingénieuse, de son tour qu'une conviction affermit, comme de leurs trouvailles et de leur fermeté négatrice, Lamartine un jour, dans la *Chute d'un ange*, bénéficiera, et même déjà dans quelques *Méditations*.

La générosité du dessein, la docilité de l'auteur à ses maîtres de pensée, des « beautés » trop apprises, quelque initiative dans l'expression, on retrouve ces mérites et ces médiocrités dans la *Religion* de 1742.

Une pensée de Pascal a inspiré ce poème :

A ceux qui ont de la répugnance pour la religion, il faut commencer par leur montrer qu'elle n'est pas contraire à la raison, ensuite qu'elle est vénérable; après, la rendre aimable, faire souhaiter qu'elle soit vraie, montrer qu'elle est vraie, et enfin qu'elle est aimable.

Le chant Ier développe les preuves de l'existence de Dieu : merveilles de la nature, harmonie de l'univers, idée de Dieu, conscience morale, loi naturelle. Chant II : l'homme, ses contradictions; son désir du bonheur, son incapacité d'y atteindre ici-bas; sur l'immortalité de l'âme, les philosophes sont en désaccord. Il y a eu une Révélation, il y a des religions. Chant III : quelle est la vraie religion ? Examen du mahométisme, du christianisme, des livres sacrés des Juifs : les prophéties prouvent au moins l'existence d'une Providence divine. Chant IV : le Messie. Chant V : la Raison des rationalistes s'indigne des mystères; mais elle-même n'est-elle pas bornée, puisqu'elle ignore les causes ? Sur les causes la Foi nous éclaire; elle ne contredit pas la Raison, elle la complète. Chant VI : sacrifions nos passions. La morale religieuse est du reste conforme à la morale que la Raison nous indique. Mais la Religion, elle, par l'amour, nous mène effectivement à la vertu.

Louis Racine s'adresse donc aux rationalistes, aux raisonneurs athées, déistes, incrédules qui se dupent eux-mêmes de sophismes pour justifier leurs désordres; bref, aux libertins de Pascal, ou à leurs descendants étrangement plus altiers. Aussi, par charité, ou par adresse, le disciple de Pascal met-il en avant le nom et l'autorité de la Raison :

La Raison dans mes vers conduit l'homme à la Foi.
A tous mes pas aussi cette Raison préside.

Il n'est pas non plus inutile aux vrais croyants, ajoute-t-il, de retrouver les titres humains de leur croyance.

L'actualité philosophique ou scientifique a sa large place dans

Tableau des principales religions du monde
extrait des « Cérémonies et coutumes » de J.-Fr. Bernard

ce poème pascalien d'intention. Pope, Newton, Bayle, les progrès
de la physique et de la médecine, sont nommés ou étudiés en plusieurs vers, ou caractérisés au passage. La curiosité contemporaine
pour l'histoire naturelle a son écho au chant Ier, où Louis Racine
parle des mœurs des oiseaux avec une sorte de tendresse. Il combat
— rapidement — l'objection courante alors du mal physique et
du mal moral; au matérialisme il oppose sa protestation ardente. On
peut même juger qu'il appartient à son temps plus qu'il ne convient
à son dessein : pour le Moyen Age il n'a que mépris; il raille sans
pitié la scolastique, et s'indigne des Croisades en termes si généreux
et si violents qu'on le prendrait pour un apôtre sarcastique de la
Tolérance :

> Haine affreuse, ou plutôt impitoyable rage,
> Quand par elle aveuglés nous croyons rendre hommage
> Au Dieu qui ne prescrit qu'amour et que pardon.
> Dieu de paix, que de sang a coulé sous ton nom !
> N'ont-ils jamais marché que sous ton oriflamme,
> Imprimaient-ils aussi ton image en leur âme,
> Tous ces héros croisés qui d'infidèles mains
> Ne voulaient, disaient-ils, qu'arracher les lieux saints ?
> Leurs crimes ont souvent fait gémir l'infidèle :
> En condamnant leurs mœurs vantons du moins leur zèle,
> Mais détestons toujours celui qui parmi nous
> De tant d'affreux combats alluma le courroux.
> Quels barbares docteurs avaient pu nous apprendre
> Qu'en soutenant un dogme il faut pour le défendre,
> Armé du fer, saisi d'un saint emportement,
> Dans un cœur obstiné plonger son argument ?
>
> (Ch. VI.)

Ce passage serait peut-être un des mieux venus de la *Religion*.
Ailleurs reparaît l'habileté de Louis Racine à formuler une doctrine
avec netteté :

> ...Libre en tout, je fais ce que je veux :
> Mais dépend-il de moi de vouloir être heureux ?
> Pour le vouloir, je sens que je ne suis plus libre.
> C'est alors qu'en mon cœur il n'est plus d'équilibre,
> Et qu'aspirant toujours à la félicité,
> Dans mon ambition je suis nécessité.
>
> (Ch. II.)

Mais trop souvent, plus souvent que dans la *Grâce*, c'est à une
virtuosité de poète de vers latins que nous avons affaire. Quelles
pauvretés que ces descriptions de la boussole, du télescope, et des

effets du quinquina sur la fièvre, d'où sont exclus les mots :
fièvre, quinquina, télescope et boussole; et ces impropriétés solennelles dans l'étude du système nerveux, et cette apostrophe si peu
pathétique au ver à soie :

> O ver, à qui je dois mes nobles vêtements !

Sans parler des attributs de vignette ou de fronton décernés à
la Foi :

> La Foi, fille du ciel, devant moi se présente :
> Sur une ancre appuyée, elle a le front voilé,

ou des réminiscences trop nombreuses de Boileau, Bossuet, Corneille,
Racine. La *Religion* est l'œuvre d'une bonne volonté. Son argumentation molle, sans profondeur, soulevée artificiellement par des
élans de rhétorique, n'était guère en mesure de lutter contre l'enthousiasme des Philosophes. Elle a connu pourtant une popularité
assez longue, dans les collèges surtout, à vrai dire, où l'on était
reconnaissant à Louis Racine d'avoir appliqué avec conscience les
procédés de versification française les plus scolaires, les plus accessibles à des écoliers, tout en risquant ce qu'on nommait alors une
nouveauté bien hardie : des effets d'harmonie imitative :

> Et tandis qu'au fuseau la laine obéissante
> Suit une main légère, une main plus pesante
> Frappe à coups redoublés l'enclume qui gémit :
> La lime mord l'acier, et l'oreille en frémit.

Nouveauté renouvelée du *Lutrin*, assurément. En tout cas
Delille, qui sera toute sa vie un écolier-poète, reprendra ce
« secret », et, par son intermédiaire, Louis Racine se trouvera
avoir réveillé en France, pour le plus grand bien du romantisme
lointain, l'attention à la qualité expressive des syllabes.

V. — LES JOURNAUX

Ces diverses résistances, chrétiennes et déistes, se sont-elles
traduites dans les journaux par des cris d'alarme ou de fermes
réfutations ? Oui, lorsque l'*Encyclopédie*, développant sa doctrine, persévérant dans sa tâche malgré les hostilités et les défec-
tions, fut apparue comme une association redoutable de volontés

et d'intelligences, un parti, une église capable de détruire et de
fonder. Auparavant, l'alarme n'est guère donnée, et les feuilles
les plus graves ou celles qu'on croirait les plus promptes à la
riposte chrétienne restent lentes à s'émouvoir du péril philosophique.
Ainsi les Jansénistes des *Nouvelles ecclésiastiques,* jusque vers
1748, n'en veulent guère qu'aux partisans de la Constitution *Unigenitus.* Les rapports ou considérations qu'ils publient, datés de
Paris ou des provinces, traitent des mêmes sujets que leurs vignettes
de frontispice : « l'abomination dans le lieu saint, les écoles de
la vérité renversées, la Sorbonne détruite, Saint-Médard fermé, la
foi outragée, les Parlements opprimés » ; ou bien ils répètent, infa-
tigablement, contre la mémoire de Fénelon ou contre le Père Girard
et sa pénitente, Mlle de Cadière, contre les Jésuites en général,
leur refrain : *Molinos, Molina.* Ils se plaignent de ne pouvoir imprimer « les ouvrages les plus utiles et les plus orthodoxes », alors
que d'autres publient si aisément « des livres pernicieux pleins d'erreurs grossières, et presque autant opposés aux intérêts de l'Etat
qu'à ceux de la religion ». Ils confondent avec les « livres impies
des déistes » le livre du P. Berruyer, cette *Histoire,* assez téméraire
en effet, *du Peuple de Dieu.* Leur indignation la plus opportune,
la plus judicieuse, est cet *Examen critique de l'Esprit des Lois,*
qui inquiéta si fort Montesquieu, à la fin de 1749. Certes le langage du gazetier janséniste est violent, ses affirmations sont excessives : à l'en croire, l'*Esprit des Lois* serait une « production irré-
ligieuse, scandaleuse, fondée sur le système de la religion naturelle »,
dont les tenants « n'écrivent que pour combattre le Christianisme ».
Mais a-t-il si mal défini l'assurance du Président, qui, dit-il, « s'est
cru l'organe de la sagesse » ? Avec précision, il a marqué l'indifférence de Montesquieu, son insensibilité à l'esprit chrétien, lorsqu'il
s'agit de trouver des règles sociales ou politiques : qu'est-ce que
cette origine du mariage qui, selon Montesquieu, serait simplement
« l'obligation naturelle qu'a le père de nourrir ses enfants » ?
Qu'est-ce que cette dureté aux moines, cette indulgence aux suicidés
anglais, et cette vénération si cordiale des Stoïciens, eux aussi
grands partisans de la Religion naturelle ?
     Le grand périodique des Jésuites, les *Mémoires de Trévoux,* lors
de sa fondation en 1701, s'annonçait tout impartial et accueillant,
sauf, disait-il, lorsque sera en jeu l'intérêt de la Foi et des mœurs.
En 1759, ses rédacteurs constatent « que l'on reproche souvent
à ce journal sa complaisance pour les auteurs et pour leurs ouvrages » ; mais, en somme, prononcent-ils, « il vaut mieux voir partout
le bien que le mal ».

Non que les Révérends Pères manquent de perspicacité : témoin,
par exemple, la *Lettre sur l'immatérialité de l'âme et les sources
de l'incrédulité*, du P. Tournemine qui, en 1735, dénonce les vices
comme les vrais responsables de l'athéisme grandissant, et mêle à
son développement quelques réminiscences du fragment de Pascal
sur l'insouciance monstrueuse des libertins. Il leur arrive même,
en 1737, d'exprimer avec acuité et véhémence leur méfiance envers
deux auteurs qu'ils auraient pu considérer comme deux alliés
possibles de l'Eglise : Leibniz et Pope. Sur l'esprit conciliateur de
Leibniz ils dépensent toute une monnaie d'ironie; et ils simplifient
à plaisir son éclectisme, et ils traitent son optimisme de « matérialisme déguisé », de « spinozisme spirituel ». Pope, dans son
Essai sur l'Homme, aurait conçu « le dessein le plus pernicieux et
le plus impie ». Même alors, cependant, ils donnent à leurs vues
pénétrantes un tour trop capable de plaire; au lieu de rester des
penseurs, ils se font moralistes ingénieux, attentifs à contenter l'esprit plus qu'à exiger, à emporter son adhésion :

Une mauvaise physique rend, à coup sûr, les gens mauvais théologiens.
Ils voient que, Dieu ayant tiré le bien du mal par un second ordre
de sa Providence, la plupart de nos biens, de nos plaisirs, de nos joies,
naissent du sein de la misère, de la douleur, de la tristesse; et ils
s'imaginent que ce qui est doit être, et qu'absolument, il faut avoir
du mal pour avoir du bien. On en a vu, on en voit qui ne conçoivent
pas comment dans le ciel même le bonheur ne sera pas fade et insi-
pide, sans aucune ombre qui rehausse le tableau, sans aucune disso-
nance qui rehausse l'harmonie, sans aucune maladie qui rende la santé
précieuse, sans aucun nuage qui prépare la sérénité d'un jour perpétuel...

C'est à propos de la *Théodicée* de Leibniz que ce pessimisme
janséniste — qui passera dans le pessimisme romantique — est
défini si aimablement, avec cet affable entrain de conversation
mondaine.

Ce n'est plus la mode de critiquer la Providence. Ces critiques sont
trop usées et trop ouvertement impies et libertines. Le grand air est
d'applaudir à la Providence, et de dire à toutes choses *tant mieux...*
Le mal n'est pas un mal, puisqu'il est la cause nécessaire du bien,
nécessaire à Dieu même, qui non seulement sait tirer le bien du
mal, mais, ne le sait-on, ne le peut tirer que de là, non seulement
malgré sa sagesse, mais précisément à cause même de sa sagesse...

Et voilà une désinvolte caricature du *Tout est bien* de Pope...
Cette méfiance des *Mémoires de Trévoux* contre Pope était d'autant

moins attendue qu'ils avaient accueilli avec faveur, quelques années
auparavant, l'aide des « hérétiques anglais », anglicans, ou déistes
lecteurs de la Fondation Boyle, et qu'en France ils louaient volontiers l'abbé de Saint-Pierre et acceptaient sa collaboration. Ils agis-
saient de même pour l'équivoque Ramsay. En 1759 encore, ils
admettent sans objection les éloges que Trublet décerne à Fontenelle. En 1734, ils recommandent le livre de Melon l'économiste,
pour « la justesse d'esprit et la précision de l'auteur ». En face
des hérauts de la philosophie nouvelle, leurs réactions sont charitables, ironiques parfois, mais d'une ironie de bon ton, et dépourvues
de rigueur. Voltaire paraît matérialiste dans la XIIIᵉ des *Lettres
anglaises* : quel scandale !

Quel excès ! c'est Dieu même qui permet qu'un des plus beaux esprits
de notre siècle s'avilisse à dire lui-même, en parlant de lui-même : Je
suis corps, et n'en sais pas davantage.

Voltaire s'est « tourné un peu tard à la philosophie »; il a été
bien irrévérencieux pour le « génie vaste et élevé » de Pascal,
lequel d'ailleurs manquait de maturité et d'exactitude; Voltaire
devrait bien rester dans la « sphère brillante » des Belles-Lettres.
Plus tard, à propos de l'*Ode sur la mort de la margrave de Bareith*,
les *Mémoires* regrettent que Voltaire, tout en exaltant justement
la Loi naturelle, « qui est fort bonne », paraisse ignorer l'importance de la Loi révélée. Et le rédacteur, posément, déclare que
le Christianisme ne mérite pas le reproche qu'on lui fait, de
retarder le progrès des lumières. Pour Montesquieu, même indulgence d'abord : assurément, dans l'*Esprit des Lois*, il y a « quelques points où l'auteur ne ménage pas assez la religion » : sur le
suicide, la polygamie, la tolérance, les conseils, que Montesquieu
voudrait substituer à quelques préceptes; sur Julien l'Apostat, qu'il
loue et qui était pourtant « le plus vain, le plus pédant, le plus
bizarre de tous les hommes ». Mais, entre ces points divers, les
Mémoires ne cherchent pas de parenté. Neuf ans après ce premier
jugement, en 1758, nouveau commentaire de l'*Esprit des Lois*. Cette
fois la clairvoyance apparaît enfin, et une fermeté trop rare dans
ces pages amènes :

Les traits qu'il aiguise le plus sont ceux qu'il lance contre l'intolérance : de tous les droits de la vérité, c'est celui qu'il respecte le
moins; c'est cependant le plus inaliénable.
Quelque défectueux que soit un système qui porte sur ces fondements,
il n'en est que plus assorti au goût des esprits frivoles et licencieux.
A ce fonds d'idées et de sentiments si commodes ajoutons la forme la

plus séduisante..., la magie d'un style enchanteur, où l'expression, sans être toujours pure, est toujours piquante, où les tours même les plus irréguliers choquent moins qu'ils n'imposent; et où le sens, quoique souvent tronqué, n'en paraît que plus profond.

Dans le premier *Discours* de Rousseau, les mémorialistes de Trévoux n'ont vu qu'un prétexte à imaginer eux-mêmes une prosopopée toute contraire à la prosopopée de Fabricius :

O Médicis, ô Léon, ô François, restaurateurs magnifiques des Sciences et des Lettres, que penseriez-vous si, rappelés à la lumière, vous appreniez qu'on regarde vos bienfaits comme un malheur ?

Sur la foi du *Prospectus* de l'*Encyclopédie*, ils louent les auteurs du nouveau dictionnaire pour « le choix qu'ils ont fait d'un aussi excellent livre que celui de Bacon ». Quant à l'*Esprit* d'Helvétius, ils doutent que ce livre ait, comme on le prétend, « perdu deux mille personnes » : il est trop « médiocre, considéré quant à la partie littéraire ».

Ajoutons qu'à partir de 1750 surtout, les *Mémoires* signalent avec empressement les ouvrages apologétiques qui se multiplient. Toutefois ils ne semblent pas avoir entrepris de réunir, d'organiser vraiment les efforts chrétiens de défensive.

CHAPITRE XI

De son vivant, on le désignait par ce titre grave. Pour nous il est le *sage* Montesquieu, le philosophe de la législation, dont la pensée a guidé les réformateurs modérés de la Constituante, les monarchistes constitutionnels, réalistes par leur connaissance des institutions traditionnelles françaises, et par leur souci d'adapter ces institutions aux besoins des temps nouveaux. Ce penseur indépendant et si méprisant parfois aux gens de lettres a-t-il échappé à la soif d'exaltation et d'illusion qui hantait ses contemporains ? Peut-être...

I. — SA VIE ET SES OUVRAGES

Il était fier de sa noblesse, au point qu'Helvétius le lui a reproché; non par envie assurément, mais parce que l'élan de l'*Esprit des Lois* vers un idéal politique lui paraissait entravé par cet attachement au passé. La famille de Montesquieu est provinciale, d'une province éloignée de Paris et de Versailles, qui a lutté contre le pouvoir centralisateur de Mazarin et de Louis XIV, et qui se souvient sans embarras du temps, des siècles où elle était anglaise. Comme une bonne partie de la noblesse française ou gasconne, au XVIe siècle et au début du XVIIe, la famille de Montesquieu avait séjourné dans le Protestantisme. Son grand-père avait été président à mortier au Parlement de Guyenne; son père, qui avait refusé d'entrer dans les ordres, avait été capitaine de chevau-légers, et sous le prince de Conti il avait pris part à l'expédition de Hongrie.

Né en 1689, Montesquieu a sept ans lorsque meurt sa mère. On l'envoie au collège de Juilly, chez les Oratoriens, qui passaient pour favorables au jansénisme, et qui surtout, dans la mesure où il était un ordre français et non point romain, avaient les préférences des parlementaires gallicans. Peut-être est-ce de là que vint à Montesquieu ce sentiment qu'il avouera plus tard, une méfiance apeurée du Jésuite. Au collège il compose une tragédie, *Britomare*, dont le sujet est pris à un roman du Gascon La Calprenède. Puis, en 1705, il revient à Bordeaux pour ses études de droit. Reçu avocat au Parlement de Bordeaux, il va passer à Paris quatre années, de 1709 à 1713, auprès d'un avocat qui doit l'initier à la pratique des affaires. Vraisemblablement alors il amassa une bonne partie de l'expérience et un grand nombre des observations de divers genres que supposent les *Lettres Persanes*. Le voici rentré à Bordeaux; son père meurt; il épouse la fille d'un de ses voisins, Jeanne de Lartigue, une protestante décidée à ne pas devenir nouvelle-convertie. Conseiller, puis président au Parlement, il est en outre un homme à la mode, diseur ou écouteur de bons mots, et un académicien, de la jeune Académie bordelaise; dans son *Discours de réception* de 1716, qui est son premier ouvrage connu, on retrouve le ton assuré et le tour fleuri ordinaire aux « Modernes ». Il compose un mémoire sur les *Dettes de l'Etat*, qu'il adresse au Régent; un autre, destiné à son Académie, sur la *Politique des Romains dans la Religion;* sa curiosité l'entraîne du système de Malebranche à l'histoire naturelle; il s'intéresse au gui, aux grenouilles, aux glandes rénales, et, se conformant à une mode assez générale ou employant la précaution d'usage en pareil cas chez les rationalistes, il n'a garde d'omettre le parti que l'apologétique religieuse peut tirer de ces « merveilles de la nature ». Tout à coup, d'une *Histoire de la Terre ancienne et moderne*, pour l'établissement de laquelle il demande des mémoires aux savants du monde entier, il passe à la composition des *Lettres Persanes*.

Il en a assez fièrement revendiqué l'invention, de même que vingt-sept ans plus tard il déclarera l'*Esprit des Lois* une œuvre sans précédent : *prolem sine matre creatam*. Tel des *Amusements sérieux et comiques* de Du Fresny a pu lui en donner l'idée, à moins qu'elle ne lui en soit venue de l'*Espion turc*, l'*Espion dans les cours*, dont les relations avaient eu tant de vogue à la fin du xviiᵉ siècle. Les comparaisons entre les civilisations orientales et la civilisation européenne, qui était alors la civilisation française, abondaient également dans les récits des grands voyageurs, et Chardin en particulier, dans ses *Voyages* publiés en 1711, n'avait pas laissé de disserter sur les religions de là-bas et sur la religion chrétienne. Montesquieu a utilisé Chardin; il n'a point cherché à repaître la curiosité du public, encore et toujours avide de connaître le « secret du cabinet des princes », comme on disait; quant à Du Fresny, il l'a jugé sans doute bien ingénieux, pénétrant, spirituel, mais s'en allant trop à la dérive, car Du Fresny est et veut être trop paresseux même pour se tenir longtemps à sa propre fiction. Lui donc, il a créé ce roman par lettres, où les évocations d'un harem persan alternent avec les remarques sur les mœurs parisiennes, et avec les considérations politiques ou sociales : pamphlet tel que La Bruyère aurait pu l'écrire, si La Bruyère avait été un esprit fort, s'il avait eu l'imagination polissonne, la plume agile tout en restant appliquée. Mais La Bruyère ressentait vivement les maux qu'il dénonçait; il s'arrêtait, inquiet, scrupuleux, à chacune des tristesses que son âme chrétienne découvrait en cheminant à travers le beau monde; son ironie, c'était crispation d'impuissance, ou de doute sur son pouvoir d'apôtre; et il ne voyait d'autre salut qu'auprès de la Croix. Non, vraiment, là non plus nous n'avons affaire à un vrai modèle de Montesquieu.

Usbek et Rica, l'un plus mûr, l'autre plus allègre, ont donc quitté Ispahan pour voyager en Europe; ils veulent se distraire et s'instruire. L'amour, mais bien plus encore l'amour-propre du despote d'un sérail, trouble le cœur d'Uzbek. Cependant ses favorites lui écrivent, et ses eunuques, qui, dans les analyses qu'ils font d'eux-mêmes, mettent plus d'insistance et beaucoup moins d'intentions pures qu'on n'en met dans un examen de conscience.

Où est le vrai bonheur ? demande soudain à Usbek un de ses amis d'Ispahan. Usbek lui répond par le long apologue des Troglodytes : il n'est pas de bonheur sans dévouement aux intérêts communs.

A Paris, ils s'arrêtent, les deux Persans, ingénus avec perfidie, à chaque usage; ils sourient ou ricanent à chaque objet du respect français, ou à chaque objet que les Français pourraient respecter. Ils définissent impitoyablement les ridicules, plus encore les inconséquences; ils ne s'étonnent d'abord que pour fustiger.

Peu à peu, la comparaison de l'Orient et de l'Occident se limite, ou devient plus profonde : la liberté, se demandent les voyageurs, est-elle si funeste aux femmes de Paris ? la clôture est-elle si bonne aux femmes de Perse ? Usbek s'émerveille du « fonds de vertu » qu'il découvre chez les nôtres; et les nouvelles qu'il reçoit de son sérail troublent désormais non plus seulement son cœur, mais son esprit : les verrous et les grilles seraient-ils à la

fois impuissants et barbares ? Cette civilisation parisienne, avec
tout ce qu'elle comporte de forces morales acquises, et de légèreté
railleuse pour toutes les barrières qu'elle ne reconnaît pas fondées
en raison, ne serait-elle pas très supérieure ? La dernière lettre
du recueil est la leçon suprême qu'inflige à Usbek Roxane, sa
favorite : « Oui, je t'ai trompé... J'ai réformé tes lois sur celles
de la nature. »

De cette satire que couronne et anime un hommage, Paris est
reconnaissant à Montesquieu. Les *Lettres Persanes* s'enlèvent; et
les libraires commandent des *Lettres Persanes* à leurs écrivains gagés.
Montesquieu vient à Paris jouir de sa renommée, et prendre dans
l'élite rationaliste la place qu'il sent bien lui revenir; il reconnaît
aussi l'utilité, pour son personnel progrès d'écrivain et de penseur,
que lui procurent ces conversations mondaines, qu'il estimait peu :
elles le mettent dans la nécessité de créer des idées; il résidera donc
alternativement à La Brède, à Bordeaux, à Paris. Ses vignes, son chai,
ses vignerons, font sa joie et son profit, car il vend aux Anglais
volontiers cette « maudite liqueur », comme lui écrit Bulkeley en lui
faisant une commande. Dans la bibliothèque du vieux château, il
lit, annote, entreprend la composition d'une *Histoire de la Jalousie,*
d'un traité *des Devoirs*, d'un traité *du Prince* ou *des Princes*, d'un
essai sur le *Règne de Louis XIV*, sur l'*Histoire de France*. Il a « la
maladie de faire des livres et d'en être honteux quand il les a
faits », ou même avant de les avoir achevés, car de ses travaux
d'alors il ne conduit à leur terme que le *Dialogue de Sylla et d'Eucrate*, le *Dialogue de Xantippe*, la *Considération* qui passera dans les
Œuvres de Mme de Lambert, les *Lettres de Xénocrate à Phérès* dont
la principale, retrouvée de nos jours parmi les manuscrits de La
Brède, est un portrait aussi net que cordial de Pisistrate, c'est-à-dire
du Régent. « La mort de M. le duc d'Orléans », écrit-il en 1724,
« m'a fait regretter un prince pour la première fois de ma vie. »
Pour le duc de Bourbon, qui devient premier ministre, ses sentiments
sont tout autres : il le méprise durement, tout en usant de son
hospitalité à Chantilly, ou chez Mme de Prie, à Belébat. A l'intention peut-être de cette galante dame il compose une galante élégie
en prose poétique, le *Temple de Cnide,* qui non sans esclandre paraît
chez les libraires en 1725 le Vendredi Saint. Telle de ses lettres
d'alors le montre amoureux « à la fureur », à Bordeaux, d'une
« chère brunette ». Longtemps sa « sensibilité », comme on disait,
restera celle d'un homme qui avait trente ans sous la Régence.

A Paris, il est assidu aux *mardis* de Mme de Lambert — dont
la nostalgie le viendra poindre pendant ses voyages. Les soixante-

quinze ans de la marquise ne prêtaient plus qu'à des galanteries toutes littéraires; mais la « raison » des Modernes donnait le ton, sans qu'on exclût une certaine confiance au sentiment; et, toute familiarité à la manière du Temple étant bannie, on goûtait avec décence une liberté intellectuelle assez forte. Et l'on peut, d'après quelques souvenirs de Montesquieu, se figurer ces conversations un peu disertes : Fontenelle se dispersait en ingénieuses préventions de doute, en rapprochements volontiers dénigrants où le terre-à-terre de sa pensée se faisait, à force d'irrespect et d'esprit, presque distingué; tandis que Montesquieu, lui, cherchait avidement des causes, « la chaîne des causes infinies », comme il l'écrit en 1725 dans un chapitre de ses *Devoirs,* « qui se multiplient et se combinent de siècle en siècle ». C'est l'époque où les « considérations » se pressent sous sa plume : sur la promptitude et la bonne grâce, qui sont, déclare-t-il au Parlement de Bordeaux en 1725, deux grands attributs des Juges; sur les motifs qui doivent nous encourager aux sciences : et ce discours est réservé à l'Académie bordelaise. C'est l'époque où, pour obtenir l'autorisation de planter des vignes, il trouve des arguments trop « brillants » aux yeux de l'intendant de Guyenne. C'est le temps où il entreprend l'*Esprit des Lois.* Oui, en 1727 s'est précisé en lui le dessin de son grand livre.

Y a-t-il été conduit par le désir rationaliste de trouver un fonds commun, une *unité,* à ces lois et coutumes que sa charge même de magistrat lui montrait si diverses ? Peut-être. La curiosité passionnée de pénétrer dans le domaine inexploré des *causes* me paraît surtout l'avoir déterminé. En ce temps où au mot de *lois* s'associait ordinairement l'adjectif *fondamentales,* où l'on vénérait encore, selon Platon, les Législateurs légendaires, fondateurs ou restaurateurs de constitutions, Montesquieu est avide de connaître ces grandes forces qui créent et qui maintiennent; il veut découvrir le secret de leur puissance, évaluer leur vitalité, et, par ces lumières nouvelles dont il sera l'annonciateur, être pour les hommes de son pays, et de toutes les patries, utile, bienfaisant.

De cette dernière ambition nous est garante sa vénération pour l'abbé de Saint-Pierre, l'inlassable apôtre de la bienfaisance. D'autres influences ont-elles concouru alors à l'engager à une telle étude de la politique ? L'intérêt porté aux questions politiques était vif chez les Anglais ou Ecossais établis en France : jacobites, orangistes, que Montesquieu fréquentait si volontiers, et qui assez vraisemblablement l'affilièrent à leur Franc-maçonnerie. Quant au club de l'Entresol, il n'est nullement prouvé que Montesquieu ait jamais été un habitué de ce « café d'honnêtes gens », de cette académie indiscrète au jugement du cardinal premier ministre.

Le 5 janvier 1728, avec le consentement de Fleury enfin obtenu, et en dépit des *Lettres Persanes* qui avaient bien failli être pour Montesquieu l'obstacle qu'avaient été pour La Fontaine ses *Contes*, Montesquieu était élu à l'Académie Française. Le 24 janvier, il prononçait son *Discours de réception*, où il louait la « belle âme » de M. de Sacy, son prédécesseur, et Richelieu « qui tira du chaos les règles de la monarchie », et Louis XIV, et Louis XV destiné à « réparer le mal qu'il n'a point fait », et le « ministre nécessaire au monde ». Le 5 avril, il se met en route pour l'Autriche, en compagnie de lord Waldegrave, neveu du maréchal de Berwick, et représentant du roi d'Angleterre George II auprès de l'Empereur. Ses voyages d'observation politique sont commencés.

Vienne, Gratz, Trieste, la Hongrie, il parcourt villes et contrées en notant le nombre des habitants, l'aspect et la commodité des maisons, l'état du commerce, l'état des routes : sur tout il raisonne, discernant des causes, imaginant des conséquences. Quatre mois après, il est en Italie, visitant ces Etats minuscules aux constitutions si diverses, et pour lui tout animés de si grands souvenirs. A Venise, il s'émerveille, puis s'attriste. De Rome il ne peut se lasser; Raphaël l'enthousiasme, et il ne manque pas de raisonner sur toute cette beauté des toiles et des pierres. Puis c'est la Bavière, où les accoutrements sont étranges, et les esprits lents; la Prusse, dont le roi est un « tyran effroyable »; la Hollande, où l'art d'escroquer le voyageur est si parfait; l'Angleterre, enfin ! Montesquieu s'embarque à La Haye le 31 octobre 1729, sur le yacht de milord Chesterfield. A Londres, il est reçu par la Société Royale; il s'entretient avec la reine; il lit, il questionne, il bavarde. Il compare Londres et Paris; il admire la liberté et l'égalité anglaises, regrette que l'argent à Londres soit tant estimé, et l'honneur si peu; il est déçu plus souvent que satisfait; pour admirer l'Angleterre cordialement, il est temps que Montesquieu rentre en France.

Trois ans il a voyagé. Le voici maintenant à Bordeaux, à La Brède, qui complète ou interprète ou transforme ses observations par des lectures. On a conservé les listes qu'il se dressait de livres à acheter, des livres déjà lus ou à relire à propos de telle hypothèse du « système » à vérifier. Ces législations si variées du passé, du présent, l'attirent et le déconcertent. S'il est curieux, comme on l'a trop dit, de leur trouver un fonds commun, il est plus sensible encore à la nécessité et à l'intérêt de leur diversité. Il ne croit guère qu'il y ait deux faits ou deux cas semblables dans l'étendue de l'univers ni dans l'histoire du monde. Mais aux faits il croit qu'il y a des causes; et c'est du jeu des causes qu'il étudie maintenant un grand exemple : il écrit ses *Considérations sur les causes de la grandeur des Romains et de leur décadence* (1734).

Pourquoi, aussitôt après ses courses à travers les régimes contemporains, se rejeter vers l'Antiquité ? Sans doute parce que l'Antiquité n'a pas encore été étudiée à la lumière des mœurs modernes, des mœurs humaines de toujours. On l'a exaltée comme sublime, on l'a raillée comme grossière, on ne l'a pas encore — sauf dans les *Mœurs des Israélites* que Montesquieu a lues, mais qu'il ne cite pas — regardée en face. L'on ne s'est pas encore avisé de comparer la tâche des consuls à celle de nos secrétaires d'Etat; on ne s'est pas arrêté aux dimensions exiguës de la Rome primitive; le seul mot de *triomphe* nous éblouit : or les Triomphes, qu'était-ce d'abord, sinon la joie de ces pauvres gens au passage des gerbes de blé et des troupeaux que leurs hommes en âge de piller et de se battre étaient allés dérober aux peuplades voisines ? La nécessité de vivre imposait ces brigandages; et ces victoires si peu sublimes « furent dans la suite la principale cause des grandeurs où cette ville parvint ».

Une autre cause, sur laquelle Montesquieu insiste bien davantage, et dont l'étude est en somme l'âme même de son livre, ce sont les « Maximes » de Rome : lois fondamentales, principes, esprit de la constitution, « sentiments romains », formant dans la république, c'est-à-dire dans l'administration et pour ses progrès au dehors, cette « union d'harmonie, qui fait que toutes les parties, quelque opposées qu'elles paraissent, concourent au bien général de la Société ». Ces maximes ont fait la grandeur romaine; elles ont fait également la décadence de Rome : la liberté républicaine ne peut pas subsister dans un Etat démesurément étendu. Le despotisme s'annonce, s'établit, s'organise; despotisme illimité comme la puissance populaire à laquelle il succède : despotisme qui, selon ses habituels effets, mène l'empire à la mort.

Quatorze ans après les *Considérations*, l'*Esprit des Lois* paraît enfin.

Comment analyser les 605 chapitres des 31 livres qui composent ce monument ? Dès le début, dès la *Préface*, Montesquieu nous étonne : du droit positif, relatif et capable de changement, il nous parle sur le ton, avec les accents, en se réclamant des principes qui étaient ceux de Cicéron et des scolastiques exposant le droit naturel. La « nature des choses », voilà sa source et sa règle; éclairer les hommes sur eux-mêmes, voilà son but...

Cependant elle nous indique bien, cette *Préface* solennelle, le sens du grand livre : ce ne sont pas, dit Montesquieu, des « fantaisies » qui ont fait la diversité des lois et des mœurs. Il y a des causes, des « principes » dont l'action se propage; pour les bien discerner telles qu'elles sont, il faut revivre ou vivre par la pensée dans les sociétés où elles ont agi. Et chaque homme sera plus heureux, dans la clairvoyance et la sécurité de l'âme, s'il connaît mieux tout ce qui conditionne les *lois* sous lesquelles il vit, les rapports nécessaires qu'il doit entretenir et saura mieux désormais entretenir harmonieux, entre les institutions et les réalités : les lois sont « les rapports nécessaires qui dérivent de la nature des choses ».

La nature des choses, c'est d'abord la nature du gouvernement, des trois gouvernements : républicain, aristocratique, monarchique; c'est le principe de chacun d'eux, avec qui doit s'accorder, en particulier, l'éducation nationale. Ces principes sont, comme toute chose, sujets à se corrompre. Réalités encore : la force offensive, la force défensive; la liberté politique, que les lois doivent au moins autant former qu'elles la doivent garantir; le climat, le sol, l'esprit général et les mœurs de chaque peuple, l'usage de la monnaie, le nombre des habitants, la religion. Et l'ouvrage s'achève par des considérations sur les plus anciennes lois et coutumes françaises, parmi lesquelles s'insère un livre sur la *Manière de composer les lois* : Montesquieu recommande au législateur, une fois de plus, car il lui « semble n'avoir fait cet ouvrage que pour le prouver », la modération comme un devoir : « il ne faut point séparer les lois des circonstances dans lesquelles elles ont été faites ». La monarchie française apparaît donc traditionnellement tempérée par des libertés féodales... Telle serait la conclusion de l'*Esprit des Lois*, s'il avait une conclusion.

Les dernières années de Montesquieu, à en juger par ce qui nous reste de sa *Correspondance*, ne furent pas tristes, malgré l'état précaire de sa santé et l'usure de ses yeux; malgré la mort de ses amies, la noble Mme de Lambert, puis Mme de Tencin, la chanoinesse intrigante tardivement rangée; en fait de salons il goûte peu celui de la « femme capricieuse », dit-il, qu'est Mme Geoffrin, la « femme acariâtre »; il honore de sa présence le salon de Mme du Deffant. On le reçoit avec de grands égards à la cour de Lunéville, mais il répond fort mal à l'attente où l'on est là de ses propos brillants.

Il aime ses amis, il aime l'amitié. Son correspondant le plus empressé est l'abbé de Guasco, savant amateur italien; le plus illustre est lord Chesterfield; les autres sont des Bordelais : J.-J. Bel, le président Barbot; ou des religieux, comme le P. Castel; ou de grandes dames : Mme d'Aiguillon, Mme Dupré de Saint-Maur.

Les reproches assez pénétrants que jansénistes et jésuites avaient faits à l'*Esprit des Lois* l'inquiétèrent; mais l'ambassadeur de France à Rome, son ami le duc de Nivernais, obtint que la condamnation prononcée par le Saint-Office restât secrète. La *Défense de l'Esprit des Lois*, qu'il publia en 1750, est un plaidoyer enthousiaste, plus qu'une vraie réponse.

En 1754, par un retour de « sensibilité », il compose ce roman singulier d'*Arsace et Isménie*, léger sur la bagatelle, et mêlé de graves considérations politiques.

Le 10 février 1755, il meurt, confessé par le Père Castel, communié par le curé de Saint-Sulpice, et déclarant : « J'ai toujours respecté la religion; la *morale* de l'Evangile est une excellente chose et le plus beau présent que Dieu pût faire aux hommes. »

II. — SES GOÛTS, SES AVERSIONS

Ses goûts, les réflexes de son humeur, les traits de son caractère, on en trouve la trace dans ses divers ouvrages, et l'expression attentive ou attendrie dans les *Pensées et fragments inédits.* Certaines formules se passent de commentaires :

Un grand homme est celui qui voit vite, loin et juste (1156).
Ordinairement, ceux qui ont un grand esprit l'ont naïf (1157).
Un des grands délices de l'esprit des hommes, c'est de faire des pro-
[positions générales (1158).

D'autres viennent se grouper naturellement, pour nous donner de Montesquieu une image en partie inattendue.

C'est un tempérament de poète qu'elles nous révèlent d'abord. Saisi le matin, au réveil, par une « joie secrète », une « espèce de ravissement » lorsqu'il « voit la lumière », et vivant sur ce contentement « tout le reste du jour »; enivré d'une même allégresse « lorsqu'on a fait quelque règlement qui allât au bien commun », ces profondes impressions l'isolent, le font gauche à la dispute, timide au point que « la timidité a été le fléau de toute sa vie », indifférent aux propos d'autrui, car souvent il « aime mieux approuver qu'écouter », méprisant « trop », avoue-t-il, ceux qu'il n'estime pas; ou au contraire exubérant tout à coup, et capable de déconcerter notre ministre à Londres, le comte de

Broglie, qui le qualifie de « tête à l'escarbillarde ». Il ne goûte
guère la conversation mondaine que pour les élans qu'elle lui impose,
en le forçant à « imaginer ». Son vrai compagnon, qui toujours
lui a évité chagrin et ennui, c'est lui-même. Sa propre pensée, son
propre sentiment, voilà ce qu'il goûte, et note en formules complai-
santes : « n'étant point né dans le siècle qu'il me fallait », « ce
qui me charme », « je voudrais bien être le confesseur de la vérité,
mais non pas le martyr ». Voici même un de ses propres bons mots
qu'il avait retenu, et qu'il a bien voulu biffer :

Sur quelques petits auteurs qui me critiquaient, je dis : Je suis un
grand chêne au pied duquel les crapauds viennent jeter leur venin.

Genus irritabile... Montesquieu n'avait-il pas les réflexes d'un
poète ?

Cette humeur allègre le détourne des « passions tristes », comme
son Arsace appelle l'« aveugle ambition, la soif d'acquérir, l'envie
de dominer ». Elle le porte à estimer les « passions vives », et ainsi
à préférer au sentiment du devoir, « chose réfléchie et froide »,
l'honneur, qui « s'anime de lui-même ».

Il s'anime, ce Gascon, tout en restant fort bien maître de soi.
Sa curiosité scientifique est une ardeur acquise, si nous en croyons
tel aveu d'Usbek :

Je feignis un grand attachement pour les sciences, et, à force de
le feindre, il me vint réellement.

A ses heures il s'émeut des souffrances humaines, mais très cal-
mement aussi il souhaite la « belle expérience » que voici :

Nourrir trois ou quatre enfants comme des bêtes, avec des chèvres
ou des nourrices sourdes et muettes. Ils se feraient une langue. Examiner cette langue. Voir la nature en elle-même, et dégagée des
préjugés de l'éducation.

Il s'intéresse à la société humaine, beaucoup plus qu'aux âmes.
De là sans doute la faible profondeur de ses vues de psychologue.
Les portraits agressifs des *Lettres Persanes* sont moins pénétrants
que les silhouettes dénigrantes de La Bruyère. Les pensées morales
restées inédites sont plus frêles encore :

L'avantage de l'amour sur la débauche, c'est la multiplication des
                                                        [plaisirs... (993),
Il faut que chacun se procure le plus de moments heureux qu'il est
                                                        [possible... (995).

MONTESQUIEU d'après la médaille de DASSIER

Cabinet de travail de MONTESQUIEU à La Brède

En amour, est-il aussi « impétueux », qu'un de ses commentateurs l'a prétendu ? En tout cas, « lorsque ses passions sont tranquilles », il préfère, et de beaucoup, « un beau portrait à la vue de l'original ». Et il avoue sans mélancolie que, « si les besoins des sens sont bornés, ceux du cœur le sont encore davantage ». Dans son dernier roman d'égrillarde galanterie, libre aux chercheurs de préromantisme de mettre en valeur une fuite des deux amants dans le désert, et un incendie de forêts : ces tableaux sont par Montesquieu suggérés plus que dessinés. Il n'insiste que sur les scènes de « douceur » et d'indiscrets regards sur de séduisants « contours ». Les insistances lubriques des *Lettres Persanes* étaient plus déplaisantes encore, et à peu près aussi froides, surtout quand Montesquieu s'ingéniait à préciser les impressions sensuelles des eunuques. Quelles fades polissonneries !

Les sentiments religieux de Montesquieu se sont exprimés d'abord dans les *Lettres Persanes* : il faudrait presque dire ses ressentiments contre le Christianisme. C'est la Croix qu'il rejette, en effet. Il ne veut point d'une vertu qui soit « un exercice pénible », qui nous « coûte ». Aussi plaide-t-il contre le célibat ecclésiastique, et pour le luxe, et pour le divorce, et pour le suicide — dont il répétera l'apologie dans les *Considérations*, l'*Esprit des Lois*, les *Pensées*. Les religions naissent — « les dieux naissent », dira-t-il dans *Arsace et Isménie* — sans autre intention ni but que d'« adoucir dans les mœurs ce que la Nature y avait laissé de trop rude ». Hors de là, ce ne sont qu'abstinences ridicules, croyances déraisonnables ou inutiles, « histoire de l'Eternité » que l'on prétend nous enseigner, révélation d'« une petite partie de la bibliothèque divine », descriptions du Paradis « capables d'y faire renoncer tous les gens de bon sens », dévotions dégradantes à des « chiffons sacrés », avidité du surnaturel, « des terreurs paniques ou surnaturelles », là où il serait si simple de « voir la véritable cause » de ce qu'on s'évertue à croire miraculeux. D'ailleurs, chez les Chrétiens

la Religion est moins un sujet de sanctification qu'un sujet de disputes.

Elle est donc inefficace à consoler comme à soutenir : « l'ordre de la Providence, le malheur de la condition humaine », les beaux arguments, qui « veulent adoucir un mal par la considération que l'on est né misérable » ! Que l'homme est tristement entravé par les promesses et les menaces de l'Eglise, des Eglises !

Les hommes sont bien malheureux ! Ils flottent sans cesse entre de fausses espérances et des craintes ridicules, et, au lieu de s'appuyer sur la *raison*, ils se font des *monstres* qui les intimident et des *fantômes* qui les séduisent.

La crue lumière de ces duretés donne toute leur valeur de sarcasme aux parodies de la Bible et de l'Evangile qui, de temps en temps, viennent affleurer dans les *Lettres*, depuis le début de la première, où est évoqué le tombeau de « la Vierge qui a mis au monde douze prophètes », jusqu'à la XXXIXe, où est contée la merveille de la naissance de... Mahomet :

... Dieu qui, par les décrets de sa providence, avait résolu, dès le commencement, d'envoyer aux hommes ce grand prophète pour enchaîner Satan, créa une lumière deux mille ans avant Adam, qui, passant d'élu en élu, d'ancêtre en ancêtre de Mahomet, parvint enfin jusques à lui comme un témoignage authentique qu'il était descendu des Patriarches.

... Il vint au monde circoncis, et la joie parut sur son visage dès sa naissance. La terre trembla trois fois, comme si elle eût enfanté elle-même; toutes les idoles se prosternèrent; les trônes des rois furent renversés. Lucifer fut jeté au fond de la mer, et ce ne fut qu'après avoir nagé pendant quarante jours qu'il sortit de l'Abyme et s'enfuit sur le mont Cabès, d'où, avec une voix terrible, il appela les Anges.

Cette nuit, Dieu posa un terme entre l'homme et la femme, qu'aucun d'eux ne put passer. L'art des magiciens et nécromans se trouva sans vertu. On entendit une voix du ciel qui disait ces paroles : « J'ai envoyé au Monde mon ami fidèle. »

Selon le témoignage d'Isben Aben, historien arabe, les générations des oiseaux, des nuées, des vents, et tous les escadrons des Anges, se réunirent pour élever cet enfant et se disputèrent cet avantage... Mais une voix du Ciel fut entendue, qui termina toutes les disputes : « Il ne sera point ôté d'entre les mains des mortels, parce que heureuses les mamelles qui l'allaiteront et les mains qui le toucheront, et la maison qu'il habitera, et le lit où il reposera. »

Après tant de témoignages éclatants, mon cher Josué, il faut avoir un cœur de fer pour ne pas croire sa sainte loi. Que pouvait faire davantage le Ciel pour autoriser sa mission divine, à moins de renverser la nature ou de faire périr les hommes mêmes, qu'il voulait convaincre ?

Esprit de prosélytisme, esprit d'intolérance, Montesquieu dédaigneusement blâme l'un comme l'autre; et il s'indigne à l'idée de la damnation des païens, et il prophétise la venue du « jour où l'Eternel ne verra sur la Terre que des vrais croyants ». Par quoi seront détruites les « erreurs » ? Par le temps, et par l'invincible Raison :

On a beau faire, la *Vérité* s'échappe et perce toujours les ténèbres qui l'environnent.

Débarrassée des « erreurs », quelle est donc ou sera la vraie religion ?

Dans quelque religion qu'on vive, l'observation des lois, l'amour pour les hommes, la piété envers les parents, sont toujours les premiers actes de la religion.

Les « cérémonies » sont indifférentes. Le vrai culte est celui que nous devons indispensablement à la Justice :

Quand il n'y aurait pas de Dieu, nous devrions toujours aimer la Justice, c'est-à-dire faire nos efforts pour ressembler à cet être dont nous avons une si belle idée, et qui, s'il existait, serait nécessairement juste. Libres que nous serions du joug de la Religion, nous ne devrions pas l'être de celui de l'Equité.

Mais les *Lettres Persanes,* dira-t-on, sont un pamphlet avant d'être une confidence; et Montesquieu y a outré à plaisir ses sentiments. Or les sentiments sont les mêmes dans les *Pensées et fragments inédits,* où la part est si grande des remarques sur la Religion : ces remarques sont bien inégales par leur portée, mais, toutes, elles sont décidées ou violentes.

Le Christianisme n'est pas profond chez nous, observe Montesquieu : puisque « nous admirons encore les paroles et les sentences des Anciens qui font la peinture des vices ». Ou bien il déplore la venue du Christianisme, comme une invasion de tristesse :

Le monde n'a plus cet air riant qu'il avait du temps des Grecs et des Romains. La religion était douce, et toujours d'accord avec la nature. Une grande gaîté dans le culte était jointe à une indépendance entière dans le dogme... Aujourd'hui le Mahométisme et le Christianisme, uniquement faits pour l'autre vie, anéantissent toute celle-ci. Et pendant que la Religion nous afflige, le despotisme, partout répandu, nous accable.

Ailleurs, il établit un bref parallèle entre les religions et les sciences : les religions « viennent du peuple et passent de là aux gens éclairés », et les sciences suivent le chemin inverse. Ou bien il compare « une religion qui n'admettrait que l'équité » et une religion « qui, admettant une révélation, damne ceux qui ne croient pas ». Que vaut d'ailleurs une Révélation ?

Quand je crois ce que je pense, je cours risque de me tromper. Mais quand je crois ce qu'on me dit, j'ai deux craintes : l'une que celui qui me parle se trompe, l'autre qu'il ne veuille me tromper.

Une religion révélée est attaquable, les faits qu'elle avance étant sujets à discussion;

Mais il n'en est pas de même de la religion naturelle : elle est tirée de la nature de l'homme, dont on ne peut pas disputer, et du sentiment intérieur de l'homme dont on ne peut pas disputer encore.
(Lettre à Warburton, mai 1754.)

Et voilà bien la supériorité de l'Angleterre :

Quel peut être le motif d'attaquer la religion révélée, en Angleterre ? On l'y a tellement purgée de tout préjugé destructeur qu'elle n'y peut faire de mal, ou qu'elle y peut faire, au contraire, une infinité de biens... En Angleterre tout homme qui attaque la religion révélée l'attaque sans intérêt, et cet homme, quand il réussirait, quand même il aurait raison dans le fond, ne ferait que détruire une infinité de biens pratiques pour établir une vérité purement spéculative.

Montesquieu ne nomme pas l'Eglise *Infâme* : cependant il la déclare égoïste et cupide; ses Jésuites lui paraissent redoutables, ses Chartreux engourdis ou tourmentés de scrupules vains, ses théologiens indifférents au vrai, ses prêtres « intéressés à maintenir les peuples dans l'ignorance »; la dévotion, selon lui, est une « maladie du corps, qui donne à l'âme une folie dont le caractère est d'être la plus incurable de toutes ». Qu'elle est « singulière », l'idée « qu'on ne peut donner à Dieu qu'en se privant » ! Les missions chez les infidèles sont une « mauvaise besogne », car elles risquent d'y troubler l'ordre politique, d'y faire des rois méchants, et de « mauvais citoyens ». Heureusement, le catholicisme, qui est « incommode à tous les autres pays », est inoffensif en France ! A condition toutefois qu'on garde bien ces deux axiomes :

Point de religieux pour les affaires !
Les maximes de religion sont très pernicieuses quand on les fait entrer dans la politique humaine.

En somme, tout à peu près du Christianisme catholique excite en lui l'irritation : Révélation, esprit de sacrifice, de foi, d'apostolat. Dans le Christianisme, il ne veut chercher ou voir que l'esprit d'optimiste confiance en l'homme représenté par le Molinisme, la « douceur » civilisatrice de l'Evangile, l'idée d'un Dieu qui, « s'il existe », souhaite avant tout le bonheur des hommes. Voici, dans ses *Pensées inédites*, une autre formule de son esprit religieux :

> J'aurais bien exécuté la religion payenne : il ne s'agissait que de fléchir le genou devant quelque statue.

Non, sa religion, à lui, ne l'intéresse pas à Dieu. Elle est cette « admiration pour les connaissances politiques et morales », qui, selon lui, avait été « portée jusqu'à une espèce· de culte chez les Grecs et chez les Romains ». Là est son trésor intellectuel, là son cœur, son enthousiasme.

III. — SA PENSÉE

Ce n'est donc pas en Dieu qu'il va chercher le fondement de la règle politique. Lorsque, au premier chapitre de l'*Esprit des Lois*, il nomme Dieu, c'est pour nous apprendre que « la Divinité a ses lois » comme tout au monde, et pour tout incliner devant une « Raison primitive ». Toutes les concessions en apparence respectueuses qu'il fait à la susceptibilité des théologiens, ces formules de déférente précaution marquent sinon son dédain de la métaphysique en matière politique, du moins la distance à laquelle il veut s'en tenir.

Il fera sonner bien haut dans sa *Défense*, et même dans une lettre à Mgr de Fitz-James, la réfutation qu'il a faite du paradoxe de Bayle dans l'*Esprit des Lois*. Mais il faut aller voir, au chapitre VI du livre XXIV, comment est réfuté le paradoxe : de « véritables chrétiens », dit Montesquieu, « *seraient* des citoyens excellents »; « les principes du Christianisme bien gravés dans le cœur *seraient* infiniment plus forts » que les autres principes. Et ces affirmations d'une simple possibilité, d'une réalité hypothétique, s'encadrent d'un pathétique éloge des Stoïciens, des Antonins, de Julien l'Apostat :

> Faites pour un moment abstraction des Vérités révélées : cherchez dans toute la Nature, et vous n'y trouverez pas plus grand objet que les *Antonins;* Julien même, *Julien* (un suffrage ainsi arraché ne me rendra point complice de son apostasie), non, il n'y a point eu après lui de Prince plus digne de gouverner les hommes.   (Chap. x.)

Au chapitre VIII, au chapitre IV, on rencontrait quelques ironies rapides, denses, graves :

Il nous est bien plus évident qu'une Religion doit adoucir les mœurs des hommes, qu'il ne l'est qu'une religion soit vraie.   (Chap. IV.)

Dans un pays où l'on a le malheur d'avoir une Religion que Dieu n'a pas donnée, il est toujours nécessaire qu'elle s'accorde avec la Morale; parce que la Religion, même fausse, est le meilleur garant que les hommes puissent avoir de la probité des hommes.

Les points principaux de la Religion de ceux du Pégu sont de ne point tuer, de ne point voler, d'éviter l'impudicité, de ne faire aucun déplaisir à son prochain, de lui faire au contraire tout le bien qu'on peut. Avec cela ils croient qu'on se sauvera dans quelque religion que ce soit; ce qui fait que ces peuples, quoique fiers et pauvres, ont de la douceur et de la compassion pour les malheureux.

(Chap. VIII,
De l'accord des Lois de la Morale avec celles de la Religion.)

La notion de l'Absolu est donc bannie de la pensée politique de Montesquieu. Il a même semblé parfois qu'au fur et à mesure de ses développements cette pensée soit devenue étrangère à tout idéalisme politique, et, confinée dans un relativisme précautionneux ou trop déférent aux régimes établis, qu'elle ait cherché seulement *à conserver*. Helvétius, en 1748, censurait cette attitude comme une trahison ou une timidité, et au nom du Vrai et de l'Avenir il gourmandait Montesquieu comme Dargaud, près d'un siècle plus tard, harcèlera Lamartine. Barckharsen, au contraire, en 1898 acclamait ce conservatisme comme une profonde sagesse.

Il est certain que Montesquieu, plus désireux « d'être le confesseur de sa vérité que d'en être le martyr », a insisté complaisamment sur cet aspect de sa pensée. Cependant, s'il donne pour tâche à l'esprit civique, sous tous les régimes, de conserver l'harmonie des réalités et des lois, cet esprit civique qu'il recommande est si peu lâche ou timoré qu'il s'impose à l'admiration par sa grandeur morale :

L'esprit du citoyen n'est pas de voir sa patrie dévorer toutes les patries... L'esprit du citoyen est de voir l'ordre dans l'Etat, de sentir de la joie dans la tranquillité publique, dans l'exacte administration de la justice, dans la sûreté des magistrats, dans la prospérité de ceux qui gouvernent, dans le respect rendu aux lois, dans la stabilité de la monarchie ou de la république. L'esprit du citoyen est d'aimer les lois, lors même qu'elles ont des cas qui nous sont nuisibles, et de considérer plutôt le bien général qu'elles nous font toujours que le mal particulier qu'elles nous font quelquefois. L'esprit du citoyen est d'exercer avec zèle, avec plaisir, avec satisfaction, cette espèce de magistrature qui, dans les corps politiques, est confiée à chacun : car il n'y a personne qui ne participe au gouvernement, soit dans son emploi, soit dans sa famille, soit dans l'administration de ses biens, Un bon citoyen ne songe jamais à faire sa fortune particulière que par les mêmes voies qui font la fortune publique...

(*Pensées inédites*, 618.)

N'est-ce pas là de l'authentique idéalisme ? n'est-ce pas l'esprit chrétien de charité, de renoncement, laïcisé ? On pourrait presque dire que cet abandon et ce don que l'on fait à l'Etat de toute son ambition, de tout son zèle, de toutes ses préoccupations, sont bien peu différents de ceux que commande l'esprit monastique...

Une autre mystique occupe l'âme de Montesquieu : il a foi, pour assurer cet esprit de dévouement, à l'esprit de *liberté*.

« Pourquoi », demandait Fréron, dans son *Extrait* de l'*Esprit des Lois*, « pourquoi l'auteur met-il partout le gouvernement républicain au-dessus du monarchique et de tous les autres gouvernements ? » Montesquieu, sans doute, ne vante pas partout dans son livre l'esprit républicain; ses voyages lui en ont révélé les inconvénients et les tares; et ses préférences définitives vont en somme à la monarchie constitutionnelle. Mais ses préférences premières, celles dont la rédaction était vraisemblablement achevée avant son départ de 1728, allaient bien à la république, et il les a maintenues dans l'imprimé. Lisez, au livre III, le chapitre v : *Que la Vertu n'est point le principe du gouvernement monarchique.* La *vertu* dont il s'agit ici, ce n'est pas simplement, comme Montesquieu l'indique en une note précautionneuse et embarrassée, la « vertu politique, qui est la vertu morale dans le sens qu'elle se dirige au bien général » : c'est la valeur morale, la droiture, l'honnêteté. Selon Montesquieu, l'atmosphère morale des monarchies est inférieure et dégradante :

Je supplie qu'on ne s'offense pas de ce que j'ai dit : je parle après toutes les histoires. Je sais très bien qu'il n'est pas rare qu'il y ait des princes vertueux; mais je dis que dans une monarchie il est très difficile que le peuple le soit.

Qu'on lise ce que les historiens de tous les temps ont dit sur la Cour des Monarques; qu'on se rappelle les conversations des hommes de tous les pays sur le misérable caractère des courtisans; ce ne sont point des choses de spéculation, mais d'une triste expérience.

L'ambition dans l'oisiveté, la bassesse dans l'orgueil, le désir de s'enrichir sans travail, l'aversion pour la vérité, la flatterie, la trahison, la perfidie, l'abandon de tous ses engagements, le mépris des devoirs du citoyen, la crainte de la vertu du prince, l'espérance de ses faiblesses, et, plus que tout cela, le ridicule perpétuel jeté sur la vertu, sont, je crois, le caractère de la plupart des courtisans, marqué dans tous les lieux, et dans tous les temps. Or, il est très malaisé que les principaux d'un Etat soient malhonnêtes gens, et que les inférieurs soient gens de bien, que ceux-là soient trompeurs, et que ceux-ci consentent à n'être que dupes.

Que si dans le peuple il se trouve quelque malheureux honnête homme, le cardinal de Richelieu, dans son Testament politique, insinue qu'un monarque doit se garder de s'en servir. Tant il est vrai que la vertu n'est pas le ressort de ce gouvernement !

Qu'il y ait là une douloureuse protestation française contre le machiavélisme politique, inoculé à notre monarchie depuis le xvi° siècle, ce n'est pas douteux; mais « toutes les histoires » sont par Montesquieu appelées en témoignage, pour fonder sa condamnation morale de la Monarchie. Et les *Pensées et Fragments inédits* insistent :

Les mœurs ne sont jamais bien pures dans les monarchies (220).

L'établissement des monarchies produit la politesse; mais les ouvrages d'esprit ne paraissent que dans le commencement des monarchies : la corruption générale affectant encore cette partie-là (842).

Cependant, il faut reconnaître que cette attitude de pur moraliste est exceptionnelle chez Montesquieu. En outre, s'il a un instant identifié liberté et république en songeant aux républiques de l'Antiquité, il en vient assez tôt à penser que ni l'aristocratie ni la démocratie ne sont des régimes libres de leur nature. La liberté, telle qu'il la définit au livre XI de l'*Esprit des Lois,*

la liberté consiste à pouvoir faire ce que l'on doit vouloir, et à n'être point contraint de faire ce que l'on doit ne point vouloir.

cette liberté-là, il la croit réalisable en tout régime, sauf sous le Despotisme. Pour qu'elle vive, il faut et il suffit que soient institués ou maintenus des *corps intermédiaires* et une *séparation des pouvoirs*. Entre le souverain avide d'accroître sa puissance, et le peuple disposé à la révolte, les privilégiés : seigneurs, clergé, noblesse, villes, dont chaque privilège est en somme une liberté, une barrière arrêtant soit le souverain, soit le peuple, se trouveront fortement établis pour *modérer* l'un et l'autre. Mais le prestige le plus sûr, parmi ces corps privilégiés ou intermédiaires, appartiendra aux Parlements :

Il ne suffit pas qu'il y ait dans une monarchie des rangs intermédiaires; il faut encore un dépôt de lois. Ce dépôt ne peut être que dans les corps politiques qui annoncent les lois lorsqu'elles sont faites, et les rappellent lorsqu'on les oublie. L'ignorance naturelle à la noblesse, son inattention, son mépris pour le gouvernement civil, exigent qu'il y ait un corps qui fasse sans cesse sortir les lois de la poussière où elles seraient ensevelies. Le conseil du prince n'est pas un dépôt convenable : il est, par sa nature, le dépôt de la volonté momentanée du prince qui exécute, et non pas le dépôt des lois fondamentales.

(Livre II, ch. IV.)

En Angleterre, il n'y a pas de corps intermédiaires; le risque d'« esclavage » s'ensuit, pour le jour où se perdrait le sens de la liberté. Mais il y a séparation des pouvoirs, et cette distinction de la puissance législative, de la puissance exécutive et de la puissance de juger assure la liberté politique. L'équilibre des trois pouvoirs et leur solidarité d'énergies en mouvement sont d'un calcul délicat. Montesquieu, d'après la Constitution d'Angleterre ou d'après l'idée flatteuse qu'il s'en fait, étudie avec autant d'entrain que de patience ce mécanisme, cet organisme politique, au livre XI. Au livre XIX, les heureux effets d'une telle constitution sur le caractère d'« une nation », c'est-à-dire de la nation anglaise, lui apparaissent comme en une vision prophétique. Là, s'écrie-t-il, chacun « jouirait de la liberté », « toutes les passions seraient libres », « les révolutions que forme la liberté ne sont qu'une confirmation de la liberté » : liberté « vraie », pour le maintien de laquelle on est prêt à « sacrifier son bien, son aisance, ses intérêts », à « se charger des impôts les plus durs » sans se plaindre. Là on n'aurait pas l'esprit de conquête, et l'on serait « porté à devenir commerçant »; les colonies de cette nation seraient surtout des comptoirs; sa politique étrangère serait plus honnête que celle des autres nations d'Europe, les négociations secrètes étant impossibles à ses ministres; les religions y seraient libres, et, si l'on s'y méfiait du catholicisme, ce serait par la faute de certains rois qui auraient été trop zélés pour la religion romaine, au point de l'imposer et d'associer ainsi son idée à celle d'une atteinte à la liberté. Le clergé, réduit au rôle d'apologiste pacifique, serait instruit. Les individus n'y seraient estimés que sur leur mérite solide. La politesse y serait plus dans les mœurs que dans les manières. Nation fière et non pas vaine, représentée assez exactement par ses écrivains, qui seraient des penseurs originaux ou sauvages, de crus satiriques, des historiens partisans, des poètes frustes, mais puissants.

Après la doctrine politique de Montesquieu, ses idées sociales méritent l'attention, et ses vues économiques.

Sa condamnation de l'esclavage est célèbre : en fait, elle a été de sa part moins spontanée qu'on ne le croit généralement, et longtemps moins complète. Il avait commencé par admettre l'es-

clavage comme indispensable à la bonne marche de l'institution
coloniale; et l'on conte qu'il était d'ailleurs actionnaire d'une
ou plusieurs Compagnies faisant la traite des nègres, le commerce
du bois d'ébène, comme on disait à Bordeaux. Puis il devint
plus sensible à l'abaissement moral que l'esclavage produit chez les
esclaves et chez les maîtres. Enfin, il en vient à juger l'esclavage
contraire à la Raison : c'est, dit-il, « le plus violent abus que
l'on ait fait jamais de la nature humaine ». Au nom de la morale,
il l'anathématise au XVᵉ livre de l'*Esprit des Lois*, et au nom du
droit naturel. Et cependant, après le fameux chapitre v, où l'ironie
si hautaine et si indignée combat l'*Esclavage des Nègres*, le chapitre VI présente du *Droit de l'esclavage* une « véritable origine »,
qui est une justification. Montesquieu ne viendra à une condamnation définitive qu'en 1755, l'année de sa mort, dans un chapitre
qui sera le IXᵉ de l'édition de 1757 :

> Le cri pour l'esclavage est le cri du luxe et de la volupté, et non pas
> celui de l'amour de la félicité publique. Qui peut douter que chaque
> homme, en particulier, ne fût très content d'être le maître des biens,
> de l'honneur et de la vie des autres, et que toutes ses passions ne se
> réveillent d'abord à cette idée ? Dans ces choses, voulez-vous savoir si
> les désirs de chacun sont légitimes ? examinez les désirs de tous.

La guerre purement offensive, la guerre de conquête, apparaît
à Montesquieu déraisonnable. Il professe que généralement « la
vraie puissance d'un prince ne consiste pas tant dans la facilité
qu'il a à conquérir que dans l'immutabilité de sa condition ».
Tout agrandissement par conquête est un danger pour l'Etat : la
monarchie en pâtit, par la ruine des frontières et le développement
outré qui s'ensuit pour la capitale; le despotisme s'y relâche et s'y
brise; la république y perd son esprit et bientôt sa puissance.

La question de la population a sa place dans l'*Esprit des Lois* :
Montesquieu craint que l'Europe ne se dépeuple. Aussi recommande-
t-il la « continence publique, naturellement jointe à la propagation
de l'espèce »; il marque son aversion pour la polygamie, funeste à
la santé d'une race et au nombre même des naissances; mais le
divorce a sa faveur, dans l'*Esprit des Lois* aussi bien que dans les
Lettres Persanes : divorce par consentement mutuel, ou « par la
volonté et pour l'avancement de l'une des deux parties ». Son
Persan n'arrivait pas à « comprendre la raison qui a porté les chrétiens à abolir le divorce ».

Le travail, sa grandeur morale, les conditions dans lesquelles il
s'exécute, le régime de vie des ouvriers, sont l'objet de son attention

minutieuse et cordiale, dans son voyage en Hongrie. Et il voit dans le travail le vrai remède au paupérisme.

Le régime de la propriété collective est à ses yeux « singulier », exceptionnel.

Il estime intangible le droit individuel de propriété :

> Posons donc pour maxime que lorsqu'il s'agit du bien public, le bien public n'est jamais que l'on prive un particulier de son bien ou même qu'on lui en retranche la moindre partie par une loi ou un règlement politique.
>
> (*E. d. L.,* Liv. XXVI, ch. xv.)

Il souhaite seulement la multiplication des petites propriétés, au détriment des domaines — du clergé — trop vastes et incultes.

Au luxe il sait gré d'être une impulsion à l'activité des « arts », beaux-arts et métiers : au commerce, d'établir l'interdépendance des nations. L'accumulation du numéraire lui paraît être une grande cause de la décadence et de la ruine de l'Espagne.

Cependant là encore, en matière de richesse, nous retrouvons l'attachement de Montesquieu à l'idée de liberté. Plus un pays est libre, dit-il, plus il prospère; il déclare même dans les *Pensées* que les républiques sont fatalement plus « florissantes » que les monarchies. Plus un pays est libre, ajoute-t-il, plus il peut payer d'impôts; non seulement parce qu'il est plus riche, mais parce que dans les Etats despotiques la charge affligeante d'un joug, s'ajoutant aux charges fiscales, les fait paraître plus lourdes qu'elles ne sont.

**

De la pensée de Montesquieu, de ses idées les plus générales comme de ses intentions les plus concrètes on a expertisé les sources [1], en marquant avec précision et vraisemblance l'époque où Montesquieu a connu ou préféré plusieurs d'entre elles. Montesquieu lui-même a laissé dans ses notes de La Brède un bon nombre de références, et sa bibliothèque se trouvait encore il y a quelques années dans l'état même où il l'avait quittée.

Parmi ses chers Anciens, peut-être doit-il à Aristote, qui préconise pour tout régime l'équilibre des tendances comme un principe de vie, sa confiance à l'équilibre des pouvoirs. A Platon il doit beaucoup plus. L'effort de Platon n'était-il pas de créer par l'éducation, par une éducation, dit Platon lui-même, « conforme à

---

1. L'auteur de ces recherches est l'abbé Dedieu (*voir à la Bibliographie*).

l'esprit des lois », de créer des hommes *libres,* sur la *vertu* clairvoyante desquels s'appuieraient les institutions de la Cité ? Amour de la patrie, de l'égalité, de la frugalité, ces principes ou sentiments platoniciens passent chez Montesquieu. Sur la corruption des gouvernements, de la démocratie en particulier, c'est encore à Platon qu'il s'en rapporte.

De Machiavel il s'est approché et détourné tour à tour. Le *Prince* le mécontentait. Les *Discours sur les Décades de Tite-Live,* ingénieux avec tant d'assurance pour expliquer la grandeur de Rome, agressifs à la civilisation chrétienne, l'ont inspiré à plus d'une reprise, pour les *Considérations* et pour les *Lois.* Lui-même, Montesquieu, lorsqu'il vient et revient à la question du suicide, estime que le Christianisme a énervé les courages. Il est reconnaissant à Machiavel d'être un conseiller de lenteur en fait de changements politiques. Mais sa confiance, à lui, va à l'esprit général, aux « lois », non aux prudences ou ruses passagères, et le mensonge patriotique lui fait horreur.

Parmi les modernes, il puise avec une avide sympathie dans les *Origines juris civilis* du jurisconsulte italien Gravina, poète et orateur, qui est presque son contemporain. Gravina excluait de la genèse des lois la fantaisie et le hasard. La Raison commune, disait-il, les a produites, et les sages législateurs les ont adaptées aux mœurs des peuples, diverses selon les temps et les lieux. La *Vita civile* de Doria (1710) a pu également indiquer à Montesquieu l'importance des réalités auxquelles les lois doivent s'adapter : esprit général des peuples, nature du sol, nombre et nature des habitants.

Aux penseurs anglais de la fin du xvii° siècle et du début du xviii° ses emprunts sont considérables. Bolingbroke, Gordon, Mandeville, lui fournissent à peu près tous les éléments du livre XIX. Pour le seul livre XI, sa théorie de la liberté lui vient en grande partie de Swift; sa doctrine de la séparation des pouvoirs, de Locke, ainsi que ses considérations sur le pouvoir judiciaire; de Locke et d'Algernon Sidney, son chapitre vi *de la Constitution d'Angleterre.*

Pour expliquer cette confiance de Montesquieu à la pensée anglaise, on a évoqué la mode intellectuelle qui, durant tout le xviii° siècle, a été anglomane en France. Montesquieu cependant n'est pas homme à subir le mirage d'une mode; et il l'a bien prouvé, lorsque, en matière économique, à propos du paupérisme surtout et des moyens d'y remédier, il a usé à l'égard des idées les plus en faveur alors d'une indocilité catégorique. Subit-il le prestige des victoires, de la réussite anglaises ? Peut-être. Vraisemblablement aussi, il ne manque pas de sympathie pour l'antipapisme anglais. Mais la raison principale de sa confiance me paraît plus profonde, et je dirais, plus française. Pourquoi donc nos réfugiés, dès leur arrivée en Angleterre, avaient-ils salué la terre d'exil comme une patrie ? Ils s'étaient faits aussitôt les propagandistes de ces institutions politiques qu'ils découvraient : monarchie limitée par des lois, corps intermédiaires, séparation des pouvoirs. C'est qu'en les découvrant ils les reconnaissaient. Dans leur mémoire, dans leur cœur, c'est la tradition française de la monarchie libérale, modérée par les lois fondamentales, les privilèges et les Parlements, qui prend une revanche contre l'absolutisme de Louis XIV — l'absolutisme « révolutionnaire » de Louis XIV, comme l'appelle justement l'historien Lémontey. Lorsque Montesquieu déclare Louvois « le plus mauvais Français qui soit peut-être encore né », lorsqu'il marque son aversion pour les grandeurs de Versailles qu'il juge mesquines, et pour « le héroïsme » de Louis XIV, majesté anachronique ou déplacée, lorsqu'il revendique pour les Parlements le rôle de dépositaires des lois, c'est l'esprit des libertés françaises qui revit en lui; c'est le vieil esprit de la Fronde, patriotiquement hostile à l'absolutisme, qu'il retrouve avec joie chez cet Algernon Sidney, fils du comte de Leicester, ancien ambassadeur de Cromwell, et que Charles II en 1683 a fait décapiter. Ecoutez quelques-unes de ces formules vengeresses des *Discours sur le Gouvernement,* que Montesquieu a goûtées, dans la belle édition hollandaise de 1702, et qu'il a retenues :

C'est un pur esclavage de dépendre uniquement et absolument de la volonté d'un seul.

(I, ch. I, s^{on} v.)

Le gouvernement n'est pas établi pour l'avantage de celui qui gouverne, mais pour le bien de ceux qui sont gouvernés, et la puissance n'est pas un avantage, mais une charge.

(I, ch. II, s^{on} III.)

La liberté est la mère des vertus, de l'ordre, et de la durée de l'Etat : l'esclavage, au contraire, ne produit que des vices, de la lâcheté et de la misère.

(*Ibid.,* s^{on} XI.)

La gloire, la vertu et la puissance des Romains commencèrent et finirent avec leur liberté.

(*Ibid.,* s^{on} XII.)

La meilleure forme de gouvernement qu'il y ait eue dans le monde est celle qui a été composée de monarchie, d'aristocratie et de démocratie.

(*Ibid.,* s^{on} XVI.)

La corruption et la vénalité qui est si commune dans les cours des princes souverains, et dans leurs Etats, se trouve rarement dans les républiques et dans les gouvernements mixtes.

(Ibid., s^{on} XIX.)

IV. — LE LYRISME DE SA PROSE

Taine a parlé de ses sentences d'oracle, du « pas superbe et lent » de son discours, de son tour d'« ancien jurisconsulte ». Lanson dans la prose des *Lettres Persanes* trouve « l'équivalent de Watteau et du mobilier Louis XV »; dans les *Considérations*, il signale, en une demi-page, l'existence d'un « rythme plein, très différent du rythme oratoire », et l'attention prêtée par Montesquieu aux « sonorités et aux mouvements ». Me sera-t-il permis d'être moins bref, et de montrer dans le style de Montesquieu ce qu'on peut sans injustice nommer d'un bien grand nom : le lyrisme ?

Si la vraie poésie est création de tours, de mots ou d'acceptions nouvelles de mots, d'images, de rythmes peut-être plus encore, lorsqu'elle est lyrique, c'est-à-dire lorsqu'elle se souvient de son origine, la parole chantée, quel témoignage que ces *Pensées et fragments inédits :* projets, ébauches, corrections, maximes ou devises de l'écrivain qui se formule à lui-même ses intentions les plus foncières !

Ses corrections des *Lettres Persanes* atténuent quelques expressions tranchantes, et sacrifient ou modifient certains mots, qu'on lui a dits impropres. Mais au fond il hait la contrainte qu'exerce sur la langue cette Académie Française à laquelle il appartient : « C'est une mauvaise maxime », écrit-il, « que de faire des dictionnaires des langues vivantes : cela les borne trop ». Et il maintient toutes ses hardiesses de syntaxe : pronoms éloignés des substantifs qu'ils représentent, compléments omis, et ce pluriel employé là où la grammaire exigerait le singulier, qui a fait dépenser aux éditeurs des *Fragments inédits* tant de (*sic*) en pure perte. Un de ses contemporains, poète en prose lui aussi, et parmi son enthousiasme souvent brutal capable du jugement le plus délicat, avait goûté de Montesquieu cette indépendance créatrice : à un détour de la *Lettre sur les Aveugles,* voici la rencontre suggestive que nous a ménagée Diderot :

Toute langue en général étant pauvre de mots propres pour les écrivains qui ont l'imagination vive, ils sont dans le même cas que des étrangers qui ont beaucoup d'esprit; les situations qu'ils inventent, les nuances délicates qu'ils aperçoivent dans les caractères, la naïveté des peintures qu'ils ont à faire, les écartent à tout moment des façons de parler ordinaires, et leur font adopter des tours de phrase qui sont admirables toutes les fois qu'ils ne sont ni précieux ni obscurs, défauts qu'on leur pardonne plus difficilement, selon qu'on a plus d'esprit soi-même et moins de connaissance de la langue. Voilà pourquoi M. de Montesquieu est de tous les auteurs français celui qui plaît le plus aux Anglais, et Tacite celui de tous les auteurs latins que les *Penseurs* estiment davantage. Les licences de la langue nous échappent, et la vérité des termes nous frappe seule.

Des images multipliées par Montesquieu dans l'*Esprit des Lois* à la fin des chapitres on a généralement loué la vive énergie, mais en s'étonnant de leur fréquence, et en leur reprochant quelque intention d'éblouir, ou, comme il pourrait dire lui-même, d'imposer sa pensée à la faveur de ces éclairs. Sans doute, on peut apercevoir dans l'accent triomphal sur lequel elles sont ordinairement présentées, quelque attitude de magistrat ou de gentilhomme, ou bien le geste tranchant d'un homme timide prévenant une contradiction gênante. J'y verrais plutôt une de ces « joies secrètes » ou déclarées, devant une belle trouvaille expressive. « Ce qui fait ordinairement une grande pensée », a écrit Montesquieu, « c'est lorsqu'on dit une chose qui en fait *voir* un grand nombre d'autres, et qu'on nous fait *découvrir tout d'un coup* ce que nous ne pouvions espérer qu'après une longue lecture. » Voilà pourquoi il s'intéresse surtout lui-même à ces grandes images finales, comme à telle épigraphe flamboyante qu'il détache de Claudien :

> *Tollantur in altum*
> *Ut lapsu graviore ruant...*

Il s'y enchante, si bien que parfois les réflexions qu'elles résument et font resplendir sembleraient n'avoir d'autre but que de préparer ces traits de poésie. Il les jette avec allégresse après une sorte de frémissement :

Dans les Etats despotiques, la capitale s'agrandit nécessairement. Le despotisme qui presse et pèse plus dans les provinces, détermine tout vers la capitale. C'est, en quelque façon, le seul asile qu'il y ait contre la tyrannie des gouverneurs. *Le Prince y est un astre singulier : il échauffe de près et brûle de loin.*

(P. F. i., 311.)

Les prophètes chrétiens, qui furent manifestés dans l'humiliation, établirent partout l'égalité. Mahomet, qui vécut dans la gloire, établit partout la dépendance.
Sa religion ayant été portée en Asie, en Afrique, les prisons se for-

mèrent. *La moitié du monde s'éclipsa. On ne vit plus que des grilles et des verrous. Tout fut tendu de noir dans l'Univers* et le beau sexe, enseveli avec ses charmes, pleura partout sa liberté.

(572.)

Lors de mon affaire avec la Sorbonne. « ... Mais je vois de loin une petite nuée qui se grossit et veut produire un orage. Je crois que je serai à la fin obligé d'abandonner la patrie la plus tendre, le roi le plus chéri. *Allons ! et en quelque lieu que nous reposions notre tête, tâchons de la mettre sous les lauriers.* »

(98.)

Combien Montesquieu était sensible aux sonorités du langage, son ami Helvétius s'est chargé de nous l'apprendre, dans une de ces notes souvent irritées ou déconcertées qu'il inscrivait en marge de l'*Esprit des Lois* :

Une fois pour toutes, quand Montesquieu définit, il dit l'*impression qu'il reçoit en entendant le mot :* et il croit faire une définition.

Mais lui-même, Montesquieu, a laissé le témoignage de sa sensibilité au chant des syllabes, dans telle observation sur les *ïambes* que marque naturellement la prononciation française, tandis que « la déclamation italienne est faible et ne peut être bonne dans le tragique, parce qu'il est impossible de prononcer un mot soutenu, parce qu'on finit toujours par une brève »; sur la fausse note qu'une rime féminine vient malencontreusement placer dans une tragique formule du *Thyeste* de Crébillon; enfin, Montesquieu nous a dit sa propre confiance en lui-même pour doter sa pensée d'une expression vraiment musicale :

Bien des gens en France, surtout M. de La Motte, soutiennent qu'il n'y a pas d'harmonie. Je prouve qu'il y en a, comme Diogène prouvait à Zénon qu'il y avait du mouvement en faisant un tour de chambre.

Comment l'a-t-il fait, ce tour de chambre, dans les *Lettres Persanes* ? L'harmonie lyrique du style, on la trouve en telle galante épître d'Usbek, où les grâces acquises et les grâces naturelles de Roxane sont énumérées en une période si caressante :

Quand vous relevez l'éclat de votre teint par les plus belles couleurs; quand vous vous parfumez tout le corps des essences les plus précieuses; quand vous vous parez de vos plus beaux habits; quand vous cherchez à vous distinguer de vos compagnes par les grâces de la danse et par la douceur de votre chant; que vous combattez gracieusement avec elles

Détail du dessin originel de Cochin
pour la grande estampe du Bal masqué
dans la Galerie des Glaces (1744)

de charmes, de douceur et d'enjouement, je ne puis pas m'imaginer que vous ayez d'autre objet que celui de me plaire; et quand je vous vois rougir modestement, que vos regards cherchent les miens et que vous vous insinuez dans mon cœur par des paroles douces et flatteuses, je ne saurais, Roxane, douter de votre amour.

On ne la trouve guère, cette phrase chantante, dans le tableau des inquiétudes d'Usbek, ni dans les appréhensions croissantes du Grand Eunuque, ni dans l'impudent et suprême aveu de Roxane : « Oui, je t'ai trompé ! » Mais elle est dans les lettres X, XI, XII, XIII, XIV, où se déroule lentement l'épisode des Troglodytes : l'histoire d'un peuple malheureux pour avoir manqué aux vertus sociales, et qui conquiert la félicité, lorsque enfin il s'applique à les suivre. Ah ! nous voici bien loin alors du style d'épigramme, sec, pimpant, piquant, du style de portrait dénigrant ou de conte malicieux, si ordinaire aux autres lettres. Ici Montesquieu ne se guinde plus au pittoresque laborieux de La Bruyère; il ne prétend plus à être un bel esprit amer et galant à la mode de Fontenelle : il est à l'aise, il est lui-même enfin dans cette idylle sociale ou politique, dans ce récit merveilleux du Paradis perdu et retrouvé, dans ce conte de fées qu'il croit réalisable. Ni le souffle ne lui manque, ni la variété : alternance heureuse et retour utile des sons, mouvements d'affirmation, de malédiction, de prière persuasive et de vœu alangui, versets distincts et cependant liés, finales féminines qui pleurent de tendresse au bonheur de ces hommes devenus justes, finales masculines qui gravent la leçon d'un tel bonheur, tout est chant, tout est harmonie dans ces pages qu'il faut bien nommer inspirées.

Ecoutez ces syllabes caressantes : « nature naïve », « union douce et fidèle », ou ces sons arrêtés : « la vertu n'est point une chose qui doive nous coûter; il ne faut point la regarder comme un exercice pénible, et la justice pour autrui est une charité pour tous »; et ces rythmes par eux-mêmes si expressifs, si pittoresques :

Le soir, lorsque les troupeaux quittaient les prairies, et que les bœufs fatigués avaient ramené la charrue, ils s'assemblaient et, dans un repas frugal, ils chantaient les injustices des premiers Troglodytes et leurs malheurs, la vertu renaissante avec un nouveau peuple et sa félicité. Ils célébraient les grandeurs des dieux, leurs faveurs toujours présentes aux hommes qui les implorent et leur colère inévitable à ceux qui ne les craignent pas; ils décrivaient ensuite les délices de la vie champêtre et le bonheur d'une condition toujours parée de l'innocence. Bientôt ils s'abandonnaient à un sommeil que les soins et les chagrins n'interrompaient jamais.

Assurément il y a là quelque souvenir de la Bétique du *Télémaque*, et de la prose fénelonienne d'illusion. Mais, comme le style de Fénelon, diffus en apparence et tout fleuri de réminiscences, n'en était pas moins le plus personnel des styles, sensible à tous les mouvements de cette âme si alerte et décidée, le style souriant, détendu de Montesquieu n'est qu'en apparence un écho. Sa démarche agile, ferme, heureuse, est bien particulière à cette âme vive, qui s'anime si joyeusement à la lumière d'un rêve précis.

N'est-ce pas cette même démarche trop certaine de la pensée et du style que l'on retrouve dans les *Considérations* ? Montesquieu croit, voit, décide, que tout est dans les mœurs explicable par des desseins politiques. Il écrit par exemple sans hésitation :

En Orient, on a de tout temps multiplié l'usage des femmes, *pour* leur ôter l'ascendant prodigieux qu'elles ont sur nous dans ces climats.

Cette assurance donne à sa parole cet original accent d'autorité et d'enthousiasme, cet accent prophétique, lorsqu'il déroule, en prophète plus qu'en historien, l'enchaînement des causes et des faits de l'histoire romaine. Alors la pensée, toute vivifiée de sentiment, portée, poussée par un souffle d'inspiration, se distribue en strophes libres, que de grandes images décorent, et que rythment des sonorités graves :

Mais lorsque les Légions passèrent les Alpes et la mer, les gens de guerre qu'on était obligé de laisser pendant plusieurs campagnes dans les pays que l'on soumettait, perdirent peu à peu l'esprit de citoyens, et les généraux qui disposèrent des armées et des royaumes sentirent leur force, et ne purent plus obéir.
Les soldats commencèrent donc à ne reconnaître que leur général, à fonder sur lui toutes leurs espérances, et à regarder de loin la ville; ce ne furent plus les soldats de la République, mais de Sylla, de Marius, de Pompée, de César.

Alors s'élève ce chant d'admiration devant les Anciens, devant leur patriotisme, leur sens de l'Etat, devant leur énergie indomptable ou irréductible. Que l'on écoute et que l'on voie — car il s'agit ici de visions et de cadences — comment ce glorificateur des Romains a glorifié Mithridate :

Le seul Mithridate, avec un grand génie et une âme plus grande encore, suspendit la fortune des Romains. Il vieillit dans sa haine, dans la soif de se venger, et dans l'ardeur de vaincre. Il s'indignait des coups qu'il recevait, tel qu'un lion qui regarde ses blessures. Toujours présent ou prêt à reparaître, jamais vaincu que sur le point de vaincre, construisant sans cesse une nouvelle puissance, il allait chercher des nations pour les mener combattre encore. Il les faisait sortir de leurs déserts et les montrait aux Romains.

Voilà pourquoi le président Hénault, déconcerté et amusé, trouvait aux *Considérations* « les beautés du dramatique ».

Est-ce bien l'esprit, comme on l'a tant répété, qui abonde dans l'*Esprit des Lois* ? Montesquieu s'est catégoriquement défendu, dans sa *Préface*, d'avoir « recherché ces traits saillants qui semblent caractériser les ouvrages d'aujourd'hui ». Mais, cette *Préface* elle-même, qu'est-elle, sinon une succession de strophes :

J'ai d'abord examiné les hommes et j'ai cru que dans cette infinie diversité de lois et de mœurs, ils n'étaient pas uniquement conduits par leurs fantaisies.

J'ai posé les principes, et j'ai vu les cas particuliers s'y plier, comme d'eux-mêmes, les histoires de toutes les nations n'en être que les suites, et chaque loi particulière liée avec une autre loi ou dépendre d'une autre plus générale.

La voix devient plus grave; « il n'est pas indifférent que le peuple soit éclairé »; et Montesquieu chante sa foi personnelle aux lumières, seules capables de donner aux changements politiques l'indispensable sagesse, la salutaire lenteur. Puis viennent les protestations de dévouement à l'humanité, à chaque gouvernement, à chaque citoyen de toute patrie; une confidence encore, rythmée elle aussi, avec quel naturel et quelle exactitude :

J'ai bien des fois commencé et bien des fois abandonné cet ouvrage; j'ai mille fois envoyé aux vents les feuilles que j'avais écrites; je sentais tous les jours les mains paternelles tomber; je suivais mon objet sans former de dessein; je ne connaissais ni les règles ni les exceptions : je ne trouvais la vérité que pour la perdre. Mais quand j'ai découvert mes principes, tout ce que je cherchais est venu à moi; et dans le cours de vingt années, j'ai vu mon ouvrage commencer, croître, s'avancer, et finir.

Pour terminer, ce cri de confiance :

Et moi aussi je suis peintre, ai-je dit avec le Corrège.

Pour cette *Préface*, Montesquieu avait conçu un autre couronnement, plus poétique encore au vrai sens du mot : plus pressant et plus confidentiel :

J'avais conçu le dessein de donner plus d'étendue et plus de profondeur à quelques endroits de cet ouvrage; j'en suis devenu incapable.

Mes lectures ont affaibli mes yeux, et il me semble que ce qui me reste encore de lumière n'est que l'aurore du jour où ils se fermeront pour jamais.

Je touche presque au moment où je dois commencer et finir, au moment qui dévoile et dérobe tout, au moment mêle d'amertume et de joie, au moment où je perdrai jusqu'à mes faiblesses mêmes.

Pourquoi m'occuperais-je encore de quelques écrits frivoles ? Je cherche l'immortalité, et elle est dans moi-même. Mon âme, agrandissez-vous ! Précipitez-vous dans l'immensité ! Rentrez dans le grand Etre !

Dans l'état déplorable où je me trouve, il ne m'a pas été possible de mettre à cet ouvrage la dernière main, et je l'aurais brûlé mille fois, si je n'avais pensé qu'il était beau de se rendre utile aux hommes jusqu'aux derniers soupirs mêmes.

Dieu immortel ! le genre humain est votre plus digne ouvrage. L'aimer, c'est vous aimer, et, en finissant ma vie, je vous consacre cet amour.

Au livre II de l'*Esprit des Lois* Montesquieu destinait une apostrophe lyrique, l'*Invocation aux Muses*. J. Vernet, qu'il avait chargé de surveiller à Genève l'impression du livre, prit sur lui de la supprimer. Elle parut en 1790 seulement dans un *Mémoire sur la vie et les ouvrages de J. Vernet;* et Nodier, en 1824, la plaça en tête de sa grande édition du *Temple de Gnide.* La voici :

Vierges du mont Piérie, entendez-vous le nom que je vous donne ? Inspirez-moi. Je cours une longue carrière. Je suis accablé de tristesse et d'ennui. Mettez dans mon esprit ce charme et cette douceur que je sentais autrefois, et qui fuit loin de moi. Vous n'êtes jamais si divines que quand vous menez à la sagesse et à la vérité par le plaisir.

Mais, si vous ne voulez point adoucir la rigueur de mes travaux, cachez le travail même : faites qu'on soit instruit, et que je n'enseigne pas; que je réfléchisse, et que je paraisse sentir; et lorsque j'annoncerai des choses nouvelles, faites qu'on croie que je ne savais rien, et que vous m'avez tout dit.

Quand les eaux de votre fontaine sortent d'un rocher que vous aimez, elles ne montent point dans les airs pour retomber, elles coulent dans la prairie; elles font vos délices, parce qu'elles font les délices des bergers.

Muses charmantes, si vous portez sur moi un seul de vos regards, tout le monde lira mon ouvrage, et ce qui ne saurait être un amusement sera un plaisir.

Divines Muses, je sens que vous m'inspirez non pas ce qu'on chante à Tempé sur les chalumeaux, ou ce qu'on répète à Délos sur la lyre; vous voulez que je parle à la raison : elle est le plus parfait, le plus noble et le plus exquis de nos sens.

N'est-ce pas là, dans la première strophe surtout — qui annonce si bien le début du dernier livre des *Martyrs* — la phrase à geste lyrique d'élan et de rechute, la phrase allante et désenchantée de Chateaubriand ? Mais ici le plaisir a le dernier mot.

Et voici, au livre XI de l'*Esprit des Lois,* la confiance en l'esprit anglais de liberté, distribuant en strophes qu'enchaîne la reprise de certains mots ou de certains mouvements un hymne autrement assuré. Qu'on ne parle pas ici de déduction rigide : c'est bien plutôt une sorte d'implacable prophétie :

La liberté politique dans un citoyen est cette tranquillité d'esprit qui provient de l'opinion que chacun a de sa sûreté; et pour qu'on ait cette liberté, il faut que le gouvernement soit tel qu'un citoyen ne puisse pas craindre un citoyen.

Lorsque dans la même personne ou dans le même corps de magistrature, la puissance législative est réunie à la puissance exécutrice, il n'y a point de liberté; parce qu'on peut craindre que le même monarque ou le même Sénat ne fasse des lois tyranniques, pour les exécuter tyranniquement.

Il n'y a point encore de liberté si la puissance de juger n'est pas séparée de la puissance législative et de l'exécutrice. Si elle était jointe à la puissance législative, le pouvoir sur la vie et la liberté des citoyens serait arbitraire; car le juge serait législateur; si elle était jointe à la puissance exécutrice, le juge pourrait avoir la force d'un oppresseur.

Tout serait perdu, si...

On trouverait d'analogues accents, méprisants cette fois, mais aussi vivants, rythmés, personnels, dans ce chapitre v du livre III où la monarchie est bafouée. Ou encore lisez, parmi les *Pensées et fragments,* ces lignes jetées par Montesquieu à l'éloge de notre noblesse, et dites si chacune n'est pas l'amorce d'une strophe :

Cette noblesse qui a marqué de son sang tous les pas qu'elle a faits pour la soutenir [la monarchie].

Droits sacrés ! Puisque celui que Dieu a pris pour son image les a reconnus pour tels.

Qui a préféré au bonheur de lui plaire une fois, celui de le servir toujours.

Qui ont pensé perdre cette monarchie à force de la méconnaître.

J'aurais tiré de l'obscurité ces hommes.

Faut-il d'autres exemples ? Ce tour, ce moule lyrique est tellement naturel à Montesquieu que dans son ouvrage le plus spontané peut-être, quoique bien secondaire, la *Défense de l'Esprit des Lois,* les pages finales sont faites de strophes encore :

Quand un homme écrit sur les matières de religion...

Et comme la religion se défend beaucoup par elle-même, elle perd plus lorsqu'elle est mal défendue, que lorsqu'elle n'est point du tout défendue.

S'il arrivait qu'un homme...

Les dispositions au lyrisme étaient sans doute naturelles chez Montesquieu. La vogue de la prose poétique a pu les enhardir. Plus vraisemblablement Montesquieu a-t-il comme son ami Helvétius, comme Diderot, comme le Voltaire de la *Prière à Dieu* du *Traité de la Tolérance*, traduit d'une plume enthousiaste un Credo philosophique qu'il avait conquis ou constitué dans l'enthousiasme. Il y a un Lucrèce exalté en chacun de ces écrivains néophytes et apôtres.

Montesquieu semble en outre avoir hérité d'une autre ferveur, en grande partie religieuse celle-là dans son origine. Dans l'accent de Montesquieu, lorsqu'il parle de la liberté et de la monarchie, est passé le souffle puritain d'Algernon Sidney, tout proche lui-même des pamphlets bibliques de Milton.

Son originalité musicale, en tout cas, marque dans l'histoire du sens lyrique français sinon une étape, du moins une date. Barckhausen recommande qu'on lise Montesquieu à haute voix. Faites l'expérience; lisez ensuite l'écrivain du XIXᵉ siècle qui a affirmé le plus haut l'utilité du « gueuloir » pour la fabrication des phrases d'artiste. Vous verrez que la beauté, la variété, la jeunesse, le sens des sonorités magiques et des rythmes délicats ou puissants n'appartiennent pas à l'homme de Normandie...

Voilà à quoi a abouti chez Montesquieu l'esprit romanesque ou enthousiaste qui soufflait sur les cerveaux de son temps, légers ou graves : il a fortifié en Montesquieu, selon sa propre expression, ce « goût que l'on a naturellement pour la poésie ».

*
**

Cette poésie, cet enthousiasme, l'exposait sans doute à prendre pour des vues profondes des vues parfois rapides, et quelques éclairs d'intuition pour le flambeau même de l'histoire. Il pronostiquait volontiers; quitte d'ailleurs, si les événements lui donnaient un démenti, à sourire le premier de son erreur de calcul. Ses prophéties, assurément, espérances ou menaces, ne se sont pas toutes réalisées; ne doit-on pas cependant remarquer que plusieurs d'entre elles trouvaient hier encore leur application douloureuse : Montesquieu craignait que le *chômage* un jour ne résultât des progrès de l'industrie; et, d'autre part, aux familles françaises hésitantes déjà à multiplier leurs enfants il montrait notre terre assez riche et nos mers assez poissonneuses pour nourrir cinquante millions de Français.

Il ne s'est pas contenté d'annoncer l'avenir comme les poètes à prétentions de penseurs le feront trop volontiers après lui. Il a rendu lui-même ses prophéties réalisables, par son esprit de fonda-

teur, et par le dévouement si pleinement affectueux qu'on sentait
bien en lui pour la chose publique. Il a vénéré l'Angleterre, plus
conservatrice que nous de la monarchie libérale du Moyen Age;
et son culte après lui a été pratiqué par nos hommes d'Etat. Il
l'est encore. La séparation des pouvoirs est encore vivante en principe dans nos mœurs politiques. Et si les corps intermédiaires ont
été abolis avec une brutalité que Montesquieu avait blâmée d'avance,
n'est-ce pas leur réveil dans les lois qui s'est préparé, lorsque nos
juristes ont remis en honneur l'*institution* — corporation, famille —
groupe et idée que pour sa propre conservation l'Etat devrait respecter, au lieu de les désagréger pour affermir un despotisme toujours caduc ?

Montesquieu n'a-t-il pas aussi fondé, pour sa part, la dure méfiance « laïque » contre l'Eglise et le Christ ? Bien des causes
l'avaient détourné d'approfondir les leçons saintes qu'il recevait
à Juilly : la réaction de liberté totale contre le grand règne absolu,
les mœurs de la Régence, l'antipapisme de ses chers Anglais, le
positivisme de Locke, et Spinoza peut-être, et les batailles sans
gloire et sans profit religieux sur la Constitution *Unigenitus,* et la
médiocrité des apologistes chrétiens de son temps. Aussi paraît-il
n'avoir à peu près à aucun degré ce sens chrétien de l'obéissance,
jadis si naturel à un Bossuet, si cordial. Montesquieu ignore l'obéissance à Dieu; il ne laisse et ne veut laisser qu'une obligation de se
conformer à certaines règles, si l'on veut obtenir certains résultats
politiques. L'ambition de ces résultats, la méditation sur ces règlements, excitent sa « joie secrète », et déploient son lyrisme. Mais
cette obligation, chez lui, n'est pas *commandée;* le droit divin de
toute autorité légitime, il l'omet; et la *Critique de l'Esprit des Lois*
voyait juste, lorsqu'elle remarquait qu'en toute religion Montesquieu
minimise les préceptes, pour ne voir que les conseils. Dieu n'est
présent à l'*Esprit des Lois* que dans la *Préface* et l'*Invocation aux
Muses.* « Dieu immortel » ou « Grand Etre », inutile à fonder la
morale sociale ou politique, que la Raison, elle, est nécessaire et
suffisante à fonder. Son apologie du suicide, la faveur qu'il marque
au divorce, sont deux suites déjà, ou deux témoignages, de son indifférence à l'ordre divin, aux ordres divins.

Nisi Dominus aedificaverit domum.,. Encore une fois, Montesquieu
est grand par tout l'effort humain de sa pensée créatrice et par
les originaux élans de son langage.

CHAPITRE XII

LA COUR, LA VILLE, LA PROVINCE; LES GOÛTS
ET LE GOÛT DU PUBLIC

Tous ces romans, et ces œuvres lyriques, ces œuvres dramatiques, tous ces ouvrages de penseurs acharnés à construire, à détruire ou à maintenir, sans être uniquement, selon la formule ambitieuse des historiens, l'expression de la société contemporaine, répondent cependant aux vœux de cette société, reflètent son esprit en l'orientant. Pour constater cette ressemblance, pour mesurer l'influence des livres sur le public, il faut tâcher ici de placer une image de la société française au XVIIIᵉ siècle.

Les documents qui en offrent les traits ne sont que trop abondants. Chansons, recueils de bons mots, mémoires — de Saint-Simon en particulier, du duc de Luynes, de Mme de Staal-Delaunay — correspondances, notes des moralistes, des étrangers qui voyagent en France, des Parisiens, qui découvrent la province, portraits aux yeux épicuriens, peints par Largillière et La Tour, anecdotes rêveuses de Watteau, poses flatteuses de Boucher, vivacités effrontées de Fragonard, toutes ces précisions laissées par les témoins et les acteurs de cette première moitié du XVIIIᵉ siècle ont été accueillies avec joie, et exploitées, par les historiens des idées morales. En 1781 déjà paraît une *Vie privée de Louis XV*. Au XIXᵉ siècle, Sainte-Beuve, après avoir subi l'ascendant de Port-Royal, a eu plaisir à hanter un monde plus libre, ou qui préférait d'autres chaînes; les Goncourt ont disserté en traits menus, et souvent bien contestables, sur ce siècle qui pour eux était le siècle par excellence de la femme. Ils ont du moins intéressé à leur paradis d'experts sensuels leurs aimables contemporaines : une mode du XVIIIᵉ siècle est venue, dont la *Revue du XVIIIᵉ siècle,* qui commençait à paraître en 1913, a été le témoignage et presque le couronnement. La *Revue* n'a pas survécu à la guerre de 1914-18. Si le prestige du XVIIIᵉ siècle subsiste, c'est parce que tels historiens des idées : Lanson, Mornet, ont affirmé leur foi en sa probité intellectuelle; et qu'un historien des âmes, tout autrement sûr que Sainte-Beuve et les Goncourt, poète par son sens de la vie morale et par son art d'en marquer les noblesses, P. de Nolhac, a conté les espoirs et les déceptions de tout ordre qui ont palpité auprès de Louis le Bien-Aimé.

LA COUR ET LE GOUVERNEMENT

Dans les quinze dernières années du grand règne, Versailles est inquiet et morne. La noblesse est aux armées; nos défaites affligent; le succès des armes orangistes scandalise. Le roi est vieilli par les revers; par les résistances jansénistes; par l'odieux espionnage qu'à Rotterdam Jurieu organise et paye de l'or anglais; par les deuils : mort du grand dauphin, du duc de Bourgogne, de la duchesse de Bourgogne; par les remords, car il est juste. A nos yeux à nous, et aux yeux de Saint-Simon, toujours sensible à la grandeur d'âme, l'adversité, qu'il supporte généreusement, accroît son prestige. Mais la plupart de ceux qui l'entourent estiment surtout qu'il a trop vécu. On raille son teint de « gentilhomme champêtre », on blâme sa dévotion. Sur les libertins du Temple il reste sans pouvoir, comme sur les modes vicieuses : passion de l'alcool chez les dames de la cour, ou cette confrérie de la dépravation qui n'admettait que les hommes et les jeunes gens. Mme de Maintenon, plus âgée que lui, est plus profondément dévote, c'est-à-dire d'âme plus alerte; mais elle souffre des tristesses du roi en même temps que des maux du royaume; elle n'a plus de goût à la vie; son ambition, qu'elle avoue au duc de Noailles, ce serait d'être une « dame de campagne ». Pendant ce temps, à Saint-Germain, le roi détrôné d'Angleterre vieillit résigné, repentant, miséreux, entouré de fidèles et d'espions; il meurt en 1707; six ans après, le traité d'Utrecht oblige le Prétendant son fils à quitter la i ance.

Le roi a songé à des réformes. Auprès de lui les ducs amis de Fénelon, Beauvillier qu'aime Saint-Simon, et Chevreuse contre qui il défend l'abbé de Rancé, reçoivent de Cambrai ou accueillent à Chaulnes des plans de gouvernement. Plans excessifs, improvisés, autoritaires, judicieux cependant, parce que Fénelon, qui hait le despotisme, les guerres d'orgueil, le luxe, le lucre, veut restaurer l'édifice national dans sa structure traditionnelle. Mais Louis XIV

meurt; Fénelon est mort, et lorsque le Régent songera à essayer
quelqu'un de ses projets politiques : réforme idéaliste, réorgani-
sation fondée sur un principe, Dubois haussera les épaules à ces
« rêveries de M. de Cambrai et de la vieille cour ».

Louis XIV meurt; et, au lieu de Salente, de Fénelon, du duc
de Bourgogne, c'est la fête de la Régence; fête pour le Parlement,
qui recouvre son droit de remontrances, et s'apprête à en user
sans discrétion; fête pour les Jansénistes mêmes, leur cardinal de
Noailles recevant la présidence du Conseil de conscience. Fête
pour les courtisans, affranchis de Versailles : car Louis XIV a
souhaité, et c'est la seule de ses volontés dernières que l'on respecte,
que son arrière-petit-fils fût élevé à Vincennes, où l'air est plus
sain; en 1716, le Régent installe le roi aux Tuileries, pour six
ans. Fête au Palais-Royal : Philippe d'Orléans est bon fils, bon
père, du moins en chacun de ces deux rôles il a bon cœur; mais
il est le pire des époux. D'Henri IV, à qui on le compare volontiers,
il a le charme, l'intelligence prompte, le beau geste, et le laisser-
aller, et l'insatiable appétit sensuel. De temps en temps, lorsqu'il
est ivre, il tient des propos violemment impies; en 1723, au moment
de mourir, il se souviendra de Dieu; et peut-être, selon le mot de
Louis XIV, est-il surtout un « fanfaron du vice ». Sa fille, la
duchesse de Berri, a le dévergondage impudent. Elle va parfois se
recueillir, peut-être se repentir, aux Carmélites du faubourg Saint-
Jacques; généralement elle se livre, comme on dit alors, à Vénus
et à Bacchus; elle est joueuse, prodigue, folle d'orgueil. Aux soupers
du Palais-Royal, elle figure auprès des *roués* et des maîtresses de
son père.

Le gouvernement nouveau assure la paix à l'intérieur, en sur-
veillant, puis en arrêtant cette intrigue dangereuse pour la tranquillité de la France et pour la sécurité du Régent, qu'est la
conspiration de Cellamare. A l'intérieur, il s'efforce de rétablir les
finances; ou plutôt il se rend populaire en dépouillant quelques
financiers; et il accepte de Law la notion du crédit; mais il la
compromet, ou il la laisse compromettre par les témérités de
l'Ecossais et les spéculations éhontées de quelques grands seigneurs.
En 1721, les traitants ont leur revanche, par le renouvellement du
bail des fermes; réorganisées en 1723, les fermes générales régne-
ront désormais sans conteste jusqu'à la Révolution. Ces quarante
fermiers « choisis » — par eux-mêmes — et leurs trois cent
mille subordonnés assureront toute l'administration des finances
royales, de façon telle que, sur vingt livres payées par le contri-
buable, quinze leur restent entre les mains.

Le jeune roi grandissait, idolâtré de son peuple. Son précepteur, l'évêque de Fréjus, M. de Fleury, lui a inculqué avant tout une terreur vive des jugements de Dieu. En 1723, le 16 février, il est majeur. Dubois meurt le 10 août, et Philippe d'Orléans le 2 décembre. Le premier ministre maintenant est le duc de Bourbon, M. le duc, que gouverne Mme de Prie. On voudrait marier M. le duc, et l'on songe à la fille du roi détrôné de Pologne, Marie Leczinska; mais on voudrait aussi marier le roi; sa fiancée, l'infante d'Espagne, qui vit à la cour de France, est beaucoup trop jeune. Sur les instances de Mme de Prie, l'infante est congédiée, et Marie Leczinska épouse Louis XV, plus jeune qu'elle de six ans et demi.

Le roi aime sa femme, ou il paraît l'aimer; et les fêtes à la cour, et les réjouissances populaires se multiplient en l'honneur de cette « heureuse hyménée », qui promet un dauphin.

Le bonheur du ménage royal, commencé en 1725, devait durer huit ans. Louis XV tient à faire revivre les majestueuses traditions de Louis XIV : messes solennelles, séjours à Marly, chasses, jeu, concerts, bals; il est prévenant pour la reine; il lui est fidèle; cependant, M. de Fleury aspire à supplanter M. le duc, et il redoute que l'influence de la reine ne s'exerce contre son ambition. Le duc est congédié, Fleury triomphe, et la reine s'humilie devant le vieil évêque autoritaire.

Le caractère du roi se précise : il est timide, ou du moins taciturne; il est impressionnable; il dissimule aisément ses décisions, non ses émois soudains. Il est sujet à des crises de lassitude, d'indolence, d'indifférence : il est égoïste.

Naissances royales : deux princesses jumelles en 1727, Madame Troisième en 1728, le dauphin en 1729, le duc d'Anjou en 1730. Mais voici qu'en 1733 le duc d'Anjou meurt, et Madame Troisième; Stanislas échoue dans sa tentative de reconquérir son trône; la France ne l'a pas soutenu, Fleury n'ayant, en fait de politique polonaise, qu'une volonté d'inertie. Louis XV se désintéresse de la Pologne; ce qui l'intéresse alors, ce sont ses soupers, « crevailles » et beuveries; puis c'est le cercle, honnête d'ailleurs, de la comtesse de Toulouse, à Versailles et à Rambouillet; là il rencontre l'ambitieuse Mlle de Charolais qui, bientôt, concerte son habileté d'intrigante avec l'ingéniosité corruptrice du valet de chambre Bachelier, pour donner une maîtresse au roi. Et, tandis que naît Madame Quatrième, Louis XV abandonne la reine pour la jeune comtesse de Mailly. L'amour est vif des deux parts; mais ce premier adultère est inquiet, traversé de repentirs, car le roi, qui tient aux pratiques religieuses et craint l'Enfer, se met sincèrement en règle avec l'Eglise à Noël et à Pâques, jusqu'en 1737.

Cependant Mme de Mailly est abandonnée pour Mme de Vintimille, sa sœur, celle-ci moins sentimentale, tout autrement ambitieuse, moins La Vallière que Montespan. Mme de Vintimille meurt
soudain, et le roi est bouleversé de douleur et de remords; mais
bientôt, Richelieu aidant, il va à la troisième des sœurs de Nesle,
Mme de La Tournelle, impérieuse et dure, qu'il fera duchesse de
Châteauroux.

Fleury meurt en 1743. Louis XV va-t-il se passer de premier
ministre ? Après quelques jours d'activité, sa langueur le ressaisit.

La reine, que sa piété a conduite à la résignation, trouve une
consolation auprès de ses pieux amis, le duc et la duchesse de
Luynes; elle accueille familièrement Maurepas, le comte de Tressan,
Moncrif qui est son lecteur; et le président Hénault, le comte
d'Argenson, l'abbé de Broglie, le cardinal de Tencin, et M. de la
Motte, le vénérable et franc évêque d'Amiens. Elle se console par
la pratique fervente de la charité. A l'éducation de ses filles elle
ne peut veiller elle-même, puisque, par mesure d'économie, elles sont
élevées à l'abbaye de Fontevrault. Elle veille à l'éducation du Dauphin, dont la vivacité, la droiture, bientôt la fermeté chrétienne,
sont sa meilleure consolation, et son espoir.

Au printemps de 1744, le roi s'est décidé à partir pour l'armée
du maréchal de Noailles. On le fête, en Flandres, on est si heureux de le voir agir : « Aurions-nous un roi ? », écrit le marquis
d'Argenson. Mais Richelieu veille, et Mme de Châteauroux rejoint
l'armée. Soudain, à Metz, le roi tombe malade. Va-t-on renvoyer
la duchesse ? L'état du roi s'aggrave; la duchesse est renvoyée;
la reine et le Dauphin accourent à Metz; le roi accueille la reine
en lui demandant pardon; son repentir est profond, sa piété édi-
fiante.

Louis XV est hors de danger : Richelieu revient à la charge;
et la dévotion du roi faiblit, il se repent de son repentir, il s'irrite contre le parti dévot, qui est le parti de la reine; il rappelle
la duchesse à la cour. Mais Mme de Châteauroux tombe malade;
elle meurt. Quel conseil Richelieu va-t-il donner au roi ?

Mais ce conseiller désormais est-il nécessaire ? Louis XV maintenant aime Mme Lenormant d'Etiolles, la fille d'un sieur Poisson
qui a été commis chez les frères Pâris. Séduisante dès son enfance,
coquette avec ambition, d'une élégance qui avoisine la distinction,
d'une physionomie vive, mobile, qui est un déconcertant modèle
pour les peintres; « intelligente à la façon de Paris », dit son
meilleur biographe, c'est-à-dire adroite à comprendre et raison-

neuse, elle réussira l'entreprise extraordinaire de se faire aimer vingt ans, d'amour, puis d'amitié, par l'incertain et défiant Louis XV. A Etiolles, elle a reçu Fontenelle, Montesquieu, Crébillon, Voltaire; elle « pense philosophiquement », c'est-à-dire hors du Christianisme. Donc elle devient, par la grâce royale, marquise de Pompadour, en dépit du désespoir de son mari et de l'hostilité du parti dévot à la cour. Dès la première heure de sa faveur, le parti philosophique, par la plume de Voltaire, lui avoue l'aide qu'il attend d'elle pour son crédit et sa propagande.

1745 est pourtant aussi l'année de Fontenoy, cette victoire où le roi et le dauphin font preuve d'une si belle bravoure, et où la noblesse française se fait décimer si généreusement. Pendant la campagne de Flandres, Mme de Pompadour est à Etiolles, où le roi a exigé qu'elle se retirât, pour y recevoir de l'abbé de Bernis — qui n'est pas encore prêtre — et du marquis de Gontaut une nécessaire initiation aux manières de cour. Le roi revenu de l'armée, Mme de Pompadour est « présentée »; par son adroite bonne grâce elle se fait accepter de tous, sauf du dauphin : lui, il souffre, et sans le cacher, de l'affront fait à sa mère, et de l'inconduite de son père.

La favorite, sans perdre de temps, pousse ses parents, ses amis. L'oncle Le Normand de Tournehem est nommé directeur général des Bâtiments; Abel Poisson, le jeune frère, devient marquis de Marigny. Mais elle doit agir avec discrétion, car le roi est jaloux de son autorité. Et quel art sans cesse renouvelé elle se condamne à déployer, pour retenir cette âme si aisément lasse ! Pour amuser le roi toujours prêt à l'ennui, elle imagine de créer un théâtre, une troupe d'amateurs dont elle sera l'étoile, dans les Petits Cabinets.

Cependant, les finances royales sont dans le plus grand désordre : on ne trouve pas d'argent pour la marine; mais pour Mme de Pompadour on bâtit ou on répare dix maisons à la fois. Le mécontentement public est attisé par des pamphlets, chansons, estampes injurieuses, venus de Versailles. Le roi d'ailleurs ignore l'opinion publique : ses courtisans font profession de mépriser les irritations du patriotisme français; et Mme de Pompadour écarte du roi tous les sujets d'inquiétude qui pourraient détourner d'elle-même son attention.

La passion royale cesse vers 1751. Mme de Pompadour, à bout de forces nerveuses, usée par les soins tristement prévoyants de son médecin, a vieilli. Alors, tandis que le roi, après une crise religieuse où les remords ont été sur le point de vaincre, tourne à la basse débauche, elle sait devenir l'amie profondément aimée du roi. Et elle se donne ostensiblement pour modèle Mme de Maintenon.

Le roi ne l'a jamais initiée au « secret » de sa politique étrangère, de cette surveillance mystérieuse qu'il a entreprise de ses propres ministres et ambassadeurs. Elle ambitionne sur ce terrain encore de conquérir la confiance royale : elle va donc s'instruire des choses de la politique. Pour l'initier, et pour l'orienter en même temps, se trouve justement là Kaunitz, l'ambassadeur de Marie-Thérèse; et c'est ainsi qu'en 1752 déjà Mme de Pompadour se trouve intéressée à un rapprochement de la France et de l'Autriche.

A l'intérieur, les querelles du Parlement et du clergé l'inquiètent comme elles inquiètent Louis XV. Elle redoute surtout, à vrai dire, le prestige et l'intransigeance de Christophe de Beaumont, l'archevêque de Paris, qui la considère elle-même et la dénonce comme un vivant scandale, et comme la protectrice des philosophes. Elle s'indigne de l'exigence du P. Pérusseau, confesseur du roi, qui met comme condition à l'absolution une « séparation totale » d'avec la marquise. Enfin, dernier effort d'habileté, elle essaye d'une « conversion ». Elle est en effet, de temps en temps, dégoûtée ou lasse du monde, comme Mme de Maintenon l'a été, et elle le dit parfois en des termes voisins. Mais à sa sincérité intermittente se mêle un calcul si constant de son intérêt terrestre, un refus si obstiné de réparer publiquement le scandale public, qu'il y a dans son geste une inélégance à l'égard de Dieu, et qu'on sent une grande ignorance de la morale religieuse, en cette âme affinée par le monde et pour le monde seul. Devant ce refus ou cette incapacité de comprendre l'exigence de l'Eglise et de s'humilier, le Père Jésuite qui a été appelé à l'éclairer ne peut que cesser ses avis : Mme de Pompadour en gardera un dur ressentiment à toute la Compagnie.

A l'intérieur, elle préside ou croit présider au renversement des alliances, que Louis XV a souhaité et préparé. Ce fut, en 1756, le traité de Versailles, qui semblait assurer la paix de l'Europe, du moins nous laisser les mains libres contre les Anglais. Richelieu leur reprend Minorque. Mais Frédéric II envahit la Saxe et menace l'Autriche. Le maréchal d'Estrées, vainqueur en Hanovre, est remplacé par le maréchal de Richelieu, qui « maraude », pillant les biens de l'ennemi et la gloire de son prédécesseur, négociant avec Frédéric... Ses lenteurs, vraisemblablement intéressées, seront une des causes de notre défaite à Rosbach, puis à Crefeld. Au ministère, il n'y a qu'un homme clairvoyant : Bernis. Il sent les tares d'une administration que les financiers gouvernent, il sait la décadence de la marine, la discorde des généraux; et en 1757 il parle de l'état du royaume comme Fénelon en parlait jadis dans sa *Lettre à Louis XIV*. Affligée de ses doléances, craignant qu'il n'afflige le roi, Mme de Pompadour le remplace par Choiseul. Le roi, pourtant, n'avait guère d'illusions : l'attentat de Damiens l'a blessé, comme il l'a dit, « jusqu'au cœur » : il y a vu le témoignage d'une haine contre sa personne et contre la monarchie.

Que d'intrigues, que de misères, quelle disette d'hommes énergiques, sous ce règne et dans cette cour, où les volontés ne se tendent guère que pour des ambitions à court terme ! quel tragique roman que la vie de ce roi clairvoyant, patriote, jaloux de son pouvoir, prompt à ressentir, lent à agir, chrétien convaincu et loyal, esclave de ses sens, avide d'amitié, ingrat à ceux qui l'ont servi !

A l'écart vit le dauphin, tout entier à ses devoirs de piété, à son amour de sa femme, à l'étude des besoins du royaume. Les courtisans s'étonnent; Voltaire ridiculise son précepteur, Boyer, l'évêque de Mirepoix, avec qui il travaille plusieurs fois par semaine. Le dauphin voudrait réformer la monarchie, mais non selon l'esprit philosophique, dont il connaît et raille l'insuffisance et la présomption : dans l'*Esprit des Lois* il choisit, jugeant Montesquieu trop systématique, « trop physicien », dit-il. C'est une réforme morale qu'il envisage : il voudrait être lui-même un roi saint, uniquement dévoué au bien du peuple. Hélas, il ne régnera pas, non plus que son fils aîné, ce duc de Bourgogne à la volonté si ferme, et qui mourra comme un saint à neuf ans !

Vertus puissantes auprès de Dieu, mais qui restent sans crédit, sans autorité auprès des hommes : il les jugent étroites, surannées. Malesherbes accueille avec une déférence polie, mais pleinement indocile, les récriminations du dauphin contre la propagande philosophique.

L'honnête homme, pour la noblesse de cour, ce n'est pas le dauphin, c'est le maréchal de Richelieu. Enfant gâté, dès 1712 « coqueluche de la cour », comme dit Saint-Simon, il est l'homme à la mode jusque sous Louis XVI. Il est insolent avec esprit, égoïste avec élégance, vicieux avec distinction. Il est fat, et Voltaire l'appelle justement « l'Alcibiade français ». Il engage ou encourage son roi à l'inconduite; quand il sera gouverneur de Guyenne, il introduira l'élégante corruption de Versailles à Bordeaux, où elle durera longtemps; c'est là qu'il a l'impertinente fantaisie, pendant un voyage, de remettre la garde d'une de ses maîtresses à un cou-

vent de religieuses. Il est de l'Académie, mais il n'a pas daigné
composer lui-même son discours : de ce soin il a chargé quelques
« teinturiers » — nous disons aujourd'hui des « nègres ». Lui-
même n'a pas d'orthographe, et il tient à estropier, lorsqu'il écrit ou
lorsqu'il parle, le nom des roturiers.

Tel est le modèle des jeunes gens de la cour. Et comment
ne l'applaudiraient-ils pas, ce libérateur, qui a mis le respect
humain du côté du vice ? Il fallait vraiment toute l'illusion autoritaire de Louis XIV pour s'imaginer que la dévotion et la vie
rangée s'accommoderaient de l'oisiveté de Versailles. La prodiga-
lité, l'intrigue, la course au plaisir, s'imposent au courtisan comme
une diversion à l'ennui, presque comme une obligation de son état.
A ses fêtes le roi exige qu'on paraisse en habits magnifiques : et
l'on se vêt de drap d'argent ou d'or, on fait broder de diamants
les boutonnières. Les équipages sont le luxe préféré des grands
seigneurs. A l'armée, si Louis XV n'interdisait pas les chaises de
poste, on se croirait déshonoré de se montrer à cheval. On s'encombre de valets : il est honteux de n'en avoir à son service qu'une
douzaine. On tient table ouverte, on entretient des filles d'opéra.
Lorsque ces personnages s'en vont visiter leurs châteaux, ou qu'ils y
sont exilés, c'est pour y mener le même train, ou pour remplacer
une métairie par une avenue. De dépense en dépense, on en vient
alors, dit le marquis de Mirabeau, à déclarer que « ce sont de
mauvais biens que les terres »; et dans ce décor de nature où l'on
prétend se rafraîchir et s'édifier, on gaspille, comme à la cour. Et
c'est la ruine, ce sont les dettes, et les pensions quémandées.
Louis XV est fort généreux pour ses parents, ses fidèles, et pour
ceux de Mme de Pompadour. De ces « bienfaits du roi » l'avocat
Barbier s'indigne, dans sa *Chronique* :

> On retranche à cent pauvres familles des rentes viagères qui les fai-
> saient subsister, acquises avec des effets dont le roi était débiteur, et
> on donne 56.000 livres de pension à des gens qui ont été dans de grandes
> places, dans lesquelles ils ont amassé des biens considérables, toujours
> aux dépens du peuple.

Pour s'enrichir, la noblesse de Cour avait une autre ressource :
épouser des filles de financiers; elle ne s'en fit pas faute. Elle
pensa parfois à un autre moyen : se procurer des revenus par le
commerce. Les considérations sur la « noblesse commerçante »
abondent dans les journaux, aux alentours de 1720 en particulier.
Le duc de la Force, en 1721, ouvrit, au couvent des Augustins, un
magasin d'épicerie, dont le sieur Orient était le prête-nom : il fut

L'amour et l'amitié
par PIGALLE

poursuivi en justice, et condamné. Le tiers état ne se souciait pas d'avoir pour concurrents de négoce d'aussi gros personnages; la noblesse estimait qu'à ces professions roturières son traditionnel esprit de bravoure s'affaiblirait. C'était là déroger. Aux Iles cependant, aux Antilles à la fin du siècle, la noblesse montrera qu'elle était capable d'administrer, de travailler.

Contre ces préjugés, ces modes, ces vices, la comédie proteste, elle fait l'apologie des nécessaires vertus. Vertus bourgeoises ! comédie bourgeoise ! La noblesse de Cour laisse en effet le privilège des vertus à la bourgeoisie.

LA VILLE

A une partie de la bourgeoisie. Paris n'est pas loin de Versailles, et la contagion est facile; d'ailleurs sous la Régence, Versailles n'étant plus le séjour du roi, c'est à Paris que vivait la noblesse de Cour. Depuis le début du siècle, Paris est le lieu de rencontre agréable, libre, de l'épée, de la robe et de la finance. Vers 1750, la mode s'établit pour les grands seigneurs d'habiter le faubourg Saint-Germain, la rue de Richelieu, le faubourg Saint-Honoré. Le luxe se développe, et le jeu, et la débauche; et à Paris les gentilshommes ruinés cherchent fortune autrement qu'en mendiant des pensions, et même qu'en vendant des épices.

L'un des plus vrais Parisiens d'alors est le président Hénault. Son père était fermier général. Lui, lieutenant des chasses, a acheté une charge de conseiller au Parlement et est devenu président aux Enquêtes. Sa femme est fille d'un financier, Lebas; il est l'amant de la maréchale d'Estrées, puis de Mme du Deffand; en 1753, il achète 300 000 livres la charge de surintendant de la Maison de la Reine. Homme à cerveau léger, à bons mots, à bon cœur à bon cuisinier, il traite délicatement ses amis, en son hôtel de la place Louis-le-Grand; il est l'un des familiers, l'une des « bêtes », de la duchesse du Maine, les autres étant MM. de Malézieu, l'abbé Genest, Voltaire, Fontenelle, de Mesmes, Danchet, La Fare, Chaulieu, Sainte-Aulaire. Il hante le salon de Mme de Lambert, où le libertinage ne donne pas le ton, quoique Chaulieu y soit admis; on ne le rencontre pas chez Mme de Tencin; il va surtout au couvent de la rue Saint-Dominique, où Mme du Deffand s'est établie; Montesquieu y vient aussi, et Maupertuis, et d'Alembert. En 1754, la marquise est aveugle, et Mlle de Lespinasse devient sa lectrice.

De ces salons on a sans doute exagéré l'importance dans l'histoire des Lettres et des idées. Ni la duchesse du Maine n'est responsable de la verve de Voltaire dans ses *Contes*, ni Mme de Lambert de la préciosité agressive et des grâces perfides de Fontenelle. Ils ont toutefois assuré à la pensée nouvelle un auditoire. Ecrivains, savants, philosophes ont eu l'occasion là de prendre plus de confiance en leur propre valeur, lorsqu'ils recevaient des hommages tels que celui que Mme du Deffand décerne à deux d'entre eux :

> J'ai deux amis intimes, qui sont Formont et d'Alembert; je les aime passionnément, moins par leur agrément et par leur amitié pour moi que par leur *extrême vérité*.

La vérité, voilà ce que cherche Mme du Deffand; la sincérité, ce qu'elle estime. Elle voudrait échapper à l'ennui, à la déception, à la hantise de la mort. Ni la vie trop libre ne l'a satisfaite, ni le rationalisme, qui entretenait sa curiosité et son orgueil. Son cœur veut vivre, et elle va, sexagénaire, s'éprendre de Walpole.

Paris est le paradis des financiers, et de tous ceux qui vivent de leur luxe. Sur les beaux-arts, sur les arts appliqués à la commodité et à l'agrément, leur influence est certaine. Elle est réelle aussi sur les écrivains et sur les penseurs. Pour les fermiers généraux et leurs courtisans ont été composés tous ces romans faciles, brillants, libertins, si vite et si justement oubliés. Aux yeux émerveillés de Voltaire, qui l'a franchement déclaré dans son *Mondain,* et aux yeux de beaucoup d'autres qui se sont contentés de profiter en parasites de ces plaisirs, la vie d'un financier était une vivante apologie de la richesse, du luxe, d'une civilisation délicieuse où Dieu ne saurait être qu'un trouble-fête, et la dévotion ou le scrupule une faute de goût.

Ils s'imposent par le prestige du succès, ces riches. Ils s'imposent par les titres de noblesse qu'ils ont tôt fait d'accumuler sur eux-mêmes ou sur leurs enfants. Samuel Bernard est chevalier de Saint-Michel, baron, comte; l'un de ses fils est comte de Coubert, l'autre comte de Rieux; son second mariage, avec Mlle de Saint-Chamans, l'apparente aux Molé, aux Lamoignon, aux Boulainvilliers. Paparel a marié sa fille au marquis de La Fare — qui, à vrai dire, renvoie sa femme, après la ruine du beau-père. Parcourez, dans les *Pièces justificatives* de la *Vie privée de Louis XV,* la liste des fermiers généraux de 1728 à 1751; vous y verrez Adine, qui meurt de la goutte à trente-huit ans, marquis de Villesavin, membre de l'Académie Française, directeur de la Compagnie des Indes; son père, un Bourguignon fort roturier, avait passé par tous les bas degrés des Fermes; Bouret, fils d'un laquais de M. de Ferriol, et dont un frère, Bouret d'Hérigny, est cousin par alliance de Mme de Pompadour; Bragouse, qui a été garçon barbier; Dangé, laquais, et il a marié sa fille au marquis d'Argenson; Gaillard de la Bouëxière, laquais...

Ces parvenus, qui tiennent à tous les mondes, sont souvent moins vulgaires que le Turcaret de Le Sage. Ils se font accepter par leurs prodigalités, qui les ruinent : dans telle de leurs maisons de plaisir, les sièges sont d'ivoire, et les miroirs encadrés d'or.

Les caprices des financiers étendent la corruption des mœurs. Auprès d'eux, il faudrait donc faire une place aux courtisanes de haut et bas étage, filles d'opéra et filles qu'on embarque pour le Mississipi après les avoir mariées à des voleurs, lesquels ornent alors leur chapeau d'une cocarde jonquille. L'une d'elles, embarquée en 1719, avait dès vingt-deux ans commis plusieurs assassinats; une autre, Manon Porcher, a enlevé d'un coup de rasoir deux doigts à l'exempt qui l'arrêtait, elle a mis le feu à un cachot de la Salpêtrière, a cherché à poignarder la religieuse de service... Et les voici maintenant, avec leurs époux, formant le cortège singulier d'un « départ de la Salpêtrière pour Cythère », comme disent les Goncourt, raillées sans méchanceté par les passants.

Il est sans malice en effet, le peuple, le bon peuple de Paris, très badaud, comme le présente Marivaux dans sa *Marianne* :

> Ce ne sont pas les choses cruelles qu'il aime, il en a peur au contraire; mais il aime l'effroi qu'elles lui donnent : cela remue son âme qui ne sait jamais rien, qui n'a jamais rien vu, qui est toujours neuve.

Il aime son roi, et il l'aime chrétiennement : s'inquiétant de savoir s'il s'est confessé et a communié à Pâques, à Noël, maudissant les favorites et les rendant responsables de l'inconduite de Louis XV. En 1748 et 1749, années de misère, c'est encore la « gueuse du roi » que l'on incrimine. Peu à peu, cependant, on met aussi le monarque en cause.

LA PROVINCE

La Cour et la ville dédaignaient fort la province, à la fin du siècle précédent. La mode vient, au XVIIIᵉ siècle, de prendre la province en considération. De Versailles, certains s'en vont chaque année passer quelque temps dans leurs terres, et, par fantaisie d'abord, puis par « sensibilité », s'y montrent bienfaisants et s'attachent à leurs vassaux. Les anoblis prennent solennellement possession de leur fief; il faut lire par exemple le récit complaisant où le père de

Mme de Pompadour, François Poisson, devenu seigneur de Marigny, a conté les compliments du curé, du bailli, du capitaine de bourgeoisie; et les « habitants rangés en haie sous les armes », la maréchaussée à cheval, et les filles et les garçons, habillés en bergers et bergères, qui l'ont acclamé en chantant. Mais surtout plusieurs provinces, sagement administrées par les intendants, sont prospères, s'enrichissent par l'agriculture ou le commerce; de belles routes rendent le trafic plus aisé. Quelques grandes villes deviennent ou redeviennent de vraies capitales : ainsi Bordeaux, Lyon, Toulouse, Nancy. Dans la capitale lorraine, Stanislas joue au roi bonhomme. Il rallie, non sans efforts, la noblesse locale; il s'ingénie en mystifications plaisantes ou cocasses, en bâtiments et en jardins. Ses mœurs ne sont pas irréprochables : mais Mme de Boufflers, qui s'intitule elle-même « dame de volupté » et déclare « faire son paradis en ce monde », est parfaitement désintéressée.

Cette première moitié du xviii° siècle est le temps où se fondent la plupart des Académies provinciales : Bordeaux (1712), Toulouse (1715), Pau (1720), Béziers (1723), Marseille (1726), Montauban (1730), La Rochelle (1732), Arras (1738), Dijon (1740), Rouen (1744), Clermont-Ferrand (1747), Auxerre (1749), Amiens (1750), Nancy (1750), Millau (1751), Besançon (1752), Châlons-sur-Marne (1750), Bourg (1755), Metz (1757), Lille (1758). Le titre qu'elles préfèrent, c'est : *Académie des Sciences, Belles-Lettres et Arts*. Même à Toulouse, où en 1715 les Jeux Floraux ont été par lettres patentes rétablis en une Académie des Belles-Lettres, une seconde Académie est fondée en 1729, qui se dénomme : *Académie royale des Sciences, Inscriptions et Belles-Lettres*. Dans ces cénacles, où les séances sont autrement fréquentées qu'elles ne le sont de nos jours, on fait profession de vénérer les sciences, c'est-à-dire l'esprit scientifique à la « moderne », le rationalisme. A Bordeaux, par exemple, dans le *Discours* que Montesquieu prononce en 1725 pour la rentrée de l'Académie, il est affirmé que les sciences distinguent les nations civilisées des peuples barbares, qu'elles élèvent l'âme, et donnent le bonheur; et un autre académicien, ami de Montesquieu, Sarrau de Boynet, écrivait en 1715 :

C'est à présent une espèce d'attentat que de vouloir soumettre les esprits en matière de sciences par les opinions des autres. Chacun ne veut croire qu'après avoir jugé.

Et l'Académie de Bordeaux, de 1715 à 1750, se consacre uniquement à l'étude des sciences de la nature, de la physique, comme on dit alors; après 1750, aux applications pratiques des sciences à quelques questions économiques. Elle voulait aussi, en 1715, « faire une histoire naturelle et littéraire de la Guyenne ». Mais ce projet n'a été réalisé que par fragments.

A Nancy, l'idée d'une Académie a été suggérée au roi Stanislas par le comte de Tressan, gouverneur de Toul, qui est fort lié avec les philosophes de Paris. Le roi crée d'abord un Collège de censeurs, qui jugera les nouveaux ouvrages, mais en « évitant avec soin toutes sortes de critiques » : au lieu de blâmer, les censeurs devront refaire l'ouvrage qu'ils condamnent. Le Collège devint Académie en 1751, après la candidature de Montesquieu. Stanislas s'en amuse, comme de ses fontaines, de ses automates et de son nain. M. de Tressan voudrait bien en faire une arme de propagande philosophique, mais le confesseur du roi polonais, le P. de Menoux, dénonce le danger.

La noblesse provinciale se partage crûment en noblesse riche ou aisée, et en noblesse miséreuse. En général fidèles au traditionnel devoir de servir à l'armée, les aînés, riches ou pauvres, achètent une charge militaire, et au bout de quelques années rentrent dans leurs terres. Les cadets sont destinés à l'Eglise, ou « passent aux Iles ». Les riches mènent une vie d'oisiveté : vie de château à la belle saison, réceptions l'hiver, à la ville, joie de paraître aux « tenues d'Etats », où les représentants du Roi donnent à danser. La noblesse de robe et la noblesse d'épée fraternisent et se mêlent d'autant mieux que dans certaines provinces, comme en Bretagne, le Parlement est en grande partie composé de nobles d'épée. On reçoit beaucoup, et à peu de frais, en Poitou. Partout on fait bombance. Certains méprisent la ville, l'esprit de bourgeoisie, les fonctionnaires royaux, et se confinent dans leurs terres, dont ils améliorent le rendement : tels le marquis de Mirabeau, Franclieu qui est Gascon, le comte de Preux en Flandres.

Les autres, ce sont les nobles ruinés. Le service les ruine, par l'achat de la charge, qu'on leur rembourse si mal lorsqu'on les « réforme » à la fin d'une guerre, par les dépenses d'entretien, par les libertés que leurs fermiers prennent en leur absence. Et puis ils ont gardé une autre tradition onéreuse, bien méprisée de la noblesse de cour : les enfants nombreux : auprès de Rennes, un Du Plessis de la Haye-Gilles a trente-trois enfants. Enfin les gens de loi animent contre eux l'envie paysanne, et les gentilshommes gaspillent leur patrimoine en procès. En fait d'impôts, ils sont exempts de la taille; mais on les soumet à la capitation et aux vingtièmes. Aussi leurs châteaux, qu'ils ne peuvent entretenir, deviennent-ils inhabitables. Certains se résignent à déroger; ils prennent un métier, n'importe lequel, épousent des paysannes, se font paysans. Malheureux gentilshommes « champêtres », dont on souriait au temps de Molière, et que maintenant on plaint ! « Gentilshommes à lièvre », comme dit Buffon, « qui vont chasser chez leurs voisins sans en être priés, et qui chassent moins pour leur plaisir que pour leur profit »; quelques-uns ne chassent plus, parce qu'ils n'ont plus assez d'argent pour acheter un fusil. Brissot, à l'Assemblée Législative, vantera le mérite des hobereaux besogneux.

Les pamphlets protestants de la fin du XVII° siècle célèbrent les privations du bas clergé. Les prélats, eux, sauf dans les évêchés « crottés », jouissent de gros revenus : mense épiscopale, abbayes obtenues par surcroît. Les cadets de noble famille, surtout s'ils ont enfants mal venus ou débiles — ce qu'on appelle une « vocation de cadet » — recherchent et peuvent recevoir un évêché vers trente ou quarante ans. Ils résident peu dans leur diocèse : le cardinal de Polignac ne s'est jamais rendu à Auch. Ou bien ils s'entourent, dans leur palais épiscopal, de grands-vicaires qui sont, eux aussi, des cadets sans vraie vocation. Cependant on cite au XVIII° siècle plusieurs évêques d'esprit évangélique : M. de la Motte, évêque d'Amiens; Massillon, qui s'épuise en tournées pastorales; M. de Belsunce à Marseille, qui en 1720, pendant la peste, ne cesse de porter à ses diocésains les secours de l'âme et du corps.

Dans les campagnes, les paysans supportent, comme au siècle précédent, un grand nombre de charges. Ils sont à la merci des mauvaises récoltes, et Massillon, en 1739, ne manquera pas à cet égard de plaider auprès du cardinal-ministre la cause de l'Auvergne, victime de la grêle, de la disette et des impôts; à la merci des justices seigneuriales, à la merci des nobles chasseurs. Mais contre ceux-ci ils se défendent plus hardiment, parfois même sans pitié. Des mendiants circulent, par bandes, des brigands plus rarement, que la justice royale est impuissante à saisir. En plusieurs provinces : Champagne, Anjou, Bourgogne, les paysans s'enrichissent.

L'instruction dans les campagnes est donnée par les écoles paroissiales, inégales à travers la France en qualité et en quantité.

OBSERVATEURS, MORALISTES

Comment cette société a-t-elle été vue par ceux qui ont pris plaisir à la décrire, ou qui ont eu l'intention de réformer ses mœurs ? Leurs témoignages, aux uns et aux autres, ne sont assu-

rément pas toujours spontanés : le souvenir des portraits et des
sentences de La Bruyère s'impose de temps en temps à leur esprit;
plusieurs s'efforcent trop, selon la formule des *Caractères*, à « bien
définir et à bien peindre », et la poursuite du trait expressif les prive
de voir un ensemble. Ils font, ils veulent faire des mots cruels. Ils
souhaitent, comme le « philosophe » de La Bruyère, d'être utiles
ou du moins serviables à l'âme de leurs lecteurs. Mais enfin ils
n'ont pas manqué de clairvoyance, et leurs intentions d'art ou de
réprimande elles-mêmes sont un document sur l'esprit du siècle.

Une catégorie de satiriques qui ne se range aucunement sous la
discipline de La Bruyère, ce sont les voyageurs étrangers : voyageurs authentiques, non Persans de Montesquieu. Lady Montaguë,
en 1718, juge et condamne les modes féminines de Paris, qui,
dit-elle, sont « monstrueusement hors de toute nature »; elle
insiste sur les cheveux coupés court et bouclés et poudrés, et sur
le rouge « aussi vif que celui du Japon, qui fait paraître les joues
tout enflammées ». La même année paraissait à Leyde un *Séjour de
Paris* de J.-Chr. Nemeitz, ou *Instructions fidèles pour les voyageurs
de condition,* traduit en français neuf ans plus tard. Nemeitz note
que dans les hôtels des grands seigneurs l'on trouve à louer de
bonnes chambres; que dans les auberges les grisettes sont nombreuses,
et qu'elles cherchent surtout à plaire aux étrangers; que les étrangers viennent à Paris en grand nombre, pour apprendre le français.
Car la langue française est un excellent art d'agrément :

La principale utilité de la langue française est de savoir bien rédiger
une lettre, et les Français ont poussé cette science jusqu'à la perfection.

A notre éloge, Nemeitz reconnaît en outre que « les Français
ont un art particulier pour bien assortir un costume »; qu'ils « ne
sont pas misanthropes », qu'ils « aiment particulièrement les étrangers ». Mais, ajoute-t-il, méfions-nous ! Les filous sont nombreux
à Paris, sans parler des valets, « prompts, alertes, bons à tout », qui,
par crainte de la potence, s'abstiennent de voler, « mais tirent
gain de tout ». Les femmes lui ont paru bien frivoles :

Celles qui sont tant soit peu au-dessus du commun passent la matinée
devant leur toilette, l'après-dîner et la soirée en visites, aux spectacles,
aux promenades et au jeu.

Pour les jeunes gens, qui sans doute l'ont traité avec désinvolture, Nemeitz ne tarit pas de duretés : ils sont

vains, sots, médisants, hautains... Il n'y a pas au monde de créature
plus insupportable que l'homme qui n'a jamais quitté Paris, surtout
s'il n'est pas instruit.

La malveillance est plus profonde, parce que plus réfléchie et
exprimée avec plus de sûreté, dans les *Lettres* du Suisse Béat de
Muralt *sur les Français, les Anglais et les Voyages* (1725), où Jean-
Jacques reconnaîtra un jour ses propres ressentiments. Voici de quel
ton les *Lettres* nous accordent quelque estime :

> Les Français, plus qu'aucune autre nation que je connaisse, présentent
> le beau côté et préviennent à leur avantage... Ils sont d'un accès aisé
> et libre, ils sont civils, obligeants, empressés, ils paraissent sincères,
> ouverts et pleins d'affection, et ils sont assez ce qu'ils paraissent.

Et voici, bientôt, les réserves et le blâme : les Français tiennent
à « être applaudis et admirés »; ils sont agités et cérémonieux, « à
peu près comme une nation qui ne se remuerait qu'en dansant »; le
bon sens des étrangers les surprend et les embarrasse : ils sont
étourdis, frivoles :

> ils négligent le solide... Le nom de *philosophe,* c'est-à-dire d'un homme
> qui voudrait mettre ses idées en pratique, est chez eux une espèce
> d'injure.

Leur libertinage est une suite de leur mauvaise éducation, qui
s'attache à former les manières, non à discipliner les âmes. Il n'est
pas jusqu'au patriotisme du paysan français dont Muralt ne parle
avec condescendance.

Cette critique ne resta pas sans réponse : une *Apologie,* composée
par Desfontaines et le P. Brunoy (1726), louait la « vivacité
française », méconnue, « ignorée » du censeur helvète :

> C'est elle qui nous fait pénétrer d'un coup d'œil le fond des choses,
> qui nous fait aller au but en un instant, qui nous fait envisager dans
> un principe une foule de conséquences à la fois, et dans une vérité
> tous les principes sur lesquels elle est appuyée; c'est elle qui nous
> suggère en une seule parole une preuve décisive et une réponse sans
> réplique; qui nous dicte nos vives reparties, qui prévient les longueurs
> d'un raisonnement médité et en saisit soudainement tout l'essentiel.
> C'est ce que les Romains appelaient *acies mentis.* C'est elle qui nous
> rend actifs, diligents, laborieux, pleins d'ardeur et de courage, et infa-
> tigables dans les entreprises.

> On nous accuse de présomption ? Allons donc ! Nous jugeons très
> favorablement des étrangers; et nous ne nous attribuons qu'un pri-

vilège : celui du « bon goût en toutes choses ». Le penseur suisse hait notre esprit d'imitation ? En effet, nous sommes sociables, fort heureusement : car une âme sauvage, une intelligence solitaire,

sera non seulement informe, mais très stérile, et n'aura que des vues fort bornées.

L'antagonisme de Voltaire et de Rousseau se prépare.

Il ne faudrait pas croire que la « vivacité » ou la légèreté française ait été alors, en France même, du goût de tous les moralistes. Le grave d'Aguesseau l'a définie d'une manière moins flatteuse :

> Penser peu, parler de tout, ne douter de rien, n'habiter que les dehors de son âme et ne cultiver que la superficie de son esprit, s'exprimer heureusement, avoir un tour d'imagination agréable, une conversation légère et délicate, et savoir plaire sans savoir se faire estimer; être né avec le talent équivoque d'une conception prompte et se croire par là au-dessus de la réflexion, voler d'objets en objets sans en approfondir aucun, cueillir rapidement toutes les fleurs et ne donner jamais aux fruits le temps de parvenir à leur maturité, c'est une faible peinture de ce qu'il plaît à notre siècle d'honorer du nom d'esprit.

Les mérites et les infériorités des Français seront un thème souvent traité au cours du siècle : le P. Brumoy, dans son *Théâtre des Grecs* (1732), regrettera « notre paresse naturelle entretenue par l'éducation un peu molle », et aussi ce « caractère vif, qui nous porte à effleurer divers objets sans nous attacher à un seul ». Ramsay, dans ses *Voyages de Cyrus* (1727), reprochera aux Egyptiens, c'est-à-dire aux Anglais, de méconnaître « les grâces » des Athéniens, c'est-à-dire des Français, et leur aptitude aux « sciences sublimes », — « quand ils veulent s'y appliquer », ajoute-t-il.

Le premier disciple de La Bruyère qui lui fasse honneur, c'est l'auteur des *Amusements sérieux et comiques* (1699) : Du Fresny : disciple sans discipline, pratiquant volontiers l'école buissonnière à l'égard de sa propre pensée, qu'il suit, abandonne, reprend et perd de vue. Il n'a de respect que pour l'authentique vertu, seule digne à ses yeux d'être nommée « occupation »; et il s'écrie aussitôt : « qu'il y a de gens oisifs dans le monde ! » Les Anciens lui paraissent nécessaires pour former l'esprit, et les modernes bons pour former le goût. Sur la Cour, chemin faisant, il jette quelques brocards spirituels et justes :

> Le génie des courtisans, c'est de ne rien donner à ceux qui ont besoin de tout, et donner tout à ceux qui n'ont besoin de rien.

Pour visiter Paris et s'en amuser, il « prend le génie d'un voyageur siamois », afin de juger plus sainement des « choses que les
préjugés de l'habitude nous font paraître raisonnables et naturelles ». Il constate donc l'agitation et l'activité des Parisiens; il les
voit « également incapables et d'attention et de patience », sauf
« sur le plaisir et sur la commodité ». Il raille sans légèreté et sans
grand effort les Parisiennes, « paons dans les promenades, pies-
grièches dans leur domestique, et colombes dans le tête-à-tête ».
De-ci de-là quelque portrait, quelque silhouette : celui par exemple
de l'homme qui se contraint pour être serviable :

En offrant ses services, il pâlit comme un Gascon qui offre sa bourse.

Enfin, et par là aussi Du Fresny s'apparente à La Bruyère, on
sent en quelques phrases des *Amusements* une vive délicatesse de
cœur, affectueuse ou blessée :

Qu'est-ce que se marier ? C'est choisir avec discernement, à loisir,
par inclination et sans intérêt, une femme qui vous choisisse de même.
Un père regarde la vie d'un fils comme une continuité de la sienne
propre. Ce fils cesse-t-il de vivre, le père commence à sentir la mort.
Combien d'enfants, au contraire, ne commencent à goûter la vie qu'après
la mort de leur père !
Selon l'ordre naturel, le père doit finir avant son fils. Si tous les
enfants mouraient de douleur à la mort de leur père, le genre humain
périrait bientôt. N'est-ce point pour prévenir ce malheur que la nature
a pris soin d'endurcir le cœur des enfants ?

Les *Lettres Persanes* ne sont guère l'œuvre d'un moraliste, et elles
sont bien plus que l'œuvre d'un observateur : les intentions de
Montesquieu, ses rêves politiques et ses aversions religieuses y sont
autrement importants que ses remarques sur les bizarreries françaises ou parisiennes. Ce pamphlet s'agrémente cependant de portraits : on y rencontre un fermier général très vulgaire, un prédicateur au teint fleuri, un poète famélique et méprisé, un vieux
militaire qui raconte ses campagnes, un homme à bonnes fortunes,
des joueuses, et le casuiste, le décisionnaire, les Académiciens, le
grand seigneur, qui a « des ancêtres, des dettes et des pensions »,
le corps des laquais, les nouvellistes. Lui aussi, Montesquieu, cherche
des traits originaux du caractère français; et il découvre la vivacité de la démarche, l'inépuisable vanité, une curiosité enfantine,
l'ardeur à la dispute sur des questions futiles; il a enfin sur Paris
cette remarque pénétrante : Paris, dit-il, est « la ville du monde

la plus sensuelle », mais celle aussi « où l'on mène une vie plus dure ».

Les observations de ce genre, profondes, et non pas seulement décidées, abondent dans les *Pensées et Fragments inédits;* le ton y est en général plus distant, ou le tour plus explicatif :

La duchesse de Brissac, étant au sermon, dit à la personne qui était auprès d'elle : Si l'on prêche sur la Madeleine, vous me réveillerez. Si l'on prêche sur la nécessité du salut, vous me laisserez dormir (1152).

En France, ce ne sont pas les noms nobles, mais les noms connus qui donnent du relief (1398).

Ce que les Français ne savent pas, ils le méprisent (1400).

Les petites maisons pour la galanterie, bien inventées pour le goût de la nation : on y a l'air du mystère, sans en avoir les désavantages, qui est la mortification de la vanité (1402).

J'aime Paris : on n'y fait point de réflexion; on se défait de son âme (1414).

« Je n'ai jamais travaillé sur moi-même, et je ne crois pas que j'y eusse réussi. » Cet aveu de Duclos annonce un singulier moraliste. Duclos est en effet un moraliste singulier, dans cette *Histoire de Mme de Luz* qu'il publia à trente-sept ans, en 1741 : Mme de Luz, femme vertueuse, se trouve par trois fois en « des circonstances malheureuses auxquelles elle est forcée de sacrifier sa vertu ». Il est observateur et moraliste dans ses *Confessions du Comte de**** (1741), qui sont un tableau détaillé, complaisant, des plaisirs de la société mondaine. La morale du comte, c'est de « n'être jamais sévère sur l'amour ». Sur l'amour, ou sur son apparence : car le comte est un Français, et les Français, prononce Duclos, ne connaissent pas l'amour. Voyageant en Espagne, en Italie, en Angletere, le comte a été aimé vraiment, passionnément; mais il a abandonné Antonia de Palamos, Marcella, milady B***; et voici l'excuse qu'il se donne à lui-même :

Il n'y a point de pays où la galanterie soit plus commune qu'en France; mais les emportements de l'amour ne se trouvent qu'avec les Italiennes. L'amour, qui fait l'amusement des Françaises, est la plus importante affaire et l'unique occupation d'une Italienne... Je compris que je ne devais pas chercher à Paris la passion italienne ni la constance espagnole; que je devais reprendre les mœurs de ma patrie, et me borner à la galanterie française.

Duclos moralise encore, dans les *Confessions,* lorsqu'il rend les hommes responsables des fautes commises par les femmes. Mais cette leçon reste chez lui bien superficielle.

Les *Considérations sur les mœurs de ce siècle* (1750) contiennent une apologie de la sensibilité, qui, selon Duclos, donnerait au jugement et à l'intelligence une force nouvelle. Il semble même restaurer l'esprit de sacrifice en faisant appel à la sensibilité : la vertu, dit-il, est « un effort sur soi-même en faveur des autres »; or, pour songer à cet effort, il faut s'être attendri sur les maux d'autrui. Duclos ajoute d'ailleurs que la sensibilité trouble souvent notre clairvoyance. En réalité il ne l'admet et ne la prône que comme un élément de bonheur, un élément dans le calcul du bonheur humain :

> Qu'on apprenne aux hommes à s'aimer entre eux, qu'on leur en prouve la nécessité pour leur bonheur.

Le rationalisme utilitaire est une pièce essentielle de sa philosophie. Les *Considérations* insinuent ou proclament d'autres articles du Credo philosophique : la foi en l'expérience, en la « confrontation des faits », comme en une condition du progrès des sciences; le mépris du dogme du Péché originel et la confiance aux lumières :

> En cherchant à dégrader les hommes, on les trompe, on les rend plus malheureux; sur l'idée humiliante qu'on leur donne d'eux-mêmes, ils peuvent être criminels sans en rougir. Pour les rendre meilleurs, il ne faut que les éclairer · le crime est toujours un faux jugement.

Sur l'Eglise, sur Dieu, le livre est muet; une allusion rapide à la « voix de la religion ». La seconde édition des *Considérations* fut dédiée à Louis XV. Il est vrai que Mme de Pompadour avait fait nommer Duclos historiographe.

Considérations sur les mœurs encore, et mots brillants, mots d'auteur ou de causeur, préparés et tranchants, dans ces *Mémoires secrets sur le règne de Louis XIV, la Régence et le règne de Louis XV*, qui parurent seulement en 1790. Dans sa *Préface*, Duclos se déclare incompétent en matière militaire, politique et économique : il écrira donc « l'histoire des hommes et des mœurs ». Car

> l'histoire de l'humanité intéresse dans tous les temps, parce que les hommes sont toujours les mêmes.

Et les meilleurs fragments de ce roman froid que sont les *Mémoires sur les mœurs de ce siècle* (1751) sont encore des considérations et des mots :

> Les principes de la fatuité en France sont aussi anciens que la Monarchie.

Voilà bien un résumé caustique d'une partie de l'*Esprit des Lois*. Et voici une idée que reprendra Chateaubriand dans son *Génie du Christianisme* :

On a perdu bien des plaisirs, en renonçant à la décence.

L'œuvre de Duclos rappelle trop ces discussions de café philosophique où il prenait, en 1726, une part si active. Ses interlocuteurs étaient Boindin, célèbre par sa cornaline gravée aux profils de Descartes, Bayle, Fontenelle, avec cette inscription : « *Sunt tres qui testimonium perhibent de lumine* ». Et sans timidité, puisqu'on tenait surtout, comme disait Terrasson, à être « indépendant de l'opinion qu'ont eue les autres hommes », l'on s'ébrouait à travers la métaphysique.

Duclos, membre de l'Académie Française en 1747, en fut secrétaire perpétuel de 1755 à 1772.

Parmi les *Mémoires* dont les auteurs ont souvent confessé leurs contemporains en se racontant eux-mêmes, il faut retenir ceux de Mme de Staal-Delaunay. Cette aimable femme de chambre de la duchesse du Maine est sentimentale à la façon de Paris : heureuse et plus encore satisfaite d'être aimée, et gardant toujours assez de clairvoyance pour s'analyser avec désinvolture. Voici quelques-unes de ses confidences :

Je me vis dénuée de tout objet [d'amour]. Le défaut de sentiment me fit tomber dans une espèce d'anéantissement pire que l'entière cessation de la vie...
... Disposée naturellement et accoutumée par un long usage à m'attacher, je n'avais plus la force de me passer de cette espèce de soutien...

Et voici, par elle-même, son portrait, à qui ressemblent tant de ses contemporaines :

Sa folie a toujours été de vouloir être raisonnable; et comme les femmes qui se sentent serrées dans leur corps s'imaginent être de belle taille, sa raison l'ayant incommodée, elle a cru en avoir beaucoup. Cependant elle n'a jamais pu surmonter la vivacité de son humeur... Elle a beaucoup lu, et ne sait pourtant que ce qu'il faut pour entendre ce qu'on dit sur quelque matière que ce soit, et ne rien dire de mal à propos... L'amour de la liberté est sa passion dominante.

En deux comédies sans grande profondeur, Mme de Staal s'est plu à persifler la société élégante, ses âmes vides et ses journées laborieusement inoccupées.

***

Un observateur passionné qui s'est fait historien, Saint-Simon, et un moraliste qui est un penseur, Vauvenargues, doivent ici être mis à part, pour la supériorité de leur talent, l'originalité de leur dessein et de leur âme.

Saint-Simon a la précocité et l'humeur vive de Voltaire, une perpétuelle effervescence. De son père, le favori de Louis XIII — favori, non courtisan, comme Sainte-Beuve a si bien dit — il a reçu le sens de l'histoire, ou l'un de ses éléments les plus précieux, qui est la connaissance et le respect fervent des institutions traditionnelles, fondamentales. De sa famille, de son éducation, de son amitié pour l'abbé de Rancé, il tient un esprit scrupuleux : jansénisme moral, non dogmatique; une haine cornélienne pour ceux « en qui le servile surnage toujours »; une fraîcheur d'âme cornélienne aussi, délicate, primesautière; il est pieux, avec ardeur et minutie; il aime ses amis, sans aimer ni excuser leurs défauts. Enfin, comme son siècle, il aime les faits; et il prend à les conter un plaisir d'artiste.

Sa vie a été longue, mais dépourvue d'aventures. Né en 1675 — son père était de l'âge de Corneille — à dix-sept ans il est au service, et il fait brillamment campagne. Il veut épouser une fille du duc de Beauvillier, son ami : n'importe laquelle, car c'est la famille de Beauvillier qu'il estime, et l'aide qu'il y peut trouver pour son salut; il épouse la fille du duc de Lorge, et là c'est par Tendre-sur-Estime encore, qu'il est passé. Il quitte le service, les hauts grades tardant à venir, en 1702. La politique l'attire, l'administration. Mais le roi le juge indiscret; Mme de Maintenon, « glorieux, frondeur et plein de vues », c'est-à-dire de projets de réforme. Il rédige des plans en effet, il les montre à Beauvillier, il compose même, comme Fénelon, une *Lettre anonyme* destinée à Louis XIV; et il attend, et il espère le règne du petit-fils du roi. Le duc de Bourgogne meurt. Après la mort de Louis XIV, Saint-Simon s'efforce de faire triompher ses « vues » auprès du Régent qui l'estime, et qu'il aime. Mais le Régent croit peu, et Dubois croit moins encore, à l'efficacité de ces Conseils que Saint-Simon a préconisés. Philippe d'Orléans disparu, Saint-Simon se retire — non sans que Fleury l'y ait fait engager — dans sa terre de la Ferté-Vidame, où il rédige, de 1740 à 1750, ces *Mémoires* qu'il a commencés en 1694. Il meurt en 1755.

Sa politique, l'a-t-on assez dénigrée ! « Depuis qu'il a quitté le

service, M. de Saint-Simon ne s'applique qu'à régler les rangs »,
disait Louis XIV. Et, sous la Régence, telle chanson, populaire en
apparence, reproche à Saint-Simon de « ne s'occuper que de son
titre ». Au XIX° siècle, où a triomphé tout ce qu'il n'aimait pas :
la bourgeoisie, la « vile bourgeoisie », comme il disait, l'esprit
parlementaire, la politique à l'anglaise, c'est-à-dire d'esprit mercan-
tile, on a pensé l'écraser sous le mépris en le traitant de « féodal ».
Et on lui reproche, aujourd'hui encore, de n'avoir médité sur la
réforme des institutions monarchiques, souhaitée par tous les Français alors, que pour restaurer les privilèges de la noblesse.

La défense des privilèges, tel est en effet le centre de la politique
de Saint-Simon, et la raison de son aversion profonde pour Louis XIV.
Le roi, qui s'est établi « dans les nues » et n'aperçoit plus ses
sujets que « comme des atomes », a rompu avec l'esprit même des
institutions françaises, en établissant dans son royaume une égalité
de dépendance. Privilège est inégalité; c'est aussi, à l'égard du pouvoir royal, indépendance grande ou petite; c'est dignité pour chacun,
et par conséquent force pour l'Etat. Le grand recours de Louis XIV
dans la détresse, ce sont les traitants, ces maltôtiers dont les de-
meures entourent en effet sa statue, place des Victoires; Louis XIII
était le roi des nobles, c'est-à-dire de l'équilibre français, du dévouement qui n'est ni servile ni mercenaire. Des roturiers : Dubois,
Fleury, peuvent administrer, mais, lorsqu'ils dirigent, ils faussent
tout par leur « bassesse », par leur méchant esprit autoritaire, mesquin, destructeur de ces privilèges qu'ils acquièrent pour eux-
mêmes, sans en comprendre la valeur. Louvois, dont le roi suppor-
tait les incartades parce qu'il était un bon ouvrier du despotisme;
Mme de Maintenon, selon Saint-Simon de noblesse douteuse, dont
l'extraordinaire fortune auprès de Louis XIV dégrade moins le roi
lui-même que le premier gentilhomme du royaume; le Parlement,
qui jalouse les ducs et pairs; les bâtards légitimés, dont l'élévation
est un affront aux justes familles, à l'honneur chrétien de la noblesse
française; voilà les objets de la haine de Saint-Simon : haine d'abord
politique, colères d'Alceste abstraites dans leur principe, l'on pourrait presque dire désintéressées.

Colères d'honnête homme, de chrétien, du moins, que Saint-Simon
a tenu à concilier avec sa dévotion sincère. En 1699, il demande
conseil à son vieil ami Rancé, l'exigeant réformateur de la Trappe,
sur ces « espèces de mémoires » qu'il a entrepris. J'ai été véri-
dique, déclare-t-il : mais la vérité sur certaines gens n'est-elle pas
une dure médisance ?

Comme je m'y suis proposé une exacte vérité, aussi m'y suis-je lâché à la dire bonne et mauvaise... [Je redoute] les scrupules qui me convieraient à la fin de ma vie de les brûler..., à cause de tout ce qu'il y a contre la réputation de mille gens, et cela d'autant plus irréparablement que la vérité s'y rencontre tout entière, et que la passion n'a fait qu'animer le style.

Et le même scrupule revient dans l'*Introduction* des *Mémoires* : que sacrifier, la vérité, ou la charité ? Voici la solution de Saint-Simon : la charité pour soi-même et pour autrui consiste à voir clair et à avertir :

Les mauvais, qui dans ce monde ont déjà tant d'avantages sur les bons, en auraient un autre bien étrange contre eux, s'il n'était pas permis aux bons de les discerner, de les connaître par conséquent et de s'en garer, d'en avertir à même fin, de recueillir ce qu'ils sont, ce qu'ils ont fait à propos des événements de la vie, et s'ils ont peu ou beaucoup figuré, de les faire passer tels qu'ils sont et qu'ils ont été à la postérité, en lui transmettant l'histoire de leur temps. Et d'autre part, quant à ce monde, les bons seraient bien maltraités de demeurer, comme bêtes brutes, exposés aux mauvais sans connaissance, par conséquent sans défense, et leur vertu enterrée avec eux. Par là toute vérité éteinte, tout exemple inutile, toute instruction impossible, toute providence restreinte dans la foi, mais anéantie aux yeux des hommes.

Justification singulière, « féodale » pour le coup, puisqu'il s'agit là de batailler et de pourfendre afin que la Providence soit bien manifeste; mais aussi avidité de justice.

Sur le style de Saint-Simon, sur son art d'écrivain, les jugements ne manquent pas. Le premier est celui de Saint-Simon lui-même, à la fin des *Mémoires* :

Dirai-je enfin un mot du style, de sa négligence, de répétitions trop prochaines des mêmes mots, quelquefois de synonymes trop multipliés, surtout de l'obscurité qui naît souvent de la longueur des phrases, peut-être de quelques répétitions ? J'ai senti ces défauts; je n'ai pu les éviter, emporté toujours par la matière, et peu attentif à la manière de la rendre, sinon pour la bien expliquer. Je ne fus jamais un sujet académique...

Le plus célèbre est celui de Chateaubriand, qui, voyant en Saint-Simon un rival et un modèle, le déclarait aussi immortel qu'incorrect : « il écrit à la diable pour la postérité ». Sainte-Beuve, dont la sympathie était vive pour les malveillances documentées du mémorialiste, goûtait ce talent si maître d'un vocabulaire si riche et si nuancé, et si capable de faire gauchir agressivement la syntaxe. Après eux, on a cité à satiété les principaux portraits des *Mémoires*,

Le Déjeuner de Jambon
par LANCRET

les scènes dramatiques, vivantes, où tel détail se grossit jusqu'au symbole : les morts des princes, la mort du roi, le lit de justice où Saint-Simon « assène » ses regards dans les yeux humiliés du premier président.

On a enfin, et ceci paraît plus méthodique et plus neuf, cherché à atteindre à travers les mots et les images le fond même de l'esprit et du talent. Voici les résultats de cette étude originale et patiente. La précision du vocabulaire en tout ordre : politique, droit, théologie, a révélé en Saint-Simon la clarté de l'intelligence. La variété de ses comparaisons prouve sa curiosité étendue : belles-lettres, beaux-arts, histoire, dans ces domaines il a pénétré assez avant, et assez fermement, pour n'employer jamais avec une demi-justesse les images ou métaphores qu'il en tire. Son imagination inlassable apparaît surtout, recueillant, ressuscitant, vivifiant tout ce qu'il a vu : les attitudes, les regards, l'expression ordinaire ou passagère des visages, et les mouvements. Dans ses portraits, les mots sont évocateurs; ils accusent sans cesse le sentiment violent que suscite dans l'âme de Saint-Simon cette résurrection du personnage : alors les redondances s'amassent, les termes suggestifs de mépris ou de haine surviennent brutalement. Harlay, par exemple, est « humble, bas, rampant »; il a des « yeux de vautour », une « robe étriquée », l'« odeur hypocrite ».

Cet examen attentif des mots et des images, et du mouvement du style, révèle chez Saint-Simon un autre aspect de l'âme et du talent. Comme il a un style de haine, il a un style d'affection et d'estime, pressant, détendu, souriant, ou grave mais sans raideur, rehaussé de termes bibliques, rafraîchi d'expressions religieuses. Il a cet accent de vénération, pour publier la vertu de Louis XIII, chasteté et bravoure; ainsi conte-t-il les plaisanteries innocentes de la duchesse de Bourgogne, tandis que bientôt la mort va éteindre ce jeune entrain :

Elle de sauter plus fort et de chantonner plus haut : « Hé je me moque d'elles ! je n'ai que faire d'elles, et je serai leur reine », et ne finit que lorsque le roi rentra.
Hélas, elle le croyait, la charmante princesse, et qui ne l'eût cru avec elle ? Il plut à Dieu d'en disposer autrement bientôt après...
Avec elle s'éclipsèrent joie, plaisirs, amusements mêmes, et toutes espèces de grâces; les ténèbres couvrirent toute la surface de la cour; elle l'animait tout entière, elle en remplissait tous les lieux à la fois, elle y occupait tout, elle en pénétrait tout l'intérieur.

Et voici, sur la mort du duc de Bourgogne, la plus pénétrante des oraisons funèbres :

Il aimait les princes ses frères avec tendresse, et son épouse avec la plus grande passion. La douleur de sa perte pénétra ses plus intimes moelles. La piété y surnagea par les plus prodigieux efforts. Le sacrifice fut entier, mais il fut sanglant. Dans cette terrible application, rien de bas, rien de petit, rien d'indécent. On voyait un homme hors de soi, qui s'extorquait une surface unie, et qui y succombait. Ses jours en furent bientôt abrégés. Il fut le même dans sa maladie. Il ne crut point en relever, il en raisonnait avec les médecins; dans cette opinion, il ne cacha pas sur quoi elle était fondée; on l'a dit il n'y a pas longtemps, et tout ce qu'il sentit depuis le premier jour jusqu'au dernier l'y confirma de plus en plus. Quelle épouvantable conviction de la fin de son épouse et de la sienne ! mais, grand Dieu ! quel spectacle vous donnâtes en lui, et que n'est-il permis encore d'en révéler les parties également secrètes, et si sublimes qu'il n'y a que vous qui les puissiez donner et en connaître tout le prix ! Quelle imitation de Jésus-Christ sur la croix ! on ne dit pas seulement à l'égard de la mort et des souffrances, elle s'éleva bien au-dessus. Quelles tendres mais tranquilles vues ! Quel surcroît de détachement ! Quels vifs élans d'actions de grâces d'être préservé du sceptre et du compte qu'il en faut rendre ! Quelle soumission, et combien parfaite ! Quel ardent amour de Dieu ! Quel perçant regard sur son néant et ses péchés ! Quelle magnifique idée de l'infinie miséricorde ! Quelle religieuse et humble crainte ! Quelle tempérée confiance ! Quelle sage paix ! Quelles lectures ! Quelles prières continuelles ! Quel ardent désir des derniers sacrements ! Quel profond recueillement ! Quelle invincible patience ! Quelle douceur ! Quelle constante bonté pour tout ce qui l'approchait ! Quelle charité pure qui le pressait d'aller à Dieu ! La France tomba enfin sous ce dernier châtiment; Dieu lui montra un prince qu'elle ne méritait pas. La terre n'en était pas digne, il était mûr déjà pour la bienheureuse éternité.

Enfin, l'on a remarqué que les termes religieux abondent sous sa plume, dans les passages où s'exprime son amour du bien public, son patriotisme. Est-ce parce que jusqu'alors les moralistes sociaux, comme les moralistes de l'âme individuelle, avaient à peu près tous été des chrétiens ? C'est plutôt que l'expression naturelle d'un sentiment de ferveur, chez Saint-Simon, est une expression religieuse.

Chez Vauvenargues, lui aussi, la sensibilité est profonde et susceptible : mais qu'elle est peu chrétienne !

Sa vie, si brève (1715-1747), ne nous est guère connue que par les déceptions et les ambitions qui l'ont jalonnée. Sa famille, de bonne noblesse provençale, est pauvre; son père est économe et autoritaire. Au collège, vers quinze ans, il s'exalte sur les grands hommes de Plutarque, sur le stoïcisme éloquent ou grandiloquent de Sénèque; il souhaite d'être la victime intrépide de quelque « infortune remarquable ». Au régiment, où il arrive à vingt ans comme lieutenant en second, il fait un an de campagne, en Italie; dès 1737, le dégoût le prend de la vie d'officier; il n'a pas cet « amour des détails » qu'il juge avec raison nécessaire dans cet état; il se désintéresse des réformes militaires si importantes que l'on entre-prend alors; il goûte peu la société de ses camarades, et certains de leurs passe-temps lui font horreur. Sa santé est fragile. Il fait des dettes. Pour se distraire ou par vocation, il devient le directeur intellectuel et moral de quelques officiers plus jeunes, du chevalier de Mirabeau, puis d'Hippolyte de Seytres, dont il écrira bientôt un éloge funèbre emphatique. Il écrit à ses amis, au marquis de Mira-beau, à Fauris de Saint-Vincent, des lettres de confidences, des lettres désenchantées où il dénigre les provinciaux de Bordeaux ou de Ver-dun. De Metz, qui est sa sixième garnison, il part en 1741 pour la campagne de Bohême. Son rôle pendant la retraite de Prague ne nous est pas exactement connu : il souffrit durement, en tout cas, et peut-être eut-il les jambes gelées. Pendant ses congés, il séjourne à Aix, dans sa famille qui, dit-il, « n'est pas riante »; à Paris dont il est enthousiaste, pour la « bigarrure » de mœurs, de goûts et d'opinions qu'il y rencontre, et qui lui semble capable de régler sainement son esprit. A Paris aussi il voit des « misères qui serrent le cœur », bassesses ou scélératesses. A la guerre, il observe beau-coup et les autres et lui-même; et ses remarques ont tantôt un tour rythmé et mélancolique, qui annonce la prose chantante de la fin du siècle, tantôt le tour épigrammatique, blessé, des portraits de La Bruyère. Mais l'amertume domine, dans ses réflexions sur l'armée d'alors, « la pétaudière d'armée où je suis », écrit-il, « et où il est si désagréable d'être : les talents, la bravoure, les bons services n'y sont nullement considérés; le zèle y est ridicule, le patriotisme absurde. » Il donne sa démission en 1744, un an avant Fontenoy. Il voudrait servir le roi dans la diplomatie : sa demande n'obtient qu'une réponse courtoise. Il souffre du défaut d'argent. A Paris, où il s'établit en 1745, il se résigne à être écri-vain, à n'être qu'écrivain. En 1746 paraît, sans succès, son *Intro-duction à la connaissance de l'esprit humain*. Il meurt en 1747. Depuis 1743 il était en commerce épistolaire avec Voltaire.

Que faisait-il, le « père Vauvenargues », comme on l'appelait au régiment avec une déférence ironique pour son visage préoccupé, que faisait-il dans cette chambre, où il s'enfermait si souvent ? Il lisait, d'abord, il relisait les grands auteurs du grand siècle : Boileau, La Fontaine, Corneille, Racine, Molière, Bossuet, Fénelon, La Roche-foucauld, La Bruyère, Pascal; à quoi il ajoute Fontenelle, Voltaire, quelques historiens; et sans vouloir se l'avouer, en se donnant même un tout autre but, il s'acheminait à l'état d'homme de lettres.

Son premier dessein paraît en effet avoir été de trouver le secret

de devenir homme d'action. Il veut « connaître l'esprit humain »,
pour pouvoir agir sur les hommes. Il se croit supérieur; il se veut
supérieur. Les héros de Plutarque ont exalté son énergie plus encore
que son imagination. « Passion poétique de l'action », dit bien justement Lanson, où entrent le rêve héréditaire du gentilhomme, le
regret de connaître l'insuffisance de ses forces physiques, un besoin
de revanche sur les déceptions et les malchances.

Mais son vrai dessein bientôt, c'est de se peindre lui-même :

Je parle des choses ou j'en écris, selon qu'elles m'affectent ou m'intéressent.

Telle est sa règle instinctive. C'est dans ses *Lettres* au marquis
de Mirabeau qu'il révèle ses sentiments et ressentiments profonds,
sa philosophie de la vie. Vous me voyez solitaire, écrit-il, et vous me
croyez sauvage ? Vivre à la Cour cependant ne m'aurait pas déplu :
la Cour est

le centre où tout aboutit et fermente, d'où le bien et le mal se répandent
partout : j'y vois le séjour des passions, où tout respire, où tout est
animé, où tout est dans le mouvement.

Aussi les « vertus » qu'il recommande sont-elles plutôt des énergies passionnées : « la hauteur, la force, la véhémence »; et les
« vices » qu'il attaque sont des contraintes : « la roideur de
l'esprit, la dureté des manières, la sévérité » :

J'aime un homme fier et violent, pourvu qu'il ne soit point sévère.
Nul esprit n'est si corrompu que je ne le préfère, avec beaucoup de
joie, au mérite dur et rigide. Un homme amolli me touche, s'il a l'esprit
délicat; la jeunesse et la beauté réjouissent mes sens malgré l'étourderie et la vanité qui les suivent; je supporte la sottise, en faveur du
naturel et de la simplicité; l'artifice me découvre les ressources d'un
esprit fécond; la violence et la fierté me paraissent excusables; l'homme
infâme attache mes yeux sur la sorte de courage qui soutient son
infamie; le crime et l'audace me montrent des âmes au-dessus des
préjugés, libres dans leurs pensées, fermes dans leurs desseins; je laisse
vivre en repos l'homme fade et sans caractère : mais l'homme dur et
rigide, l'homme tout d'une pièce, plein de maximes sévères, enivré de
sa vertu, esclave des vieilles idées, qu'il n'a point approfondies, ennemi
de la liberté, je le fuis, je le déteste; c'est, selon moi, l'espèce la plus
vaine, la plus injuste, la plus insociable, la plus ridicule, la plus sujette
à se laisser tromper par les âmes basses et fausses, enfin l'espèce la plus
partiale, la plus aveugle et la plus odieuse que l'on trouve sous le
soleil.
Un homme haut et ardent, inflexible dans le malheur, facile dans le
commerce, extrême dans ses passions, humain par-dessus toutes choses,

avec une liberté sans bornes dans l'esprit et dans le cœur, me plaît
par-dessus tout; j'y joins, par réflexion, un esprit souple et flexible, et
la force de se vaincre, quand cela est nécessaire.

Voilà dans quel esprit il a lu Pascal. Aussi ne faut-il pas s'étonner, dans l'*Introduction*, de voir son inquiétude, modelée sur celle
dont frémissaient les *Pensées*, ne pas le conduire à Dieu. Il le proclame nettement :

L'étude de mon âme et la connaissance des hommes sont l'unique fin
de mes actions, et l'objet de toute ma vie.

Et il constate sans amertume, tout au contraire, que l'homme
ne peut rester en repos. Pour lui, il ne s'agit pas là d'un « divertissement », d'un désir de s'étourdir, d'une course à l'illusion, mais
de l'activité indispensable à l'homme, et chez l'homme toujours
belle et bonne.

Sur les tendances de sa pensée métaphysique, une formule de
sa correspondance avec Fauris de Saint-Vincent est sans doute à
retenir :

Les hommes, mon cher Saint-Vincent, ne font qu'une société, l'univers
entier n'est qu'un tout, il n'y a dans toute la nature qu'une seule âme,
un seul corps.

Cela rend bien le son de panthéisme stoïcien ou spinoziste que
donnent volontiers les formules maçonniques, vers cette époque.
On sait le développement de la Franc-maçonnerie dans l'armée alors,
dans la jeune noblesse. Il est possible, mais possible seulement, que
Vauvenargues ait été initié et que son âme, gravement accueillante
à tout ce qui lui paraissait « humain » et « libre », ait médité
sur les principes des Loges...

Sur le goût littéraire, ses réflexions sont nombreuses, et, on le
remarque dans sa *Correspondance* avec Voltaire, souvent tranchantes.
Il est classique, par son attachement au principe de l'imitation; ses
modèles, ce sont les écrivains éloquents du xviie siècle : Pascal,
Bossuet. Avant Rousseau, ce jeune homme a voulu restaurer le style
oratoire, ce Provençal a goûté en musicien l'harmonie des périodes.

On peut rêver, comme Lanson l'a fait, d'un Vauvenargues né
en 1760, qui aurait été révolutionnaire, puis romantique. Tel qu'il
est, avec ses échecs, son apologie du cœur, son réalisme singulier,
où tant de franchise et de résignation stoïque se mêle à une soif
si incessante d'évasion, et à une telle méconnaissance de la réalité
que servaient Bossuet et Pascal, ses maîtres d'éloquence, il est pro-

fondément émouvant, ce jeune homme sans raillerie, qui inquiétait Voltaire, ce jeune esprit qui, déjà avant que fussent poussées très loin les destructions « philosophiques », rêvait de reconstruire, sur un fondement d'Antiquité, et de passions, et de liberté.

La leçon de Vauvenargues, c'est qu'il faut être soi-même, de toute sa volonté, de toutes ses forces; ne pas contraindre sa propre nature, et ne pas la laisser contraindre, courber. Il faut se connaître et vivre le rêve d'action qu'on bâtit sur cette connaissance. S'il avait pu vraiment agir, aurait-il tant rêvé, et avec tant d'orgueil ?

LA FOI ET L'INCRÉDULITÉ

Les moralistes attentifs à l'homme de tous les temps, et à l'homme du monde, indifférents ou hostiles aux dogmes chrétiens, ne nous renseignent pas sur l'état religieux de la France à cette époque.

Les événements de l'histoire ecclésiastique déjà peuvent nous documenter. Depuis la Bulle *Vineam Domini* (15 juillet 1705) qui déclare le « Silence respectueux » insuffisant, jusqu'à l'arrêt du Parlement du 4 janvier 1738 supprimant la Bulle de canonisation de saint Vincent de Paul — saint Vincent avait combattu le jansénisme — les protestations jansénistes ne cessent de résonner; le Parlement, par gallicanisme, s'en fait l'écho; le gouvernement s'efforce d'en finir, ou d'apaiser, ou d'étouffer les dissensions. Et le public chrétien, à Paris surtout, se passionne.

Les préoccupations d'orthodoxie sont donc très vives : orthodoxie surtout morale, conformément à la tradition des *Provinciales,* et sur laquelle, par conséquent un laïque prend plus aisément parti. C'est la morale de l'Evangile, que Quesnel, dans ses *Réflexions morales* (1671, 1679, 1693), avait entendu restituer; c'est elle que Bossuet s'est proposé de défendre, lorsqu'il a entrepris de recommander le livre de Quesnel; elle que le cardinal de Noailles a voulu soutenir, par son Mandement de 1693 élogieux aux *Réflexions morales.*

De la longue querelle janséniste voici les faits les plus importants :

13 juillet 1708 : Condamnation par Clément XI des *Réflexions morales.*

29 octobre 1709 : Expulsion des religieuses de Port-Royal-des-Champs; destruction du monastère.

1712 : Après la mort du duc de Bourgogne, publication de son *Mémoire* sur le Jansénisme.

8 septembre 1713 : Bulle *Unigenitus*.

1714 : La Bulle, ou Constitution, est acceptée de plus de cent diocèses; quatorze évêques sont opposants; la Sorbonne l'accepte, le 5 mars.

1715 : Noailles, sous l'influence du Parlement, est nommé président du Conseil de conscience pour les affaires ecclésiastiques. — Exil du P. Le Tellier.

4 janvier 1716 : Anarchie à la Sorbonne; réunion à Paris de douze évêques opposants.

1er mars 1717 : Quatre évêques font appel du pape au futur concile : La Broue, de Mirepoix; Soanen, de Senez; Colbert, de Montpellier; de Langle, de Boulogne. — La Sorbonne adhère à l'appel.

Le nombre des évêques appelants atteint seize. Noailles est appelant. Trois universités : Paris, Reims, Nantes, et deux ou trois mille ecclésiastiques se joignent à eux.

1719 : Mort de Quesnel.

1720 : Négociations. Noailles accepte la Bulle. Corps de doctrine approuvé par trente évêques.

1722 : Innocent XIII, qui a succédé à Clément XI, blâme l'accommodement de 1720.

1724 : Mort d'Innocent XIII, élection de Benoît XIII, qui est thomiste : Noailles le félicite de son élection; il déclare accepter la Bulle *Unigenitus* « dans le même esprit que le pape ». La Sorbonne s'assemble pour recevoir la Constitution.

1725 : Concile, à Rome, sur la discipline ecclésiastique; la Constitution y est confirmée. Protestations jansénistes en France.

1727 : Concile d'Embrun, contre l'évêque Soanen.

1728 : Noailles accepte la Bulle purement et simplement.

1729, 4 mai : Mort de Noailles. — La Sorbonne se rallie à la Constitution. Les Oratoriens sont privés par l'archevêque de Paris, M. de Vintimille, de l'exercice de la parole divine. — Miracle (guérison de Mad. La Fosse) attribué à l'intervention du diacre Pâris (mort le 1er mai 1727, adversaire de la Communion fréquente).

1731, 9 février : Condamnation par le Parlement des cinq premières feuilles des *Nouvelles ecclésiastiques*. — Nouveaux miracles attestés par vingt-trois curés de Paris. Deux évêques, Colbert de Montpellier, et Caylus, d'Auxerre, se déclarent en faveur des miracles.

1732, 27 janvier : Ordonnance du roi fermant le cimetière de Saint-Médard.

27 avril : Mandement de l'archevêque de Paris condamnant les

Nouvelles ecclésiastiques : vingt-deux curés de Paris refusent de le publier.

3 mai : Le roi se réserve les matières du jansénisme; grève du Parlement, exils, pardons, etc.

1733 : Interdiction des Convulsions en assemblées publiques ou privées.

1735 : Ordonnance de M. de Vintimille sur les miracles du diacre Pâris.

1737 : Affaire de la canonisation de saint Vincent de Paul.

1738, 4 janvier : Le Parlement supprime la Bulle de canonisation.

8 avril : Mort de M. de Colbert, évêque de Montpellier.

En 1740, Benoît XIV, qui succède à Clément XII, est un esprit conciliant; et Soanen meurt cette même année. Depuis 1734, le Parlement a ouvert les yeux sur la propagande philosophique : il a condamné les *Lettres Anglaises*. En revanche, les polémiques jansénistes contre les Jésuites s'accentuent en 1748 dans les *Nouvelles ecclésiastiques*.

Ainsi la foi est chicanière alors : elle reste profonde à Paris dans la bourgeoisie et dans le peuple, et en province. Trublet en 1736 note que l'incrédulité n'est fréquente que dans la capitale et les grandes villes. En outre, pour animer la ferveur religieuse, une vraie campagne de missions se déploie, entre 1730 et 1750. Les Jésuites les plus éloquents prêchent à Paris; les autres se répandent à travers les provinces; les Lazaristes prêchent en Brie et en Beauce, les Eudistes en Normandie, en Bretagne et dans le Maine, les Missionnaires du Saint-Esprit en Anjou, Poitou et Aunis; les oratoriens et les capucins, partout. Le jubilé de 1751 donne lieu à d'édifiantes manifestations. A la cour, la reine, le dauphin et les âmes religieuses qui les entourent escomptent une conversion du roi, qui, vraiment croyant lui-même, mais asservi à ses passions ou habitudes, s'abstient de gagner le jubilé; depuis quelques années il se contente, en matière de piété, d'assister aux cérémonies, et de porter habituellement sur lui une statuette de la Vierge. A Paris, l'avocat Barbier, dans son *Journal*, doute de la sincérité des gentilshommes et des grandes dames qui, dit-il, « remplissent les dehors de la religion pour donner l'exemple au peuple »; il n'en constate pas moins l'énorme affluence des fidèles aux églises. Raynal écrit :

L'histoire ne nous a conservé le souvenir d'aucun jubilé qui ait fait à Paris autant d'impression que celui qu'on y gagne maintenant. On n'y parle, on n'y pense, on n'y est occupé que de cet objet.

Enfin, les ouvrages de vulgarisation apologétique se multiplient : *Préservatif* du P. La Guille *contre l'irréligion et le libertinage*, destiné à « un jeune homme de qualité » (1739) ; *Entretiens* du P. Yves de Valois *sur les vérités fondamentales de la religion pour l'instruction des officiers et gens de mer* (1747) ; *Lettres d'une mère à son fils pour lui prouver la vérité de la religion chrétienne*, de l'abbé Monnet (1747) ; *Lettres Flamandes* de Duhamel, *ou Histoire des variations et contradictions de la prétendue religion naturelle* (1752) : ce n'est pas une histoire, mais une attaque — tardive — contre Pope, une critique véhémente des doctrines et incertitudes métaphysiques de Voltaire, et de la thèse de l'abbé de Prades.

Dans l'enseignement des Séminaires, le cours de théologie le plus répandu alors est la *Théologie de Poitiers* : *Compendiosæ institutiones theologiæ*, imprimées en 1708 sur l'ordre de l'évêque de Poitiers, revues par les R.R.P.P. La Tour et Salton jésuites. Cette théologie est nettement antijanséniste et même les *Nouvelles Ecclésiastiques* l'accusent d'« écarts quiétistes ». Mais elle condamne également le probabilisme, et elle est d'esprit très gallican. La *Théologie de Châlons*, c'est-à-dire celle de Habert, que Fénelon en 1711 voulait faire condamner par Rome, est cependant fort étudiée, et jusqu'en 1764. En somme, les doctrines ou les tendances de Bossuet prévalent, en dépit de la froideur des jésuites et des variations des jansénistes, qui le louent ou le dénigrent, selon qu'ils peuvent ou non se couvrir de son autorité. Certains évêques retirent ses *Méditations sur les Evangiles* des mains des fidèles « comme contenant beaucoup de choses dangereuses dans le corps de l'ouvrage et surtout dans la *Préface* », qui est de l'évêque de Troyes ; cependant, « on peut regarder M. Bossuet comme un Père de l'Eglise gallicane », et le prospectus annonçant en 1742 l'édition de ses *Œuvres Complètes* promet qu'on tirera quelques exemplaires in-folio, « plusieurs personnes ayant paru souhaiter d'avoir ses ouvrages » dans ce format, « pour les placer à la suite des Pères ». « L'épiscopat était avili et remr'i des sujets qui n'avaient d'autres lumières que celles qu'ils avaient puisées à Saint-Sulpice et dans des écoles encore plus suspectes. » Ce jugement irrité du gazetier janséniste constate un fait certain : l'influence sulpicienne domine, dans la formation de notre clergé au XVIIIe siècle, soucieuse avant tout de préparer des prêtres pieux, naturellement attachée aux solutions modérées, et considérant volontiers, sur les questions théologiques encore laissées à la controverse, le juste milieu comme une vertu.

Y a-t-il des mystiques au XVIIIe siècle ? Dans les couvents, sans doute, puisque l'abbé de Brion en 1728, dans son *Traité de la*

vraie et fausse spiritualité, note que les *Œuvres spirituelles* de Fénelon — dont il juge la doctrine « dangereuse et captieuse » — sont
lues « en plein réfectoire » dans des « communautés d'hommes
considérables, et qui se croient très distingués dans l'Eglise » :
ceci doit viser les jésuites; en outre « il y a des couvents de
carmélites où ces ouvrages sont en singulière considération ». Ce
que déplore l'abbé de Brion — qui n'est pas sans attaches avec les
jansénistes ou l'esprit janséniste — le P. de Caussade, jésuite, en
1741 s'en félicite : il vante les bienfaits du mysticisme dans les
couvents. Mais il constate que l'opinion générale est très défavo-
rable à l'idée du mysticisme, et au mot même. L'interlocuteur de
ses *Dialogues,* l'entendant parler de « Saints mystiques », lui demande tout aussitôt : « D'où vient donc que ce nom ne se prend
guère aujourd'hui qu'en mauvaise part ? » L'influence spirituelle de
Fénelon dut être amoindrie par l'effet de ce préjugé. Elle dut se
circonscrire surtout. Elle demeura en honneur dans certains couvents, aux environs de Blois notamment, et les disciples anglais de
Mme Guyon, venant en France, visitaient pieusement ces refuges
de l'amour pur; elle fut conservée par le marquis de Fénelon et par
ce qui resta du « petit troupeau ». En 1735, un certain abbé Gautier
à Paris vante Mme Guyon et Fénelon; mais c'est à un étranger qu'il
s'adresse, à Faltmann, conseiller du comte de Berlebourg. C'est hors
de France que le mysticisme guyonien et fénelonien conserve alors
son prestige et son influence : en Angleterre, en Allemagne, en
Suisse. Le cosmopolitisme littéraire et moral de la seconde partie
du siècle ramènera en France, modifié par son séjour en pays protestant, le goût de la spiritualité fénelonienne. Mais jusque vers 1760
il y a chez nous, plutôt que des mystiques, des dévots, à l'usage
desquels, comme le constate le *Journal des Savants* en 1724, « les
livres de dévotion se multiplient ».

Sur les progrès de l'incrédulité les témoignages abondent : dans
les Sermons du temps, dans les Mémoires. La noblesse volontiers se
réserverait le privilège de l'insolence envers Dieu; et le marquis
de Mirabeau, parlant de l'embastillement du curé spinoziste Guillaume, a ce mot déconcertant :

Il appartient bien aussi à un manant de curé de se donner des airs
d'incrédule !

Mais la noblesse s'acquiert, et dans cette bourgeoise où l'ascension sociale est de règle, on cesse, vers 1730, d'être scrupuleux sur
la pratique religieuse. On traite le carême, dit le P. Croisset dans

un *Parallèle des mœurs de ce siècle et de la morale de Jésus-Christ* (1727), « comme une loi qui n'oblige plus que les gens de couvent et le peuple » :

> Ce bourgeois jeûnait, cette femme dans sa boutique faisait régulièrement le carême; leur fortune a changé : à peine leur a-t-on vu tomber l'aune des mains qu'on leur voit prendre des airs de gens de qualité, et demander la dispense de faire maigre.

Dans le *Sermon* de Molinier *sur les Jugements de Dieu*, qui est du même temps, la « contenance assurée » de l'incrédule est décrite, et son « air moqueur », et le recueillement admiratif des mondains à son approche. Et, tandis que dès 1735 un curé du Poitou note que « la noblesse est peu favorable à l'Eglise et à ses ministres » — « elle ne peut aujourd'hui souffrir les prêtres », notera en 1761 un curé du Bas-Poitou — d'Argenson en 1753 constate et prophétise :

> On ne saurait attribuer la perte de la religion en France à la philosophie anglaise, qui n'a gagné à Paris qu'une centaine de philosophes, mais à la haine contre les prêtres, qui va au dernier excès. A peine osent-ils se montrer dans les rues sans être hués. Tous les esprits se tournent au mécontentement et à la désobéissance, et tout chemine à une grande révolution dans la religion ainsi que dans le gouvernement. Et ce sera bien autre chose que cette réforme grossière mêlée de superstition et de liberté, qui nous arriva d'Allemagne au XVIᵉ siècle. Comme notre nation et notre siècle sont bien autrement éclairés, on ira jusqu'où l'on doit aller; on bannira tout prêtre, tout sacerdoce, toute révélation, tout mystère. On prétend que si cette révolution est pour arriver à Paris, elle commencera par le déchirement de quelques prêtres, même par celui de l'archevêque de Paris. Tout conspire à nous donner l'horreur des prêtres, et leur règne est fini. Ceux qui paraissent dans les rues en habit long ont à craindre pour leur vie. La plupart se cachent et paraissent peu. On n'ose plus parler pour le clergé dans les bonnes compagnies, on est honni et regardé comme des familiers de l'Inquisition. Les prêtres ont remarqué cette année une diminution de plus d'un tiers dans le nombre des communiants. Le collège des Jésuites devient désert; cent vingt pensionnaires ont été retirés à ces moines si tarés... On a observé aussi, pendant le carnaval de Paris, que jamais on n'avait vu tant de masques au bal contrefaisant les habits ecclésiastiques, en évêques, abbés, moines, religieuses... Enfin, la haine contre le sacerdoce et l'épiscopat est portée au dernier excès.

Le « dernier excès » viendra quarante ans plus tard. Et sans doute en 1753, deux ans après les cérémonies si pieusement fréquentées du Jubilé, cette impopularité des prêtres, cet affaiblissement de la ferveur, cette indocilité croissante étaient-ils surtout un accès de méchante humeur. Mais enfin il y avait assez de symptômes d'un mal profond pour que d'Argenson pût annoncer — et annoncer en bon prophète — une « révolution ».

Du mal ou du malaise grandissant les causes étaient nombreuses et multipliées chaque jour, on l'a vu, par l'activité des uns, l'imprévoyance des autres. Auprès du public, de l'opinion, l'un des motifs généraux les plus capables d'influence n'était-il pas le ressentiment accumulé jadis, et qui enfin se déployait, contre l'esprit d'autorité tel que Louis XIV l'avait incarné ? « O Rois, vous êtes des dieux ! », avait dit Bossuet — non sans ajouter à cet hommage le correctif de son juste sens sacerdotal. Retournant d'instinct la formule, c'est comme un roi absolu, que le XVIIᵉ siècle s'était représenté Dieu. Leibniz le dit en propres termes, au début de sa *Théodicée* : je voudrais, annonce-t-il,

éloigner les hommes des fausses idées, qui leur représentent Dieu comme un prince absolu, usant d'un pouvoir despotique, peu propre et peu digne d'être aimé.

Le commentaire qu'en 1737 les *Mémoires de Trévoux* donnent de ce passage est également suggestif :

Par l'usage que nous avons des livres protestants mitigés et de tout ce qui s'appelle tolérants, déistes, beaux-esprits, auxquels nos Réfugiés en Hollande et ailleurs ont donné le ton, ces Messieurs fondent tous leurs nouveaux systèmes de religion comme de politique sur l'exclusion du *pouvoir despotique :* qualification odieuse que l'on pourrait leur passer s'ils ne lui faisaient envelopper l'autorité légitime de la Monarchie, et la puissance suprême de la Divinité; dépouillant l'une et l'autre de toute liberté, de toute élection arbitraire, et de toute dispensation de justice vindicative et autre. Ils nous recommandent beaucoup la bonté, la *bienfaisance,* la miséricorde de Dieu, et l'amour que nous lui devons. Dieu est infiniment bon, cela n'est pas douteux. Mais Dieu est infiniment juste aussi, et l'Ecriture ne cesse de nous recommander une crainte salutaire : d'où résulte la *crainte filiale* et *l'amour respectueux.*

Juste, chrétienne leçon de conciliation nécessaire ! Mais les jeunes générations qui se sentent fortes ne songent guère à compléter ce qui a été l'idéal de leurs parents : leur premier geste est de le jeter à bas.

LES GOÛTS NOUVEAUX

Ces impérieux désirs qui s'éveillent et veulent se satisfaire ont pu être excités et parfois suscités par quelques penseurs. Ils sont en

tout cas diffus dans le public, à Versailles surtout et à Paris, et l'on
a vu, dans l'histoire du théâtre et du roman à cette époque, que
plus d'une fois les auteurs de romans ou de comédies témoignaient
de la puissance de ces courants nouveaux, en s'efforçant de les orienter ou de les combattre.

Le premier, c'est la *sensibilité*. On en a médit bien souvent, de
cette sensibilité du xviiie siècle; et, sans trop en distinguer les étapes
successives, on l'a rendue tout entière responsable des désordres de
l'esprit, qui ont préparé quelques erreurs révolutionnaires. Les lec-
trices de Rousseau, dans la seconde partie du siècle, admettront en
effet que l'amour ait un rôle moralisateur; alors on s'imaginera que
la popularité du souverain peut suppléer aux réformes politiques; on
pleurera de tendresse aux actes de bienfaisance, qui prouvent en
l'homme tant de bonté originelle... Mais, dans les dernières années
du xviie siècle, c'est l'amour racinien qui tourmente la présidente
Ferrand, et lui arrache ces aveux, qu'elle adresse au baron de Breteuil :

> J'ai trouvé le secret d'être plus solitaire que les Chartreux, et cette
> retraite me livre tout entière à l'amour, dont la vivacité s'affaiblit par
> la dissipation que cause le grand nombre. Il me semble que, depuis que
> vous êtes parti, Paris est devenu un désert : je n'y vois plus rien.

Mme de Lambert, qui en 1709 mettait sa fille en garde contre
les « grands ébranlements de l'âme », et lui indiquait les « remèdes
pour arrêter les progrès de l'amour » au cas où son jeune cœur aurait
« le malheur d'en être attaqué », en vient, en 1727, dans ses *Réflexions nouvelles sur les femmes*, à faire l'apologie du sentiment :

> La sensibilité est une disposition de l'âme qu'il est avantageux de
> trouver dans les autres. Vous ne pouvez avoir ni humanité ni générosité
> sans sensibilité. Un seul sentiment, un seul mouvement du cœur a plus
> de crédit sur l'âme que toutes les sentences des philosophes. La sensi-
> bilité secourt l'esprit et sert la vertu.

Quelques années passent; et c'est, en 1740, la lettre où Mme du
Deffand, âme aride et avide, raille chez le président Hénault les
termes romanesques où son vieil ami a cru pouvoir traduire son
impatience de la revoir : pour moi, ajoute-t-elle, je n'ai « ni
tempérament ni roman ». Et le président lui répond :

> Vous n'avez ni *tempérament ni roman?* Je vous en plains beaucoup,
> et vous savez comme une autre le prix de cette perte; car je crois vous
> en avoir entendu parler.

Il sait bien l'amertume de ce cœur desséché par l'abus du plaisir et de la raison, et que l'ennui revient meurtrir sans cesse.

Et voici en 1750 Mme de Puisieux, l'amie de Diderot :

Vivre sans passions, c'est dormir toute sa vie, et rêver que l'on boit, que l'on mange, que l'on marche, que l'on parle. Il faut être remué par quelque affection pour être.

Cette sensibilité se dépense en amours violentes, « grands ébranlements de l'âme », « délices du sentiment ». Elle trouve à s'exercer au spectacle des tragédies ou du jeu des acteurs tragiques. Si Lekain, dès son début à la Comédie-Française en 1750, se fait tant applaudir, c'est surtout parce que son « expression très pathétique », dit le *Mercure*, « remue, touche, entraîne ».

Enfin l'on est une âme sensible, aux alentours de 1750, lorsqu'on aime la nature, c'est-à-dire lorsqu'on goûte le charme « romantique », comme on dit dès lors, le charme pittoresque et littéraire, de la campagne et des jardins. Les maisons des champs se multiplient autour de Paris : maisons de délassement ou de plaisir, d'où l'on tient à avoir une vue étendue sur les bois, le ciel, et la rivière de Marne ou de Seine. Les jardins domestiqués et raisonnables de Le Nôtre déplaisent à Montesquieu; Lerouge le paysagiste, en 1734, va chercher des « idées » pour ses jardins dans la forêt de Fontainebleau, « dans ces rochers informes et sauvages », que l'abbé Leblanc célèbre en 1745. On goûte la simplicité apparente des jardins anglais, les pathétiques détours des jardins chinois, leurs « transitions subites », leurs « frappantes oppositions de forme, de couleur et d'ombre », leur « air de désordre, de caprice, de négligence même », qui « fournit au plaisir de l'âme », en rappelant des émotions de spectateur, en donnant à la nature un rôle à tenir : monologue ou reparties.

La vogue de la *physique*, comme on disait alors, c'est-à-dire des sciences de la nature, est un des grands engouements de ce temps-là. Lorsque le régent Denyse écrit en 1719 : « Deux choses sont nécessaires dans l'étude de la physique : l'expérience et le raisonnement; nous allons commencer par le raisonnement », il fait déjà figure de retardataire. C'est à l'expérience que s'intéresse désormais et se fie le public, profanes et autodidactes. On hait la scolastique, et l'on méprise les systèmes. On estime les *Mémoires* de Réaumur *pour servir à l'histoire des insectes* (1734-1742), parce que c'est un recueil d'expériences; on se presse au cours de l'abbé Nollet, depuis 1734, parce que l'abbé s'est déclaré l'ennemi de « tout parti pris et de toute spéculation ». Les noms de Bacon le positiviste et de

Newton l'expérimentateur sont révérés de nos Français. En 1753, l'*Année Littéraire* constate que

la physique est si universellement cultivée que le beau monde et le beau sexe même ne dédaignent pas de s'en amuser, je pourrais dire de s'en occuper.

Il ne faudrait pas croire cependant qu'un culte si répandu de la physique et de ses méthodes ait produit spontanément, dès ce temps-là, des fruits de critique implacable et d'irréligion. Les grands « physiciens » d'alors ou les plus réputés ont été personnellement fort pieux, ou sincères dans leur sympathie au christianisme; et personne ne l'ignorait. Et puis, il faut le répéter, ce domaine apparaissait à beaucoup distinct du domaine de la Foi.

L'anglomanie du XVIIIᵉ siècle finissant imposera chez nous des modes, des plaisirs, un idéal politique. A la fin du règne de Louis XIV et jusque vers 1750, c'est une sympathie plus libre que l'on constate pour l'Angleterre dans notre public éclairé. Tandis que le populaire plaint Jacques II, les mondains sont instruits par les lettres de Saint-Evremond des choses d'Angleterre : littérature, théâtre surtout. Après 1688, l'Angleterre est, aux yeux des réfugiés français, qui ont tant agi sur l'opinion proprement française, la terre par excellence de la liberté intellectuelle, des « profonds raisonnements métaphysiques et physiques », comme l'écrit Bayle à Desmaizeaux. L'Angleterre est le pays où l'on « pense », et c'est aussi, selon le Suisse Muralt dont le sentiment est vite adopté chez nous, un « pays de passions et de catastrophes ». Et les traductions se succèdent : de Locke, de Pope, des déistes et des libres-penseurs anglais, d'Addison, de Swift, de Milton. Plusieurs Anglais de marque viennent séjourner en France : Addison, qui s'entretient avec Boileau; Prior qui peut-être visite Fénelon; Bolingbroke l'exilé qui épouse Mme de Villette, nièce de Mme de Maintenon; Hume qui va se recueillir à La Flèche. Quelques Français marquants vont en Angleterre : Mery le chirurgien, Montmaur, l'abbé Dubos, Destouches le poète comique, Voltaire, Prévost, Montesquieu.

Enfin, l'Angleterre nous donne plusieurs variétés sans doute de cette association dont l'influence sur l'esprit français d'alors reste mystérieuse, mais dont la vogue est incontestable dans la France de Louis XV : la franc-maçonnerie. C'est vers 1720 que J.-Th. Désaguliers réorganise la franc-maçonnerie anglaise; elle ne tarde pas à rayonner en France : en 1726, la loge Saint-Thomas est fondée par quelques Anglais jacobites d'importance. Quelques tenues maçonniques ont lieu à Paris et à Aubigny chez la duchesse de Portsmouth, et Montesquieu assiste au moins à l'une d'entre elles. Six nouvelles loges s'établissent. Ramsay, le biographe de Fénelon, en est grand orateur ou chancelier. En 1737, le pouvoir s'émeut, et interdit les réunions. Le 29 mai 1738, par la bulle *In eminenti*, le pape Clément XII condamne la franc-maçonnerie; et Clément de Genève, deux ans après, publie un « hyperdrame » où il raille et censure les « frimaçons ». Quel était l'objet de l'activité maçonnique ? Qu'était-ce que ces *Mémoires* élaborés mensuellement par les loges de Paris, dont parle une *Relation apologique* de 1738 attribuée à Ramsay ? Commençaient-ils la réalisation, souhaitée par Ramsay, entreprise par le libraire franc-maçon Le Breton, d'un « projet de dictionnaire universel, imprimé en français » ? Affirmaient-ils, comme Ramsay n'a pas cru inopportun de le faire dans sa *Vie de Turenne*, la « haute destinée de l'homme dans les siècles à venir » — une religion de la science et de l'humanité ? Nous sommes là-dessus réduits aux conjectures.

La pédagogie tient une grande place parmi les préoccupations de cette époque. Avoir un précepteur n'est plus un luxe réservé aux familles royales ou princières : bourgeois et seigneurs médiocres en font également la dépense. A cette mode la frivolité trouve son compte, puisque ainsi les parents sont dispensés d'élever eux-mêmes leurs enfants. Mais la frivolité aurait pu mieux encore tourner les esprits d'alors vers l'indifférence en cette matière. Une cause plus profonde, c'est que depuis la fin du XVIIe siècle la gravité des questions d'éducation est apparue à plusieurs écrivains ou penseurs. En France, La Chetardye, puis Fleury, puis Fénelon, ont traité de ce sujet; Mme de Maintenon, en fondant Saint-Cyr, a entendu y appliquer une méthode nouvelle; en Hollande, Poiret, en 1690, discute des *Vrais principes de l'éducation chrétienne des enfants*, dans une *Lettre écrite à une personne de bonne volonté*, et cette *Lettre* est reproduite à plusieurs reprises, et traduite en plusieurs langues. Le *Traité sur l'éducation des Enfants* de Locke, paru en 1693, est traduit par Coste, deux ans après, et cette traduction est plusieurs fois rééditée. En Suisse, Crousaz écrit aussi sur l'*Education des enfants* (1722).

Les idées de Fénelon sur l'éducation des enfants et des jeunes filles se trouvaient dans son traité *de l'Education des Filles*; ses vues sur l'éducation en général et en particulier sur celle des jeunes gens se trouvaient dans *Télémaque*. Il y avait assurément une différence entre ces deux ouvrages, le premier étant très didactique et d'esprit très positif, le second plus idéaliste. Mais les principes essentiels étaient les mêmes en l'un et en l'autre : donner une idée agréable, une image belle et souriante du bien; faciliter la pratique des vertus; se servir le moins possible des règles et de l'autorité sèche; faire sentir les fautes au lieu de les reprocher; en somme, élever enfants ou jeunes gens par l'expérience, en provoquant artificiellement au besoin cette expérience; faire aimer la simplicité en tout; admettre les plaisirs simples et se servir de ces plaisirs pour insinuer le goût de la vertu; habituer aux exercices physiques. De plus, dans *Télémaque*, Mentor voulait que l'éducation des enfants fût une institution d'Etat. Et ce qui ressortait clairement de *l'Education des Filles* comme de *Télémaque*, c'est que leur auteur croyait d'une foi vive au pouvoir de l'éducation : insistant sur l'efficacité de ses conseils s'ils étaient exactement pratiqués, dans le Traité; et dans le roman, montrant le succès des avis de Mentor soit sur la formation morale de Télémaque, soit dans la formation politique, dans l'éducation sociale des peuples d'Idoménée.

Ces principes féneloniens n'étaient pas sans rapport avec ceux de Fleury, qui recommandait, lui aussi, qu'on associât dans l'esprit des enfants les idées du bien et du beau, et qui préconisait, à l'encontre des raffinements de son siècle, la simplicité antique des manières, des vêtements, de la cuisine même.

Poiret s'inspirait sinon de Fénelon lui-même, du moins, sans doute, des mêmes tendances religieuses que Fénelon, quand il reprochait aux éducateurs contemporains de cultiver trop l'esprit sans songer au cœur, et de trop charger la mémoire des enfants.

Locke éducateur est d'abord un médecin, attentif à notre « maison d'argile » : le corps, dit-il, mérite nos soins, pour qu'il devienne « aussi apte que possible à exécuter les ordres de l'esprit ». Aussi multiplie-t-il les préceptes d'hygiène, condamnant d'ailleurs les besoins factices et les prétendus raffinements de la mode dans l'emploi des journées comme dans le choix des aliments. L'éducation morale prime chez lui, et de beaucoup, l'instruction. Le vrai ressort de l'éducation est selon lui le sentiment de l'honneur. Pour la formation morale, son grand moyen est l'expérience, les exemples. Il n'admet pas de culture désintéressée : « Quel est le savoir le plus utile ? » Il estime non le grec, mais les leçons de choses, et il recommande qu'on enseigne à tout jeune homme un ou plusieurs métiers manuels.

Les idées de Fénelon et de Locke se mélangent, à des doses diverses, chez les éducateurs français, dont les plus importants sont alors Mme de Lambert et Rollin. Les *Avis* de la marquise *à son fils et à sa fille*, publiés en 1728, restent cependant bien superficiels, et insistent, non sans quelque épicurisme assez fade, sur l'excellence de la recherche du bonheur. Rollin emprunte à Locke et à Fénelon ce qu'il trouve chez l'un et chez l'autre de plus sain et de plus solide. Après 1750, les éducateurs attrayants se réclameront de Fénelon ou lui feront de nombreux emprunts : ainsi Mme de Beaumont dans son *Magasin des enfants* (1751).

La politique occupe l'opinion française : politique ou administration intérieure, politique extérieure, prestige de la France; et l'esprit patriote s'éveille et grandit.

A l'intérieur, ce sont les crises de l'opposition parlementaire et janséniste. Les Parlements sont favorables au jansénisme par esprit gallican, mais aussi parce qu'ils trouvent là une occasion de plus de limiter l'arbitraire royal, et de reprendre la tradition française opposée à l'absolutisme, les lois fondamentales du royaume, ou l'esprit ancien de la monarchie. Voici leur doctrine politique, telle que l'expose en 1721 le *Journal* d'un parlementaire :

> Le Parlement est un lien nécessaire entre le souverain et ses autres sujets... Si le prince était le seul juge des lois, il ferait passer pour des lois justes tout ce qu'il lui plairait, et ainsi le gouvernement dégénérerait bientôt en un despotisme barbare, dont les Français ont tant d'horreur.

Le Parlement sera un « médiateur entre le prince et le peuple »; il sera, à défaut du peuple dont le contrôle en ce genre ne s'exercerait pas sans danger, « juge de la justice ou de l'injustice des édits et ordonnances ». Faute de quoi, l'autorité royale, « n'ayant plus de frein, devient exorbitante ».

Trente ans plus tard, l'opposition parlementaire est plus vive; lord Chesterfield s'en réjouit, comme des « premiers symptômes de raison et de bon sens qui se manifestent en France »; mais d'Argenson s'en afflige, car il constate en même temps la désaffection croissante des Français pour leur royauté :

> Voilà les inconvénients de la monarchie : la conduite des peuples y dépend trop des misères de l'humanité. La mauvaise issue de notre gouvernement monarchique absolu achève de persuader en France, et par toute l'Europe, que c'est la plus mauvaise de toutes les espèces de gouvernement. Je n'entends que philosophes dire, comme persuadés, que l'anarchie même est préférable. Cependant l'opinion chemine, monte et grandit, ce qui pourrait commencer une révolution nationale... Louis XV n'a su gouverner ni en tyran, ni en bon chef de république; or, ici, quand on ne prend ni l'un ni l'autre rôle, malheur à l'autorité royale !

Le Jansénisme n'a été combattu par le cardinal de Fleury que dans ses manifestations, non dans ses doctrines. Or l'une de ces doctrines chemine, elle aussi, dangereusement pour la monarchie.

Saint-Simon cite cette note adressée par un jésuite au P. Le Tellier sur les Pères de l'Oratoire :

> Ils sont toujours pour les jugements des hommes assemblés;... tout ce qui vient de l'autorité d'un seul leur déplaît.

Lafitau, dans ses *Entretiens*, prétend que selon les jansénistes les Parlements tiennent leur autorité de la nation, « la propriété du gouvernement et de l'autorité monarchique résidant dans la nation, et non dans le monarque », et « le roi recevant la souveraineté de son pouvoir de la nation, et non immédiatement de Dieu ». Cette théorie, que le janséniste J. Besoigne a du reste professée en 1737 dans son *Catéchisme sur l'Eglise dans les temps de trouble,* et qui sera reprise par le canoniste janséniste Maultrot au moment de la Révolution, était en somme la théorie admise dans la Chrétienté, avant la poussée nationaliste du xvi⁰ siècle. Mais en ce premier tiers du xviii⁰ siècle, elle faisait scandale, orchestrée qu'elle était de certains maléfices de convulsionnaires en 1733 :

> Rois, tremblez ! c'est le roi des rois qui s'arme contre vous... ô prince malheureux, je te ferai descendre...

Quant au prestige extérieur de la France, à ses victoires et à ses défaites, la nation sous Louis XV y est attentive. Empressement aux *Te Deum,* chansons, popularité du maréchal de Saxe qui « seul vise au grand », dit le duc de Noailles, allégresse de Fontenoy, amertume de Rosbach, telles sont les manifestations de ce patriotisme d'abord confiant, puis aigri, toujours sensible. Dans ses jugements sur les ministres des Affaires étrangères, la bourgeoisie parisienne garde sa clairvoyance. Mathieu Marais et Barbier notent dans leur *Journal* leur estime pour les négociations heureuses du trop décrié cardinal Dubois. Enfin, n'est-ce pas une bourgeoise qui, à la fin de son équivoque carrière auprès de Louis XV, a voulu ranimer chez le roi le souci des grandes entreprises, des belles fondations, du prestige national ? Mme de Pompadour, lorsqu'elle s'intéresse à la politique extérieure, voile parfois de désinvolture son incompétence; ses lettres cependant sur ces sujets témoignent d'un patriotisme sincère. Ce sentiment se manifeste souvent, comme chez Voltaire, par une admiration toute cordiale pour ce qu'a fait Louis XIV : elle a tenu à établir son appartement du château sur le modèle de celui de Mme de Montespan; elle tient à encourager les artistes; elle suggère des embellissements pour Paris; l'Ecole militaire, qu'elle a conçue et créée, fait de toute manière pendant aux Invalides; sa manufacture de Sèvres fait pendant aux manufactures royales du Grand Règne.

LES JOURNAUX

Sur l'opinion philosophique et littéraire agissent des périodiques, en très grand nombre. Voici la liste des principaux, pour la période qui nous occupe, avec la date de leur fondation et celle de leur disparition.

1665. *Journal des Savants*, transformé en 1701.

1672. *Mercure* (*Mercure galant* jusqu'en 1723; puis *Mercure de France*).

1701. *Mémoires de Trévoux* (-1767).

1704. *Clef du Cabinet des Princes* — *Journal de Verdun*, à partir de 1707 (-1794).

1712. *Histoire critique de la République des Lettres*, Amsterdam (-1738).

1713. *Journal littéraire*, La Haye (-1722; puis 1729-1736).

1714. *Bibliothèque ancienne et moderne*, Amsterdam (-1727).

1715. *Nouvelles littéraires*, La Haye (-1720).

1716. *Nouvelles de la République des Lettres* (-1718), Amsterdam.

1717. *Bibliothèque anglaise*, Amsterdam (-1728).

1718. *L'Europe savante*, La Haye (-1720).

1719. *Annales des Provinces-Unies*, La Haye.

1720. *Bibliothèque germanique*, Amsterdam (-1740).

— *Mémoires littéraires de la Grande-Bretagne* (-1724), La Haye.

1722. *Mémoires historiques et critiques*, Amsterdam.

— *Mémoires sur divers genres de littérature et d'histoire*, Paris.

1723. *Bibliothèque française*, Amsterdam.

1726. *Le Spectateur* (traduit de l'anglais), Amsterdam.

— *Bibliothèque des livres nouveaux*, Nancy.

— *Histoire littéraire de l'Europe*, La Haye (-1727).

— *Mémoires de littérature et d'histoire*, Paris.

1728. *Mémoires historiques pour le siècle courant*, Amsterdam (-1742).

1728. *Bibliothèque raisonnée des ouvrages des Savants*, Amsterdam (-1752).

1728. *Nouvelles ecclésiastiques*, Paris (-1803).

1729. *Lettres sérieuses et badines* (puis 1740).

1730. *Le Nouvelliste du Parnasse*, Paris (-1732).

1731. *Journal britannique*, La Haye (-1757).

1732. *Journal historique de la République des Lettres*, Leyde (-1733).

1733. *Bibliothèque britannique*, La Haye (-1747).

1733. *Pour et contre*, Paris (-1740).

1735. *Observations sur les écrits modernes*, Paris (-1743).

1736. *Glaneur français*, Paris (-1737).

1738. *Le Hollandais*, Francfort.

— *Nouvelle Bibliothèque*, La Haye (puis 1744).

1740. *Amusements littéraires*, La Haye, Berlin.

1743. *Journal universel*, La Haye (-1747).

1746. *Nouvelle Bibliothèque germanique*, Amsterdam (-1759).

1748. *Cinq années littéraires*, La Haye (-1752).

1749. *Lettres sur quelques écrits de ce temps*, Londres et Paris (-1754).

1750. *Bibliothèque annuelle et universelle*, Paris.

1754. *Année littéraire*, Paris (-1790).

— *Lettres sur les ouvrages de piété*, Paris (-1764).

1756. *Journal encyclopédique*, Liège (-1775).

1759. *Journal des dames*, La Haye (-1761).

Ce qui est digne de remarque, c'est l'extraordinaire multiplication des périodiques pendant la première moitié du siècle. Plusieurs ne durent que quelques années, un an même; tous répondent à une vraie soif de culture; on veut savoir, savoir les faits sur lesquels reposent les opinions et les croyances. Les journaux de Hollande, fondés ou animés par des réfugiés, et auxquels collaborent aussi des Français de France, entretiennent cette avidité, éveillent ce goût de tout discuter, maintiennent la tradition de Bayle.

En France même, la propagande philosophique par les journaux n'a pas d'organe officiel avant 1756 — car on ne peut guère compter comme un vrai périodique les *Mémoires secrets* du marquis d'Argens, ce maniaque d'irréligion. La défense religieuse, au contraire, dispose des *Mémoires de Trévoux*; l'*Année littéraire*, sans proprement plaider la cause chrétienne, attaque l'esprit philosophique; le *Journal des Savants* est la modération même, et le *Mercure* n'a guère de couleur.

LE GOÛT

Grâce à ces journaux, et à d'autres témoignages tels que les livres de critique ou de théorie littéraire, nous connaissons les engouements

d'alors. Le plus vif et le plus persistant fut la passion pour le
théâtre : tragédie, comédie de mœurs, comédie satirique. Les considérations ou « observations » abondent sur ces matières, et quelques
remarques sans profondeur *sur la tragédie moderne* (1731), *sur la
comédie et le génie de Molière* (1736), suffirent à faire un nom à
l'ancien acteur Riccoboni.

Dans le domaine de la poésie en général, et non plus du théâtre
seulement, la grande discussion — traînante, superficielle, sans ré-
sultat — a pour objet les Règles. On les étudie moins qu'on ne
plaide pour ou contre elles. Mais on en parle inlassablement. Quelles
sont les règles de l'épopée ? Etant donné ces règles, *Télémaque* est-il
un poème épique, ou un roman ? Le *Traité du poème épique* du
P. Le Bossu, revu et corrigé en 1708, donnait cette définition :

> L'épopée est un discours inventé avec art, pour former les mœurs par
> des instructions déguisées sous les allégories d'une action importante,
> qui est racontée en vers d'une manière divertissante, vraisemblable et
> merveilleuse.

Mais peut-il exister une épopée en prose ? Mme Dacier mettait
ce désir d'instruire au premier rang des préoccupations d'Homère,
et voulait l'imposer à tout poète épique moderne; La Motte ne
croit, lui, ni à la vertu des Anciens, ni au dessein moral d'Homère;
et il cherche d'autres règles à l'épopée :

> une imagination sublime et féconde..., un jugement solide..., une sensi-
> bilité, une délicatesse de goût.

Terrasson, qui veut ranimer les principes du P. Le Bossu par
« l'esprit de philosophie », déclare :

> La Poésie tire sa beauté la plus essentielle et son agrément le plus
> sûr de la morale qu'on y fait entrer... Le héros épique doit être essen-
> tiellement vertueux.

Les étrangers s'en mêlent : l'Anglais Richard Blackmore, en 1716,
publie un *Essai sur le Poème épique* tout didactique lui aussi. Enfin,
en 1717, Ramsay tient à se prononcer sur ce grave sujet, par un
*Discours de la Poésie Epique et de l'excellence du Poème de Télé-
maque*, qui servira de préface à l'« épopée » de Fénelon. Le poème
épique, dit-il, est

> une fable racontée par un poète pour exciter l'admiration, et inspirer
> l'amour de la vertu en nous représentant l'action d'un héros favorisé

du ciel qui exécute un grand dessein malgré tous les obstacles qui s'y opposent.

[L'action doit être] grande, une, entière, merveilleuse, d'une certaine durée.

[La morale sera] sublime dans ses principes, noble dans ses motifs, universelle dans ses usages.

Et la controverse se prolongera tant que durera l'esprit classique d'étiquetage et de classement.

Les Règles commandent le Goût, ou le Goût se passe d'elles parce qu'il se confond avec elles : et là-dessus encore l'on dispute sans se lasser. Il y a les partisans du goût-« sentiment », il y a ceux du goût-« discernement », ceux du goût-« perfectionné et éclairé par la connaissance ». Au fond, tous sont d'accord, par leur commune vénération de la méthode; et, comme le P. Buffier en 1728 dans son *Traité philosophique et pratique de poésie*, ils croient fermement qu'on devient poète par clairvoyance.

En suivant les règles, pensent-ils, on écrit pour la postérité, car le goût est universel. Quelques esprits audacieux admettent ou supposent que le goût varie, selon les siècles et les climats : mais on les réfute sans pitié. Le prestige du goût français s'impose encore à tous les Français cultivés : même Diderot croit à la réalité d'un « bon goût, aussi vieux que le monde, l'homme et la vertu ».

Quelquefois on se prend à douter, non de l'efficacité des règles, mais de la nécessité d'en avoir un nombre aussi grand. En 1747, l'abbé Batteux enregistre ces doléances contre « la multitude des règles » : la nature, dit-il, « est plus simple dans ses voies ». Voltaire aussi, de temps en temps, s'impatiente contre ceux qui confondent recettes littéraires et beauté littéraire. Cependant, Voltaire et Batteux, eux aussi rationalistes et classiques, amis des Modernes à la fois et des Anciens, laissent aux Règles encore le soin de former le goût, et de discipliner le génie.

Le seul partisan vrai de la liberté de l'art, de la souplesse, dans cette première moitié du XVIIIᵉ siècle, ç'avait été Fénelon, qui, à force de découvrir des grâces à la « négligence », avait presque réussi, dans *Télémaque* et dans la *Lettre à l'Académie*, à donner à ce mot une acception flatteuse.

De cette estime alors si forte pour la clarté, pour la clairvoyance et pour tout ce qui les facilite, voici en 1758 un document assez significatif : c'est un *Dictionnaire iconologique ou Introduction à la connaissance des peintures, sculptures, médailles, estampes, etc., avec des descriptions tirées des poètes anciens et modernes* : réper-

toire précis et allègre de tous les attributs que le peintre et le poète
doivent donner aux vertus, vices et passions, pour être compris.
L'allégorie, affirme l'auteur du *Discours préliminaire*, est nécessaire;
elle plaît, ou il la faut rendre plaisante :

ce sont ces images qui donnent de la chaleur et du mouvement même
au style.

Ainsi le cheval « désigne la guerre et les combats »; « les chevaux paissants désignent la paix et la liberté »; « le cheval a aussi
été regardé comme le symbole de l'empire et de l'autorité ». Il est
bon de savoir que le teint de l'Amour est « couleur de feu »; la
robe de la Crainte « est ordinairement de couleur changeante, pour
marquer la diversité des mouvements qui se passent dans un cœur
saisi par la crainte ». L'enthousiasme poétique sera représenté par
un jeune homme couronné de lauriers et « tenant une plume »;
« son attitude est noble ». Cette algèbre claire, ces hiéroglyphes
ingénieusement transparents amusaient la raison lettrée des honnêtes
gens d'alors. La seule fantaisie qui y fût admise, c'était la fantaisie
galante et humaniste, que l'on continuait à goûter dans les traductions de l'Arioste et du Tasse. Celle du *Roland Furieux*, que
Mirabeau donna en 1741, fut un succès. Le même Mirabeau avait
donné en 1725 avec le même bonheur une traduction de la *Jérusalem délivrée*. Le *Pastor fido* de Guarini, traduit par Pecquet en
1733, satisfaisait aussi ce goût pour les scènes langoureuses et brillantes, pour un romanesque de paroles, pressant, complimenteur,
tel qu'on l'aimait à l'Opéra, tel que Quinault, héritier du goût
italien, l'avait consacré dans ses galants et traînants livrets toujours
applaudis.
    La conversation de salon ou de café littéraire, où l'on tient à
être distingué pour ses « mots », amena et entretint la mode du
style énigmatique. On « méprise les meilleurs livres », écrit en
1753 le baron de Holberg, « à moins qu'ils ne soient un peu inintelligibles, et que chaque paragraphe ait l'apparence d'une épigramme ». Les occupations futiles, et la préséance des femmes,
eurent une autre suite fâcheuse, selon Montesquieu :

On me demandait pourquoi on n'avait plus de goût pour les ouvrages
de Corneille, Racine, etc. Je répondis : C'est que toutes les choses pour
lesquelles il faut de l'esprit [de la pénétration] sont devenues ridicules.
Le mal est plus général. On ne peut plus souffrir aucune des choses
qui ont un objet déterminé : les gens de guerre ne peuvent souffrir la
guerre, etc. On ne connaît que les objets généraux et, dans la pratique,

cela se réduit à rien. C'est le commerce des femmes qui nous a menés
là : car c'est leur caractère de n'être attachées à rien de fixe. Il n'y a
plus qu'un sexe.

(P. F. inéd. 860.)

Louis Racine, en 1752, dans ses Remarques sur les Tragédies de
Jean Racine, exprime un regret du même genre :

Notre grand Corneille n'a point encore une belle édition. La Fontaine
ne vit jamais faire pour ses Fables la dépense que La Motte vit faire
pour les siennes.

Et il ajoute : « Nous trouvons dans les recoins de nos bibliothèques les poèmes de la Pucelle, d'Alaric, de Saint-Louis, in-f° et
in-4°, avec des estampes bien gravées ». A vrai dire, le grand
nombre de ces beaux exemplaires ne signifie pas qu'on les lise encore,
ni même qu'on les ait jamais lus : intacts ils sont, car personne
n'y touche ! Quant aux rééditions données au cours de cette
période, elles ne marquent à l'égard de nos classiques ni indifférence ni vif empressement : les Œuvres de Molière sont publiées
à Amsterdam en 1716 en huit beaux volumes in-8°. De Racine on
donne à Londres en 1723 une édition in-4°, bien médiocre; à Paris,
l'édition de 1720, reprise en 1735, est fautive, l'édition de 1741
plus correcte. Des Œuvres diverses de La Fontaine publiées par
Didot en 1729 les Fables sont exclues et les Contes. Pour Corneille,
l'édition de 1738, reprise et remaniée en 1747, reprend en somme
celle de 1682. Mais on réédite aussi en 1725, en le recommandant
par de grands éloges, le Théâtre de Boursault. Si le goût n'est
pas très sûr, du moins il a le mérite d'être plus curieux des vieux
auteurs qu'on ne l'était sous le règne de Boileau. A vrai dire,
La Bruyère par ses deux pastiches inattendus, et Fénelon par quelques
mots de la Lettre à l'Académie où il regrette la vieille langue, témoignaient que l'oubli ne s'était pas fait sur les lettres françaises antérieures à Malherbe ou à Balzac. Marot surtout avait gardé tout
son prestige, aux yeux de Boileau même. Ce prestige s'accroît au
XVIIIᵉ siècle : de 1700 à 1731, les Œuvres de Marot sont rééditées
six fois; elles figurent, d'après les constatations de D. Mornet, en
252 bibliothèques sur 500; et Mornet ajoute : Marot a dans ces
bibliothèques « au total 367 exemplaires qui le placent tout à fait
en tête des grands livres du siècle, avant Buffon, avant Voltaire. »
Aussi les critiques s'empressent-ils à vanter son « aimable simplicité ». L'éditeur de 1731 le célèbre comme

le restaurateur de la poésie française, et celui qui sert encore aujourd'hui de modèle pour badiner noblement et agréablement... Sa poésie est noble, agréable et facile, tant qu'il a conservé des mœurs, tant qu'il n'a point dérogé à la conduite que doit garder un galant homme... Le premier il a diversifié notre poésie.

De Marot — et par Marot — la curiosité des lecteurs du XVIII⁰ siècle s'étend ou s'élève à Villon. L'édition qu'en avait donnée Marot est reproduite en 1723, complétée de quelques variantes. Et l'éditeur proteste contre l'oubli où le XVII⁰ siècle a tenu Villon, si vrai poète cependant par son « goût et son air naturel de poésie..., sa naïveté fine et délicate » qui l'apparente à Marot.

Les recueils de morceaux choisis abondent à cette époque, et peut-être mériteraient-ils une étude. Quelle sûre conclusion en tirer cependant pour l'histoire du goût ? Les « ornements de la mémoire » ou les « traits brillants des poètes français les plus célèbres » que P.-A. Alletz recommande en 1749 ont-ils été choisis pour leur popularité, ou pour leur beauté ? Plus significative sans doute est la place attribuée à certains poètes, dans le *Choix des poésies morales et chrétiennes* de Le Fort de la Morinière (1739). Là on retrouve — survivants ou ressuscités ? — quelques fragments de Brébeuf, d'Arnaud d'Andilly, de Conrart, de Cassagne, de Cotin, un peu plus d'une page de la *Pucelle,* auprès de l'*Imitation* de Corneille, de quelques fables de La Fontaine; Racine y est représenté abondamment; mais aussi Charles Perrault, et La Motte plus encore, et Voltaire, et Jean-Baptiste Rousseau, et Louis Racine.

⁎⁎

Au fond, le goût public manquait d'un guide. Les journalistes l'informaient, l'éveillaient bien plutôt qu'ils ne l'orientaient. Voltaire, qui aurait souhaité d'être ce directeur, manquait lui-même de la continuité, de la sérénité nécessaires.

Et puis, en même temps qu'aux Belles-Lettres et plus encore, l'empressement français allait aux nouveautés philosophiques. Les livres prohibés se multipliaient, en dépit des pénalités si fortes, en dépit ou plutôt à cause du prix élevé auquel ils trouvaient toujours acheteur. On leur appliquait par intermittence ces « beaux règlements » dont parle Barbier dans son *Journal,* qui « ne s'exécutaient point », dit-il, ou bien auxquels « on avait recours quand l'abus devenait excessif ». Mais quand donc l'abus parut-il excessif à M. de Malesherbes, directeur de la Librairie à partir de 1750, et partisan avéré de la liberté de la presse ?

Il y aurait lieu sans doute d'étudier dans ses éléments ou son développement — mais que de pédantisme autour d'une réalité si ténue ! — le tour spirituel dont les *Lettres Persanes* et les *Lettres Anglaises* sont restées pour nous les modèles, mais qui apparaît à divers degrés chez tous les écrivains de ce demi-siècle, depuis Fénelon, chez qui l'irrespect désinvolte n'est nullement exceptionnel : dans ses *Fables,* ses *Dialogues des Morts,* dans la fameuse *Instruction Pastorale en Dialogues.* A l'analyse on y découvrirait, dans cette assurance railleuse, l'habitude latine de trancher, d'affirmer, développée et faussée par l'infatuation des « Modernes ». A partir de Perrault, à l'école de Fontenelle, le Français du siècle de Louis le Grand est persuadé de son droit à parler, formuler, prononcer supérieurement, notre roi étant « le plus grand roi de l'univers », les étrangers et les provinciaux étant des « barbares », notre civilisation parisienne ou parisianisée étant supérieure à celle des Anciens jusque-là tant vénérés. Cette irréflexion doctorale, cette impertinence étourdie, exaspérait les étrangers, — et, dans la mesure où ils croient l'apercevoir chez nous aujourd'hui, ils en sont blessés encore...

Il y aurait lieu surtout d'étudier les conséquences sur le goût public, sur l'esprit public, sur l'esprit et le goût publics, du nombre croissant des lecteurs : des gens à loisirs, à richesses : âmes frivoles souvent, dispersées, mais surtout à qui le domaine de la pensée philosophique n'a guère été ouvert que par des penseurs hérétiques ou révoltés.

Si pourtant Louis XIV avait été moins étroitement absolu, si le duc de Bourgogne avait régné, si Louis XV avait eu autant de volonté qu'il avait de foi, ou si le Dauphin n'était pas mort avant lui...

CHAPITRE XII

M. de Voltaire est au-dessus de la taille des grands hommes, c'est-à-dire un peu au-dessous de la médiocre; il est maigre, d'un tempérament sec; il a la bile brûlée, le visage décharné, l'air spirituel et caustique, les yeux étincelants et malins. Tout le feu que vous trouvez dans ses ouvrages, il l'a dans son action; vif jusqu'à l'étourderie, c'est une ardeur qui va et qui vient, qui vous éblouit et qui pétille. Un homme ainsi constitué ne peut manquer d'être valétudinaire : la lame use le fourreau. Gai par complexion, sérieux par régime, ouvert sans franchise, politique sans finesse, sociable sans amis, il sait le monde et l'oublie. Le matin Aristippe et Diogène le soir, il aime la grandeur et méprise les grands; il est aisé avec eux, contraint avec ses égaux. Il commence par la politesse, continue par la froideur, finit par le dégoût. Il aime la cour et s'y ennuie; sensible sans attachement, voluptueux sans passion, il ne tient à rien par choix et tient à tout par inconstance; raisonnant sans principes, sa raison a ses accès, comme la folie des autres. L'esprit droit, le cœur injuste, il pense et se moque de tout. Libertin sans tempérament, il sait aussi moraliser sans mœurs; vain à l'excès, mais encore plus intéressé, il travaille moins pour la réputation que pour l'argent; il en a faim et soif. Enfin il se presse de travailler pour se presser de vivre. Il était fait pour jouir, il veut amasser. Voilà l'homme.

Ce portrait de Voltaire, composé avant 1735 par le marquis de Charost, était jugé « fort ressemblant » en 1749 par Raynal; et Frédéric II était apparemment du même avis, puisque, en 1756, il se bornait à le démarquer, en y ajoutant quelques malveillances. D'autres témoignages contemporains insistent sur ces mêmes traits. On reproche à Voltaire son « avarice », c'est-à-dire son avidité : « il est toujours à cheval sur le Parnasse et sur la rue Quincampoix ». Longchamps, entrant à Cirey à son service, le voit avec surprise passer de la brusquerie dure à la bonté; après la mort de Mme du Châtelet, il est témoin de son inconsolable douleur :

Pendant les nuits, il se relevait plein d'agitation : son esprit frappé croyait voir cette dame, il l'appelait et se traînait avec peine de chambre en chambre comme pour la chercher.

Les Anglais, et Pope en particulier, lui refusèrent leur estime, pour son bavardage inconsidéré, ses plaisanteries obscènes sur les Jésuites lancées « à voix haute, et devant les domestiques ». Piron, d'une plume amusée, l'a décrit papillonnant à la cour, au temps de sa faveur, grisé, familier, étourdi, questionnant et oubliant sa question, courant d'un duc à un marquis, et les arrêtant par la manche. Et Mme de Graffigny a conté comment elle sortit malade de Cirey et de son atmosphère trépidante.

Impulsif, les nerfs sans cesse en mouvement pour réagir et pour agir, prompt à la sympathie et à l'aversion, trop vif et trop calculateur, adroit comme on peut l'être quand on ne peut s'empêcher de montrer qu'on veut l'être, Voltaire ne paraissait pas maître de son humeur, ni même vraiment de sa pensée, à ceux qui l'ont vu. Ils se sont étonnés de ses moments de tristesse. De nos jours, certains critiques se sont appliqués à marquer avec esprit, dans cette âme mobile, les contrastes et les contradictions. Faguet le définissait un « chaos d'idées claires » — et il ajoutait : un « bourgeois gentilhomme ». Ne vaudrait-il pas mieux chercher le secret de ce désordre, et même de ce penchant au grand à la fois et au mesquin, dans les ambitions et les déceptions de cette vie, de cette pensée, de ce goût ? Ce n'est qu'une des explications possibles de Voltaire; encore ne la propose-t-on ici que pour la période de sa vie sentimentale et morale, philosophique, littéraire, qui se clôt à *Candide*.

⁎

L'ascension sociale continuait pour sa famille, lorsqu'il naquit à la fin de 1694 : son père, notaire au Châtelet, était depuis quelques années payeur des épices et receveur des amendes à la Chambre des Comptes. Les parents de sa mère étaient de noblesse récente et médiocre. Au collège Louis-le-Grand, où on le mit à dix ans, il rencontra quelques fils ou neveux de grands personnages, mais sans les coudoyer autant qu'on l'a dit; c'est à ses maîtres jésuites qu'il s'attacha; eux le nommaient sans trop de reproche *puer ingeniosus, sed insignis nebulo.* Et déjà son confesseur, le P. Pallu, le jugeait « dévoré de la soif de la célébrité ». La familiarité avec les grands s'établit au Temple, dans cette société libertine de mœurs et de principes où le conduisit bientôt son parrain, l'abbé de Châteauneuf. Là il semble avoir été moins *insignis nebulo* que *puer ingeniosus* : s'entraînant à rimer, mais pour composer une tragédie et être candidat au prix de poésie de l'Académie Française; au reste perdant joyeusement, auprès de ces gloutons, débauchés ou pervertis, tout sens des égards dus aux grandeurs chrétiennes et aux délicatesses morales.

Premier voyage, premier amour : en Hollande, où par la volonté de son père il accompagne l'ambassadeur, marquis de Châteauneuf, il s'éprend d'Olympe Dunoyer, dont la mère, protestante, est une aventurière de lettres. Il lui écrit tendrement, il s'ingénie en rendez-vous, en déguisements, en manœuvres auprès des Jésuites, pour obtenir qu'avec lui ou après lui Olympe rentre en France pour se convertir. Premier amour sincère, première déception : il revient à Paris, Olympe reste en Hollande, et elle l'oublie.

Première amitié : Thieriot, le clerc de procureur rencontré chez Mᵉ Alain auprès de qui M. Arouet a placé son turbulent fils. Thieriot sera le factotum de Voltaire, qui de lui tirera parti, non profit bien sûr, ni reconnaissance, ni même exacte fidélité.

L'Académie ne décerne pas ses lauriers au jeune Arouet, qui se venge par une satire contre La Motte. Scandale, que M. de Caumartin apaise en emmenant loin de Paris, à Saint-Ange, le poète irritable.

Survient la mort de Louis XIV. Grande liberté pour la société du Temple, grand laisser-aller dans la haute société, grands espoirs pour quiconque a le goût d'être libre et de se hausser dans le monde. Voltaire se rend agréable à la duchesse du Maine, au cardinal de Polignac, au duc de Sully, au maréchal et à la maréchale de Villars, au duc de Richelieu, à la présidente de Bernières, à Bolingbroke, à Mme de Rupelmonde, au Régent même, qui pourtant l'a exilé à Tulle, puis lui a procuré son premier séjour à la Bastille. Il se croit l'ami et l'égal de tous ceux qu'il divertit : « Sommes-nous ici tous princes, ou tous poètes ? » Il a des pensions, il se met à spéculer fructueusement. Il courtise des comédiennes. Mais la belle Suzanne de Livry l'abandonne pour Génonville. Mais ses façons avantageuses et indiscrètes lui attirent de méchantes affaires avec Poisson le comédien et Beauregard le policier. Mais en 1725, deux ans après la publication de la *Ligue* (la *Henriade*), sept ans après le beau succès d'*Œdipe*, et alors que Voltaire commence à prendre pied à la Cour, le chevalier de Rohan le fait bâtonner, et ses « amis » les Sully, au lieu de s'indigner, sourient. Et c'est lui, la victime,

qu'on emprisonne à la Bastille ! Il en sort bientôt, mais parce qu'il
a promis de passer en Angleterre.

Pourquoi en Angleterre ? Il en écrit à Thieriot les motifs que lui
dicte son amour-propre ulcéré contre la France :

> C'est un pays où les arts sont tous honorés et récompensés, où il y
> a de la différence entre les conditions, mais point d'autre entre les
> hommes que celle du mérite. C'est un pays où l'on pense librement et
> noblement, sans être retenu par aucune crainte servile.

Du reste, Voltaire a sans doute connu en 1714 le poète diplomate
Prior, qui séjournait alors en France; il a lu des fragments de la
Henriade à lord Stair l'ambassadeur; George Ier, en échange de sa
tragédie d'*Œdipe*, lui a envoyé une montre à répétition; et il aimait
l'aristocratie anglaise en Bolingbroke, le grand seigneur politicien,
sceptique, sentimental, bâtisseur, cosmopolite par le choix de ses
lectures et de ses visiteurs, et très dédaigneux de la frivole et impré-
voyante noblesse française. Il paraît vraisemblable, d'ailleurs, que
Bolingbroke se sert ou veut se servir de Voltaire : l'Angleterre
officielle, alors ambitieuse d'hégémonie dans tous les domaines,
cherche des propagandistes capables de répandre à travers l'Europe
le prestige des lettres britanniques, aux dépens du rayonnement
de l'esprit français. Cependant, dès 1724, Bolingbroke commençait
à se méfier de l'indiscrétion de Voltaire.

Il franchissait donc le détroit, avec ses rancœurs, son enthousiasme prêt à s'épanouir, sa désinvolture harcelante qui croyait avoir
pris au Temple ses lettres de noblesse, et ce goût singulier pour
toute jouissance, qui est chez lui l'amour de la richesse, la griserie
du confortable et du luxe, plus que sensualité et gourmandise.
Bien accueilli de la Cour, et des écrivains qui cependant ne le
prennent pas tous au sérieux, il dédie à la reine Caroline son édition
remaniée de la *Henriade*, à laquelle souscrit toute l'aristocratie anglaise. Il s'applique et réussit à apprendre l'anglais, commence
Charles XII, entreprend *Brutus*, va tous les soirs au théâtre. En
1729, il obtient du ministère français la permission de réintégrer
Paris. Là bientôt il a à pleurer la mort de Mlle Lecouvreur, puis
de son amie Mme de Fontaine-Martel, de son ami le jeune président
de Maisons. Il publie *Charles XII* (1731); des tragédies où il utilise
Shakespeare témoignent d'abord de sa sympathie pour l'Angleterre :
Brutus (1730), *Eriphyle* (1732), *Zaïre* (1732), qu'il dédie au « marchand » anglais Falkener. Enfin, il se décide à publier ses *Lettres
anglaises* ou *Lettres philosophiques*, en anglais d'abord (août 1733),

en français un an après. A l'annonce d'une lettre de cachet, il s'enfuit en Lorraine. Le *Temple du Goût,* irrévérencieux pour quelques écrivains morts ou vivants, lui avait fait d'autres ennemis. En 1735, malgré la bienveillance du lieutenant de police, il préfère se fixer à Cirey, chez la « belle Emilie », la « divine Emilie », la marquise du Châtelet.

Grand amour, entrecoupé d'orages, mais où la reconnaissance et la confiance se mêlent à la passion; amour qui tournait à l'amitié, lorsqu'il est frappé à mort par la trahison de la dame, qui elle-même, moins d'un an après, meurt de s'être donnée à Saint-Lambert.

La marquise du Châtelet ne mérite pas les durs reproches que Mme du Deffand a faits à son visage, à son ossature, à ses attitudes, à son goût pour les bijoux et les rubans. Comme Voltaire, elle est vive, hardie, dénuée de pudeur, philosophe, c'est-à-dire passionnée d'astronomie, de physique, et étrangère à tout scrupule religieux et, plus que lui, à tout sentiment chrétien. Aussi l'atmosphère morale de la maison est-elle écœurante. Pas de romanesque à la Jean-Jacques ici, pas d'élan ni de mirage vertueux : des sens qui exigent. Et quel dernier acte ! Mme du Châtelet s'apercevant qu'elle est enceinte, mandant son mari à peu près à temps pour qu'il puisse, à la naissance, se croire le père; et, le cinquième jour après la naissance d'une petite fille qui en devait vivre dix, la mort soudaine, les reproches de Voltaire à Saint-Lambert; enfin Saint-Lambert comptant sur la protection de Voltaire pour faire son chemin à la cour.

L'unique souci d'Emilie avait été de garder Voltaire contre ses ennemis; contre ses amis, ceux qui l'attirent à Paris, et ce prince royal de Prusse qui, devenu roi, l'appelle à Berlin; contre lui-même : car il compose ou augmente la *Pucelle,* et, l'imprudent, il en fait lecture aux visiteurs. Elle voudrait « tyranniquement », dit Voltaire, faire de lui un géomètre, un physicien, un métaphysicien; cinq ans elle réussit; mais Voltaire n'abandonnait ni la tragédie, ni son rêve d'être diplomate comme le poète Prior l'avait été, ni son ambition d'être le poète de la cour, du roi, d'être historiographe comme Boileau et Racine.

Ce que fut le travail de Voltaire pendant ces années de Cirey, comme on appelle un peu abusivement la période 1735-1749, l'énumération suivante permettra d'en juger :

1736, 27 janvier,   Représentation d'*Alzire.*
— 10 octobre,   — de l'*Enfant prodigue.*
—   le *Mondain.*

VOLTAIRE
par LARGILLIÈRE

1736,		*Epître à Mme du Châtelet sur la philosophie de Newton.*
1737,		*Défense du Mondain.*
1738,		*Eléments de la philosophie de Newton.*
—		*Discours en vers sur l'homme.*
—		*Essai sur la nature du feu.*
1739,		*Vie de Molière, avec des jugements sur ses ouvrages.*
1740,	8 juin,	*Zulime.*
1741,	avril,	Représentation de *Mahomet* à Lille.
1742,	9 août,	— de *Mahomet* à Paris.
1743,	20 février,	— de *Mérope.*
—	21 août,	— de la *Mort de César* au Théâtre-Français.
1744,		*Discours en vers sur les événements de 1744.*
1745,	17 mai,	*Poème de Fontenoy.*
1746,	9 mai,	*Discours de réception à l'Académie Française.*
1747,		*Zadig.*
1748,	29 août,	*Sémiramis.*
1749,	16 juin,	Représentation de *Nanine.*

Mme du Châtelet meurt le 4 septembre 1749 : au mois de mai, une déception avait clos pour Voltaire les espoirs et les efforts de cinq années, qui enfin l'avaient haussé au rang de courtisan en titre. Il avait connu Mme Lenormant d'Etiolles bien avant qu'elle fût marquise de Pompadour, et il la jugeait « bien élevée, sage, aimable, remplie de grâce et de talents, née avec du bon sens et un bon cœur ». Un des premiers, il sut le caprice du roi, et comprit, et escompta, que la passade deviendrait passion. De ses compliments, déjà indiscrets, il est aussitôt récompensé par le don gratuit d'une charge de gentilhomme de la chambre, et par le brevet d'historiographe. Après Fontenoy, c'est à Etiolles qu'il lit d'abord, et qu'il surcharge de compliments aux « héros » son *Poème de Fontenoy* : flatteries trop nombreuses, qui mécontentent les omis sans satisfaire les nommés. Et puis, il adresse à la « sincère et tendre Pompadour » des madrigaux bien familiers, où il compare sa Majesté au vin de Tokai, où il place « les autels de Vénus dans le Temple de la Gloire », où il souhaite à Louis XV victorieux et à la maîtresse de « garder tous deux leurs conquêtes », ce qui vraiment paraît un peu vif. Elle facilite son entrée à l'Académie; mais elle se refuse à prendre son parti contre le vieux Crébillon. Voltaire ne le lui pardonnera jamais. Elle voudrait l'empêcher de céder aux sollicitations du roi de Prusse. Enfin elle obtient pour lui un brevet royal lui accordant la faculté de vendre sa charge de gentilhomme ordinaire, tout en conservant le titre et les prérogatives. Dans la *Pucelle*, qu'il va achever chez Frédéric, Voltaire traitera d'« heureuse grisette » Mme de Pompadour : elle n'avait pas pu triompher de l'aversion de Louis XV pour lui.

Une autre déception l'attendait à Berlin, après un autre mirage.

La séduction avait commencé treize ans auparavant, lorsqu'il avait reçu cette lettre du 8 août 1736, où le prince royal disait son espoir d'être « digne des instructions » de Voltaire. Instructions philosophiques d'abord ou morales, car Frédéric, le traitant en sage, lui envoyait comme premier cadeau un buste de Socrate. Cette docilité dure presque trois ans, Voltaire, reconnaissant et conquis, multipliant les hyperboles adulatrices. Il ne souhaite à Frédéric rien de moins que l'Empire, et il se voit déjà le familier et le conseiller d'un empereur : n'est-il pas chargé de faire imprimer l'*Anti-Machiavel*, tout fénelonien et humanitaire, que Frédéric a composé ? La mort de Frédéric-Guillaume ne changea rien au ton de la correspondance : « Ne m'écrivez qu'en homme ! » demande le roi; et Voltaire répond : « Votre humanité, Votre Majesté qui s'est faite homme. » Leur entrevue à Clèves, en septembre 1740, accroît l'enthousiasme des deux parts. Mais les désillusions commencent : Frédéric veut qu'on supprime l'*Anti-Machiavel*; puis Voltaire se rend en Prusse, en apparence cédant aux instances du roi, en réalité muni d'instructions diplomatiques : voyage inutile, comme fut inutile sa seconde mission, après la paix de Breslau : Frédéric cette fois refuse nettement, et sans égards, de répondre à son questionnaire.

Le 28 juin 1750, c'est donc en poète qu'il retourne là-bas, et en professeur de poésie. C'est en patriote aussi, quoi qu'on ait dit alors et de nos jours de son défaut de sens patriotique, et malgré l'excès des louanges qu'il a prodiguées à Frédéric aux dépens des Français et de la France. A l'occasion, il a tâché de relever aux yeux de son hôte le prestige de nos armées battues. Mais surtout, ce qu'il a d'abord retrouvé avec ravissement sur les bords de la Sprée, c'est une réalisation, une réplique du siècle de Louis XIV tel qu'il l'aimait, tel qu'il avait souhaité vainement de le voir renaître dans le Versailles et le Paris de Louis XV :

Cent cinquante mille soldats victorieux, point de procureurs, opéra, comédie, philosophie, poésie, un héros philosophe et poète, grandeur et grâces, grenadiers et muses, trompettes et violons, repas de Platon, société et liberté !

Un siècle de Louis XIV sans querelles religieuses et sans Parlement, Mme de Pompadour tenant la place de Mme de Maintenon,
Voltaire tenant un rôle de Mentor sans roideur, indépendant de
tout, et même de la grandeur qu'il aurait enfin conquise, passant
de l'étiquette de la chambre du roi au négligé du Temple, et de
Boileau à Chaulieu, quel rêve ! Béni soit Frédéric, plus vraiment
français que Louis XV, de le réaliser pour la plus grande gloire de
Voltaire ! Les Français de la cour de Potsdam : d'Argens, Chasot
le duelliste, Le Mettrie, sont obscurs ou singuliers. Le seul qui mérite
considération est Maupertuis, l'ancien mousquetaire passionné de
cosmographie, qui était à vingt-sept ans membre de l'Académie
des Sciences, et que Voltaire lui-même avait en 1738 comparé à
Archimède et à Christophe Colomb. Cette fois, jaloux de sa faveur,
Voltaire a l'insolente faiblesse de l'attaquer dans une *Petite lettre*
anonyme, puis dans une *Diatribe du Docteur Akakia*. Frédéric lui-
même avait composé une réponse dure à la *Lettre;* il fit brûler la
Diatribe, et Voltaire dut signer une humiliante promesse de
« n'écrire contre personne » et de « se gouverner d'une manière
convenable à un homme de lettres qui a l'honneur d'être chambellan
de Sa Majesté et de vivre avec d'honnêtes gens ». Voltaire s'était
déjà diminué, à Berlin, par certaines affaires de spéculation. Dès
lors qu'on brûlait en Prusse comme à Paris, il se décida à partir.
On sait quelles avanies Frédéric eut soin de lui ménager à Francfort,
le faisant arrêter et garder jusqu'à ce qu'il eût restitué l'« œuvre
de Poéshie » de son royal élève. A vrai dire, si l'on conçoit que
Voltaire ait souhaité de publier les obscènes médisances rimées de
Frédéric, on conçoit mieux encore que Frédéric ait tenu à récupérer
son manuscrit.

La correspondance reprit cependant, Voltaire étant peu disposé
à la rancune envers les princes, et Frédéric tenant à ménager
un philosophe. Au début de la guerre de Sept ans, Voltaire croit
devoir ranimer le courage de Frédéric battu à Kollin, et qui songe
— en vers — au suicide. Mais en même temps Voltaire s'efforçait
d'agir par l'intermédiaire de Richelieu sur les conseils du roi de
France, pour faire conclure au plus tôt la paix. Il ne fut pas
écouté; et ce fut Rosbach, dont il plaisante sans délicatesse deux
ans plus tard; mais au moment même il fut surpris douloureu-
sement. En 1759, il écrivait à Frédéric :

J'ai été très malade et je suis très vieux. J'avoue que je suis très
riche, très indépendant, très heureux, mais vous manquez à mon bonheur,
et je mourrai bientôt sans vous avoir revu. Vous ne vous en souciez

guère, et je tâche de ne pas m'en soucier. J'aime vos vers, votre prose, votre esprit, votre philosophie hardie et ferme. Je n'ai pu vivre sans vous ni avec vous. Je ne parle point au roi, au héros : c'est l'affaire des souverains. Je parle à celui qui m'a enchanté, que j'ai aimé, et contre qui je suis toujours fâché.

Quelle sincérité, dans cette précise mélancolie !

Avant d'atteindre à ce grand bonheur et à cette grande indépendance que Ferney lui assurera en 1759, que d'errances et que de dépit ! A Mayence, à Colmar, à l'abbaye de Senones, à Colmar encore, à Lyon, l'amitié l'accueille, parfois la popularité. Mais Paris et Versailles lui restent clos. On publie de son *Abrégé de l'Histoire Universelle* une édition subreptice, altérée dangereusement par la suppression de quelques formules précautionnées; des copies de la *Pucelle* se vendent à Paris. Hors de France donc il cherche un gîte, un terrier, et bientôt il en possède quatre ou cinq : à Saint-Jean, au-dessus de Genève, ce sont les Délices; de là il voit le lac et les montagnes, et l'« éternelle déesse » si chère à son cœur,

> L'âme des grands travaux, l'âme des nobles vœux,
> La liberté !

Puis, en cette même année 1755, il achète près de Lausanne, à Monrion, une maison pour l'hiver; puis une autre, à Lausanne; puis en Bourgogne, tout près de la frontière, le comté de Tournay, que le président de Brosses lui vend fort cher; enfin, en 1758, le château de Ferney, qu'il démolit pour le rebâtir à sa guise, ayant voulu être son propre architecte. Désormais il entre dans la légende des grands exilés, il conquiert le même prestige qu'avait à Cambrai Fénelon, que Victor Hugo obtiendra à Guernesey. Comme eux, il reçoit les pèlerins de la gloire persécutée. Et son repos n'est pas plus que le leur une inaction : il peut enfin fixer et répandre sans appréhension cette pensée philosophique qu'il a formée si malaisément, on va le voir, à travers tant d'essais, d'inquiétudes, d'impatiences, et de sincères variations.

⁑

« Malheureux, tu seras un jour l'étendard du déisme en France ! » Cette prophétie sur Voltaire adolescent, que Condorcet prête au P. Lejay, n'est sans doute pas authentique. De ses tendances religieuses au collège, une seule paraît certaine : c'est ce « levain anti-janséniste » que plus tard Frédéric notera comme un de ses traits dominants. A l'égard de l'esprit janséniste les Jésuites avaient parfois des formules un peu vives, et bien générales : ainsi le P. Rapin, dans ses *Réflexions sur l'éloquence* (1672) :

> Enfin tout ce qui est disproportionné dans l'éloquence est aussi faux que ce qui est disproportionné dans la morale est ridicule.

N'est-ce pas cette double disproportion que Voltaire s'acharnera à traquer dans les *Pensées* de Pascal ? Et puis, aux yeux de ce sensitif, le jansénisme était et sera représenté par son frère Armand, son aîné, l'élève de Saint-Magloire, austère, peu indulgent aux fredaines de François-Marie. A lui, l'espiègle, ses maîtres de Louis-le-Grand avaient au contraire donné leur esprit de confiance alerte, confiance en Dieu, qu'il laïcisera plus tard, mais qui dès lors lui montrait Dieu affable envers tous les hommes, quelque ignorants, quelque faibles qu'ils fussent.

Auprès des libertins du Temple sa muse se fait épicurienne; et l'austérité chrétienne l'irrite, chez les dames qu'il courtise : il n'y voit que peur de l'enfer :

> Vous croyez servir Dieu, mais vous servez le Diable,
> Et c'est lui seul que vous craignez.

Il s'emporte contre la « superstition, fille de la faiblesse »; il raille l'Ecriture Sainte,

> D'un double Testament la chimérique histoire,

il s'indigne de la « fausse gloire », qui fait « quitter de vrais plaisirs ». Pourtant l'idée de la mort et de ses suites s'offre à lui, comme elle s'offrait à Chaulieu, inquiétante. Et il ne faudrait pas grand effort pour découvrir un accent lamartinien dans l'*Epître* à Genonville *sur une maladie*, de 1719 :

> De mes ans passagers la trame est accourcie;
> Mon cœur est étonné de se voir sans désirs.
>   Dans cet état il ne me reste
> Qu'un assemblage vain de sentiments confus,
> Un présent douloureux, un avenir funeste,
> Et l'affreux souvenir d'un bonheur qui n'est plus.
> Pour comble de malheur je sens de ma pensée
>   Se déranger les ressorts;
> Mon esprit m'abandonne, et mon âme éclipsée
> Perd en moi de son être, et meurt avant mon corps.

Est-ce là ce rayon de l'essence suprême
Qu'on nous dépeint si lumineux ?
Est-ce là cet esprit survivant à nous-même ?
Il naît avec nos sens, croît, s'affaiblit comme eux :
Hélas ! périrait-il de même ?

L'année précédente, la tragédie d'*Œdipe* témoignait à sa façon
— impertinente, inattendue — des préoccupations religieuses de
Voltaire :

Ne nous fions qu'à nous, voyons tout par nos yeux :
Ce sont là nos trépieds, nos oracles, nos dieux.

(II, 5.)

Craignez un ennemi d'autant plus redoutable
Qu'il vous perce à nos yeux par un trait respectable.
Fortement appuyé sur des oracles vains,
Un pontife est souvent terrible aux souverains.

(III, 5.)

Nos prêtres ne sont pas ce qu'un vain peuple pense :
Notre crédulité fait toute leur science.

(IV, 1.)

C'est vers cette époque qu'il connut Bolingbroke et subit son
prestige : or Bolingbroke était méfiant envers l'enthousiasme religieux, et hostile aux prêtres : « Dans la religion naturelle, les prêtres
sont des guides inutiles », écrit-il à Pope, « et, dans la religion
révélée, des guides dangereux ». Auprès de Bolingbroke, il connaît et estime à sa haute valeur le newtonien Levesque de Pouilly,
qui étudie et introduit en France la chronologie, l'art de vérifier
les dates; par là il inquiète les amis des certitudes établies, mais
il éveille ou alimente la curiosité de Voltaire, cette soif de démêler
le faux et le vrai dans l'histoire du genre humain et dans l'histoire
religieuse, qui ne le quittera plus.

Enfin Bolingbroke, fier comme tous les Anglais d'alors de la
prospérité anglaise, prépare Voltaire à ce « réalisme », comme on
dit, qui lui fera parfois accorder une telle estime aux civilisations
mercantiles. Quand Voltaire va en Hollande en 1722, il s'émerveille au spectacle du « travail et de la modestie ». Et là aussi,
repris par sa hantise des choses religieuses, il note la multitude
des sectes, et l'impression « tolérantiste », comme on disait alors,
qu'il en a reçue :

Je vois des ministres calvinistes, des arminiens, des sociniens, des
rabbins, des anabaptistes, qui parlent tous à merveille, et qui, en vérité,
ont tous raison.

En 1722, il composait l'*Epître à Julie* — *le Pour et le Contre* — destiné à éclairer, nous dit-on, Mme de Rupelmonde; témoignage surtout de ses incertitudes à lui-même, de ses anxiétés. Là, fidèle à l'esprit de Chaulieu, se souvenant même avec précision des *Trois façons de penser sur la mort*, il veut attaquer les « superstitions », les « mensonges sacrés »; sa « philosophie » enseignera à « mépriser les horreurs du tombeau, et les terreurs de l'autre vie ». Quel est donc le vrai Dieu? On nous l'annonce, dit-il, mais on nous le cache. Le Dieu de la Bible est un tyran capricieux; l'histoire de la Rédemption est déconcertante; le dogme du péché originel est inconcevable; la réprobation des infidèles est une indignité. Et cependant le Christ mérite nos hommages, pour la morale de son Evangile, pour les consolations qu'il offre aux malheureux; après tout,

> Si sur l'imposture il fonde sa doctrine
> C'est un bonheur encor d'être trompé par lui.

Que conclure? L'« obscure vérité », où est-elle? Voltaire ne consent pas à croire au Christianisme; mais, s'il le repousse, c'est par la ferveur sincère d'une âme qui tient à adorer pleinement :

> Entends, Dieu que j'implore, entends du haut des cieux
>   Une voix plaintive et sincère,
> Mon incrédulité ne doit pas te déplaire;
>   Mon cœur est ouvert à tes yeux.
> L'insensé te blasphème, et moi je te révère;
> Je ne suis pas chrétien; mais c'est pour t'aimer mieux.

Que faire? La seule certitude, c'est que Dieu a gravé en chacun de nous la « religion naturelle ». Seule l'injustice offense Dieu, nos austérités lui sont indifférentes.

> Il nous juge sur nos vertus,
> Et non pas sur nos sacrifices.

Telle est cette profession de foi, ou d'inquiétude déiste.

Quelle est donc cette idée que Voltaire présente du Christianisme? Est-il très sincère en la présentant? Il a bien l'intention de définir le Christianisme lui-même, sans distinguer entre les partis théologiques qui depuis près d'un siècle se disputent le privilège de l'orthodoxie : je préfère, dit-il, un « bonze vertueux », au « janséniste impitoyable » et au « pontife ambitieux », c'est-à-dire au jésuite. Cependant, on s'aperçoit vite qu'il en veut aux doctrines jansénistes; ou, plutôt, que, pour combattre le Christianisme, il le présente sous les traits que le jansénisme a donnés à la pensée du Christ; et qu'il reprend alors contre le Christianisme ainsi présenté les aversions jésuites, les méfiances orthodoxes, sans dire où il les a prises, et sans vouloir supposer que là se trouve un plus authentique esprit chrétien. Le Dieu contre la rigueur duquel il proteste, qui punit chez les infidèles

L'ignorance invincible où lui-même il les plonge,

c'est celui de Quesnel, contre lequel avait protesté Fénelon :

[Ce] Dieu [des Jansénistes] fait sentir à presque tout son peuple son impuissance, sans lui donner de quoi la guérir. Il lui montre le bien, et le laisse sans ressource pour l'exécuter. Il lui fait voir le mal qui le tyrannise, et il l'y abandonne. Il l'instruit, non pour le corriger, mais pour le confondre, non pour relever ses espérances, mais pour le pousser jusqu'au désespoir.

(*Instruction pastorale en dialogues, XII⁰ lettre.*)

Et le Cartouche du P. Patouillet, dans l'*Apologie* de 1731, tiendra le même langage que Voltaire, mais en nommant Quesnel :

Aimer Dieu ! Eh ! le puis-je ? Tandis que Quesnel me le dépeint sous les traits les plus odieux, [sous les traits d'] un tyran qui commande des choses impossibles, et qui, non content de les commander, damne encore impitoyablement ceux qui ne les ont point exécutées !

Sur le salut des infidèles, c'est à la dureté de la solution janséniste que Voltaire s'en prend. Enfin, — mais ceci n'intéresse que l'origine de sa pensée, non la justesse de cette pensée — ne serait-ce pas chez certains confrères du P. Berruyer que Voltaire aurait trouvé d'abord son mépris des Juifs grossiers, si inférieurs aux Latins et aux Grecs, quitte à étendre à l'ensemble de la Bible sa méfiance envers le peuple de Dieu ?

L'accent n'est plus celui de la confidence, dans la *Henriade*. Mais cette épopée singulière, qui s'est d'abord appelée *la Ligue*, fait une large part à la critique du « fanatisme » et de l'Eglise. L'esprit catholique, selon Voltaire, c'est cet esprit de

Rome, qui sans soldat porte en tous lieux la guerre.

L'orthodoxe Ligue est faite de « politique » et de « discorde »; l'éloge de l'Angleterre forme contre-partie et aggravation de ces reproches. Et l'une des idées essentielles du poème est l'inutilité de l'orthodoxie : Coligny est « le plus grand des Français ». Quant à Mornay,

Au milieu des vertus l'erreur fut son partage.

Pourtant ici Voltaire ne se borne pas à combattre : il ébauche un Credo : Dieu existe, et l'ordre de l'univers « annonce » cette existence. Dieu intervient dans les affaires humaines, il

Change, élève et détruit les empires du monde.

Surtout il aide l'homme juste; il récompense plus qu'il ne punit; mais qu'on lui rende un culte ou un autre, il y est fort indifférent. Enfin Voltaire ici paraît croire à l'immortalité de l'âme, et il croit à la liberté humaine, qu'il juge même excessive. Les sentiments politiques de Voltaire dans la *Henriade* ne sont pas sans lien avec ses sentiments en matière religieuse : un roi peut moins « redouter les vains foudres de Rome » qu'une foule républicaine « imbécile », « éprise du merveilleux ».

L'édifice religieux de Voltaire à cette époque donne l'impression d'une bâtisse provisoire : il hésite, il cherche : témoin la visite qu'il fait en 1725 à une miraculée, une femme guérie d'un flux de sang à la procession de la Fête-Dieu de la paroisse Sainte-Marguerite. Mathieu Marais, qui rapporte le miracle dans son *Journal*, ajoute :

Le poète Arouet, qui se piquait d'incrédulité, a voulu voir la femme et mettre le doigt comme saint Thomas dans le côté. Dieu l'a touché et converti et lui a dit : *noli esse incredulus.*

Enfin le voici à Londres, auprès de ces Anglais qui « pensent ». Il retrouve Bolingbroke, il voit Pope, assiste aux funérailles de Newton, s'entretient avec Clarke; il observe, il médite, il se rappelle ce qu'il savait déjà des Anglais, par ce quaker peut-être qu'il a connu à la Bastille, et il prépare ainsi les *Lettres philosophiques*.

Le ton qu'il donne d'abord à son nouvel ouvrage marque la gravité de ses préoccupations. Plus tard il croira bon d'ajouter quelques facéties; mais en 1734 il évite les légèretés qui avaient fait le succès des *Lettres Persanes*; il sacrifie la première lettre, où il contait en badinant les troubles apportés à l'humeur anglaise par le vent d'Est. Le livre s'ouvre donc par une lettre sur les quakers; trois autres suivent, traitant le même sujet, puis trois, sur les autres religions d'Angleterre. Après deux lettres sur les institutions

politiques anglaises et le commerce, une lettre sur l'insertion de
la petite vérole, que des scrupules religieux empêchent les Français d'admettre, une sur Bacon et sa méthode expérimentale, une
sur Locke — qui s'appelait d'abord *Lettre sur l'Ame* — quatre
sur Newton. Cinq lettres sur la littérature et les gens de lettres
forment intermède; la dernière du volume, ce sont des « remarques
critiques faites depuis longtemps sur les *Pensées* de Monsieur
Pascal ».

Ces remarques sont une contre-partie dure et crispée au tableau
idéalisé de l'Angleterre religieuse et philosophe. Le beau pays, où
les religions, à force d'être nombreuses, « vivent heureuses en
paix » ! où l'expérience, le fait, sert de guide à la raison des penseurs ! où, avec le sage Locke, qui a su éviter la « témérité et le
babil » des « aveugles » métaphysiciens, cartésiens ou scolastiques,
on peut penser et dire qu'aucune incompatibilité ne s'impose entre
la pensée et la matière : après tout, il ne faut pas borner la puissance de Dieu ! où Newton a vieilli tranquille, et a négligé la métaphysique. Pourquoi donc, lorsque l'on pourrait vivre et penser en
paix, un « misanthrope sublime » vient-il nous inquiéter de ses
raisonnements impérieux, de son apologétique superflue, de son
pamphlet « contre la nature humaine » ? Et c'est encore le jansénisme, ou l'aspect janséniste du Christianisme, que Voltaire
attaque, avec un entrain çà et là ralenti par de très ironiques égards.
Le péché originel ? Pour expliquer la nature humaine, la « raison » n'a pas besoin de ce mystère. L'homme est « inconcevable » ?
Mais toute la nature l'est aussi. L'argument du pari est « puéril
et indécent »; d'ailleurs, lorsqu'on admet la prédestination, quel
intérêt a-t-on à croire en Dieu ? La condition humaine est malheureuse ? Allons donc ! Il y a un bonheur réel, proportionné à
la nature humaine. L'amour-propre de chaque homme est nécessaire à la vie de la société. Prétendre à un sort meilleur est « orgueil
et présomption ». Les flèches se succèdent de la sorte, parfois assez
puériles : ainsi le sens multiple de l'Ecriture se trouve par Voltaire
qualifié de « duplicité » criminelle et punissable. Parfois Voltaire,
dans un mouvement d'impatience, jette un mot confidentiel :

Ceux qui sont le mieux organisés sont ceux qui ont les passions les
Le trésor le plus précieux est l'espérance...   [plus vives...
L'homme est né pour l'action...

Ce sur quoi il insiste, ici et ailleurs dans les *Lettres*, c'est sur la
distinction des domaines de la raison et de la foi :

La raison et la foi sont de nature contraire...
Je pense qu'il est très vrai, que ce n'est pas à la métaphysique de
prouver la religion chrétienne, et que la Raison est autant au-dessous
de la Foi que le fini est au-dessous de l'infini.
Je suis métaphysicien avec Locke, mais chrétien avec saint Paul.
Montaigne parle en philosophe, non en chrétien.

Et cette idée, admise d'ailleurs par un bon nombre d'apologistes
alors et de simples chrétiens, se tourne dans les *Lettres* en habileté
manœuvrière, lorsque Voltaire affirme que la philosophie est inoffensive à la religion : les philosophes, ajoute-t-il, « sont sans enthousiasme, et ils n'écrivent point pour le peuple ».

Contre Pascal il est donc ou il se fait optimiste, en formules
résolues, violentes, et qui sans doute dépassent sa vraie pensée,
puisque l'expression de ses doutes suit de près l'affirmation de sa
confiance. Dans le *Mondain*, il proclame son amour du luxe, « même
de la mollesse »; dans le *Traité de Métaphysique* (1734), il justifie
Dieu :

> Il est insensé de reprocher à Dieu que les mouches soient mangées
> par les araignées, et que les hommes ne vivent que quatre-vingts ans,
> qu'ils abusent de leur liberté pour se détruire les uns les autres, qu'ils
> aient des maladies, des passions cruelles, etc., car nous n'avons certaine-
> ment aucune idée que les hommes et les mouches dussent être éternels.
> Pour bien assurer qu'une chose est mal, il faut voir en même temps qu'on
> pourrait mieux faire... Qui aura une idée selon laquelle ce monde-ci déroge
> à la sagesse divine ?

Il justifie Dieu... Mais il se demande si Dieu existe :

> Dans l'opinion qu'il y a un Dieu, il se trouve des difficultés; mais
> dans l'opinion contraire, il y a des absurdités.
> On peut regarder cette proposition : *Il y a un Dieu*, comme la chose
> la plus vraisemblable que les hommes puissent penser.

Contre Pascal, il s'éprend de Pope, et compose les *Discours sur
l'Homme* :

> Jusqu'à quand verrons-nous ce rêveur fanatique
> Fermer le ciel au monde, et d'un ton despotique
> Damnant le genre humain, qu'il prétend convertir,
> Nous prêcher la vertu pour la faire haïr ?

Justement alors ses adversaires critiquent Pope : les jansénistes
reprochent au poète anglais — qui se dit catholique — d'ignorer
le péché originel; et sur ce sujet Louis Racine écrit une belle épître

à J.-B. Rousseau : l'homme, dit-il, ne peut avoir de bonheur qu'en Dieu, son « consolateur ». Voltaire, lui, croit à la liberté, et à la Providence, et il l'affirme dans une lettre à Frédéric :

> J'avoue qu'on fait contre la liberté d'excellentes objections; mais on en fait d'aussi bonnes contre l'existence de Dieu; et comme, malgré les difficultés extrêmes contre la Création et la Providence, je crois néanmoins la Création et la Providence, aussi je me crois libre, jusqu'à un certain point s'entend, malgré les puissantes objections que vous me faites.

Dieu, Providence, liberté, modération, plaisir — « le plaisir est le but universel : qui l'attrape a fait son salut », écrit-il à Berger en 1736 — ces articles de sa foi philosophique et de sa morale raisonnable sont-ils définitifs ? Il lui suffit de les voir affirmés systématiquement par autrui pour s'en étonner, s'en irriter peu à peu. Vers 1740, ce n'est pas sans résistance que Voltaire collabore aux *Institutions physiques* de Mme du Châtelet, tout animées des thèses leibniziennes :

> Ce monde-ci est le meilleur des mondes possibles, celui où il règne le plus de variété avec le plus d'ordre... Toutes les objections tirées des maux qu'on voit régner dans ce monde s'évanouissent par ce principe... De vouloir juger par un mal apparent de la perfection de l'univers, c'est juger d'un tableau entier par un seul trait... L'imperfection dans la partie correspond souvent à la perfection du tout...

Il s'irrite contre la métaphysique, qui le déçoit : *Vanitas vanitatum, et metaphysica vanitas*, écrit-il; il s'égaye non sans amertume devant l'assurance du Bernois Kœnig, le métaphysicien de Mme du Châtelet; il ignore ce qu'est l'âme, ce qu'est la matière; et à propos de la liberté, désabusé, il écrit :

> J'avais grande envie que nous fussions libres; j'ai fait tout ce que j'ai pu pour le croire. L'expérience et la raison me convainquent que nous sommes des machines faites pour aller un certain temps et comme il plaît à Dieu.

Que faire donc ? Se résigner, sans doute, accepter le mal puisqu'on peut penser qu'il en doit naître un bien : « Mais, dit Zadig, s'il n'y avait que du bien et point de mal ? » Et Memnon : « J'ai bien peur que notre petit globe terraqué ne soit précisément les petites-maisons de l'univers ». Le temps console toujours, voilà la morale des *Deux Consolés*; Scarmentado, après ses infructueux et douloureux voyages, se contente d'un bonheur bien imparfait. Le Sirien de *Micromégas* fait un beau cadeau aux philosophes de la Terre : un livre « où ils verraient le bout des choses »; les pages en sont parfaitement blanches. Et cependant, dit Voltaire à la fin du Conte du *Bon Bramin,*

Si nous faisons cas du bonheur, nous faisons encore plus de cas de la raison.

Dans ces amertumes, dans cette recherche où il souhaite parfois quelques haltes provisoires, il goûta l'amitié de Vauvenargues comme un bonheur inattendu : « Vous êtes l'homme que je n'osais espérer ! », lui écrit-il. Vauvenargues, ce n'est pas un amateur bien né des belles-lettres et de la philosophie; c'est un homme de haute naissance qui se consacre à l'étude de la philosophie et des lettres, qui aime mieux « déroger à sa qualité qu'à son génie ». En face de Vauvenargues, un sentiment nouveau s'élève dans l'âme de Voltaire, le respect :

Comment avais-tu pris un essor si haut, dans un siècle de petitesse !

Ce stoïcien, ennemi de la rigueur janséniste, ne prouve-t-il pas, par son vivant exemple, que la grandeur morale se peut trouver hors du Christianisme ?

De Vauvenargues il tombe à Frédéric et à son entourage matérialiste. Sans doute les propos des petits soupers sont étincelants d'irréligion, ou d'impertinence contre les prêtres. Sans doute le royal versificateur est-il un consciencieux élève, digne des leçons de lyrisme léger ou grave que Voltaire lui a données; il développe les mêmes thèmes : fuyons « l'aveuglement honteux des superstitions »; méprisons les « prêtres frauduleux »; les persécutions et les luttes religieuses datent du Christianisme; la vertu ne doit pas être austère; les désirs, les passions, entretiennent l'utile activité de l'âme; le désir du salut chez les Chrétiens n'est que la peur dégradante de l'enfer. Mais à ces idées Frédéric ne donne-t-il pas un tour bien dogmatique ? C'étaient flèches aux mains de Voltaire; aux mains de Frédéric, c'est massue. Et quelle sérénité dans l'affirmation du matérialisme :

Les hommes doivent tout aux organes des sens.

Qu'est-ce aussi que ce Maupertuis, grand admirateur du Christianisme, et en même temps de la « Vénus physique » dont il parle en termes si compassés ? Maupertuis s'avise de découvrir que dans le monde le vice est plus fréquent que la vertu. Voltaire,

prompt à saisir chez autrui les insuffisances de la pensée, et à bâtir
contre elles sa pensée personnelle, combat en 1752 le pessimisme
de Maupertuis :

Quand on examine ces lieux communs avec des yeux attentifs, on voit
qu'en effet il y a beaucoup plus de bien que de mal sur la terre. On
voit évidemment que ces reproches, faits de tout temps à la Providence,
ne viennent que du plaisir secret que les hommes ont de se plaindre,
et qu'ils sont plus frappés des maux qu'ils éprouvent que des avantages
dont ils jouissent... L'état ordinaire des hommes est l'ordre et la sûreté
dans la société. Il n'y a point de ville au monde qui n'ait été vingt
fois plus longtemps tranquille que troublée de séditions... Cette ancienne
question épuisée du mal moral et du mal physique ne devrait être traitée
qu'en cas qu'il y eût des choses nouvelles à dire.

Optimisme de circonstance, de contradiction, en tout cas besoin
de trouver ou de conserver une certitude métaphysique. « Ces questions sont d'une importance à qui tout cède », écrivait-il fermement en 1734. Toute sa mobilité ne réussit pas à l'en rendre insou-
ciant. En 1743, sachant l'abbé de Saint-Pierre malade et proche
de sa fin, il va le voir, et lui demande comment il envisage la
mort. Contre le Christianisme, contre le Fanatisme, ses épigrammes,
ruades et sarcasmes n'ont pas alors l'accent de propagande qu'ils
auront après 1760; ce sont cris de colère plutôt, paroles doulou-
reuses disant l'obsédant problème de l'humaine destinée, du but de
l'univers, de l'existence et de la nature de Dieu.

Cette hantise, elle est dans ses chefs-d'œuvre tragiques : Zaïre
(1732) et Mahomet (1740) : la fille de Lusignan peut-elle rester
musulmane ? quels sont les droits sur elle de la religion où elle est
née, mais qu'elle n'a pas connue ? L'auteur du Coran est un fourbe,
un ambitieux atroce; mais avant la religion qu'il fonde, il y a à
La Mecque une autre religion, celle des dieux qu'implore Zopire :
dieux de la patrie, dieux humains, religion naturelle.

Elle est dans ses deux grands livres d'histoire: le Siècle de Louis XIV
(1751) et l'Essai sur les Mœurs (1756). Dans le Charles XII (1731),
elle ne paraissait pas encore; et la Philosophie de l'histoire (1765),
qui deviendra l'Introduction de l'Essai, sera surtout un pamphlet
contre Israël. Mais dans ces cinq derniers chapitres du Siècle :
Affaires ecclésiastiques, Calvinisme, Jansénisme, Quiétisme, Cérémonies chinoises, la tristesse, l'amertume est plus marquée que la malveillance. Tristesse d'assister à des disputes « absurdes », puisque
Voltaire ne consent pas à voir dans la théologie autre chose que
de despotiques hypothèses; amertume d'avoir à relater les « intem-
pérances » du mysticisme guyonien, et, dans l'affaire des Cérémonies

chinoises, « cet esprit actif, contentieux et querelleur qui règne
dans nos climats » et dans notre religion.

Dans l'*Essai*, il veut voir clair, tout autrement que Bossuet, dont
l'*Histoire* n'est universelle que par son titre; autrement qu'un
Tacite, le « satirique ingénieux » qui a écrit les *Mœurs des Ger-
mains*. Il veut voir clair dans les mœurs des nations qui depuis la
chute de l'Empire romain « habitent et désolent la terre ». Mais
ces mœurs, ce sont avant tout les mœurs religieuses, habitudes et
croyances. Les Chinois sont déistes, ils pratiquent tous la morale
naturelle, même ceux de leurs philosophes qui sont « tombés dans
le matérialisme ». Les Hindous haïssent les querelles théologiques,
et sont profondément religieux :

Il est si naturel de croire un Dieu unique, de l'adorer, et de sentir
dans le fond du cœur qu'il faut être juste.

Les Perses suivent le Décalogue et la religion naturelle. Le
Christianisme s'établit; l'impatience saisit Voltaire devant les traditions insuffisamment démontrées, qu'il a tôt fait de nommer mensonges; la *Légende dorée* n'obtient de lui que parodie et sarcasme.
Sur chaque faute des chrétiens il insiste; dès qu'il leur aperçoit une
responsabilité, il l'aggrave : ainsi les divisions provoquées par les
chrétiens auraient été la cause de la chute de l'Empire romain; les
horreurs sanglantes ont abondé à la cour des empereurs de Constantinople. Jusqu'à la fin du livre, il n'est question, pour ainsi dire,
que de religion, de superstition, de papes habiles ou despotes. Les
Croisades sont présentées comme une erreur et une faute. Saint
Louis, assurément, était « en tout le modèle des hommes. Sa piété,
qui était celle d'un anachorète, ne lui ôta aucune vertu de roi » :
hélas, quel prince il eût été, « si la fureur des croisades et la religion des serments avaient permis à sa vertu d'écouter la raison » !
Et puis c'est l'Inquisition, les Templiers, Jean Huss, Jérôme de
Prague; Jeanne d'Arc, en qui Voltaire voit un « expédient étrange »
de Baudricourt. Il étudie les mœurs de l'Angleterre au moyen âge ?
Ce sont deux chapitres sur *la Religion en Angleterre*, un sur *la Religion en Ecosse*; puis il examine l'état de *la Religion en France*, puis
l'origine des *Ordres religieux*; et encore l'*Inquisition*. Il passe aux
grandes découvertes du xvi° siècle : mais il montre « l'Amérique
dévastée par ceux qui vinrent la convertir », et « le Brésil perdu
pour des querelles de religion ». Au Paraguay, les Jésuites méritent
quelque éloge, car ils ont là de grandes ressemblances avec les
quakers.

La morale de tout cela ? C'est que le fanatisme fait de la terre un triste séjour; que la prospérité donne des vertus : dans l'Italie de la Renaissance, « les richesses et la liberté élevèrent le courage »; que la religion naturelle suffit, et que sans doute elle est nécessaire. En vérité, dans ce livre méchant, et jusque dans ses formules les plus voltairiennes :

Jésus-Christ avait permis que les faux évangiles se mêlassent aux véritables dès le commencement du christianisme; et même, pour mieux exercer la foi des fidèles, les évangiles qu'on appelle aujourd'hui *apocryphes* précédèrent les autres ouvrages sacrés qui sont aujourd'hui les fondements de notre foi,

je vois surtout la souffrance d'une âme anxieuse sur ses blessures, et qui fébrilement les exaspère.

Le 1ᵉʳ novembre 1755, le tremblement de terre de Lisbonne lui apportait de « nouvelles choses à dire » sur le mal physique et moral :

Si Pope avait été à Lisbonne, aurait-il osé dire *Tout est bien* ? Le *Tout est bien* de Matthieu Garo et de Pope est un peu dérangé... Voilà un terrible argument contre *l'optimisme* !

Il résiste cependant, il veut garder confiance : la vie humaine n'est pas bonne, mais la mort est pire :

> Nul ne voudrait mourir, nul ne voudrait renaître,
> . . . .
> Un jour tout sera bien, voilà notre espérance.
> Tout est bien aujourd'hui, voilà l'illusion.
> . . . .
> Dans une épaisse nuit cherchant à m'éclairer,
> Je ne sais que souffrir, et non pas murmurer.

Ces vers du *Poème sur le désastre de Lisbonne*, imprimé dès le 16 décembre 1755, témoignent de sa puissance d'espoir, de son ardeur inlassable à poursuivre la solution du problème; et de sa souffrance.

En 1756, il publie ce *Poème sur la Loi Naturelle* qu'il avait composé en 1752, où il supplie les hommes de ne pas aggraver la misère de leur condition :

> Dans nos jours passagers de peines, de misères,
> Enfants du même Dieu, vivons au moins en frères.
> . . . .

Monsieur DE VOLTAIRE

Gravure de SEN

Mille ennemis cruels assiègent notre vie
Toujours par nous maudite et toujours si chérie.
. . . .
Ah ! n'empoisonnons pas la douceur qui nous reste !
Je crois voir des forçats dans un cachot funeste,
Se pouvant secourir, l'un sur l'autre acharnés,
Combattre avec les fers dont ils sont enchaînés.

Les événements politiques l'entretiennent dans ses préoccupations, on pourrait presque dire dans son angoisse :

L'optimisme et le *Tout est bien* reçoivent en Suède de terribles échecs... Voilà déjà environ vingt mille hommes morts pour cette querelle, dans laquelle aucun d'eux n'avait la moindre part... Quelles misères et quelles horreurs !... Après avoir dit assez de bien des plaisirs de ce monde, je me suis mis à chanter ses peines; j'ai fait comme Salomon sans être sage; j'ai vu que tout était à'peu près vanité et affliction, et qu'il y a certainement du mal sur la terre.

Et ce sentiment est si profond que Voltaire en vient à rougir de son propre bonheur, conquis cependant par tant d'efforts :

Je suis si heureux que j'en ai honte.

Et il compose *Candide.*
Quels instructifs voyages ! Quel sarcastique complément aux *Aventures de Télémaque !* En Westphalie, chez les Bulgares, à Lisbonne, à Cadix, au Paraguay, en Eldorado, à Surinam, en France, en Angleterre, à Venise, le bon jeune homme simple et droit séjourne, s'émerveille, souffre, et constate les malheurs ridicules de l'humanité. Tout est bafoué, pêle-mêle : les prétentions de la noblesse allemande, la grossièreté des hobereaux, le recrutement militaire, la liberté humaine, la guerre, les misères physiques où parfois aboutit l'amour — et ceci de la manière la plus crue, non par recherche de l'obscénité, mais pour montrer dans toute sa réalité la condition misérable de l'homme —, l'Inquisition, et le grand Inquisiteur débauché, et le juif Issachar débauché, et les Jésuites du Paraguay, et les Espagnols orgueilleux, les Hollandais cupides, l'Académie de Bordeaux; et Paris, Fréron, la folie du jeu, les tragédies; Corneille trop héroïque, Racine trop idyllique; les femmes avides de plaisir et d'argent, et toujours infidèles; l'Angleterre même; les Anciens : Homère, Virgile, Horace, Cicéron; les savants trop peu soucieux des applications de la science, et Milton; les rois détrônés et la curiosité métaphysique; et sans cesse, en refrain, l'optimisme. Rien n'est épargné, sauf la tragédie pathétique selon

24

l'esprit de *Zaïre*, et la religion des naturels d'Eldorado, déisme sans querelles et sans clergé. Le seul recours, c'est le travail : « Il faut cultiver notre jardin ».

Candide, c'est la grande confidence de Voltaire, ce sont ses *Confessions*, à lui, autrement émouvantes, on peut le dire, et même autrement religieuses que celles de Jean-Jacques. A chaque page y reparaît, blessante mais encore plus blessée, grimaçante mais d'un rictus de douleur, cette âme déçue dans sa recherche du vrai, dans sa recherche de Dieu, qu'elle a entreprise par les seuls moyens de la Raison, de sa raison. Et cette insultante lamentation qui éclate enfin — Voltaire alors a soixante-cinq ans — est singulièrement plus profonde que les souffrances sensuelles ou sentimentales de Rousseau, et que la *Profession de foi* elle-même, où la part de l'illusion est si forte, et de la volonté d'illusion. Détaché de sa foi chrétienne par les philosophes de Paris, Rousseau a tenu, pour se conserver du bonheur, à se créer un refuge contre l'irréligion, un palier sur la pente du doute et du désespoir. Effort original, méritoire à sa manière, mais qui contient autant d'épicurisme masqué que d'esprit adorateur. « Vous jouissez, mais j'espère », écrivait Rousseau à son ennemi, « et l'espérance embellit tout ». Lui, Rousseau, qui se jugeait ascète, à sa manière il jouissait « de lui-même, de la nature entière et de son incomparable auteur », et de l'illusion : « Rien n'est beau que ce qui n'est pas ». Avide de voir clair, impatient d'atteindre à cette réalité métaphysique à laquelle il croyait, mais qu'il s'irritait de voir définir par autrui, et de ne pouvoir définir lui-même, Voltaire a haï cet esprit de chimère.

Lui, il a cherché *ce qui est;* son active intelligence ne peut pas s'arrêter longtemps à mi-chemin; lui-même au contraire la pousse en avant, battant tous les buissons, culbutant tous les adversaires médiocres, parce qu'adversaires, parce que médiocres. Ses blasphèmes sont le cri de sa déception. Où trouve-t-on chez Rousseau une amertume aussi pathétique que celle-ci :

Aimant passionnément la vérité, nous sommes nés pour tout ignorer.

Aussi ne faut-il pas omettre Voltaire, lorsqu'on énumère les sources de la pensée romantique. Non seulement son déisme est passé chez Hugo, mais sa hantise métaphysique est devenue celle de Vigny, peinant à son tour à la recherche d'une solution rationaliste du problème de notre destinée, et à son tour invectivant et blasphémant dans ses *Destinées* et son *Christ au mont des Oliviers,* et conseillant l'action, le travail du poète comme un dérivatif utile au reste

de l'humanité. Enfin, n'est-ce pas la pensée même de Voltaire sur
Dieu, celle que *Candide* développait, hérissait de sarcasmes, que l'on
retrouve, transfigurée, mais authentiquement voltairienne, dans le
plus beau poème philosophique de Lamartine, le *Désert* ?

> Insectes bourdonnants, assembleurs de nuages,
> Vous prendrez-vous toujours au piège des images ?
> Me croyez-vous semblable aux dieux de vos tribus ?
> J'apparais à l'esprit, mais par mes attributs.
> . . . .
> Tu creuseras en vain, le ciel, la mer, la terre,
> Pour m'y trouver un nom; je n'en ai qu'un... MYSTÈRE.

Blasphème lyrique contre le Christianisme, contre l'idée de l'Incarnation, le Mystère est la seule divinité ou le seul nom de la
divinité que Voltaire désormais consente à adorer.

... Est-ce être partial maintenant que de chercher l'une des explications de l'attitude haineuse à laquelle Voltaire s'est arrêté envers
l'Eglise dans cette formule de l'*Imitation* :

*Qui autem vult plene et sapide Christi verba intelligere, oportet ut
totam vitam suam illi studeat conformare :*

« Si l'on désire avoir dans leur plénitude et leur vrai goût le sens
des paroles du Christ, il faut s'appliquer à mettre toute sa vie en
conformité avec la vie du Christ. » Ainsi Voltaire a pu lire et
relire l'*Ecriture*, parcourir les théologiens, méditer les philosophes
chrétiens, connaître, peut-être admirer de saintes âmes, et cependant rester fermé à la Bonne Nouvelle...

*
**

A-t-il trouvé dans les Belles-Lettres cette joie pure et consola-
trice que certaines formules célèbres du *Pro Archia* promettent
aux écoliers studieux ?

Son goût, il l'a toujours avoué avec reconnaissance, a été formé
par ses maîtres jésuites. Au collège Louis-le-Grand vivait encore
au début du siècle le prestige du P. Rapin (1621-1687) et de ses
Réflexions sur l'Eloquence (1671), toutes débordantes de vénération
pour « la plus pure et la plus saine antiquité », pour le « bon
sens », le « goût si sûr » des Anciens. Rapin avait prêché la dignité
du style, et un « naturel » animé, pathétique. Il avait énuméré
les éléments constituant selon lui le vrai poète : « grand naturel,
esprit juste, fertile, pénétrant, solide, universel, intelligence droite

et pure, imagination nette et agréable, grand sens et grande vivacité ». Le poète, disait-il, doit parler en inspiré, « ressembler » à un prophète; « il est bon toujours d'avoir l'esprit fort serein, pour savoir s'emporter quand il le faut, et pour régler ses emportements »; et le « génie », qui en effet est nécessaire au poète, « donne de l'élévation à l'esprit, fait penser heureusement les choses, et les fait dire d'un grand air ». Les « règles » sont indispensables, car grâce à elles seulement on établit dans un poème la « vraisemblance ». Le P. Rapin avait composé des *Réflexions sur l'Histoire*, où délibérément il prenait pour guide le « bon sens », non une « finesse de politique »; il recommandait à l'historien une forme sobre, et un sain jugement fondé sur la connaissance de l'« homme en général » :

> Il faut bien connaître surtout la vanité, la malice, l'ignorance, la folie de l'esprit humain, en approfondir la faiblesse, qui est le grand principe de sa malice... Surtout qu'il [l'historien] n'ignore pas que la paresse de la plupart des grands à examiner les affaires, et les impatiences qu'ils se donnent à en décider, est sur.quoi roule ce qu'il y a de plus essentiel en leur conduite.

Lui-même, au reste singulier historien, en des *Réflexions sur la Philosophie ancienne et moderne*, méprisait grandement la scolastique, cet « esprit subtil et pointilleux », et le Moyen Age dont la « barbarie » avait gâté Duns Scot et saint Thomas.

La sensibilité littéraire était vive chez Rapin : à la lecture d'Homère, disait-il, il ressentait « ce qu'on sent quand on entend les trompettes ».

Moins enthousiastes, plus rationalistes, les P. P. Brumoy et Du Cerceau avaient pourtant suivi ses pas. Le P. Brumoy, dans son *Théâtre des Grecs* (1732), donne de la vérité et de la beauté littéraire une définition un peu mondaine : c'est, dit-il,

> une imitation de la nature qui saisit l'âme, et qui fait dire, suivant les idées reçues dans une nation polie, *cela est vrai, cela est beau.*

Il craint que « l'extrême simplicité et les défauts d'Eschyle ne dégoûtent le lecteur ». Il croit aux grands siècles, au « bel âge » qui, pour chaque nation, viendrait insensiblement et s'en irait par degrés, fatalement.

L'histoire littéraire à ses yeux est intimement liée à l'histoire générale : et pour commenter et comprendre *Iphigénie en Tauride*, *les Euménides*, *Œdipe à Colone*, il estime nécessaire de reconstituer l'âme du spectateur athénien qui les a d'abord applaudis, et sur les sentiments ou les préjugés duquel elles nous documentent. Il voudr.ut que l'exemple du théâtre grec, « où tout s'anime, tout agit », entraînât enfin le théâtre français, si discoureur, à produire la véritable « émotion théâtrale », faite « de spectacle et de passion ». Et il nous souhaite aussi une tragédie sans amour, du moins sans galanterie.

Quant au P. Du Cerceau (1670-1730), ses *Réflexions sur la Poésie française* (posthumes, 1742) enseignaient des « règles sûres pour réussir dans l'art des vers » : c'est « l'arrangement des termes » qui selon lui fait la poésie d'un style; à elles seules « les transpositions caractérisent le style poétique ».

Ces tendances, ces préférences, ces idées sont comme les racines du goût de Voltaire. De plusieurs il plaidera la cause avec une telle véhémence qu'on les croira siennes uniquement. Les Jésuites lui ont transmis leur humanisme affable et profond, leur culte sincère des Bonnes Lettres qui civilisent, des Belles-Lettres et des Beaux-Arts qui élèvent l'âme. Les Modernes pourront lui enseigner leur irrévérence pour les Anciens : ils ne lui feront aucunement perdre cette estime enthousiaste des chefs-d'œuvre.

La leçon qu'il retiendra le mieux des Modernes est une leçon de patriotisme : le siècle de Louis le Grand aura à ses yeux le même incomparable prestige qu'aux yeux de Charles Perrault. L'art de composer, les « bienséances », le ton noble, sont, selon Perrault, le privilège et la découverte des écrivains du grand règne; et Voltaire affectera jusque dans ses manières et dans sa mise de se présenter en contemporain de Louis XIV. Sa sympathie pour Pope tiendra à ce que Pope est en somme l'élève de Boileau.

Enfin, Voltaire a lu et relu avec un plaisir singulier le Tasse et l'Arioste; et leur romanesque menu, subtil, élégant, leur fantaisie alambiquée et brillante n'ont jamais été pour lui sans séduction.

Le *Temple du Goût* parut un an avant les *Lettres Philosophiques*, en 1733, comme si Voltaire avait tenu à établir sa réputation de critique littéraire en même temps que son prestige impertinent de critique des institutions. Mais toute sa vie, il a recherché et saisi les occasions de formuler les principes de son goût : en 1719 dans ses *Lettres sur Œdipe*, en 1736 dans le *Mondain*, en 1739 dans sa *Vie de Molière*, en 1751 dans le chapitre des *Beaux-Arts* du *Siècle de Louis XIV*, en 1759 dans *Candide*, sans parler de ses préfaces, et de sa correspondance avec Vauvenargues ou Helvétius. Dans le *Temple*, le ton est celui de l'impatience et du dépit : arrière les commentateurs, les compilateurs, les critiques malveillants ! La Motte, ennemi de la versification, est admis difficilement, de même que l'incohérent Jean-Baptiste Rousseau. L'histoire du goût est chose fort simple : il est né en Grèce; il a civilisé Rome; de nouveau, après les destructions musulmanes, il est né en Italie, puis en France sous François Iᵉʳ; Richelieu, Louis XIV surtout l'ont fixé et « orné »; durera-t-il chez nous ? Le dieu du goût unit le naturel à la grâce, à la variété, à la volupté aussi, à la distinction plus encore; il n'admet pas la familiarité, la trivialité; il se plaît à un ton soutenu et animé, qui reste noble. Dans la bibliothèque du Temple, les meilleurs livres sont « retranchés », c'est-à-dire abrégés. Et les meilleurs auteurs s'occupent à se corriger : Fénelon supprime quelques longueurs, et avoue que *Télémaque* est un roman, car « il n'y a point de poème en prose »; Bossuet regrette quelques familiarités, Corneille ses dernières tragédies, Racine ses jeunes gens trop galants, trop français; La Fontaine biffe quelques fables, Boileau son *Ode* et ses malveillances pour Quinault, Molière ses traits de « bas comique ».

A diverses reprises, en 1749 en particulier, dans sa *Connaissance des beautés et des défauts de la poésie et de l'éloquence*, Voltaire est revenu à la charge contre *Télémaque;* et son insistance est bien expressive. Est-ce jalousie irritée de l'auteur de la *Henriade ?* Je croirais volontiers que Voltaire, en entendant ses contemporains traiter *Télémaque* de poème, souffre moins dans son amour-propre que dans son goût. Soucieux de maintenir la distinction des genres, sensible à la beauté du vers, il aime dans la poésie ce qu'il en nomme les « éclairs », auprès desquels la prose n'est « qu'une lumière très faible »; et cette vivacité d'allure, cette verve rapide et brillante, si conforme du reste à sa propre humeur. Il ne peut donc considérer comme digne du nom de poème un ouvrage qui non seulement n'est pas en vers, mais surtout lui paraît parfaitement prosaïque, par ses répétitions et ses détails inutiles, par cette « abondance de choses petites », par la « froideur », le caractère « vague », le « manque de vie » de ses descriptions, par ses comparaisons « triviales », et qui « dégénèrent en langueur ». Fénelon s'est trop borné à « la peinture naïve et riante des choses communes » : cela était bon du temps d'Homère; Fénelon, « venu dans un temps plus raffiné, et écrivant pour des esprits plus exercés, devait chercher à embellir son ouvrage par des ornements moins simples ». Et puis, cette prose poétique est « une espèce bâtarde qui n'est ni poésie ni prose, et qui, étant sans contrainte, est aussi sans grande beauté ».

Partout et envers tous — on pourrait dire contre tous — son attitude de critique ou la réaction de son goût sera la même. Il aime l'art littéraire comme il aime Dieu, en dénigrant ses représentants : il ressent jusqu'à la colère chaque imperfection d'un grand écrivain. Ce n'est ni bassesse d'âme, ni même étroitesse de vues, ni incohérence naturelle dans les jugements successifs, encore moins incapacité d'admirer : c'est déception, et raillerie de vengeance. A l'occasion, il déplore lui-même cette vivacité à blâmer, qui l'empêche, comme il dit de Pococurante, « d'avoir du plaisir ».

Son enthousiasme pour le Beau, son estime foncière des grands écrivains français du XVII° siècle, sa curiosité de l'étranger l'ont-ils élevé jusqu'à composer lui-même de grandes œuvres ? Il l'a cru, il a pu le croire, et on l'a cru autour de lui.

L'épopée française qu'on désespérait d'avoir jamais, il la donnait en 1723. Aussitôt, et pour longtemps, il est « l'auteur de la *Henriade* ». Ce n'est pas un succès, c'est la gloire; et lorsque en 1818, on restaurera sur le Pont-Neuf la statue d'Henri IV, on aura soin d'enclore dans le bronze un exemplaire du poème épique de Voltaire. Pourquoi tant de bruit alors autour de ces « chants », qui aujourd'hui nous paraissent si légers de vraie beauté ? D'abord on sentait chez le « poète » une sorte d'allégresse à traiter un grand sujet national. On y apercevait aussi l'ambition désinvolte, si propre à Voltaire, de faire mieux ou plus que le XVII° siècle classique, et, sous forme d'épigrammes solennelles et adroites, le désir de glisser partout de la « philosophie ». On lui était reconnaissant de sa docilité aux règles de Boileau, de ses imitations de Virgile, de sa tempête écourtée, de son merveilleux chrétien sans mystère, de toutes ses réminiscences : n'avait-il pas repris dans son récit de la Saint-Barthélemy jusqu'à des hémistiches du *Lutrin* ? La galanterie de son chant IX, où étaient contées les amours d'Henri IV et de la belle Gabrielle, rappelait à la fois la *Jérusalem délivrée* et l'*Enéide*. Enfin, il avait l'art ou le bonheur, en quelques vers décidés, d'unir un jeune entrain à une raillerie déjà sarcastique.

Au théâtre a-t-il été plus original, plus créateur ?

La tragédie que dès sa jeunesse il ambitionnait d'imposer au goût français, c'était une tragédie sans amour, selon la formule de Fénelon dans sa *Lettre à l'Académie*, mais pour des motifs autres que ceux de Fénelon. Fénelon jugeait l'intrigue d'amour dans nos tragédies trop conventionnelle, artificielle, contraire à cette simplicité et à ce naturel qu'il souhaitait par-dessus tout. Voltaire la jugeait fade, et comme dégradante. Epris de majesté, de puissance, de grandeur, tout ce qui lui paraissait affaiblir ces impressions dans le théâtre de Racine mécontentait son goût. Si *Athalie* lui plaît à peu près sans réserve, c'est qu'aucune intrigue galante n'y vient amoindrir

à ses yeux le prestige du sujet et des personnages; au fond il a
toujours rêvé de composer une *Athalie* laïque ou philosophique.
Qu'a-t-il goûté en Shakespeare ? Il n'y a vu ni les mots profonds
sur l'âme humaine, ni les types, ni le naturel puissant, mais seulement la grandeur du spectacle, l'action poignante, quelques digressions raisonneuses, l'allure « républicaine », c'est-à-dire indépendante, des personnages. Lessing dira, non sans dureté, ni sans déclamation :

> Voltaire n'a dérobé au bûcher tragique dressé par Shakespeare qu'un
> brandon, et encore un brandon qui fume plus qu'il ne brille et n'échauffe.

Entre les mains de Voltaire, qu'est devenu le drame shakespearien
de la jalousie, *Othello* ? Qu'est devenu Iago empoisonnant lentement,
implacablement, l'âme du More, et que sont devenues les colères
d'Othello, ses hantises féroces, sa frénésie ? Chez Voltaire, le
personnage principal, c'est le reflet de Desdémone : Zaïre; et le
sujet de son drame à lui, c'est cette question : une femme trahira-
t-elle par amour sa naissance et sa religion ? Elle est donc incertaine
et passive, cette Zaïre, comme les âmes romanesques créées par Prévost et Marivaux; il y a chez elle plus d'incertitudes que de lutte.
A la fin elle se décide, à grand-peine; et elle n'a cessé de parler
des sacrifices qu'elle ferait, peut-être... Son charme cependant tient
à son amour tout candide, sincère, ardent et pur, où scintille un
reflet de l'amour de Monime pour Xipharès : plus familier dans son
langage, prosaïque même, combien cet amour est vif, et touchant :

> Pardonnez-moi, chrétiens ! qui ne l'aurait aimé ?
> Il faisait tout pour moi; son cœur m'avait choisie;
> Je voyais sa fierté pour moi seule adoucie.
> (III, 3.)

> Cher amant, ce matin l'aurais-je pu prévoir,
> Que je dusse aujourd'hui redouter de te voir,
> Moi qui, de tant de feux justement possédée,
> N'avais d'autre bonheur, d'autre soin, d'autre idée,
> Que de t'entretenir, d'écouter ton amour,
> Te voir, te souhaiter, attendre ton retour ?
> Hélas, et je t'adore, et t'aimer est un crime !
> (III, 4.)

La scène qui émouvait le plus les contemporains était cette
scène II du IV° acte, où Orosmane, irrité des délais sans motif
plausible que demande Zaïre, vient lui déclarer son « mépris ».
Elle pleure, elle avoue son amour. De temps en temps, on sent chez
elle une coquetterie et une fierté de femme adulée un peu trop

consciente peut-être : Voltaire définit les sentiments de ses personnages, il les étiquette, bien plutôt qu'il n'en suggère l'impression. La fraîcheur du sentiment éclate cependant, malgré cette excessive netteté, malgré les couplets à effet, les développements conventionnels, les hémistiches ou les mouvements transplantés en trop grand nombre de Corneille et de Racine. Le grand mérite de *Zaïre* est là : Voltaire a mis dans cette tragédie « toute la sensibilité de son cœur ». Lui-même s'est laissé prendre à tant de tendresse; n'en vient-il pas, dans l'*Epître dédicatoire*, à faire de l'esprit romanesque, de l'esprit de galanterie, une pièce essentielle de la « civilisation » telle qu'il la préconise, telle qu'il croit le théâtre destiné à la répandre ? Quant au « christianisme » de *Zaïre*, qui a fourni à Mme de Staël un argument, et un développement à Chateaubriand, il suffit, pour en trouver la source, de relire la *Jérusalem délivrée*. Les chevaliers chrétiens de Voltaire sont ceux du Tasse : aussi galants, aussi prêts aux grandes exclamations généreuses, aux sentiments précieux et emphatiques. Dans la *Jérusalem* aussi les infidèles étaient présentés à leur avantage.

Ses vingt-six autres tragédies, et les nombreux manifestes dont il les commente, ne servent guère qu'à montrer l'instabilité de ses goûts et la vivacité de ses aversions. *Œdipe, Artémire, Marianne,* sont classiques, bâties selon la recette classique; puis viennent les tragédies shakespeariennes : *Brutus, Eriphyle, La mort de César;* Voltaire imite sa *Zaïre* dans *Adélaïde du Guesclin,* autre tragédie française; dans son américaine *Alzire,* dans son africaine *Zulime.* Puis le voici combattant le « fanatisme » dans *Mahomet. Mérope* est une tragédie sans amour. Pour donner une leçon — trois leçons — à Crébillon, il refait trois tragédies du bonhomme, et compose *Sémiramis, Oreste, Rome sauvée.* Après 1759, *Tancrède* sera encore une tragédie « d'un genre nouveau »; et puis viendront des tragédies pittoresques et philosophiques, des pièces de combat politique, religieux, littéraire...

Le théâtre comique de Voltaire n'est original que par la vivacité de certaines attaques ou railleries : contre la province dans l'*Enfant prodigue* (1736), contre Fréron dans l'*Ecossaise* : et contre Fréron ce sont basses et dures violences. L'*Indiscret* de 1725 est trop inspiré de Destouches, et *Nanine ou le Préjugé vaincu* (1749) est une sorte de comédie larmoyante.

C'est en homme de lettres que Voltaire s'est mis d'abord à l'histoire, et ses premières intentions paraissent assez voisines de celles que l'abbé de Saint-Réal, le romancier-historien de la fin du xvii° siècle, avait professées puis réalisées. Dans son manifeste de 1671, *De la*

mauvaise manière de lire et d'enseigner l'histoire, Saint-Réal pro-
clamait que le véritable usage de l'histoire n'est pas, ou ne doit
plus être, d'enseigner la politique, mais d'apprendre à connaître
les hommes :

> Savoir l'Histoire, c'est connaître les hommes qui en fournissent la
> matière; c'est juger de ces hommes sainement; étudier l'histoire, c'est
> étudier les motifs, les opinions et les passions des hommes, pour en
> connaître tous les ressorts, les tours et les détours, enfin toutes les illu-
> sions qu'elles savent faire aux esprits, et les surprises qu'elles font aux
> cœurs.

Le fond de l'âme humaine, selon Saint-Réal, n'est pas beau, et
l'on ne découvre guère de grands motifs aux grandes actions. En
outre, l'abbé consacrait tout le *Discours VII*ᵉ de son manifeste à
démontrer « que l'opinion rend tout recevable en matière de religion ».

Voltaire, s'il a lu le *Don Carlos* de Saint-Réal, ou sa *Conjuration
des Espagnols contre la République de Venise,* a parfois haussé les
épaules à tout ce romanesque d'intrigue. Cependant, lui aussi, il
préfère l'étude de l'homme, du cœur humain, d'un héros, à celle
de l'« ennuyeuse » politique. Il tient à bâtir son *Charles XII* comme
une tragédie; son *Siècle de Louis XIV,* où la grandeur du Grand
Règne scintille plus qu'elle ne resplendit, n'en est pas moins un
monument à la gloire de la civilisation française, comme une épopée
en style d'épigramme, où Voltaire se laisse aller à l'enthousiasme,
puis se repent d'avoir admiré un siècle si peu « philosophe » : et
pourtant, a-t-il soin de noter, au début même de son ouvrage,
« avoir du goût » est « plus rare » que « penser »...

Dans cet aperçu du goût et de l'œuvre littéraire de Voltaire, il
faut au moins mentionner deux écrivains dont les critiques, et l'on
pourrait dire l'existence même, étaient à Voltaire insupportables :
Fréron et Desfontaines.

Desfontaines est l'aîné (1685-1745). A le lire, cet ancien jésuite
et professeur de belles-lettres, on comprend surtout la sympathie
que Voltaire lui avait témoignée d'abord. Dans ses *Observations
périodiques* (1735 et suiv.), il bataille avec acharnement contre le
mauvais goût, « pensées alambiquées, phrases contournées, clin-
quant du discours, fureur de l'antithèse, vers marqués au coin de
l'indolence ». Il est classique selon La Bruyère et Boileau, et affirme
que « l'art de la poésie consiste à peindre ». Comme Voltaire, il
aime dans le style poétique les comparaisons qui ennoblissent; un
tour vif et nerveux l'enchante; la vraie poésie, à ses yeux, est la

poésie alerte, franche, colorée, et non pas les vers froidement raisonnables, le « lyrisme méthodique et euclidien » de M. de La
Motte.

Il définit le goût : un sentiment rapide et vif des beautés et des
défauts. Il attaque les mauvais auteurs de son temps; mais de ce
même temps il estime singulièrement les exigences, le désir de
« justesse, de choix, de précision » dans le discours. Par ses traductions il a importé en France la sentimentalité anglaise : mais
il n'admire pas l'Angleterre aveuglément, il fait de nettes réserves
sur le génie dramatique de Shakespeare. Comme Voltaire, enfin,
parmi les écrivains anglais c'est Swift qu'il préfère. Sa brouille
avec Voltaire est heurt de caractères, non de goûts. Bien entendu,
après *le Préservatif* il traite la *Henriade* de « chaos éblouissant,
mauvais tissu de fictions usées ou déplacées, où il y a autant de prose
que de vers »; et le *Poème de Fontenoy*, de gazette improvisée.
Et cependant à propos de ce *Poème* si médiocre, Desfontaines ne
peut retenir cet aveu d'admiration pour l'auteur :

Vous êtes sans contredit et sans flatterie le premier de nos versificateurs, quand vous voulez bien vous donner le temps et la peine
de l'être.

Fréron (1718-1776) est un autre homme. Irréprochable depuis son
mariage dans sa vie privée, d'une culture plus solide qu'étendue,
il se juge capable de considérer « d'un œil fixe » et nullement
déconcerté le prestige de Voltaire; de le louer à l'occasion, ou de
le blâmer, de l'avertir par des coups d'épingle, et de le tancer, lorsque
Voltaire s'acharnera sur la mémoire de Desfontaines. Fréron n'a
que de l'esprit et du bon sens; il n'a pas d'intransigeante doctrine
littéraire. Il aime les Anciens, les Modernes, nos Classiques; il est
modéré, mesuré dans son goût et calme dans l'expression de ce goût.
Il aime le théâtre sans se faire d'illusion sur l'avenir de la tragédie
et il prévoit la venue du drame bourgeois, huit ans avant les théories
et les essais de Diderot.

Ce qu'il reproche à Voltaire, dès 1745, c'est le morcellement, le
manque d'« harmonie » de sa pensée, sa négligence de l'« analogie
des idées », ses vers « isolés et détachés tombant un à un ». Voltaire,
dit-il plus tard, est trop « réellement un auteur français, appar-
tenant à sa nation et à son siècle, au lieu que les vrais poètes sont
de tous les pays et de tous les temps »; Voltaire historien interprète
trop, il fausse par désinvolture, ou méprise d'un ton tranchant les
documents dont il se sert; il attribue trop d'importance aux petites

causes. Est-il toujours possible enfin, lorsqu'on juge Voltaire, écrit-
il en 1752, de « faire grâce, en faveur de ses talents, aux travers
de son esprit et aux vices de son cœur » ?

***

Par quoi donc aujourd'hui continue-t-il à vivre, ce mécontent, ce
déçu, cet instable, on pourrait ajouter : ce *timide*, puisque son goût
littéraire est surtout hérité, et qu'il est revenu hargneusement sur
ses audaces, lorsqu'il s'est mis à dénigrer Shakespeare; et puisque
d'autres bien avant lui avaient proféré les blasphèmes hardis qu'il
a si longtemps hésité à redire autrement qu'en boutades ?

Sa *Correspondance*, dit-on, l'immortalise : elle est si variée, si
vivante, si limpide, il y joue tant de rôles différents, opposés, avec
tant de souplesse et d'impertinence ! — Oui; mais là encore il
faudrait chercher plus qu'on ne l'a fait les accents profonds et
douloureux que dissimule souvent d'ailleurs ou escamote un sourire.
Telle lettre de 1735 au P. Tournemine mériterait plus d'attention
qu'on ne lui en accorde, et plus de confiance : Voltaire est tout à
fait capable, dans sa perpétuelle ambition d'agir sur autrui, d'utiliser
pour manœuvrer les hommes l'aveu de ses sentiments les plus authentiques. Quand il écrit à son ancien maître :

> Mon très cher et Révérend Père, j'ai toujours aimé la vérité, et je
> l'ai cherchée de bonne foi... J'attends [beaucoup] de la bonté de votre
> cœur, et de l'amour que vous avez en connaissance de cause pour les
> vérités que je cherche...

pourquoi ne pas constater sa véracité, pourquoi ne pas remarquer
la justesse des formules où il définit son incertitude et sa souffrance ? En 1732, ses lettres à Maupertuis sur l'attraction newto-
nienne témoignent, par leurs questions pressées, insistantes, de cette
même avidité de découvrir le vrai. Il aurait « une obligation éternelle » à quiconque pourrait lui « prouver par la raison la spiritualité
et l'immortalité de l'âme » : or la foi seule — selon le vieux fidéisme
padouan — lui paraît être garante de « l'existence des substances
pures et spirituelles ».

Par quoi encore Voltaire a-t-il survécu, par quoi est-il sinon
immortel, du moins proche de nous et capable de nous toucher ?
— Par un grand nombre de ses vers légers. Non pas les vers de
la *Pucelle* ou des *Contes*, cliquetis sans grâce et sans résonance,
fastidieux ricanement, qui fait trop penser aux « os décharnés »
du Voltaire de Houdon. Mais les vers chantants, presque rêveurs,

qu'aimait Desfontaines — « l'harmonie plus que la rime est essentielle au vers », prononçait-il contre La Motte — et dont Voltaire
avait trouvé et aimé le modèle dans les poèmes « paresseux » de
Chaulieu. « Vous avez beau vous défendre d'être mon maître, vous
le serez, quoi que vous en disiez », lui écrivait-il en 1716. Vers
des épîtres légères et des madrigaux, où le sourire lassé de La Fontaine a son reflet :

> Les plaisirs ont leur temps, la sagesse a son tour;

où la convalescence et l'amitié mettent une gravité douce :

> Hélas, pourquoi parler encor de mes amours ?
> Quelquefois ils ont fait le charme de ma vie
> . . . .
> Mon cœur est étonné de se voir sans désirs;

où Voltaire pleure Genonville et les jours insouciants de leur commune jeunesse; et ceux où, alternant les *Vous* et les *Tu*, il rappelle à Mlle de Livry, devenue Mme de Gouvernet, les amours de
jadis, aujourd'hui tristement remplacées par le luxe :

> Ah ! Madame, que votre vie
> D'honneurs aujourd'hui si remplie,
> Diffère de ces doux instants !
> Ce large suisse à cheveux blancs
> Qui ment sans cesse à votre porte,
> Philis, est l'image du Temps :
> On dirait qu'il chasse l'escorte
> Des tendres Amours et des Ris;
> Sous vos magnifiques lambris
> Ces enfants tremblent de paraître :
> Hélas ! je les ai vus jadis
> Entrer chez toi par la fenêtre,
> Et se jouer dans ton taudis.
>
> Non, Madame, tous ces tapis
> Qu'a tissus la Savonnerie,
> Ceux que les Persans ont ourdis,
> Et toute votre orfèvrerie,
> Et ces plats si chers que Germain
> A gravés de sa main divine,
> Et ces cabinets où Martin
> A surpassé l'art de la Chine;
> Vos vases japonais et blancs,
> Toutes ces fragiles merveilles;
> Ces deux lustres de diamants
> Qui pendent à vos deux oreilles;

> Ces riches carcans, ces colliers,
> Et cette pompe enchanteresse,
> Ne valent pas un des baisers
> Que tu donnais dans ta jeunesse.

Et les vers du *Mondain,* où l'ardeur au plaisir est si franche :

> J'aime le luxe, et même la mollesse,
> . . . .
> Le paradis terrestre est où je suis.

Et les vers du *Pour et du Contre,* si pathétiques de nette incertitude. Mais le *Pour et le Contre* est de 1722, le *Mondain* de 1736, Genonville est mort en 1729, et l'*Epître* à Suzanne de Livry a été écrite en 1731. Ce qui, dans les vers de Voltaire, est resté jeune pour nous, c'est sa jeunesse.

Sa prose aussi, la prose de ses *Contes,* reste singulièrement vivante. Là surtout on goûte sa « manière propre », comme disait sans bienveillance le président de Brosses, ce « ton philosophique », ce « style tranchant, découpé, heurté », ces « idées mises en antithèse, et si souvent étonnées de se trouver ensemble »; et ces « tours malins », dont parle si justement Lanson,

ces fictions imprévues, ces transpositions facétieuses qui forcent l'inattention du public. Il a montré comment une question considérable se désosse, se simplifie, se réduit à quelques vérités de bon sens, comment les thèses des adversaires se traduisent en propositions absurdes qu'on n'a pas besoin de réfuter, comment on se répète sans lasser pour faire entrer l'idée dans la tête du lecteur en se répétant, par l'inépuisable renouvellement des formes piquantes et des symboles drôles qui la manifestent.

De cette allure « voltairienne » — que ses imitateurs, le lent Anatole France par exemple, ont si peu réussi à reproduire — Voltaire était-il l'inventeur ? Dans Le Sage il y a souvent une vivacité sarcastique et à saccades du même genre; dans Fénelon même, telle phrase de l'*Ile des Plaisirs* n'est-elle pas toute voltairienne d'intention et de démarche :

Je voulus demander à l'un d'eux pourquoi il paraissait si animé : il me répondit, en me montrant le poing, qu'il ne se mettait jamais en colère.

Et chez Fénelon aussi, comme chez Voltaire, le vrai charme de la prose n'est-il pas dans le rythme sans cesse variant avec l'humeur mobile, les impressions, les « passions » si vives de l'écrivain ?

Fénelon, Voltaire, natures ardentes pour le rêve d'action et l'ambition de saisir la vérité; incapables l'un et l'autre, quoique de manière fort diverse, de « lâcher Dieu », selon le mot de Claudel magnifiquement équivoque; natures impatientes, indociles, — attachantes.

Ces soixante années de vie littéraire et morale comportent-elles une conclusion ? Elles sont si peu distinctes de la période suivante : la puissance de destruction et de construction qui agira avec tant d'efficacité après 1760, l'*Encyclopédie*, est née, s'est affermie, a manifesté nettement son esprit bien avant la publication de *Candide;* et dans cette même première partie du siècle Rousseau s'est formé, a publié ses *Discours*, sa *Lettre à d'Alembert*. — Telle que nous l'avons délimitée, cependant, cette période qui s'achève à *Candide* et qui avait commencé à *Télémaque* a bien son unité : la curiosité romanesque, la suffisance rationaliste, les velléités et la volonté d'esprit positif, le rêve, l'impatience, la confiance alerte, l'illusion, lui composent une physionomie originale, plus jeune qu'on ne le croit généralement, et bien distincte des lassitudes, sarcasmes systématiques, rêveries trop fougueuses ou trop sentimentales, et de la foi aux sciences naturelles et à la Nature, qui sont les traits de l'âge suivant. Il n'y a .vraiment de rides chez Voltaire qu'après *Candide;* et ces soixante premières années du siècle sont celles de la longue jeunesse de Voltaire.

Que d'espoirs au début ! que d'encouragements, dans cette bénédiction si chrétienne, si mystique, et si avenante aux grâces antiques et « naturelles », que Fénelon avait dressée au seuil des temps nouveaux ! Conscience romanesque des intentions nouvelles, *Télémaque* ne cesse pas de séduire les Français par son prestige, qui est le leur. Cependant, le siècle de Louis XIV dorait l'horizon, fastueux décor, gloire dont on se sentait soutenu tout en se jugeant supérieur par la « raison » à ces écrivains qui n'étaient guère des penseurs. On médit de l'âge classique tout en le goûtant et l'estimant, comme s'il était Alceste et qu'on fût Célimène. Et les femmes prennent leur revanche, toutes leurs revanches. Elles imposent — à Versailles et à Paris — leur « sensibilité », c'est-à-dire leur humeur impressionnable et mobile, leurs bonds dans l'abstrait, leur désir de « penser » plutôt que de réfléchir, la frénésie du jeu, des lumières de fête; sous leur empire tout se tourne en mode, du fard à la physique. Et les « poètes » improvisent des tragédies, les romanciers n'ont pas

le loisir d'être courts, Voltaire se grise de café, et Montesquieu, qui
sait bien la séduction de cette atmosphère de gaspillage, s'enfuit
à La Brède, pour de longs recueillements.

Montesquieu médite, Helvétius s'anime et s'indigne. Vauvenargues
prêche, Voltaire s'inquiète : tous au fond sur le même sujet; comment voir clair en métaphysique ? où est la lumière, et comment
faire en soi-même l'unité entre une « philosophie » incapable des
grandes certitudes et une Révélation si rassurante, si contraignante
aussi, qui passe pour tout étrangère à la raison ? Ne peut-on pas
tenter la régénération de la France et du monde en se passant de
la pesante autorité, par la liberté tout au moins du langage, des
mœurs, des pensées, par le luxe ? Etre bienfaisant par le fait même
qu'on se livre à la concupiscence tant réprouvée, quel rêve, et
quelle revanche aussi !

— Ce n'est qu'une illusion de plus, répliquait Candide. Et il ne
se trouvait aucun chrétien pour dire en face de ces incertains, à
ces avides, à ces déçus, que le Christianisme était la Vérité et la
Vie ! Les Jésuites souriaient et espéraient, les Jansénistes grondaient,
les prédicateurs haranguaient des convaincus, et les apologistes, —
comme Voltaire les en raille, — improvisaient en manière de défense
des haies de roseaux autour d'un chêne !

L'enthousiasme, l'élan capable de rythmer la prose ou de faire
chanter le vers passait aux ennemis de l'Evangile. Quel échec aux
rêves chrétiens de Mentor !

Et, par toutes ces énergies mêlées et toutes ces inquiétudes, et
tous ces accents, quelle préparation au Romantisme !

BIBLIOGRAPHIE

Chapitre I. — TÉLÉMAQUE.

La bibliographie de *Télémaque* est immense. Sur les intentions de Fénelon, sur son originalité de pensée et de forme, l'*Introduction* et les commentaires d'A. Cahen, l'éditeur de *Télémaque* dans la collection des *Grands Ecrivains de la France* (1920), donnent les précisions les plus sûres et les plus nuancées, les plus sympathiques, c'est-à-dire les plus pénétrantes. Sur le prestige de *Télémaque* au XVIIIe siècle, ma thèse de 1918, *Fénelon au XVIIIe siècle en France*, est à feuilleter. A consulter également mon recueil scolaire des *Œuvres choisies de Fénelon* (Hatier, 1923); et mon livre sur *Fénelon ou la religion du Pur Amour* (Denoël et Steele, 1934); dans ma *Prose poétique française* (L'Artisan du livre, 1940), le chapitre V est consacré à Fénelon. — En 1939, le quarante et unième cahier des *Etudes françaises* (fondées sur l'initiative de la Société des Professeurs français en Amérique) a été consacré par Ely Carcassonne à *l'Etat présent des travaux sur Fénelon* (Edit. « Les Belles-Lettres »). — Mais surtout il faut lire ce chef-d'œuvre d'érudition et de tact qu'a été en 1946 le *Fénelon, l'Homme et l'Œuvre*, d'Ely Carcassonne.

Chapitre II. — L'OPTIMISME DES JÉSUITES.

Sur l'instruction et l'éducation dans les collèges de la Compagnie, se reporter à l'*Histoire de la Compagnie de Jésus en France*, du R.P. Fouqueray, t. I (1910).

Sur le théâtre scolaire, E. Boysse, *Le Théâtre des Jésuites* (1880), et L. V. Gofflot, *Le Théâtre de Collège* (1907).

Il y aurait lieu d'étudier sans préjugé l'humanisme scolaire, qui a eu tant de prise sur les générations intellectuelles et mondaines qu'il a formées. Dès le début, il se trouvait animé et stérilisé à la fois par l'antique précepte de Quintilien imposant l'*Imitation* comme le secret de l'art d'écrire : « *Neque dubitari potest, quin artis maxima pars contineatur imitatione.* »

La cause des *Mémoires de Trévoux* a été plaidée ingénieusement, en 1954, par le R.P. Desautels, canadien, dans sa thèse : *Le Journal de Trévoux* (Bibliotheca historica, Archivum Societatis Jesu, 20, via della Penitenzieri, Roma).

A voir surtout, et à méditer, les pages (164 sq., 175 sq.) du R.P. de Lubac, dans son *Catholicisme* (éd. du Cerf, 1941), où le sens véritable de l'axiome : « Hors de l'Eglise, point de salut » est présenté ainsi : « C'est par l'Eglise, par l'Eglise seule, que vous serez sauvé. L'Eglise sait faire grâce au paganisme, sans amoindrir son caractère propre d'être seule à sauver les âmes. » Se reporter également à sa *Méditation sur l'Eglise* (Aubier, 1953). Enfin, il serait équitable de mentionner auprès de l'optimisme imprévoyant, ou dans les derniers temps de sa durée, l'héroïsme chrétien dont les Jésuites ont fait preuve, lorsqu'ils se sont irrémédiablement compromis aux yeux de Mme de Pompadour par leur juste intransigeance.

Chapitre III. — LE GOUT LITTÉRAIRE CHEZ LES PREMIERS RATIONALISTES.

La Motte-Houdar mériterait une étude d'ensemble, difficile à entreprendre et à bien réaliser : il a touché à tant d'objets, et il est sur quelques matières importantes si superficiel, et si entêté sur certains points secondaires. Si l'on tenait à explorer et à expertiser ses sources, on aurait assez vite l'impression de passer à cette tâche bien plus de temps qu'il n'en a mis lui-même à chercher et à assimiler sa nourriture intellectuelle.

Le *Fontenelle* de L. Maigron (1906) est plein de précisions et agréable à lire.

J.R. Carré a intitulé sa thèse de doctorat en philosophie : *La philosophie de Fontenelle ou le sourire de la raison*. Sa seconde thèse était l'édition critique du livre de Fontenelle sur l'*Origine des Fables*. — Le rationalisme fervent, intrépide et spirituel de J.R. Carré était le mieux fait pour donner du rationalisme de Fontenelle une idée flatteuse.

Chapitre IV. — LE GOUT LITTERAIRE : NOVATEURS ET CLAIRVOYANTS.

Sur Fénelon et Fleury, se reporter à l'*Introduction* de mon *Fénelon au XVIIIᵉ siècle*. — Rollin et Louis Racine mériteraient une étude approfondie. — *L'abbé Dubos* est le sujet de la thèse d'A. Lombard (1909).

Chapitre V. — LE LYRISME.

Sur le lyrisme, l'esprit lyrique, la forme lyrique au XVIIIᵉ siècle, il est tout à fait regrettable que certaines préventions, certains axiomes, certaines associations d'impressions, et quelques raisonnements aient découragé à l'avance les curiosités. Mon chapitre V n'a d'autre but que de suggérer les recherches, et d'indiquer l'intérêt d'une étude sur ce sujet. Chaulieu, en particulier, mérite une thèse. Sur l'opéra et sur les chansons, voir l'*Histoire de la Musique* de Combarieu.

Il n'est pas inutile de feuilleter le *Théâtre de la Foire* d'Eug. d'AURIAC, *recueil des pièces représentées aux foires de Saint-Germain et Saint-Laurent, précédé d'un essai historique sur les spectacles forains* (Paris, Garnier, 1878).

L'*Encyclopédie musicale*, dirigée par Norbert DUFOURCQ, est en cours de publication aux éditions Larousse : t. I, paru à Noël 1957. Seule source de renseignements actuellement à jour, aussi bien sur les récentes découvertes en musique médiévale que sur la musique contemporaine, langage musical, instruments, inspiration.

Le *Couperin* de P. CITROM (éd. du Seuil, 1956) est une étude excellente, et neuve.

CHAPITRE VI. — LE THÉÂTRE.

G. LANSON, *Esquisse d'une histoire de la tragédie française*, nouv. éd. revue et corrigée, 1927.

M. DUTRAIT, *Etude sur la vie et le théâtre de Crébillon (1674-1762)*, 1895,

A. GAZIER, *La Comédie en France après Molière* (*Revue des Cours et Conférences*, 27 janvier-19 mai 1910). Etude un peu légère de substance.

J. LEMAÎTRE, *La Comédie après Molière et le théâtre de Dancourt* (Thèse de doctorat, 1882).

R. GAUTHERON, *Regnard, l'homme et le poète*, 1909. (Extrait du *Correspondant*.) Beaucoup de précisions utiles, présentées avec entrain. Quelque excès de sympathie et d'estime pour son héros.

GHERARDI, *Le théâtre italien, ou Recueil général* de toutes les comédies et scènes françaises jouées par les comédiens italiens du roi, pendant tout le temps qu'ils ont été au service de S.M. 1700, 6 vol.

G. LARROUMET, *Marivaux, sa vie et ses œuvres*. 1894. Thèse utilisable.

P. TRAHARD, *Les maîtres de la sensibilité française au XVIIIe siècle (1715-1789)*. 2 vol., 1932. Beaucoup de vues pénétrantes sur Marivaux et La Chaussée. La bibliographie, choisie et commentée, est remarquablement pratique.

G. LANSON, *Nivelle de La Chaussée et la Comédie larmoyante*, 2e éd., 1903.

La meilleure édition des *Œuvres* de Marivaux est l'édition in-8 de 1781, Paris, Duchesne, 12 vol. — Le *Spectateur français* a été réédité en 1921 par P. BONNEFON, dans la Collection des *Chefs-d'œuvre méconnus* (Bossart).

CHAPITRE VII. — LE ROMAN.

André LE BRETON, en 1898, a publié en volume son cours public sur le *Roman au XVIIIe siècle*. Elégant, aisé, orné de citations bien choisies, dépourvu de tout pédantisme, plus étayé d'érudition cependant qu'il ne le paraît, ce livre est de la meilleure vulgarisation d'avant-guerre.

Les contes de fées ont été étudiés par Mlle Mary Elizabeth Storer dans une thèse de 1928 : *la Mode des Contes de fées (1685-1700)*, qui forme le tome 48 de la *Bibliothèque de la Revue de Littérature Comparée*. En dépit de la limite de 1700 qui figure dans son titre, ce livre étudie également les *Contes* publiés ou composés jusque vers 1710.

Sur Le Sage, la thèse de Léo Claretie, *Essai sur Le Sage romancier* (1890), est un travail consciencieux, mais qui aurait eu singulièrement besoin d'être complété par une connaissance approfondie de la littérature romanesque espagnole. Ces recherches nécessaires ont été faites pour un des romans de Le Sage, par Jean Vic, dans un article de la *Revue d'Histoire Littéraire de la France* d'oct.-déc. 1920, sur *la Composition et les Sources du* Diable Boiteux.

Sur Mme de Tencin, le livre un peu académique, mais d'une impeccable érudition, de P. M. Masson : *Une vie de femme au XVIII⁰ siècle, Mme de Tencin*, 1909.

Hamilton, dont la vie et les œuvres ont été étudiées en Allemagne, mériterait une étude française. Ses *Contes, Lettres, Poésies* sont réunis dans l'édition in-18 de 1762. — Sur sa vie, *La Cour des Stuarts à Saint-Germain-en-Laye*, par Du Bosq de Beaumont de Bernos (3ᵉ éd., 1912) contient quelques précisions.

Sur Marivaux et sur l'abbé Prévost, le livre de P. Trahard, *Les maîtres de la sensibilité au XVIII⁰ siècle*, t. I, est documenté et vivant. L'étude consacrée à Prévost comprend neuf chapitres, qui se lisent aisément, tout animés qu'ils sont d'une vive sympathie pour l'auteur de *Manon*. — La bibliographie contenue dans ce livre est choisie, et judicieusement commentée.

Sur Richardson, J. Texte, *J.-J. Rousseau et le cosmopolitisme littéraire*, 1895.

Enfin, le tome I de l'édition des *Grands Ecrivains* de la *Nouvelle-Héloïse* par D. Mornet contient une étude extrêmement documentée sur le *Roman français de 1741 à 1760* (p.7-61), et, pour la même période, une *Bibliographie des Romans* très riche (p. 335-358).

Chapitre VIII. — POLITIQUES, RÉFORMATEURS, ÉCONOMISTES.

I. — Le titre complet du livre de Vauban est celui-ci : *Projet d'une dîme royale qui supprimerait la taille, les aides, les douanes d'une province à l'autre, les décimes du clergé, les affaires extérieures, et tous autres impôts onéreux et non volontaires, et, diminuant le prix du sel de moitié et plus, produirait au Roi un revenu certain et suffisant, sans frais, et sans être à charge à l'un de ses sujets plus qu'à l'autre, qui s'augmenterait considérablement par la culture des terres.*

Les lettres intimes inédites de Vauban adressées au marquis de Puyzieulx ont été publiées par Hyrvoix de Landosle en 1924, avec une *Introduction* attrayante et sagace, et des *notes* précises (*Collection des Chefs-d'œuvre méconnus*, Bossart).

Pour Vauban et pour les autres penseurs, étudiés dans ce chapitre, j'ai porté mon attention sur la valeur littéraire de leurs ouvrages et sur leur place dans l'histoire des idées, non sur leur compétence de techniciens politiques.

II. — Jos. DROUET, *l'abbé de Saint-Pierre, l'homme et l'œuvre*, 1912.
—*Id.*, nouvelle édition de l'abbé de Saint-Pierre, *Annales politiques*, 1912.

III. — Ch. BASTIDE, *John Locke, ses théories politiques et* [2] *leur influence en Angleterre, Les libertés politiques, l'Eglise, l'Etat, la Tolérance*, 1906.

IV. — Le livre d'André MORIZE, *l'Apologie du luxe au XVIII*e *siècle*, le *Mondain et ses sources*, 1909, est une parfaite histoire littéraire de la question. Aux précisions et aux citations qu'il m'a fournies j'ai ajouté quelques indications sur l'état politique et moral de l'Angleterre au XVIIIe siècle, d'après les premières pages d'un excellent opuscule de Léon Cahen, *l'Angleterre au XIX*e *siècle, son évolution politique*, 1924; et d'après certains articles plus récents concernant la crise anglaise de 1931, notamment celui de l'*Ami du Clergé*, du 26 mars 1931, qui étudie le livre d'H. SOMERVILLE, *Britain's economic illness*, 1931.

CHAPITRE IX. — LES ATTENTATS
CONTRE LA RELIGION.

Les origines et le développement de l'esprit « philosophique » ont été étudiés par G. LANSON avec une particulière maîtrise dans ses cours de la Sorbonne de 1908-1910, publ. par la *Revue des Cours et Conférences;* dans ses articles de la *Revue du mois* (janv. et avr. 1910) : le *Rôle de l'expérience dans la formation de la philosophie du XVIII*e *siècle en France, I. — La Naissance des morales rationnelles, II. — L'Eveil de la conscience sociale;* dans ses *Questions diverses sur l'histoire de l'esprit philosophique en France avant 1750* (*Rev. Hist. Litt. Fr.*, 1912).

L'article de E.R. BRIGGI, *L'incrédulité et la pensée anglaise en France au début du XVIII*e *siècle* (*R. H. L. F.*, 1934) est bien instructif.

Sur les origines, lointaines ou proches, du philosophisme, voir la thèse si pénétrante de H. BUSSON, *Les origines du Rationalisme français*, 1920; et la thèse, d'une érudition parfaite, et d'une expression délicate, de R. Pintard, sur le *Libertinage érudit dans la première moitié du XVII*e *siècle*, 2 vol. in-8, 1943.

Sur la *Tolérance*, mon *A.M. Ramsay*, 1920.

Sur Locke, la thèse de Ch. BASTIDE, *John Locke*, 1907.

Le livre d'A. MONOD, *De Pascal à Chateaubriand* (1916), est surtout destiné à énumérer et caractériser les défenseurs français du Christianisme au XVIIIe siècle. Il contient un bon nombre d'indications utiles sur l'attaque philosophique.

La *Lettre sur les aveugles* a été étudiée par P. VILLEY, avec la sûreté que l'on connaît à cet érudit, dans un remarquable article de la *Revue du XVIII*e *siècle* (oct.-déc. 1913). Le vrai Diderot apparaît ici, n'ayant que « d'une manière très intermittente », constate P. Villey, le goût ou le sentiment de la méthode expérimentale; et Villey ajoute : « dans toute son œuvre je retrouve ce mélange singulier, original, de pénétrante observation et de logique impénitente, mélange qui, plus que toute fiction, est insupportable à ceux qui ont le goût de la précision et de l'exactitude ». — P. Villey cite une *Lettre* de 1750 *contenant le véritable récit des dernières 'heures de Saunderson,* qui dévoile la supercherie de Diderot imaginant au gré de sa philosophie les dernières paroles de l'aveugle.

Sur Helvétius, la thèse d'A. KEIM, *Helvétius, sa vie et son œuvre* (1907), tout élogieuse à la pensée du philosophe, n'est pas à proprement parler un livre d'histoire littéraire.

Une thèse manque sur Saint-Evremond. Le consciencieux *Essai sur Bayle* de DELVOLVÉ (1906) est utile et agréable à consulter.

CHAPITRE X. — LES RÉSISTANCES CHRÉTIENNES ET DÉISTES.

I

Si l'on veut se rendre compte de l'activité apostolique de Fénelon, le tableau chronologique suivant, commençant à la condamnation des *Maximes des Saints,* en pourra donner une idée.

1699. 12 mars. Condamnation des *M.d.S.* par le Pape.

9 avril. Fénelon, *Mandement* (de soumission).

Fin avril. Publication de la première partie de *Télémaque* à Valenciennes, puis à Paris; puis publication du reste de l'ouvrage.

15 et 16 mai. *Procès-verbal de l'assemblée des évêques de la Province de Cambrai.*

Publication de *Sophronyme,* de quatre *Dialogues des Morts, des Aventures d'Aristonoüs.*

Publication (par les Jansénistes) de la quatrième édition des *Réflexions morales* de Quesnel, dédiée au cardinal de Noailles.

1700. 30 sept. *Mandement* de Fénelon. Publication des quatre *Dialogues des Morts.*

Faydit. *La Télémacomanie.* — Gueudeville, *Critique de Télémaque.*

1701. Fénelon. *Mandement pour le Jubilé.*

28 août. Fénelon, *Mémoire sur les moyens de prévenir la guerre d'Espagne.*

1702. Juin (?). *Epistola Fenelonis ad. Em. card. Gabrielli, de Ecclesiæ infallibilitate circa textus dogmaticos...*

Août-septembre. Fénelon compose un *Mémoire sur l'état du diocèse de Cambrai par rapport au Jansénisme, et sur les moyens d'y arrêter les progrès de l'erreur.*

Publication du *Cas de Conscience,* par le janséniste Petitpied.

(Fragment 'd'un) *Mémoire* de Fénelon *sur la campagne de 1702.*

1703. 12 février. Condamnation par le Pape Clément XI de la décision du *Cas de Conscience.*

Fin février. Fénelon compose son *Examen et réfutation des raisons alléguées contre la réception du Bref de Clément XI.*

Février-mars-2 avril. *Lettres* (une en français, l'autre en latin) de Fénelon *sur l'Ordonnance du cardinal de Noailles.*

Fénelon prononce à Cambrai un *Panégyrique de saint Ignace de Loyola.*

1704. 10 février. Fénelon publie son *Ordonnance et Instruction pastorale contre le Cas de Conscience.*

12 avril. Mort de Bossuet.

1704. Juillet. Fénelon compose un *Memoriale de apostolico decreto contra Casum conscientiæ mox edendo.*

Fénelon compose sa *Dissertatio de summi pontificis auctoritate.*

Fénelon publie ses *Réflexions Saintes.*

Mandement de Fénelon *pour le Carême.*

1705. 2 mars. *Seconde Instruction pastorale contre le Cas de Conscience.*

21 mars. *Troisième Instruction pastorale contre le Cas de Conscience.*

20 avril. *Quatrième Instruction pastorale contre le Cas de Conscience.*

Fénelon : *Mandement pour le Carême.*

18 août. *Mandement.*

10 décembre. *Lettre* de Fénelon *à l'évêque de Saint-Pons.*

Fénelon envoie au pape son *Memoriale sanctissimo B. N. clam legendum.*

1705-1712 (?). Fénelon compose son *traité de l'Existence et des Attributs de Dieu...,* et *La nature de l'homme expliquée par les simples notions de l'être en général.*

1706. 1er mars. *Ordonnance et Instruction pastorale* de Fénelon *pour la publication de la constitution de Notre-Saint-Père le Pape Clément XI, du 15 juillet 1705, contre le Jansénisme.*

Fénelon : *Mandement pour le Carême.*

Avril. *Deuxième lettre* de Fénelon *à l'évêque de Saint-Pons.*

18 mai : Fénelon : *Mandement.*

Juin. *Lettre* de Fénelon *à un évêque, sur le Mandement de l'évêque de Saint-Pons du 31 octobre 1705.*

Première lettre de Fénelon *à un théologien, sur une lettre anonyme de Liège* (sur le silence respectueux).

Réponse de Fénelon *à M. de Bissy, évêque de Meaux, aux difficultés qu'il lui avait proposées contre ses Instructions pastorales.*

Fénelon compose les *Lettres sur la religion.*

Fénelon : *Recueil de sermons choisis.*

Fénelon : *Entretiens spirituels* (4 sermons).

21 août. Fénelon : *Mandement.*

1707. Mars. *Lettre à l'évêque d'Arras, sur la lecture de l'Ecriture sainte en langue vulgaire.*

Exhortations et avis de Fénelon *pour l'administration des sacrements* (dans le Rituel de Cambrai).

Mandement de Fénelon *pour le Carême.*

12 mars. *Mandement pour le Jubilé.*

1er mai. *Sermon* prêché par Fénelon à Lille *pour le sacre de l'Electeur de Cologne.*

18 août. *Mandement... du 20 août servant de préface au Rituel de Cambrai.*

Seconde lettre de Fénelon *sur une lettre de Liège.*

Publication par le janséniste Fouilloux de la *Justification du silence respectueux,* ou *Réponse aux Instructions pastorales et autres écrits de M. l'archevêque de Cambrai.*

1707 et suiv. Fénelon compose les *Lettres au P. Lami, bénédictin, sur la Grâce et la Prédestination.*

Recueil des mandements de Fénelon.

Mandement pour le Carême.

12 mai. *Mandement.*

1ᵉʳ juillet. *Instruction pastorale* de Fénelon *sur le livre intitulé : Justification du silence respectueux.*

Lettre de Fénelon *à l'Electeur de Cologne* (sur le silence respectueux).

Fénelon écrit ses *Lettres sur l'autorité de l'Eglise.*

1708-1709. Fénelon écrit au P. Lami ses *Lettres sur la Grâce et la Prédestination.*

1709. *Mandement pour le Carême.*

20 avril. *Mandement.*

18 juin. *Mandement.*

Lettre de Fénelon *à M... chancelier de l'Electeur de Cologne* (sur le silence respectueux).

1709. *Lettre* de Fénelon *sur l'Infaillibilité de l'Eglise touchant les textes dogmatiques...*

Fénelon compose sa *Lettre à un évêque contre la Théologie de Habert.*

1710. Début. Fénelon adresse au P. Le Tellier, confesseur du roi, un *Mémoire apologétique.*

Mandement de Fénelon *pour le Carême.*

28 avril. *Mandement.*

Mémoire de Fénelon *sur la situation déplorable de la France en 1710.*

1710. *Mémoire* de Fénelon *sur les raisons qui semblent obliger Philippe V à abdiquer la couronne d'Espagne.*

Examen de Fénelon, *des droits de Philippe V à la couronne d'Espagne.*

Epistola Fenelonis de generali Præfatione patrum Benedictinorum in novissimam S. Augustini operum editionem.

Lettres de Fénelon *au P. Quesnel.*

1711. *Mandement* de Fénelon *pour le Carême.*

25 avril. *Mandement.*

1ᵉʳ mai. *Ordonnance et instruction pastorale* de Fénelon *portant condamnation,* etc. (contre la *Théologie* de Habert).

Réponse du P. Quesnel *aux deux lettres de M. l'archevêque de Cambrai.*

1711. Novembre. Conférences politiques de Fénelon avec le duc de Chevreuse à Chaulnes.

Fénelon compose des *Plans de gouvernement.*

1712. 18 février. Mort du duc de Bourgogne.

29 février. *Mandement* de Fénelon *pour le Carême.*

Mars. *Mémoires politiques* de Fénelon *adressés au duc de Chevreuse.*

Mémoire de Fénelon *sur la campagne de 1712.*

Mémoire de Fénelon *sur la paix.*

Mémoire de Fénelon *sur la souveraineté de Cambrai.*

Publication de la *Démonstration de l'Existence de Dieu par les merveilles de la nature* (Première partie du traité de Fénelon).

Publication de 45 *Dialogues des morts.*

Fénelon compose son *Instruction en dialogues.*

1713. 4 août. *In quo praecise Thomismus a Jansenismo differat* (Mémoire de Fénelon).

8 sept. Bulle *Unigenitus.*

Fin. Fénelon. *De nova quadam fidei professione circa Jansenii condemnationem.*

Publication des *Sentiments de piété* de Fénelon.

Mandement pour le Carême.

Fénelon écrit à l'intention du duc d'Orléans quelques-unes des *Lettres sur divers sujets de religion et de métaphysique.*

1714. *Mandement* de Fénelon *pour le Carême.*

Mai. L'Académie reçoit le *Mémoire* de Fénelon sur les travaux de l'Académie.

29 juin. *Mandement* de Fénelon *pour la réception de la Constitution Unigenitus.*

Juin. *Instruction pastorale* de Fénelon, *en forme de dialogues, sur le système de Jansénius.*

Fin. Fénelon développe son *Instruction en dialogues*, en vue d'une seconde édition.

25 octobre. L'Académie reçoit de Fénelon les *Réflexions sur la granmaire, la rhétorique, etc. (Lettre à l'Académie).*

Décembre. Fénelon prépare l'édition des *Réflexions Saintes*, des *Prières*, et du *Manuel de piété.*

1715. 7 janvier. Mort de Fénelon.

II

Sur la formation intellectuelle et morale des clercs, la IIe partie du livre de Degert, *Histoire des Séminaires français jusqu'à la Révolution*, 1912, est abondante en précisions.

Sur la prédication et les prédicateurs, consulter la thèse de A. Bernard, ancien élève de la Sorbonne et de l'Ecole des Carmes, *le Sermon au XVIIIe siècle*, 1901.

Sur Bridaine, l'article de V. Giraud, *R.H.L.F.*, 1948. — En deux années (1746-1748), Bridaine a prêché 22 missions.

III

P.-M. Masson, *La formation religieuse de Rousseau*, 3 vol., 1916.

A. Monod, *De Pascal à Chateaubriand, les défenseurs français du Christianisme de 1670 à 1802*, 1916. — Dans cette thèse fort érudite, le zèle des apologistes protestants est particulièrement mis en valeur.

E. Bréhier, *Histoire de la philosophie* : t. II, fasc. II. le XVIIIe siècle, 1930.

IV

C.-A. Fusil, *L'Anti-Lucrèce du Cardinal de Polignac, contribution à l'étude de la pensée philosophique et scientifique dans le premier tiers du XVIIIe siècle*, 1918.

E. Audra, *l'Influence française dans l'œuvre de Pope*, 1931. — M. Audra a préparé et annoncé un *Pope en France*, qui ne peut manquer d'être précieux pour l'étude de notre xviiiᵉ siècle et de notre Romantisme.

Louis Racine mériterait une étude d'ensemble. E. Jovy a appelé l'attention sur ce représentant du jansénisme fervent au milieu du xviiiᵉ siècle, par une brève étude de ses *Réflexions* sur l'histoire de l'Eglise, dont le manuscrit est à la Bibliothèque Nationale. (E. Jovy, *les « Réflexions » de L. Racine,* 1920).

V

Mlle Betty Trebelle Morgand a publié en 1928 une *Histoire du Journal des Savants,* qui malheureusement s'arrête à 1701. Il est à souhaiter que ce livre ait une suite.

L'histoire des résistances chrétiennes au xviiiᵉ siècle reste à faire, et je regrette de n'avoir pu, dans ce bref chapitre, que l'ébaucher : elle mériterait un livre. Pour l'écrire, il faudrait pouvoir consulter les archives des Séminaires et des Ordres religieux (dans la mesure où elles subsistent !), et le plus grand nombre possible de *Mémoires* et de *Correspondances* souvent restés manuscrits. Cette histoire des forces de conservation ne manquerait ni d'attrait ni d'utilité.

Chapitre XI. — LE PRÉSIDENT DE MONTESQUIEU.

I. — Œuvres de Montesquieu

A la fin de son Montesquieu de 1913, M.-J. Dedieu a dressé une *Table chronologique* des *Œuvres* de Montesquieu. La voici, allégée ou modifiée à peine.

1704 (?) *Britomare,* tragédie.
— (?) *Dialogues.*
— (?) *Discours sur la damnation éternelle des païens.*
— (?) *Discours sur Cicéron* [*Mélanges inédits*].
— (?) *Historia romana.*
— (?) *Manière d'apprendre ou d'étudier la jurisprudence.*
1716, mars (?) *Mémoire sur les dettes de l'Etat* [*Mélanges inédits*].
— 1ᵉʳ mai. *Discours de réception à l'Académie de Bordeaux.*
— 18 juin. *La politique des Romains dans la religion* (lu à l'Académie de Bordeaux).
— 16 novembre. *Sur le système des idées.*
1717, août. *Sur la différence des génies* (lu à l'Académie de Bordeaux).
— Août. *Essais sur les causes qui peuvent affecter les esprits et les caractères* [*Pensées et fragments inédits*].
— 15 nov. *Discours* prononcé à la rentrée de l'Académie de Bordeaux.
— *Trois Résomptions sur l'ivresse, la fièvre intermittente et les esprits animaux.*
— (?) *Eloge de la Sincérité.*
1718 *Sur les envies.*
— 1ᵉʳ mai. *Sur les causes de l'écho.*
— 25 août. *Sur l'usage des glandes rénales.*

— (?) *Sur la fleur de la vigne.*

1719 *Projet d'une histoire physique de la terre ancienne et moderne* (annonce dans les journaux).

1720, 1ᵉʳ mai. *Sur la cause de la pesanteur des corps.*

— 25 août. *Sur la cause de la transparence des corps.*

— *Sur le flux et le reflux de la mer.*

— (?) *Sur les huîtres fossiles.*

1721 *Lettres Persanes.*

— 20 nov. *Observations sur l'histoire naturelle* (lu à l'Académie de Bordeaux).

1722 (?) *De la politique* [*Mélanges inédits*].

— (?) *Dialogue de Sylla et d'Eucrate* (*Mercure de France*, février 1745).

1723 *Lettres de Xénocrate à Phérés* [*Mélanges inédits*].

— *Sur le mouvement relatif.*

1724 *Le Temple de Gnide* (*Bibliothèque française*, 1724, p. 82).

— (?) *Réflexions sur la monarchie universelle en Europe* [*Deux opuscules de M.*].

1725 *Discours* [prononcé à la rentrée du Parlement de Bordeaux].

— Mars. *Le Temple de Gnide.*

— 1ᵉʳ mai. *Traité général des Devoirs de l'Homme* [*Deux opuscules de M.*] (quelques chapitres lus à l'Académie de Bordeaux).

— 25 août. *Discours sur la différence entre la considération et la réputation* [*Deux opuscules de M.*].

— 12 nov. *Discours sur les motifs qui doivent nous encourager aux Sciences* [*Deux opuscules de M.*].

— (?) *Sur les richesses de l'Espagne* (publié par P. Bonnefon, *Revue Hist. Litt. Fr.*, 1910).

(publié de nouveau par Ch. Vellay, acquéreur du manuscrit, dans la *Minerve française*, 25 janvier 1920).

1726 25 août. *Discours* [à l'Académie de Bordeaux].

— (?) *Mémoire contre l'arrêt du Conseil de 1725* [*Mélanges inédits*].

1727, déc. *Voyage à Paphos* (*Mercure de France*).

1728, 24 janv. *Discours de réception à l'Académie Française.*

1728-1731 *Florence* [*Voyages de Montesquieu*].

— (?) *De la manière gothique* [*Ibid.*].

— [Quatre] *Mémoires sur les mines de Hongrie et du Hartz* [*Ibid.*].

— *Notes sur l'Angleterre.*

— *Sur les intempéries de la campagne de Rome* (lu à l'Académie de Bordeaux).

— (?) *Réflexions sur le caractère de quelques princes et sur quelques événements de leur vie* [*Mélanges inédits*].

1732, déc. *Réflexions sur les habitants de Rome* (lu à l'Académie de Bordeaux). [*Voyages de M.*]

1734 *Considérations sur les causes de la grandeur des Romains et de leur décadence.*

— (?) *Histoire véritable.*

1742 *Le Temple de Gnide* (édition corrigée et augmentée).

1744 *Supplément* aux *Lettres Persanes* (*Préface, 12 lettres nouvelles*).

1747 *Voyage dans l'île de Paphos* (édition augmentée).

— *Souvenirs de la cour de Stanislas Leczinski* [*Voyages de M.*].
— (?) *Lysimaque* (publié en 1754).
1748 *De l'Esprit des Lois.*
1750 *Défense de l'Esprit des Lois.*
1751 (?) *Cinquième mémoire sur les mines de Hongrie et du Hartz.*
— (?)*Remarques sur certaines objections que m'a faites un homme qui m'a traduit mes Romains en Angleterre* [*Mélanges inédits*].
— (?) *Eloge de Berwick.*
— *Mémoire sur la Constitution Unigenitus.*
1751 (?) *Essai sur le Goût.*
1754 (?) *Lettres sur Gênes* [*Voyages de M.*].
— (?) *Arsace et Isménie.*

PUBLICATIONS POSTHUMES

1766 *Essai sur le Goût.*
1767 *Lettres familières du Président de Montesquieu à divers amis d'Italie* (publiés par l'abbé de Guasco).
1778 *Ebauche de l'Eloge historique du maréchal de Berwick.*
1783 *Arsace et Isménie*, publ. par J.-B. de Secondat.
— *Œuvres posthumes* de Montesquieu.
1786 *Pensées de Montesquieu adressées à son fils* (apr. *Pièces intéressantes et peu connues pour servir à l'histoire et à la littérature,* t. VII).
1790 *Invocation aux Muses* (destinée au livre II ou à la II° partie de l'*Esprit des Lois*).
      (Ap. *Mémoire historique sur la vie et les ouvrages de M. J. Vernet.*)
1798 *Œuvres posthumes* de Montesquieu éditées par Bernard.
1891 *Deux opuscules de Montesquieu* (publiés par le baron de Montesquieu).
1892 *Mélanges inédits de Montesquieu* (id.).
1894-1896 *Voyages de Montesquieu* (publiés par le baron Albert de Montesquieu).
1899-1900 *Pensées et fragments inédits de Montesquieu* (publiés par le baron Gaston de Montesquieu).
1902 *Histoire véritable*, publiée par L. de Bordes de Fortage.
1904 *Montesquieu, l'Esprit des Lois et les archives de la Brède.* Par Barckhausen.
1914 *Correspondance de Montesquieu*, publiée par Frs. Gebelin et A. Morize.

RÉÉDITIONS MODERNES

Les Lettres Persanes (Société des Textes Français modernes) par H. Barckhausen, 2 vol. Hachette, 1913.
Considérations... 1 vol. in-f° Imprimerie Nationale. 1900.
L'Esprit des Lois, t. I, éd. par J. Brethe de la Gressaye, 1950.

II. — Etudes d'ensemble

1755 D'ALEMBERT, *Eloge de Montesquieu.*
— MAUPERTUIS, *(id.)*
AN V. B. BARÈRE, *Montesquieu peint d'après ses ouvrages.*
1820 GARAT, *Mémoire historique sur la vie de M. Suard.*
1852 SAINTE-BEUVE, *Lundis,* VII.
1865 BARNI, *Histoire des idées morales et politiques en France au XVIIIᵉ siècle.*
1878 L. VIAN, *Histoire de Montesquieu, sa vie et ses œuvres.*
1887 A. SOREL, *Montesquieu.*
1891 F. BRUNETIÈRE, *Etudes critiques,* IV.
1907 R. CÉLESTE, *Montesquieu, Légende et histoire (Archives historiques de la Gironde,* XLII).
BARCKHAUSEN, *Montesquieu, ses idées et ses œuvres, d'après les papiers de La Brède.*
1911 G. LANSON, *Histoire de la Littérature française,* n. éd.
1912 C. OUDIN, *Le spinosisme de Montesquieu.*
STROWSKI, *Montesquieu, textes choisis et commentés.*
LEVI-MALVANO, *Montesquieu e Macchiavelli.*
1913 DEDIEU, *Montesquieu.*

Le livre de L. Vian ne mérite que peu de confiance. Pour établir une biographie de Montesquieu, trop d'éléments font encore défaut; sur ses relations anglaises, et même françaises, nous sommes insuffisamment éclairés.

III. — *Etudes sur l'Esprit des Lois.*

Le chevalier DELAFONS, *Opinion d'un Anglais sur le livre de Montesquieu,* 1815.
J. DEDIEU, *Montesquieu et la tradition politique anglaise en France; les sources anglaises de* l'E. d. L. (1909).
MURIEL DODDS, M. A. (Cantal), *Les récits de voyages sources de* l'E. d. L., 1929.
G. LANSON, *De l'influence de Descartes sur la littérature française (Revue de Métaphysique,* 1895).
Fr. WEIL, *De la composition de* l'E. d. L., *Montesquieu et les Oratoriens de l'Académie de Juilly (Rev. Hist. Litt. Fr.,* 1952).
ROB. SHACLETON, *La genèse de* l'E. d. L. *(ibid.).*
DURKHEIM, *Quid Secondatus politicae scientiae contulerit,* 1892.
BOUZINAC, *Doctrines économiques au* XVIIIᵉ *siècle.,* 1907.
E. CARCASSONNE, *Montesquieu et le problème de la Constitution française au* XVIIIᵉ *siècle.* 1927.
G. RENARD, *Le Droit, l'Ordre et la Raison,* 1927 : quelques suggestions utiles aux pp. 119-122.
J. BRETHE DE LA GRESSAYE, *Introduction,* de première valeur, à l'édition de *l'Esprit des Lois,* 1950, t. I.

IV. — Montesquieu écrivain.

Chapitre VI de ma *Prose poétique française, De Lamothe-Houdar à Montesquieu*, 1940.

Chapitre XII. — LA COUR, LA VILLE, LA PROVINCE; LES GOUTS ET LE GOUT DU PUBLIC.

Sur la Régence, il est toujours bon de recourir au livre de Lémontey, l'*Histoire de la Régence et de la minorité de Louis XV, jusqu'au ministère du cardinal de Fleury*, 2 vol. in-8°, 1832. L'érudition de Lémontey, sans qu'il y paraisse, est considérable, et son jugement est équilibré. — Parmi les livres récents, *la Régence* de Fr. Funck-Brentano, Bibl. Historia 1931, est un volume attrayant et pittoresque, où les précisions anecdotiques abondent, où les jugements, indulgents d'ailleurs, ne font pas défaut. — Bien entendu, les *Lettres Persanes* (1721) sont à relire. — A parcourir, les quatre volumes concernant la Régence dans le *Chansonnier historique du XVIIIᵉ siècle*, publ. p. Raunié, 1879 et suiv. — Les *Mémoires secrets* de Duclos *sur le règne de Louis XIV, la Régence et le règne de Louis XV* ne sont souvent qu'un démarquage de Saint-Simon.

Sur le règne de Louis XV, le livre de H. Carré, *le Règne de Louis XV*, 1909, est d'une grande richesse de documentation, et d'une très sûre finesse dans les aperçus. — Parmi les *Etudes* de P. de Nolhac *sur la Cour de France*, celles qui nous intéressent ici sont : *Louis XV et Marie Leczinska*, d'après de nouveaux documents (une centaine de lettres autographes de la reine, deux cent vingt-huit lettres de Stanislas à sa fille) 1902; *Louis XV et Mme de Pompadour*, d'après des documents inédits (*Mémoires* du duc de Croÿ, lettres de Pâry-Duverney, de Pâris-Montmartel et du marquis de Breteuil; lettres de Mme de Pompadour à Richelieu et à Voltaire; lettres de Le Normand de Tournehem à François Poisson; lettres de Poisson à son fils; inventaire après décès des biens de la marquise) 1904; *Madame de Pompadour et la Politique* (1752-1764), d'après des documents nouveaux (plusieurs centaines de lettres authentiques de Mme de Pompadour) 1929.

Sur le maréchal de Richelieu, le volume de P. d'Estrée, *le Maréchal de Richelieu*, publié en 1917, s'arrête à l'année 1758. Les précisions y abondent; mais il est un peu trop écrit à la façon des *Mémoires* d'autrefois, où les anecdotes se succèdent, mêlées de jugements, sans que l'art du narrateur apparaisse assez par le choix et l'ordonnance.

Le Dauphin fils de Louis XV, d'Abel Dechêne, 1931, est un peu touffu, et souvent s'inspire de trop près des ouvrages antérieurs. Mais il donne une impression nette et juste du prince et de son entourage.

Sur la noblesse, H. Carré a montré, dans sa *Noblesse de France et l'opinion publique au XVIIIᵉ siècle*, 1920, comment l'affection et l'estime s'étaient peu à peu détachées du premier corps de l'Etat. — Ce livre est capital.

Le *Journal* et les *Mémoires* de Mathieu Marais ont été publiés par

M. de Lescure en 1863 (4 vol. in-8°). Il en faut compléter la lecture par les *Quelques pages d'une correspondance inédite de M. Marais* publiées par G. Ascoli dans la *Revue du XVIII° siècle* d'avril-juin 1913. Il s'agit d'une correspondance avec Desmaizeaux. Le commentaire et les notes de G. Ascoli sont très instructifs.

Pour les *Mémoires* de Saint-Simon, l'édition, complète, de Boislisle et Lecestre (*Collection des Grands Ecrivains*) compte 41 vol. La table complète est de 1930. — En tête de l'édition Chéruel (15 vol. 1865) se trouve la notice si vivante et si cordiale de Sainte-Beuve. — La thèse de P. Adam, *Contribution à l'étude de la langue des Mémoires de Saint-Simon, le Vocabulaire et les images*, 1920, porte un titre modeste : elle n'en est pas moins une étude d'ensemble, ou plutôt une étude particulière si approfondie que toute l'œuvre et la personnalité de Saint-Simon en reçoivent une lumière nouvelle.

Sur Vauvenargues, les dernières pages importantes sont celles de P. Trahard, au t. II de ses *Maîtres de la Sensibilité française au XVIII° siècle*, 1932; et les avant-dernières sont le livre de G. Lanson, *le Marquis de Vauvenargues*, 1931. De la *Bibliographie* dressée par Trahard, je prends les livres suivants, comme les plus suggestifs : Vinet, *Histoire de la Littérature française au XVIII° siècle*, 2 vol. 1853; — G. Merlant, *De Montaigne à Vauvenargues*, 1914; — Bréhier, *Histoire de la Philosophie*, 1926, t. II, 2, ch. IX. — L'article de V. Giraud, *la Vie Secrète de Vauvenargues* (*Rev. des Deux Mondes*, 1er mai 1931), est nuancé et délicat. Les quelques *Notes* de G. Saintville *sur Vauvenargues* (1931-1932) sont à consulter.

On a beaucoup étudié les salons du XVIII° siècle. M. de Lescure, en particulier, a parlé du salon de Mme de Lambert en tête de son édition des *Œuvres morales de Mme de Lambert*, 1883; et du salon de Mme du Deffand, en tête de sa *Correspondance complète de la marquise du Deffand*, 1865. Le salon de Mme de Tencin est étudié par P.-M. Masson, dans sa *Mme de Tencin*, 1909; la Cour de Sceaux par le général de Piépape, dans sa *Duchesse du Maine*, 1915. Voir également les articles d'Em. de Broglie (*Corresp.*, 1895), sur *les mardis et les mercredis de la Marquise de Lambert*.

Le livre de H. Thirion, *la Vie privée des financiers au XVIII° siècle*, 1895, est précis, méthodique et pittoresque.

Sur la Cour de Stanislas, G. Maugras, *La Cour de Lunéville au XVIII° siècle*, 1904, ouvrage pittoresque, indulgent aux mœurs du temps, cordial à la philosophie, et où Voltaire et Mme du Châtelet occupent une grande place.

Un livre d'ensemble reste à faire sur les Académies provinciales. Parmi les articles précis et méthodiques consacrés à telle ou telle d'entre elles, je signale particulièrement celui de P. Courteault, *L'œuvre de l'Académie de Bordeaux au XVIII° siècle* (*Rev. Histor. de Bordeaux*, 1908), et celui de Druon, *Stanislas et la Société royale des Sciences et Belles-Lettres* (*Mém. de l'Ac. de Nancy*, 1892).

Le petit livre de L. Ducros, *La Société française au XVII° siècle d'après les Mémoires et les correspondances du temps*, 1922, est une judicieuse et agréable mosaïque de textes bien choisis, commentés sans partialité d'aucune sorte. Sur l'enseignement dans les campagnes, il suit et cite l'utile ouvrage de l'abbé ALLAIN, *l'Instruction primaire en France avant la Révolution*, 1881.

Le *Séjour à Paris* de Nemeitz a été réédité en 1897 par A. FRANKLIN, dans *la Vie privée d'autrefois, la vie de Paris sous la Régence*.

Sur l'état religieux de la France entre 1730 et 1750, le livre d'A. MONOD, *De Pascal à Chateaubriand*, 1916, présente d'utiles précisions (p. 354 et suiv.); — voir en outre *l'Histoire des Séminaires français* de DEGERT, 1912.

L'Esprit public au XVIIIe siècle de Ch. AUBERTIN (2e éd. 1873) contient un choix très judicieux de citations significatives, prises dans les Mémoires et les correspondances politiques du temps.

Sur la sensibilité, le cours de G. LANSON sur *les Origines de la Sensibilité au XVIIIe siècle (Rev. des Cours et Conférences*, 18 nov. 1909) abonde en précisions suggestives. Le livre de D. MORNET, *le Romantisme en France au XVIIIe siècle*, 1912, offre une riche documentation. Il faut également consulter l'*Introduction* que le même auteur a placée en tête de son édition de la *Nouvelle Héloïse* (coll. des *Grands Ecrivains*, 1925). A consulter aussi le très agréable et érudit *Pré-romantisme français* d'A. MONGLOND, 2 vol. in-8° 1930.

Sur là vogue des Sciences au XVIIIe siècle, c'est encore à D. `MORNET qu'il est bon de recourir, à sa *Pensée française au XVIIIe siècle*, 1926, et à ses *Sciences de la Nature en France au XVIIe siècle*, 1911. Pour l'appréciation juste du livre de 1911, voir le compte rendu de P.-M. MASSON (*Rev. d'Hist. Litt. de la Fr.*, 1912).

Sur la vogue de l'Angleterre en France, je me borne à signaler le livre si légitimement fameux de J. TEXTE, *J.-J. Rousseau et les origines du Cosmopolitisme littéraire*, 1895; le cours de G. LANSON sur *l'Influence anglaise au XVIIIe siècle (Revue des Cours et Conférences*, 25 février 1909) l'article de Rudolf MERTZ, *les Amitiés françaises de Hume (Revue de littérature comparée*, 1929).

Sur la pédagogie, au XVIIIe siècle, *l'Histoire de l'instruction et de l'éducation* de Frs. GUEX, 1906, est un travail consciencieux; mais les préférences de l'auteur pour l'esprit protestant sont bien fortes. — En outre, j'ai tâché dans mon *Fénelon au XVIIIe siècle*, et dans l'*Introduction* de mon édition classique de *l'Education des Filles*, de préciser ce qu'a été au XVIIIe siècle l'autorité des idées de Fénelon sur l'éducation.

Le *Journal* d'un parlementaire que j'ai cité est analysé par J. DEDIEU dans son *Montesquieu*, p. 138-140. — Voir en outre les *Querelles religieuses et parlementaires sous Louis XV* de L. CAHEN, 1913.

Sur les querelles jansénistes, consulter l'excellente thèse de G. HARDY, *le Cardinal de Fleury et le mouvement janséniste*, 1925; et la thèse de PRECLIN, *les Jansénistes du XVIIIe siècle, et la Constitution Civile du clergé*, 1929.

Sur Mme de Pompadour, outre les livres de P. de Nolhac, voir dans la *Revue du XVIIIe siècle*, 1re année n° 4, oct.-déc. 1913, l'article de P. MARCEL, *Les peintres et la vie politique en France au XVIIIe siècle*.

Sur le goût littéraire, les deux articles de D. MORNET sur *La question des Règles au XVIIIe siècle (Rev. d'Hist. Litt. de la France*, 1914) sont à consulter. — Le prestige de Marot est bien étudié par W. de LERBER, dans sa thèse de Fribourg sur *L'influence de Cl. Marot aux XVIIe et XVIIIe siècles*, 1920.

Sur la propagande philosophique, il faut se reporter aux deux thèses de J.-P. BELIN : *le Mouvement philosophique de 1748 à 1789*, 1913, dont le sous-titre précise et limite l'intention : *Etude sur la diffusion des idées des philosophes à Paris d'après les documents concernant l'histoire de la librairie* et *Le commerce des livres prohibés à Paris de 1750 à 1789*, 1913.

CHAPITRE XIII. — VOLTAIRE.

La Bibliographie de Voltaire occupe vingt-cinq pages dans le *Manuel Bibliographique* de Lanson; et elle s'est enrichie, depuis la publication du *Manuel*.

L'édition fondamentale des *Œuvres* et de la *Correspondance* est l'édition L. MOLAND, en 50 vol. in-8°, 1877-1882, complétée en 1885 par les 2 vol. de tables de PIERSON. — Depuis qu'elle a paru, un très grand nombre de lettres de Voltaire ont été publiées, ou ont été signalées dans les Catalogues d'autographes. Enfin les *Textes français* (G. Budé) ont entrepris, depuis 1930, l'édition des *Œuvres complètes de* VOLTAIRE.

Des éditions critiques ont été données : du *Mondain*, par A. MORIZE, 1908; des *Lettres philosophiques*, par G. LANSON, 1909; de *Candide*, par A. MORIZE, 1913; de *Zadig*, par G. ASCOLI, 1929.

Les travaux ou études d'ensemble sur la vie et l'œuvre de Voltaire sont nombreux. Le plus animé a été celui de FAGUET dans son *Dix-huitième siècle*, 1892. — BRUNETIÈRE, dans ses cours de l'Ecole Normale, son cours sur l'*Encyclopédie*, et divers articles, qui ont été publiés ou repris dans son *Histoire de la Littérature française classique* (t. III, 1912, posthume), s'est étendu longuement sur la vie et les intentions de Voltaire; avec sympathie parfois; plus souvent, selon sa manière disputeuse et presque dramatique, en prenant à partie Voltaire comme un adversaire contemporain. — Le petit *Voltaire* de LANSON (coll. des Grands Ecrivains, 1906) est, comme on pouvait s'y attendre, dense et pénétrant; et il s'efforce, selon la déclaration même de l'auteur, à être impartial. Les insuffisances de la documentation de Voltaire dans sa polémique antichrétienne y sont indiquées. Les côtés déplaisants de son caractère y sont marqués eux aussi. Cependant voici une suggestion bien contestable, sur l'origine de « certains fléchissements de Voltaire » : les responsables, ce seraient « ses éducateurs », par leur « incapacité de séparer la morale du catéchisme ». Et puis l'absurde explication voltairienne « des phénomènes religieux par la fourberie des prêtres ou des législateurs et par l'imbécillité des peuples » était « la première étape, une étape nécessaire, dans l'étude scientifique des religions ». Ailleurs on nous dit que la religion « a besoin pour subsister que l'éducation fasse prédominer les facultés imaginatives et sentimentales »... — Le cours d'ASCOLI sur *Voltaire* (*Revue des cours et conférences*, 1923-25) est excellent, surtout dans les premières leçons. — *L'Essai sur Voltaire* d'A. BELLESSORT, 1925, est un cours très vivant, précis, cordial, spirituel; et il insiste très justement sur la hantise religieuse chez Voltaire.

Sur la jeunesse de Voltaire, un article documenté de R. POMEAU, *Voltaire au Collège*, dans la *R.H.L.F.* de 1952. — Sur la vie de Voltaire, ses alentours, les 8 volumes de DESNOIRESTERRES, *Voltaire et la société au XVIII⁰ siècle*, 1867-76, sont toujours à consulter. Plusieurs ouvrages récents méritent également d'être lus ou feuilletés : *la Marquise du*

26

Châtelet, d'A. MAUREL (*Figures du Passé*, 1930), de style un peu brutal peut-être; *M. de Voltaire, sa famille et ses amis*, d'H. CELARIÉ, 1928; le *Voltaire raconté par ceux qui l'ont vu*, où G. PROD'HOMME a réuni un grand nombre de témoignages pittoresques (1929). Dans la revue de la *Renaissance latine* du 15 mars 1904, P. DE NOLHAC dessinait avec une ironie amusée, digne de Bernis ou de d'Argenson, la silhouette de Voltaire à la cour.

Sur Voltaire et Pascal, les *Réflexions* ardentes de J.-R. CARRÉ, sur l'*Anti-Pascal de Voltaire*, P., 1935.

Sur le déisme de Voltaire, Norman L. TORREY a publié un *Voltaire and the English Deists*, 1930 (voir l'appréciation de ce livre dans la *Revue de Littérature comparée*, juillet-septembre 1931, compte rendu de F. BALDENSPERGER).

Sur Voltaire en Angleterre, voir la thèse déjà citée d'AUDRA sur Pope, *L'influence française dans l'Œuvre de Pope*, 1931; sur Voltaire et l'Angleterre, voir l'article nuancé et profond de F. BALDENSPERGER, *Voltaire anglophile avant l'Angleterre* (*Revue de Littérature comparée*, 1929, p. 25 sq.).

Sur le goût de Voltaire, H. PERROCHON a publié d'importants extraits de sa thèse de doctorat : *Voltaire juge des classiques français du XVIIe siècle*, 1925. Ces pages sont pleines de précision et de finesse.

Sur la *Henriade*, le livre d'E. BOUVY, *Voltaire et l'Italie*, 1898, est à consulter. Sur le théâtre de Voltaire, le t. II du livre de TRAHARD, *les Maîtres de la Sensibilité française au XVIIIe siècle*, 1931, contient un chapitre intéressant, et une utile Bibliographie.

Dans son *Histoire de la tragédie française*, M. LANSON donne une énumération précise des goûts ou principes permanents de Voltaire en matière d'art dramatique.

Sur Voltaire historien, l'*Introduction* d'Em. BOURGEOIS à son édition classique du *Siècle de Louis XIV* (3e éd. 1898) est toujours à consulter et à relire. — M. G. DULONG a étudié utilement l'abbé de Saint-Réal dans sa thèse, *l'Abbé de Saint-Réal, étude sur les rapports de l'histoire et du roman au XVIIe siècle*, 2 vol., 1912.

La thèse de FR. CORNOU sur *Elie Fréron*, 1922, est remarquable d'érudition, de justesse et d'entrain.

TABLE ANALYTIQUE DES MATIÈRES

et hollandaise contemporaine; Fénelon utilise Descartes, Malebranche; il reste inspiré par le mysticisme guyonien. Son style adorateur, dont se souviendront Lamartine et Hugo; les apologistes par les « merveilles de la nature »; Fénelon et son acharnement contre le jansénisme; les *Œuvres spirituelles* de Fénelon; quelques mystiques ou commentateurs : Poiret, l'abbé de Brion, le Père de Caussade. Le prestige de Fénelon commence à se laïciser, 212-228. — La prédication. Décadence des études de théologie, 228-229. — Massillon : sa séduction, son rythme, son ascendant sur Chateaubriand, 230-233. — Oratoriens et jésuites prêchent la morale; vers 1750, les prédicateurs combattent la « philosophie », 233-237.

Les réponses aux adversaires : Jurieu, Leclerc, Leibniz, l'abbé Houtteville, etc.

Le piétisme de Béat de Muralt; Marie Huber; Formey; Berkeley, 237-245.

Trois poètes : Polignac, Louis Racine, Pope; l'*Anti-Lucrèce*, ouvrant la poésie de la science; l'équivoque *Essai sur l'Homme* de Pope; son optimisme, son incertitude intellectuelle ou théologique, qui passera chez les Romantiques; Louis Racine et ses mérites, qui aideront Lamartine, 245-258.

Les journaux : l'amertume des jansénistes *Nouvelles ecclésiastiques;* l'indulgence des *Mémoires de Trévoux*, 259-262.

Chapitre XI. — LE PRÉSIDENT DE MONTESQUIEU...... 263-295

Sa famille, sa vie, ses livres, 263-271. — Ses goûts, ses aversions; les *Pensées et fragments inédits;* son humeur; son imagination libertine; ses ressentiments contre le christianisme, 272-277. — Sa pensée : il écarte la métaphysique de la politique; grandeur morale de son esprit civique; sa foi à l'esprit de *liberté;* sa condamnation, retardée, de l'esclavage; ses sources : Platon, Machiavel, Gravina, Doria, Bolingbroke, Swift, Locke, Algernon Sidney, 277-286. — Le lyrisme de sa prose : sa « joie secrète », ses trouvailles expressives, sa phrase chantante, 286-294. — Son influence de penseur indifférent à l'ordre divin, 294-295.

Chapitre XII. — LA COUR, LA VILLE, LA PROVINCE; LES
GOÛTS ET LE GOÛT DU PUBLIC.... 296-347

Les documents, 296-297.

La cour et le gouvernement : Louis XIV vieilli, La Régence, Louis XV, le Cardinal de Fleury; le Cercle de la Reine; les sœurs de Nesles, Mme de Pompadour, Fontenoy, le Traité de Versailles, Richelieu, Bernis, Choiseul, l'attentat de Damiens; le Dauphin; la « noblesse commerçante , 297-305.

La ville : le président Hénault, vrai parisien, Mme du Deffand; les financiers; les « départs de la Salpétrière pour Cythère », 305-307.

La Province : les intendants sages administrateurs; les jeunes académies provinciales; la noblesse riche et la noblesse miséreuse; le clergé, les campagnes, 307-310.

Observateurs moralistes : les voyageurs étrangers malveillants. — les *Amusements* de Du Fresny; les *Lettres Persanes;* Duclos, les *Mémoires* de Mme de Staal-Delaunay. — Saint-Simon : l'intérêt de ses vues politiques, de ses scrupules chrétiens; son style d'affection et d'estime. — Vauvenargues : sa vie de déceptions; son enthousiasme pour l'action, sa haine de la contrainte, 310-326.

La Foi et l'Incrédulité : les Jansénistes; la foi chicanière et profonde, le Jubilé de 1751; la *Théologie de Poitiers*, enseignée dans les

LISTE DES ILLUSTRATIONS

ACHEVÉ D'IMPRIMER SUR LES PRESSES DE
L'IMPRIMERIE STEB, VIA EMILIO ZAGO 2,
BOLOGNA, ITALIE EN MARS 1968